AF496742

SVENSKA FOLKETS UNDERBARA ÖDEN

av

CARL GRIMBERG

FORNTIDEN OCH MEDELTIDEN

31:a—50:e tusendet

STOCKHOLM

P. A. NORSTEDT & SÖNERS FÖRLAG

COPYRIGHT
BY CARL GRIMBERG
1916

PAPPER FRÅN LESSEBO

ENTRALTRYCKERIET, STOCKHOLM 19

FORNÅLDRARNA

Tolv tusen års hemligheter uppdagas.

Viktor Rydberg.

VÄLDIGA aro de tiderymder, över vilka historiens
vetenskap med fornforskningens hjälp spritt ljus.
Mer än 6000 år av svenska folkets tillvaro ha arbe-
tarne på dessa forskningsfält erövrat från glömskans mörker.
Men i de ännu avlägsnare tidsåldrar, där fornfynden ej längre
ge tydning av världsgåtorna, där kommer geologins veten-
skap och räcker fornforskningen en hjälpande hand. Även
denna vetenskap undersöker jordlagren men icke för att däri
uppleta fornminnen utan för att låta jordlagren själva vittna
om hur det fordom varit.

Geologin förtäljer om en tid, då klimatet i vår världsdel
var betydligt kallare än nu, så att nederbörden samlade
sig till ett tjockt islager, vilket slutligen täckte hela norra
och mellersta Europa. Hundratals meter högt lade sig
den stora landisen, en jättejökel lik den, som ännu ruvar
över Grönland. Så gingo väldiga tidrymder, tills klimatet
blev mildare igen och landisen började smälta.

Allt efter som ismassorna smälte undan, började män-
niskan taga den nya marken i besittning. När skedde detta
i vårt land? Först när sydligaste Sverige blivit isfritt, *kunde*
människor bosätta sig där. Men när inträffade detta? På den

frågan har geologin just i dessa dagar, tack vare svensk forskarmöda, kunnat giva det avgörande svaret. Berättelsen om hur detta blev möjligt hör till de intressantaste kapitlen i vetenskapens historia.

Den stora landisen lydde samma naturlagar, som vi än i dag kunna studera på fjällens jöklar. Liksom dessa rörde sig landisens massa sakta men beständigt nedåt och skrapade därvid med sig grus och stoft från bergen, över vilka den gled fram. När klimatet började bli mildare, bildades av smältvattnet en mängd jökelälvar, vilka med väldig kraft störtade fram under isen liksom i tunnlar, spolade med sig det grus och slam, som jätteskrapan-landisen förde med sig, och av-

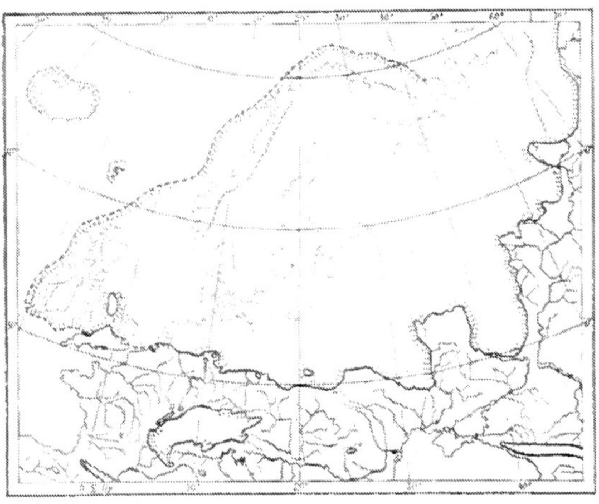

Den skandinaviska landisen samt Alpernas och övriga europeiska fjällområdens landisar vid tiden för deras största utbredning.

lagrade detta i form av lera ute i det hav, som under denna tid svallade över de lägre delarna av nuvarande Sverige. Varje sommar lade sig ett nytt slamlager över de äldre — tjockare eller tunnare allt efter nederbördens riklighet under året. Så uppstod den egendomliga s. k. varviga lera, som man kan iakttaga vid de flesta av våra tegelbruk — ty i regel är det just denna lera, som tegelindustrin använder såsom råämne.

Dessa lervarv påminna osökt om årsringarna i en trädstam. Skär man igenom lerlagret på en plats, kan man alltså räkna ut, hur många år det dröjde från den tidpunkt, då isen där *började* avsmälta, tills den var alldeles bortsmält.

Allt efter som klimatet blev mildare, kröp ju istäcket liksom ihop längre och längre mot norr. Och lerlagren följde naturligtvis tätt efter isranden norrut och kommo sålunda att ligga över varandra på samma sätt som takspån.

Från detta förhållande utgick vid sina forskningar den svenske geologen Gerard De Geer, vilken äran tillkommer att ha lyckats räkna ut tidpunkten, då Sveriges land

Skärning genom varvig lera.   Ekeby tegelbruk, Uppsala.

började bli isfritt. Han resonerade ungefär sålunda: Om man började med att gräva igenom vårt lands sydligaste avlagringar av varvig lera, borde man kunna ett stycke längre norrut finna en punkt, där det sydligare lagrets översta varv läge underst. Antalet årsvarv i det sydligare lerlagret måste då visa, hur många år det tagit för isen att draga sig tillbaka från den sydligare platsen till den nordligare; och så borde man kunna beräkna undan för undan norrut.

Med glödande entusiasm kastade sig De Geer över ler-problemet. Först utsåg han Stockholmsområdet till föremål för sina undersökningar. Liksom spindeln i sitt nät satt han och väntade på underrättelser, att ett nytt lerlager blottats vid någon av de många grundgrävningar, som den i huvudstaden rasande byggnadsfebern föranledde i början av 1900-talet. Genast störtade den outtröttlige forskaren dit, mätte, räknade och tecknade av.

Med tillhjälp av en stab av unga forskare undersökte han sedan på liknande sätt km. efter km. söderut till Skåne och norrut ända upp till mellersta Jämtland. När alla forskar-mödornas resultat blivit sammanräknade, kunde De Geer fastslå, att 5000 år förflutit från den tid, då Skåne började bli isfritt, till dess isranden hunnit draga sig upp till mellersta Jämtland.

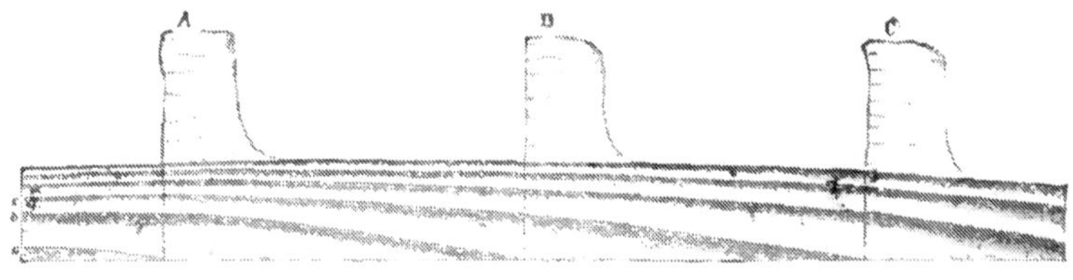

Tvärsnitt genom fem årslager varvig lera. Isens avsmältning mellan punkterna A och B har tagit ett år, mellan B och C ett år.

Men nu återstod den andra stora frågan att besvara: Hur lång tid har förflutit från sistnämnda tidpunkt till våra dagar? eller med andra ord: Hur länge har mellersta Jämtland varit isfritt? Svaret fann De Geer i en vik av den forna sjön Gedungsen i Ragunda, ryktbar genom »Vild-Hussens» tilltag år 1796 att avleda sjöns vatten, vilket Per Hallström förevigat genom sin bok »Döda fallet». Här kunde det svar, De Geer sökte, avläsas i en djup ravin, som blottade underst ett lager varvig ishavslera och över detta andra, tunnare lerlager, som utgjorde senare avlagringar i sjöns vatten efter de årliga vårflödena.

De Geer räknade här till omkring 7000 årsskikt över ishavsleran. Därmed var förbindelsen mellan istiden och nutiden funnen, och De Geer kunde fastslå, att den tid, som forflutit, sedan landisen borjade avsmälta fiån Skåne, till våra dagar ar i runt tal 12000 år. Ett av den svenska naturforskningens mest storartade resultat var darmed vunnet. Men vem kunde ana, når man såg De Geers unga lärjungar gå ute i bygderna och gräva i leran, att de höllo på med att i jordlagren avlasa, hur länge Sveriges land varit beboeligt!

Litteratur: Lennart von Post, En exakt geologisk tideråkning (Popular naturvetenskaplig revy, årg. 1, år 1911. Haft Kr. 5. —.)

De första människorna i vårt land.

DEN geologiska forskningen har visat, att vårt lands sydligaste delar i 12 årtusenden varit beboeliga. Att det sedan ej dröjt synnerligen länge, innan de forsta nybyggarne kommo hit, därpå tyda flera tecken. Således kunna vi tryggt antaga, att Sverige varit befolkat i minst 10,000 år.

Om de första nordbornas liv har man fått narmare kånnedom genom undersökningar av de avskrädeshogar, som hopats på deras forna boplatser. Vad som finns kvar av sjålva bostäderna åro några stora, lost hopfogade stenar, vilka äro täckta med kol och alltså måste ha tjänat som eldstäder. Kring dem ligga hogar av ostronskal, anda till 3 m. tjockt, och vittna om grundliga måltider, som efter vår tids anspråk skulle betecknas såsom otillständigt utsvävande. Tänk de delikata Limfjordsostronen som huvudrått! Några av de innehållsrikaste avskradeshogarna ligga nämligen just vid Limfjorden. Matsedeln upptog för ovrigt andra musslor och snackor, som numera forsvunnit ur det nordiska köket men däremot intaga en rangplats inom det franska, diverse fisksorter, isynnerhet ål, flundra och mort, av fågel tjåder, vildand, ejder, svan och — fiskmås samt av vilt hjort, rådjur, vildsvin och den från nutida matsedlar strukna ratten uroxe. En modern låckergom skulle sakert ha funnit smaken pikant, men svårare skulle han ha fått att med känsla och overtygelse dela den vid avskrädeshogarna rådande aptiten, när man där tärde stek av vildkattor, rav och igelkott.

Dessa uråldriga matsedlar har man läst sig till i avskrädeshögarna, vilka icke gömma på andra kvarlevor av ätbara djur än ben av villebråd och fisk. Det visar, att dessa människor ej idkat andra näringar än jakt och fiske men däremot varken drivit åkerbruk eller boskapsskötsel. Bensamlingarna omtala också, att hunden var deras enda husdjur. Han hjälpte sina herrar på jakten och vaktade den koja eller grotta, där de bodde. Intressant är, att man funnit rester efter hundar av tre olika raser, av vilka en står schakalen nära. Detta tyder på att hunden ursprungligen är en tamd schakal.

Flintverktyg från den äldre stenåldern. Skåne ¹/₆.

Flerstädes på Danmarks kuster finnas dylika avskrädeshögar. I vårt land har man visserligen icke funnit några sådana fornlämningar från denna urtid, men i Skåne har man upptäckt såväl boplatser från samma tid som ock en del grovt tillyxade flintredskap av fullkomligt samma form, som dem man påträffat i de danska avskrädeshögarna. Den tidens människor kände nämligen icke till metaller utan gjorde sina viktigaste verktyg och vapen av sten, framför allt av flinta, som vid knackning bildar skarpa, skärande kanter. Hela denna äldsta tid av människans tillvaro har därför blivit kallad stenåldern. Ett sådant tidsskede ha så gott som alla jordens folk genomlevat, och vilda stammar finnas, som än i dag ej hunnit längre i sin utveckling.

Dessa enkla stenredskap, som först i senare tid blivit uppmärksammade, äro alltså de äldsta spår av mänsklig verksamhet i vårt land, som man känner. Genom årtusende efter årtusende har Sveriges folk steg för steg utvecklats från »den äldsta stenålderns» stadium ända till ångans och elektricitetens tidevarv. Vi som äro bortskämda med varma bostäder, där man snabbt kan göra upp eld, med vattenledning och elektriskt ljus, med maskiner till hjälp i vårt arbete, med järnvägar och spårvagnar, telegraf och telefon, — vi ha svårt att tänka oss tillbaka till den tid, då människans liv var en daglig kamp mot hunger och kold och mot skogens vilda djur, till den tid, då hon levde ett liv, som i mycket liknade djurens.

Även på denna tid visade dock människan sin överlagsenhet over djuren: hon forstod bland annat att framkalla elden. Med den värmde hon sig mot vinteins isande stormar, vid den tillredde hon sin foda, med elden skrämde hon boit de nattliga rovdjuren. Ensam bland vår jords varelser har människan formått finna ett medel att framkalla och bevara den varmande och ljusbringande naturkraften. Just detta visar hennes hoga begåvning. Nar människan en gång i tidens gryning larde sig framlocka elden, då var den betydelsefullaste av alla upptackter och uppfinningar gjord.

Ursprungligen har detta troligtvis skett genom att gnida två torra trastycken mot varandra. I avsides belägna svenska skogstrakter forekommer annu, att man ute i skog och maik, i saknad av andra elddon, framkallar gnideld t. ex. genom att hastigt fora en riktigt torr björkpinne upp och ned utefter en likaledes toir kullfallen tradstam men av lösare tra, helst gran. Man satter sig då på tradstammen och for pinnen vinkelratt mot denna, hållande den med en hand i vardera andan Så gnider man den upp och ned, tills det boijar ryka i tradstammen och det sluthgen uppstår en gnista, som uppfångas med fnoske. Liknande eldgorningsmetoder forekomma aven annorstades, sarskilt bland indianer och andra vilda folk.

Genom sågning av tra mot tra kan aven eld framkallas, t. ex. medels en stång, som fores i sin langdriktning fram och tillbaka over en torr stubbe, vars formultnade, mjoliga innehåll då tjanstgor som fnoske. I Morsils socken fanns annu i början av 1800-talet en hogeligen vidskeplig tjarbrannare, som alltid skulle tanda sina milor med eld, som han framkallat genom att hastigt draga en kapp fram och tillbaka genom grenvinkeln på ett torrt trad. Ar travirket riktigt torrt och solvarmt, går det lattare, an man skulle tro, att få eld ur det. Då behövs ganska liten friktion for att det skall borja ryka. Av trovårdiga personer från olika håll berattas t. o. m., att eld kunnat uppstå genom att två torra tradstammar av stormen skubbats mot varandia.

Ett annat satt, som då och då användes i nödfall även i

vår tid, ar att taga en vidja, slunga den kring en torr trad-
stam och draga omväxlande i vardera ändan, tills stocken
börjar ryka och en eldgnista uppstår.

En urgammal metod är också att drilla en pinne runt
mot ett torrt trastycke. Indianerna och en del andra folk
aro riktiga overdangare i denna konst, och rekordet innehas
av apache-indianerna, som i ojaviga vittnens narvaro kunnat
framkalla eld genom drillning på 8, ja under gynnsamma
undantagsforhållanden på 2 sekunder. Drillningen går
naturligtvis lattare och sakrare med hjalp av ett snöre, som
loper runt drillpinnen, isynnerhet om denna fastes vågratt
mellan två lodrata stockar, i vilka den får rotera.

Litteratur till detta kapitel och det ovriga av forntiden: Sveriges
historia intill 20.e seklet, del 1. Haft. kr 6:—, inb. kr. 8:75

Oscar Montelius, Om livet i Sverige under hedna-
tiden Haft kr 2:—, inb kr. 2:75

Nils Keyland, Primitiva eldgörningsmetoder i
Sverige. Gnideld, vrideld, slageld (Fataburen for åren
1912—1913; per årgång kr 5:—).

Oscar Almgren, Nyare undersokningar av Dan-
marks »kjokkenmöddingar» (Tidskriften Ymer for år
1902, haft kr 10:—)

Henrik Schuck, Ur måltidens historia. (Ur gamla
papper, del 5: haft. kr. 2:75.)

Henrik Schuck m fl, Svenska folkets historia
band I: 1; inb. kr. 6:50

Emil Svensén, Svenska historien for svenska fol-
ket: del 1; inb kr. 8:—

Nils Olof Holst, Flintgrufvor och flintgräfvare i
Tullstorpstrakten (Ymer for år 1906).

Bror Schnittger, Forhistoriska flintgrufvor och
kulturlager vid Kvarnby och S. Sallerup i Skåne (Anti-
kvarisk tidskrift for Sverige for år 1911)

Träskfolket.

I TRÄSKMARKERNA vid Bangveolosjön djupt inne i
det vildaste Afrika bor ett egendomligt negerfolk. De
äro så skygga, dessa människor, att blott några få vita
man lyckats få se dem. For att skydda sig mot ovalkomna
besok ha de valt trasket till boplats. Den svenske forsk-

ningsresanden Eric von Rosen, som nyligen besökt dessa svårtillgängliga trakter, berättar ungefär följande:

»Då vi kommit ett stycke ut i träsket, fingo vi syn på några små gräshyddor. Vi förstodo genast, att det var det egendomliga folkets bostäder. Men ingen levande varelse kunde upptäckas. Det var tydligt, att de vaksamma träskborna fått syn på oss och hunnit dölja sig bland säv och vass. Då begav jag mig ensam och utan synliga vapen,

Inföding i Bangveololräsket drillar eld med träpinnar.

för att ej skrämma infödingarna, ut i träsket med stora klasar av frestande, vita glaspärlor i händerna. Men länge fick jag vänta. Slutligen fick jag långt ute i träsket se några svarta gestalter dyka upp kring de avlägsna hyddorna. Men varje försök att taga mig dit hejdades av bubblande dy.

Jag fortfar emellertid att vifta med mina pärlor, och efter en halvtimmes spännande och tålamodsprövande väntan stöter en lång smal kanot ut. I aktern står en yngling och skjuter farkosten skickligt fram genom det dyiga vattnet med tillhjälp av ett långt, grovt papyrusrör.

Det oändliga träsket med sina papyrusruggar och sina praktfulla, i nästan alla upptänkliga färger skiftande näckrosor, de i fjärran skymtande små gräshyddorna, bebodda av ett så gott som okänt folk, den smäckra kanoten, som ljudlöst kommer framglidande genom säven — allt bildar en så egendomlig och främmande tavla.

Ynglingen i kanoten är tydligen ännu ej fullväxt. Huden är svartbrun. Om midjan bär han ett bälte av ormskinn, vid vilket tvenne små tigerkattskinn äro fästade. En lång båge av vacker form har han fört med sig. Den är helt och hållet virad med ormskinn, en passande prydnad för träskfolkets vapen. Jag ger honom handen full med glaspärlor och pekar på bågen, vilken han, märkvärdigt nog, då genast överlämnar åt mig.

Jag ämnar nu stiga i hans kanot, men innan jag hinner fullborda min avsikt, stöter han ut och stakar obevekligt bort till hyddorna, där hans anhöriga troligen med oro invänta hans återkomst.

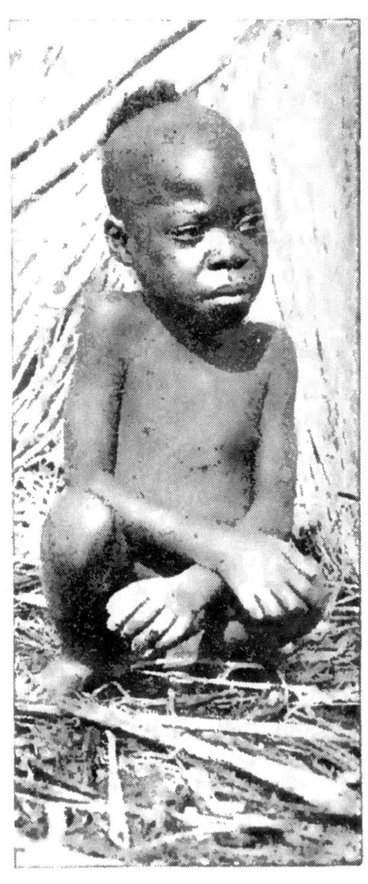

En liten träskfröken.

Länge står jag kvar vid stranden, men ingen inföding synes till, varför jag avlägsnar mig, sedan jag hängt upp några rader pärlor på en lätt synlig plats såsom gåvor åt hyddornas skygga invånare.

Sedan vi ätit, gå vi åter ned till träsket

Denna gång behöver jag ej vifta länge, förran samme yngling åter infinner sig, och nu låter han mig stiga i farkosten.

Gossen stakar mot hyddorna. Kanoten består av en urholkad trädstam, så smal, att jag ej kan sätta mig ned i densamma. Jag är sedan barndomen van att färdas i kanoter, men maken till vinglig farkost har jag aldrig sett, och att stående hålla balansen i densamma är ej någon latt sak. Med djup respekt ser jag också ned på den bottenlosa dyn, som snart på alla sidor omger oss. Vi anlända dock utan missöde till on, och jag stiger i land 'I land' är dock ett oriktigt uttryck, ty on består helt och hållet av gungfly, vilken gjorts stadigare genom pålägg av knippen av gräs och säv. För vart steg jag tar gungar marken, och vatten och dy stiga mig ofta över fotknölarna.

Hyddorna äro bikupsformiga, av något mer än manshöjd. Framför dem sitta män, kvinnor och barn. De sitta på huk, somliga någorlunda torrt, tack vare ett underlag av säv, men i synnerhet barnen tyckas föredraga att vila sig mitt i gyttjan, i vilken de även kravla omkring som stora, fula grodor.

Fortare än jag vågat hoppas, lyckas jag bekanta mig med mina vardar. Jag lyfter undan den lilla. av säv hopbundna dörren och kryper in i en av hyddorna Mitt på golvet står en enkel lergryta på några glöd. Här hade kokats gröt av mjöl, som man berett av näckrosornas rotstockar. Skedar och skålar av skal från musslor, sköldpaddor och pumpor utgöra tillsammans med några brända lerkrukor de viktigaste husgeråden. En några decimeter lång matta av säv har tydligen just gjort tjänst som uppläggsfat, och i en träskål med fett har näckrosgröten doppats.

En båge och en dolk, båda prydda med ormskinn, hänga i taket, och i väggen sitta pilar instuckna. De äro förgiftade och försedda med nålvassa hullingar.

Utanför hyddorna stå flodhäst- och fiskharpuner samt långa kastspjut med skaft av rör. Med dessa spjut dödas antiloper och även de väldiga pytonormar, som finnas i träsken, och med vilka människorna utkämpa strider på liv och död.

Hydda på gungfly i Langveoloträsket.

Liksom många andra vilda folk förstå dessa människor att förgifta vattnet i träsken, så att fiskarna bedövas och flyta upp. Jag var med om ett sådant fiskafänge, då vi på tre kvart fingo etthundranitton fiskar. Det gift, som begagnas till fiskarnas bedövning, beredes av en ärtliknande växt, som träskborna tillbyta sig från ett grannfolk.»

Senare gjorde författaren flera besök i byarna längre inåt träsket och lärde allt bättre känna dessa egendomliga människor, som nöjda och belåtna leva sitt fuktiga liv.

* * *

Det afrikanska träskfolket har särskilt intresse för oss, därför att, egendomligt nog, inom vårt land funnits människor, som fört ett liknande liv.

Upptäckten av fornminnen efter detta folk har sin särskilda historia. Två bröder, söner av den bördiga Östgötaslätten, vilka bägge blivit män i staten, den ene i Göteborg, den andre i Stockholm, inköpte för några år sedan en åkerbit i sin hembygd nära Alvastra för att där bygga sig en stuga och plantera en trädgård i den bördiga myllan. Åkern hade ursprungligen varit en del av det stora träsk, som sträcker sig i sydvästlig riktning från sjön Tåkern. De nya ägarne skulle till en början anlägga djupa täckdiken för att göra marken lämplig till trädgårdsland. Man arbetade sig först igenom åkermyllan och

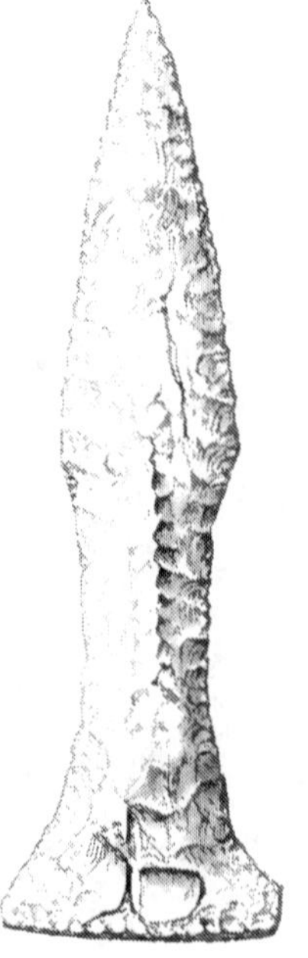

Flintdolk från den yngre stenåldern. Västergötl. ¹/₂.

sedan genom ett metertjockt lager av kärrtorv under denna. Då kommo oväntade tingestar i dagen.

Det var nötskal och hela hasselnötter, stenbitar, som buro spår av att ha tillformats av människohand, och mycket annat smått och gott. Tydligt var, att man här stött på en fyndort av föremål från stenåldern. Man underrättade riksantikvarien om saken och på hans föranstaltande började nu vetenskapliga utgrävningar. Småningom kom man underfund med att under kärrtorven fanns ett helt lager av vågrätt liggande stockar samt ris och barkstycken. I detta lager hittade man en mängd avfallsämnen, rester av husgeråd samt redskap och vapen av sten. Därunder vidtager träskets grågula gyttja.

Här ha människor bott för nära 4,500 år sedan, innan ännu torven lagt sig över den lösa gyttjan. Hit ut ha de

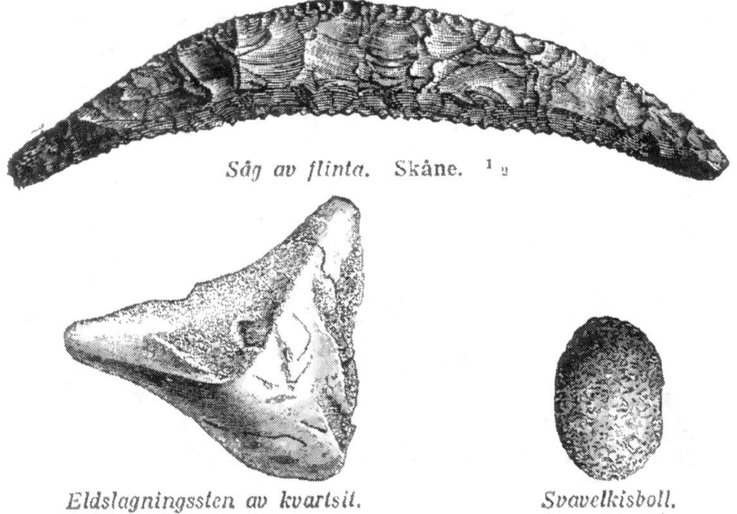

Såg av flinta. Skåne. $^1/_2$

Eldslagningssten av kvartsit. Alvastra. $^1/_2$.

Svavelkisboll. Alvastra. $^1/_2$.

forslat stockar och ris hundra meter från fasta landet och så skapat liksom en ö, på vilken de kunde uppföra sina hyddor. De ha här känt sig trygga för överfall av både människor och vilda djur. Ty den, som vågade försöka komma dit olovandes, sjönk hjälplöst ned i gyttjan. Med båt kunde man ej heller taga sig fram; därtill var vattnet över gyttjan alldeles för grunt. Blott på utlagda spänger var det möjligt att komma till hyddorna, och dessa spänger kunde man lätt taga bort om natten, eller när fiender hotade. Man har också mycket riktigt funnit rester av sådana spänger vid Alvastra. — I flera av mellersta Europas sjöar, särskilt i Schweiz, har man hittat hundratals lämningar av liknande bostäder.

Hur ha nu dessa människor haft det där ute på sin fuktiga boplats? Åtskilligt kunna vi föreställa oss därom, sedan vi lärt känna det afrikanska träskfolkets liv. Mycket berätta oss även de tusentals fynd av arbetade föremål, som man påträffat i lagret mellan torven och gyttjan.

Vi tänka oss, att vi göra ett besök i en av dessa hyddor, som träskfolket byggt åt sig och täckt med ris och vass. Det viktigaste »möblemanget» består av en sten att sitta på.

Härd. Alvastra.

Vid behov får den dessutom tjänstgöra som bord. De mindre förnäma sittplatserna utgöras av risknippen, vilka även tjäna som sängar. Den sprakande brasan på härdens stenhällar gör det dock hemtrevligt. Intressant är att se, hur härden är byggd med en viss omtanke. På ena änden är nämligen gjord en fördjupning, i vilken man rakar ned glöd och aska.

Över elden hänger ett lerkärl, i vilket man kokar kött. »Grytan» förefaller oss klumpig, men det tycka ej träskborna, som gjort sig besvär med att pryda den medels små gropar och sicksacklinjer. Eld ha de skaffat sig genom att slå ett slags kvarts mot svavelkis och uppfånga gnistan i fnöskesvamp, som de skurit loss från trädstammar och sedan torkat. Alla tre slagen av eldredskap har man i våra dagar hittat här liggande tillsammans (illustr. sid. 26).

Att träskfolket haft tillgång till ganska omväxlande föda, visa de talrika mängder av ben, som man funnit på platsen, isynnerhet av kronhjort, rådjur, vildsvin och ett storväxt djur, som möjligen varit uroxe. Åtskilliga väldiga björnar ha också övermannats och fått släppa till kött och skinn. En mängd grävlingar och mårdar ha fångats i fällor, och den feta steken av igelkott tyckes träskfolket ej ha försmått. Fågeljakt synes man däremot ha drivit jämförelsevis litet men fiske så mycket mera.

Lerkärlsbit. Alvastra ⅔.

Även lämningar av tamboskap finnas, både av nötkreatur, får och get. Så gott som alla dessa ben har man kluvit, tydligtvis för att komma åt den feta märgen. Förutom av vildsvin och uroxe har man funnit ben av två andra djur, som numera äro utdöda i vårt land, nämligen vildkatt och bäver. Vildkattens förekomst så långt norrut visar, att klimatet i vårt land då varit blidare än nu. Av bäverns långa, skarpa framtänder fick man förträffliga mejslar, och av vildkattens ovanligt hårda och sega ben gjorde man starka prylar.

Hur dessa användas se vi i en av hyddorna, där några kvinnor hålla på att förfärdiga kläder av skinn. Med prylarna borra de hål i skinnstyckena och binda sedan ihop dessa med fina trådar av senor, som de med naglar och tänder slitit isär. Det är deras sätt att sy.

Byn har också en annan verkstad. Där är en gammal man sysselsatt med att av flinta tillverka vapen för jakt och strider samt verktyg. Med en hård sten slår han sönder flintstyckena i större och mindre flisor med skarpa kanter. Sedan formar han medels lättare knackningar med häpnadsväckande skicklighet de minsta flisorna till spjut- och pilspetsar, de större styckena till dolkar, sågar och mejslar. Av annan sten har han gjort yxor. Somliga redskap slipas jämna och skarpa mot en sten med hjälp av vatten och sand.

Att träskfolket idkat åkerbruk synes därav, att man hittat en mängd förkolnade kärnor av det småväxta, sexradiga korn, som ännu odlas i nordligaste Lappland. Märkliga äro de fynd av förkolnade vildäpplen, som gjorts på flera ställen. Dem har träskfolket samlat in på hösten, skurit

Vid × sten med skålformig fördjupning, vid + två knackstenar.
Alvastra.

sönder och torkat i luften för att ha dem till vinterförråd (illustr. sid. 26). Ett annat näringsmedel, som dessa människor levat på under vintern, är hasselnötter. Stora massor av krossade nötskal vittna därom. Man har till och med funnit en sten med en liten skålformig fördjupning, i vilken träskborna troligen knäckt nötter med tillhjälp av mindre »knackstenar», som man hittat liggande bredvid.

Varför övergav träskfolket slutligen sin gamla boplats? Orsaken är tydlig. Den tid kom, då deras hem ej längre låg skyddat mot överfall. Landet höjde sig nämligen alltmer, och i samma mån blev klimatet på boplatserna torrare. De källflöden, som vattnade träsket, började sina, och nya växter vandrade ut på gyttjemarken, som förut varit blott glest beväxt. Det bildade sig en allt tjockare växtmatta, som slutligen kunde bära både människor och djur. Då kände sig inbyggarne ej längre trygga därute i sumpmarken. En dag bröto de upp och drogo till en säkrare boplats.

För vart år, som gick, lade sig ett nytt torvlager över kärrets gyttja, tills slutligen varje spår av mänsklig verksamhet utplånades. Men nere under det växande torvlagret lågo tusentals alster av hädangångna släktens arbete och väntade på att forskaren skulle komma och med deras hjälp sprida ljus över livet i Sverige för mer än fyra årtusenden sedan.

* * *

Vi ha nu hunnit fram till den tid, då vi kunna tala om våra förfäder. De människor, som bodde i vårt land under den äldre stenåldern, voro säkerligen — såsom vi strax skola se — av annan ras än vi; men träskfolket, som vi nu besökt, tillhörde samma stam som våra dagars svenskar, nämligen den stora germanska, vilken under tidernas lopp förgrenat sig i tyskar, holländare, engelsmän, svenskar, danskar och norrmän.

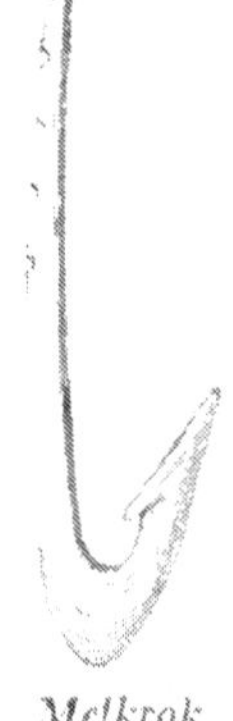

Melkrok av ben. Skåne ½.

Undersökningarna av den yngre stenålderns gravar ha nämligen givit vid handen, att flertalet däri funna huvudskallar ha samma långsträckt ovala form, som är utmärkande för germanerna och särskilt för nutidens svenskar, bland vilka denna form på huvudskålen är vanligare än hos något annat folk. Den långskalliga huvudformen är så bestämt skild från den kortskalliga, som kännetecknade den äldre stenålderns människor, och som påminner om lapparnes, att de bägge slagen måste tillhöra olika folkraser.

I minst sex årtusenden ha våra förfäder bott här i landet. Från sydligaste Skandinavien ha de utbrett sig allt längre norrut. Deras väg har gått utefter kuster, sjöar och floder. Där var det nämligen lättast att komma fram, där fanns det gott om fisk och det bästa betet för boskapen.

Handkvarn av sten från stenåldern. Västergötland. ¹/₈.

Det liv, som våra förfäder för omkring fyra årtusenden sedan förde i skilda trakter av vårt land, var på det hela taget sådant, som det vi sett hos träskfolket vid Alvastra, dock med den skillnad, att de i allmänhet hade sina boplatser på fast mark. För att skydda sig mot överfall hittade de då på andra medel, såsom att bygga till en lång övertäckt gång,

Sädesmalning i Sydafrika.

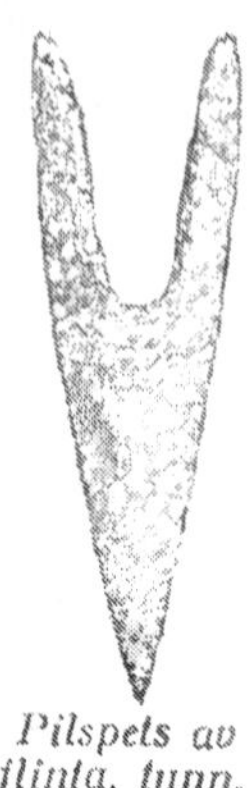

Pilspets av flinta, tunn. Skåne. ¹/₁.

genom vilken man måste krypa för att komma in i hyddorna.
En fiende, som närmade sig på detta sätt, var ju ur stånd
att bruka sina vapen och fick ett varmt mottagande av hyd-
dans ilskna hundar. För övrigt gav naturligtvis den långa
gången ett gott skydd mot vinterkölden.

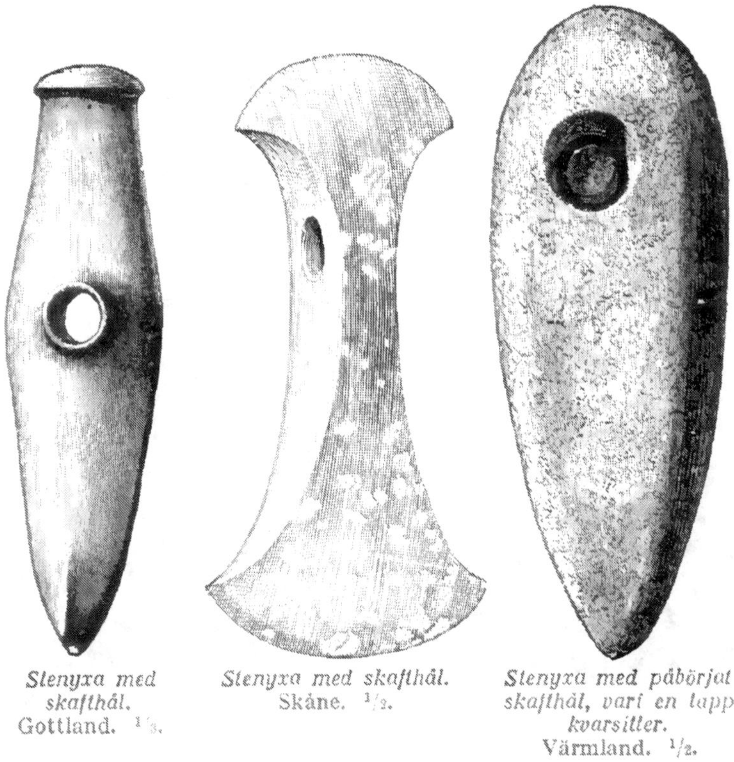

Stenyxa med
skafthål.
Gottland. ¹/₃.

Stenyxa med skafthål.
Skåne. ¹/₂.

Stenyxa med påbörjat
skafthål, vari en tapp
kvarsitter.
Värmland. ¹/₂.

Ej blott korn utan även vete var på den tiden känt i vårt
land. Säden krossades till mjöl med en sten i en större ur-
gröpt sten, som tjänade såsom »kvarn» (illustr. sid. 23).

Bland husdjuren förekommo utom nötboskap, får, getter
och svin även en och annan häst, småväxt och lurvig.

Från denna tid finnas massor av stenredskap, som hittats
i svensk jord och nu till största delen förvaras i Statens

historiska museum i Stockholm. Jämför man fynden fran denna tid, den s. k. yngre stenåldern, sådana som finnas avbildade på sid. 17, 23 och 24, med det på sid. 10 avbildade från äldre stenåldern, kan man ej undgå att märka, hur ofantligt arbetsskickligheten utvecklats. Intet stenåldersfolk har åstadkommit så fina arbeten som de nordiska.

Fnöskesvamp.
Alvastra. ¹/₂.

Kolnad äppelbit. Alvastra.
Naturlig storlek.

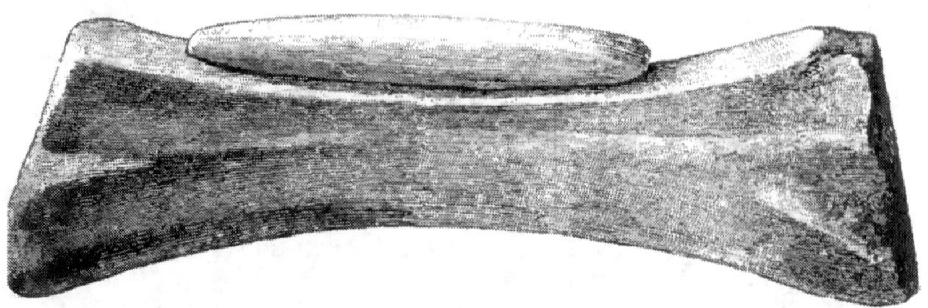

Slipsten av sandsten med en därpå lagd flintmejsel. Skåne. ¹/₃.

Vad sådana stenredskap verkligen kunna duga till, har en dansk forskare i våra dagar visat. Han lät göra försök med en flintyxa, och med den kunde man fälla icke mindre än tjugusex medelstora granar, innan man behövde slipa den igen. Hela arbetet gick på 10 timmar. Dessa trädstammar avkvistades sedan, barkades och höggos till stockar, av vilka man byggde en riktig liten stuga med dörr och

taköppningar. Under hela arbetet användes endast sten-
redskap.

Intressant är, att man i träskfolkets boplats vid Alvastra
hittat mängder av flintredskap och avfallsskärvor, som visa,
att dessa redskap tillverkats här. Bland dem funnos även
redskap av den mörka och ljusprickiga flintart, som kallas
Kristianstadsflinta. Detta fynd av skånsk flinta i betydligt

Gånggrift (stenåldersgrav med gång), sedd mittför gången, vid
Karleby i Västergötland.

avlägsna trakter är dock alls icke enastående. Litet varstä-
städes i Göta- och Svealand, ja även långt uppe i Norrland
har man funnit tusentals vapen och verktyg av skånsk flinta,
till och med så nordligt som i trakten av Skellefteå. Detta
tyder ju på att en livlig byteshandel redan under stenål-
dern bedrivits mellan de olika bygdernas befolkning. I Skåne
hade man särskilt gott om flinta, och flintan var denna tid
en värdefull handelsvara, som torde ha utbytts huvudsak-
ligen mot födoämnen och skinn.

I Malmötrakten bedrevs denna tid en betydande brytning av flinta ur väldiga kritblock, där flintan låg inbäddad. I våra dagar har man bland flintavfallet i de övergivna gruvhålen hittat en hel del kvarglömda hackor av hjorthorn, vilka tydligtvis utgöra de äldsta bevarade redskapen för gruvdrift i vårt land. Att det varit en förhållandevis betydande mängd människor, som haft sitt uppehälle av flintbrytningen, därom vittnar den stora utsträckningen av de boplatser med fornlämningar från stenåldern, som påträffats vid gruvorna.

Ståtliga minnesmärken av våra förfäder äro också de gravbyggnader av väldiga stenhällar, vilka stå som vittnesbörd om huru deras bostäder denna tid sågo ut. Ty stenåldersfolket i vårt land liksom i andra länder trodde, att tillvaron efter döden liknade livet här på jorden.

Lerkärl från Skåne.

Därför är det bruk bland sådana folk att åt de döda uppföra boningar, som likna de levandes, men av varaktigare material. Av samma orsak försåg man också de avlidna med mat och kläder, husgeråd och vapen. Denna tro är det, som har drivit dem till det ansträngande arbetet att uppföra stengravarna. I Egypten bodde denna tid ett folk, som av samma skäl balsamerade sina döda, innan de insatte dem i sina stengravar, de väldiga pyramiderna. Dessa lik kallas

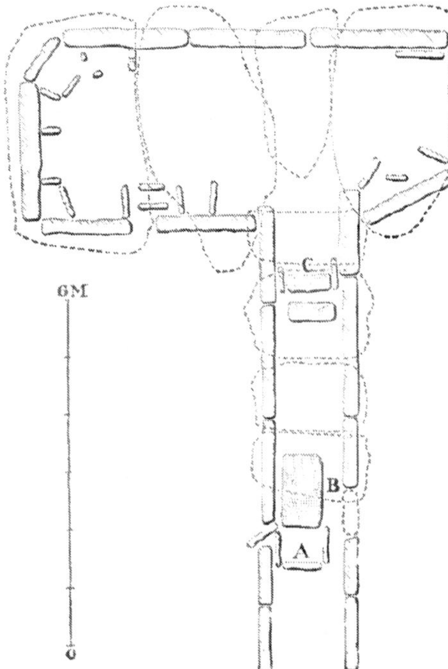

Plan av gånggriften. A den yttre tröskeln med dörrposter; B dörren; C den inre tröskeln med dörrposter.

mumier och äro ännu i dag sådana, som då de begravdes.

»Stå vi framför en stendös,[1] hava vi skäl att med samma vördnad betrakta den som många av Egyptens pyramider, ty vi veta nu, att dessa svenska gravar byggdes för omkring 5000 år sedan», säger vår främste nu levande fornforskare, Oscar Montelius.

Mycket ha fornminnena således att berätta oss: De förtälja om våra förfäders möda och kamp, om hur de efter hand lyckats förbättra tillvaron genom stora och små uppfinningar. Om mödosamt odlingsarbete släktled efter släktled, av vilket allt vi, sena tiders barn, njuta frukterna, förtäljer Sveriges historia. Det är en underbar historia.

»Lyssna till den granens susning,
vid vars rot ditt bo är fäst!
Hemmets torva grönskar skärast,
hemmets land är för vårt hjärta kärast.»

(Kalevala.)

Litteratur: O. Frödin. En svensk pålbyggnad från stenåldern (Fornvännen 1910. Häft. kr. 5: —).
    Eric von Rosen. Från Kap till Alexandria. Häft. kr. 5: —, inb. kr. 6: 50.

---

[1] Så kallas de äldsta forngravarna. Närmast dem i ålder komma de s. k. gånggrifterna (se illustr. sid. 26), av vilka de äldsta äro nära 4,500 år gamla.

Bronsåldern.

FÖR omkring fyra tusen år sedan kommo till stenålders-
människorna i Norden rykten från söder om en under-
bar »sten», som man kunde smälta över eld och forma till
starka redskap, skarpa vapen och till smycken, som i solen

Bronsyxa.
Öland. 1/3.

Bronsyxa. Öland. 1/2.

Kort bronssvärd.
Västergötland. 1/6.

lyste likt eld. Det var *brons*, d. v. s. koppar, som gjorts på en gång hårdare och mera lättsmält genom att till ungefär *1/10* blandas med tenn. Efter en tid kom ett och annat bronsföremål genom byteshandel hit upp. Småningom lärde sig stenåldersfolket konsten att bearbeta bronsen, och denna

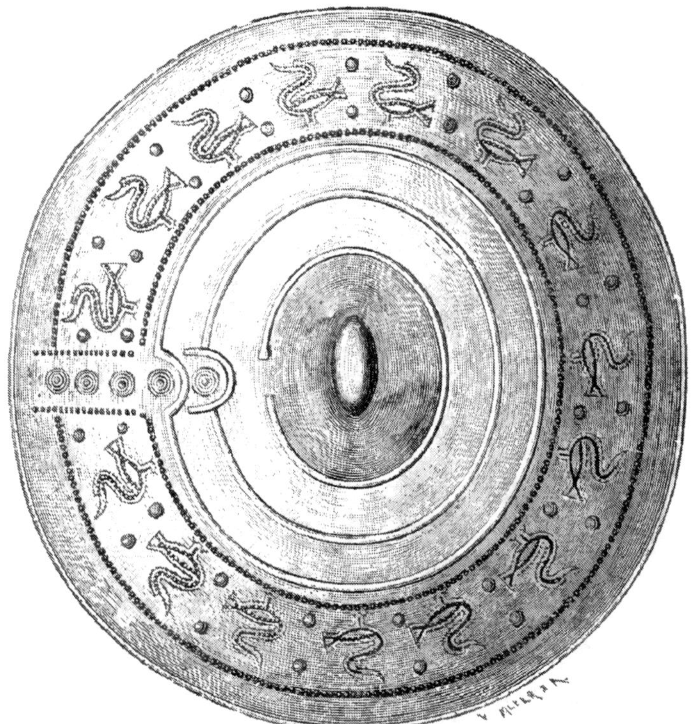

Sköld av brons. Halland. 1/8.

kom till slut allmänt i bruk här. Bronsåldern börjar. Det skedde omkring 2000 år före Kristus, alltså ungefär lika långt *före* vår tideräknings börjar, som vi leva *efter* densamma. Att människan lärt begagna kopparen förr än järnet beror uppenbarligen av två orsaker: dels äro de malmer, som innehålla koppar, mera i ögonen fallande än järnmalmerna, dels är koppar betydligt lättare att smälta än järn.

De grövre bronssakerna götos i stenformar (se fig. nedan). De finare tillverkades så, att man av vax gjorde en modell, lik det föremål man ville gjuta, och beströk vaxmodellen med ett ganska tjockt lager av lera. Det hela hölls

Såg av brons. Dalarna. ¹⁄₂.

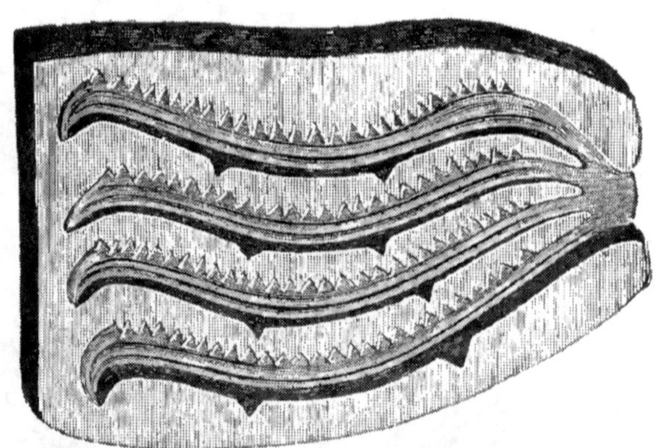

Form av sten för gjutning av fyra bronssågar, liknande ovanstående fig. Skåne. ¹/₂.

nu över sakta eld, så att lerhöljet torkade och vaxet smälte och rann ut genom ett hål. På det viset hade man fått en ihålig form av bränd lera. Den fylldes nu i stället med smält brons och sönderslogs, när metallen stelnat.

Nästan alla de talrika i vårt land funna bronssakerna äro tillverkade här. Man har nämligen funnit gjutformar och metallrester från gjutningen. Somliga bronsföremål äro också tydliga efterbildningar av nordiska flintredskap.

De bästa nordiska bronsföremålen överträffa i smakfullhet nästan alla andra europeiska länders. Med dessa redskap av metall kunde man nu lättare röja i skogarna och bruka jorden, så att man ej så snart led nöd, då jakten slog fel. Bostadeina kunde nu goras rymligare och hemtrevligare.

Råamnet till dessa redskap måste inforas från sydligare lander, ty tenn har man icke funnit i Skandinavien, och koppar borjade brytas där först många århundraden senare. Det är huvudsakligen från gruvor, horande till nuvarande Osterrike-Ungern, som bronsen hämtades. I dessa trakter har nämligen kopparen just samma nickelhalt som de svenska bronsforemålen. Från mellersta Europa fördes bronsen av olika handelsman norr ut på de stora floderna, sårskilt Donau och Elbe. Vattenlederna voro de basta handelsvagarna på denna tid, då i de flesta länder inga korvagai funnos. Så fortfor det att vara årtusenden igenom. Ja annu i jarnvagarnas tidevarv fraktas ju tunga och skrymmande vaioi bäst på fartyg.

I utbyte mot brons och andra varor från Soderns lander lamnade nordborna pälsverk samt framfor allt bärnsten: gula klumpar av forstenad kåda från ett barrtrad, som nu ar utdött. Sådan kåda fanns rikligt och finns annu i jorden vid södra Östersjons och Nordsjons kuster. Av detta amne gjordes mycket omtyckta prydnader.

Med denna handel följde aven hit till Norden åtskilligt av Medelhavslandernas hogre odling. Att handelsutbytet mellan Södern och Norden redan for mer an 3,000 år sedan varit betydande, framgår darav, att en fornforskare i grekiska gravar från mitten av andia åitusendet fore Kristus fann flere hundra bärnstensparlor, vilka vid kemisk undersökning visade sig vara av det slags bärnsten, som finns endast vid Ostersjon och Nordsjon. Otaliga andra fornfynd från Italien och andra delar av södra Europa innehålla avenledes barnstensprydnader, stundom i stor mangd.

Hur underliga te sig ej mången gång lankarna i historiens kedja! Att våra forfader undei bronsåldern blevo delaktiga av andra folks hogre odling, darfor hade de väsentligen att tacka den omstandigheten, att inom de nordiska landerna fanns en naturprodukt, som till foljd av en tillfallig smakriktning fick stor betydelse for varldshandeln.

Även noidborna ha medels faityg deltagit i denna handel. Vi finna avbildningar av sådana inristade på släta berghällar, de allra flesta i Bohuslän. Dessa hällristningar berätta oss mycket om livet i krig och fred. Man antager, att de ristats för att bevara minnet av märkliga tilldragelser. På senaste tiden har även en annan förmodan framställts, nämligen att de haft en religiös betydelse. Därpå skulle de ofta förekommande avbildningarna av solskivan tyda, av vilken man antagit att i övre hörnet till höger på bilden à sid. 35 finns en. På naturfolks vanliga sätt synas bronsålderns människor ha avbildat denna himlakropp för att därigenom hos solguden utverka värme och god årsväxt. Otroligt är ej heller, att strids- och jaktscener avbildats i liknande syfte: för att ristaren och hans stamfränder skulle få seger- och jaktlycka. Om detta antagande besannar sig, blir det den jämförande religionsforskningens uppgift att lära oss tyda dessa hällars dunkla språk.

Ylletyg från bronsåldern. Halland. ¹/₁.

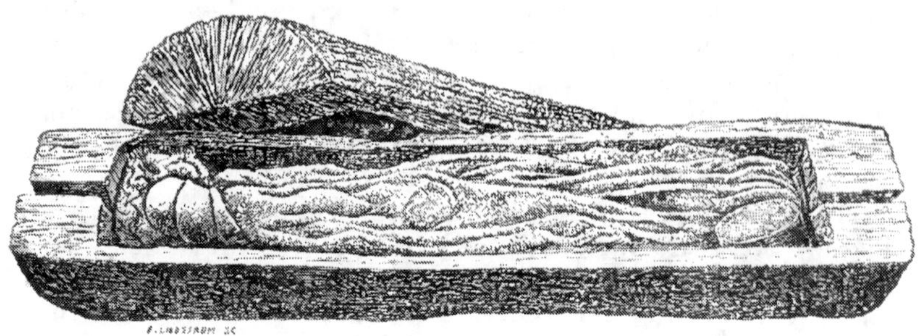

Ekkista, i vilken det av en yllekappa betäckta liket av en man från bronsåldern legat. Huvudet åt vänster. Trindhöi, Jylland.

Det förefaller mig, som om åtskilligt resultat skulle vara att vinna genom en jämförande undersökning av hällristningarna och de figurer, som äro målade på lapparnes trolltrummor.

Lapsk trolltrumma.

Dessa användes av deras trollkarlar för att utforska, till vilken gud man i varje särskilt fall borde offra. Det tillgick så, att man lade en ring på trumman, och så berodde det på vid vilken gudabild den efter vissa trumslag stannade.

På vidstående bild föreställer fig. 4 jaktens gud, som har en vildren över sig. Fig. 12 föreställer fiskevattnet. Fig. 13, vilken ju har en påfallande likhet med den figur å hällristningen sid. 35, som antagits vara en bild av solen, föreställer rengärdet. På hällristningen kan motsvarande figur alltså tänkas föreställa boskapens betesmark. Solen däremot är på trumskinnet avbildad i mitten.

Med hänsyn härtill är jag böjd för det antagandet, att hällristningarnas syfte ävenledes varit att på något liknande sätt utforska gudarnes vilja och vinna deras bevågenhet.

Gravarna ha mycket att berätta oss om denna tid. Kläderna känna vi till genom gravfynd.

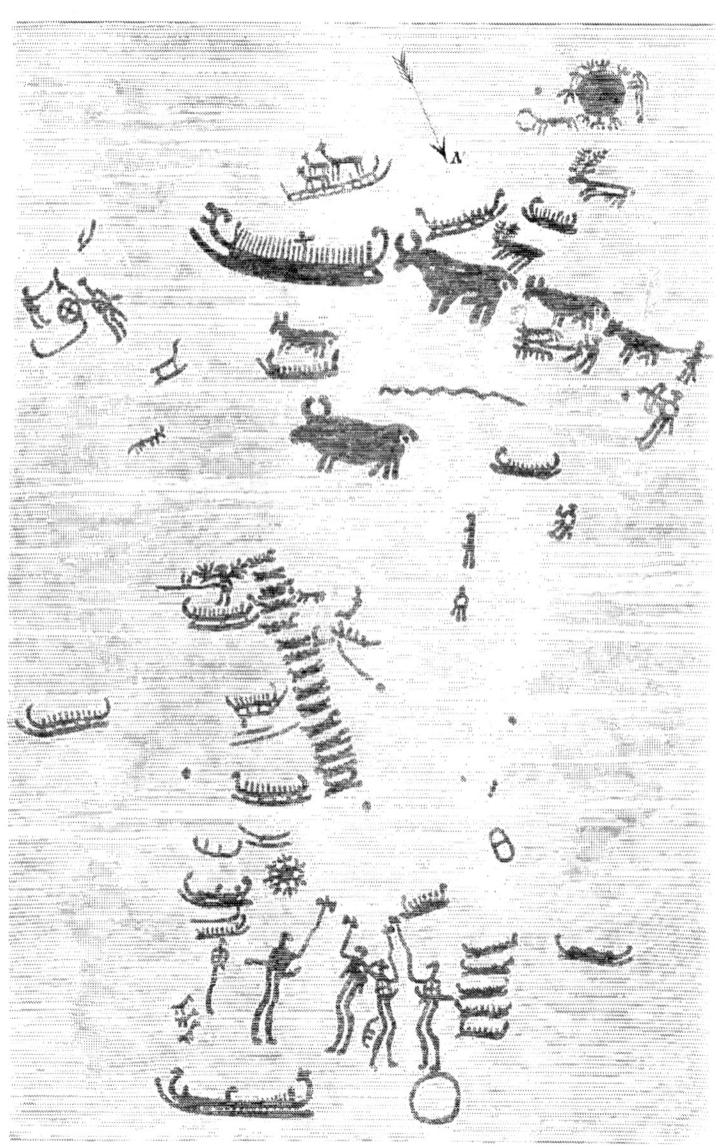

Hällristning vid Bogland, Kville socken i Bohuslän.

I en jylländsk gravhög fann man en likkista av en kluven, urholkad ekstam, som visade sig innehålla märkliga saker. Liket var insvept i en tjock yllekappa. Man tog försiktigt upp den och fann lämningar efter skelettet av en man, som var iklädd en yllekjol. På huvudet, varav märkvärdigt nog blott hjärnan och håret voro kvar, satt en tjock skålformig mössa, även den av ylle. I en annan dansk gravhög fann man en fullständig kvinnodräkt (fig. sid. 33 och 37).

Det är garvsyran i eken, som man har att tacka för att så mycket kunnat bibehålla sig under denna långa tidrymd.

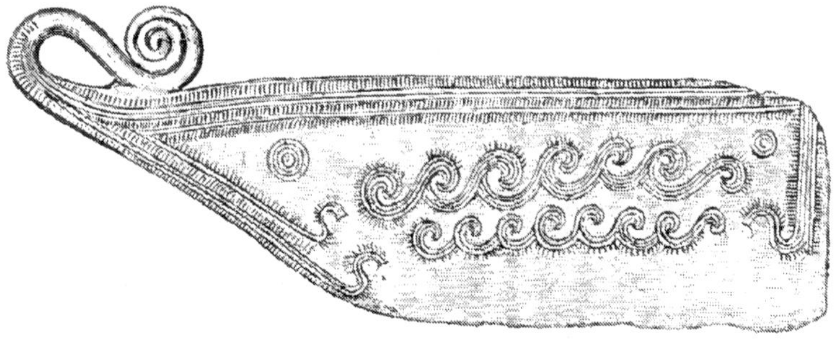

Tunn kniv av brons, sannolikt en rakkniv. Skåne. ¹/₈.

I gravar från bronsåldern finner man ofta en tunn bronskniv, som utan tvivel använts för rakning.

Att den manliga fåfängan även på denna tid föreskrivit begagnande av dylika toalettmedel framgår därav, att de manslik, som man funnit inneslutna i ekkistor, aldrig haft spår till skägg, ehuru huvudets hår varit väl bevarat.

Gravarna från den senare bronsåldern innehålla *brända* ben. Seden att bränna de döda på bål utbredde sig söderifrån över större delen av Europa. Den vittnar sannolikt om att folken numera trodde, att själen kunde leva utan att bo i den dödes kropp. I omkring 2000 år rådde denna sed i Norden. En arabisk resande i början av 900-talet e. Kr. har skrivit en berättelse om hur han i Ryssland fick åse, när en avliden nordbo brändes i sitt skepp. Då araben yttrade sin förvåning över denna sed, utbrast en närvarande nordbo:

Mössa.
Kappa.

»I araber ären ändå ett dumt folk! I tagen den man, som är er kärast, och läggen ned honom i jorden, där maskar och krälande djur förtära honom. Vi däremot bränna honom i ett ögonblick, så att han genast går in i paradiset.» Och hos indianstammar, som in i vår tid använt likbränning, heter det: »När det sprakar i bålet, gläder sig själen över sin befrielse; i den varma röken svingar den sig upp mot den strålande solen och flyger bort till det sälla landet i väster.»

En annan anledning till likbränningens införande kan också ha varit att man ville befria sig från onda gengångare.

Ett avgörande bevis för vilket begravningssätt som är äldst, ger den halländska gravhög, av vilken bilden här nedan visar en genomskärning.

Den stora stenkistan i mitten innehöll ett obränt lik, de tre små stenkistorna längre upp, gropen under stenen och stenkrukan innehöllo brända ben. En mängd andra gravhögar från bronsåldern innehålla gravar både med obrända och med brända lik, men alltid förekomma de förstnämnda innerst.

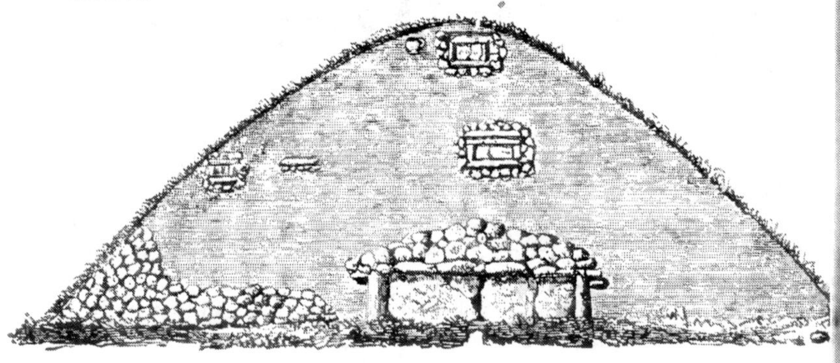

Genomskärning av en gravhög, Dömmestorp i södra Halland.

Järnåldern.

EFTER att nära 1 ¹/₂ årtusende ha brukats i Norden ersattes bronsen allmänt av järn. Då börjar järnåldern, 600 å 700 år f. Kr. Hur mycket ha *vi* ej att tacka järnet för! Utan det hade vi ej haft telegraf och telefon, som nu ögonblickligen förbinda de mest avlägsna delar av jorden med varandra; vi skulle ej haft elektrisk drivkraft; ångmaskiner skulle blivit så dyrbara, att ångbåtar och bantåg ej fått någon vidare betydelse.

De första järnföremålen kommo, liksom de första bronssakerna, söderifrån. Men snart lärde sig svenskarne att tillvarataga det järn, som fanns lätt åtkomligt inom landet, och sluppo att köpa råämnet från andra länder, såsom de gjort under bronsåldern. Man använde den i våra skogstrakter ymnigt förekommande myrmalmen: rostfärgade klumpar, som avlagrats i sjöar och myrar.

Ugn för smältning av järnmalm. Skåne.

Denna uppmjukades genom eld i stenklädda gropar och hamrades till vapen och verktyg. Ända till på 1200-talet e. Kr. var detta den enda järnmalm, som bearbetades, och vid Åminne bruk i Småland förekommer beredning därav ännu. Malmen får man från de närbelägna sjöarna Bolmen och Vidöstern. År 1913 upptogos där 3,822 ton myrmalm med ett värde av c:a 20,000 kronor.

Hur det gick till, när man letade efter myrmalm, därom få vi en god föreställning genom en kännares skildring av förfaringssättet inom Härjedalen, där »myrjärnsbränning» på sina ställen förekommit in på 1800-talet. Fram på sommaren, när marken i myrarna var någorlunda upptorkad, eller på hösten, innan den ännu frusit alltför hårt, gick man ut för att leta efter malmen. Man stötte därvid ned en vittäljd

trästake i marken, och blev den brunfärgad, så förstod man,
att där fanns malm. En mera van sökare använde dock hellre
ett smalt järnspett. Ett rasslande ljud, när det fördes ned
tillräckligt djupt, var tecken till att det stött emot en malm-
klump.

Gravhögar vid Gamla Uppsala.

Gravfältet vid Greby i Bohuslän.

Gravarna täckte man under järnåldern vanligen med en
hög. Eller också upprestes över den döde en hög sten, kallad
bautasten. De största gravhögarna från järnåldern äro
de tre väldiga s. k. Kungshögarna vid Gamla Uppsala, vilka
ligga på en sandås, som bildar gravarnas nedre del. Den
äldsta högen har byggts omkring år 500 e. Kr.

Vid utgrävningarna av dessa gravhögar fann man brända
kvarlevor av de högsatta konungarne samt av flera guld-
och bronssmycken, glaskärl m. m., som söndersmälts genom
bålets hetta.

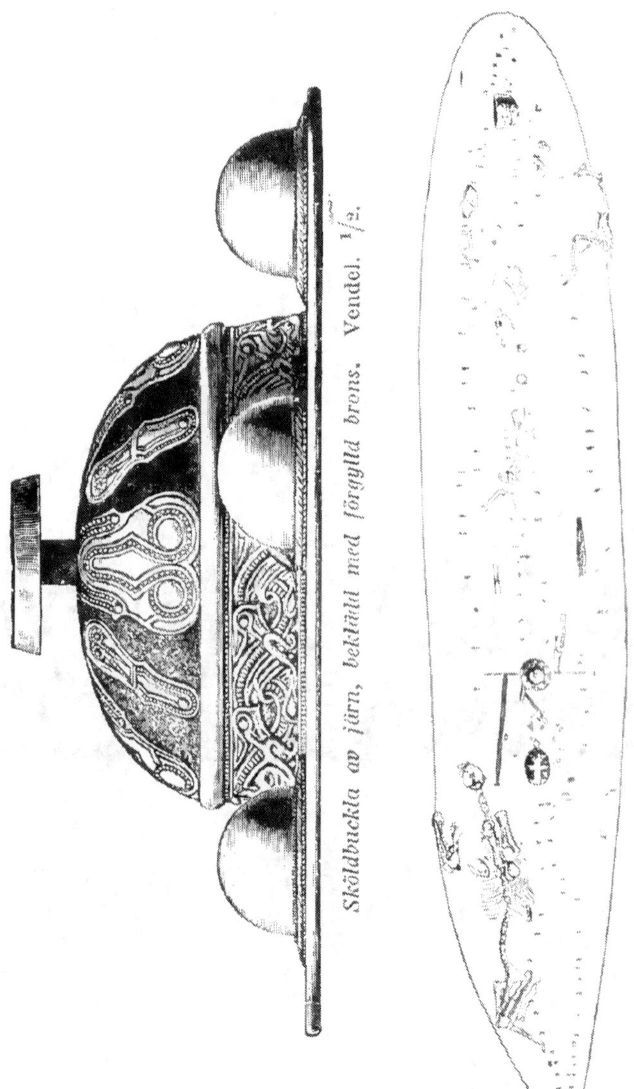

Sköldbuckla av järn, beklädd med förgylld brons. Vendel. ½.

Grav vid Vendel i Uppland.

Vida rikare fynd gjordes emellertid vid undersökning
av några gravar invid Vendels kyrka, några mil norr om
Uppsala vid en biflod till Fyrisån. De ge oss en föreställning
om hur en svensk hövding begrovs på 600-talet. De döda
ha här jordats obrända, var och en i en båt, iförda sin
praktfulla hjälm, den rikt sirade skölden och med spjut
och svärd vid sidan. I en av gravarna hade den dyrbart
betslade ridhästen och två hundar fått följa sin herre i döden.
I fören på båten stod riklig vägkost: en skinka, en oxstek

Halsring av guld. Västergötland.

och ett fårhuvud. Graven innehöll även en kittel av järn
att koka maten i. Att den döde fått med sig ej blott mat
utan även dryck på den sista färden framgår därav att ett
par gravar innehålla bägare av glas (illustr. sid. 46).

I en av dessa gravar lågo ej mindre än tre hästar, tre
hundar, en tjur, en galt, en sugga, en gumse, en tacka och
en gås. I en annan fann man ben av berguv och jaktfalk, vilka
troligen varit dresserade för jakt, och av trana, en fågel
som för sin vaksamhets skull torde ha använts som vakt-
fågel.

Bilderna på Vendelshjälmarna ha stort intresse, därför
att de visa oss den dåtida klädedräkten. Därjämte tror
man sig i en av dem kunna igenkänna Oden med sina båda
korpar (illustr. sid. 44).

Vendelsgravarna leda osökt tanken på berättelsen om
sagokonungen Harald Hildetands begravning, när han stupat

Hjälm av järn och brons. Vendel. ¹/₃.

i Bråvalla slag. Det heter därom i sagan: »Dagen efter lät hans motståndare, konung Ring, på valplatsen uppsöka konung Haralds lik, två och pryda det enligt gammal sedvänja samt lägga det i den vagn, som Harald haft i striden. Därpå lät han uppkasta en stor hög och lät vagnen med Haralds lik köra in i högen med den häst, som dragit konungen i striden. Sedan dräptes hästen, och konung Ring lät taga den sadel, som han själv ridit i, gav den åt konung Harald samt bad honom nu göra vilketdera han ville, rida till Valhall eller åka dit. Men förrän högen tillslöts, bad konung Ring alla stormän och närvarande kämpar gå fram och kasta in i högen stora ringar och goda vapen till heder åt konung Harald Hildetand. Därpå tillslöts högen omsorgsfullt, och med ett präktigt gästabud högtidlighöll Ring konung Haralds gravöl.»

En märklig skildring av en nordisk stormans likbegängelse i början av 900-talet ger den arabiske resande, vars berättelse om en sådan ceremoni bland nordmän vid Volga förut delvis anförts (sid. 36). Hans namn var Ibn Fadhlan.

Han förtäljer: »När en hövding bland nordmännen dör, frågar hans familj hans kvinnor och tjänare: 'Vem av eder vill dö med honom?' När en av dem då svarar: 'Jag', är denne bunden vid sitt ord, och det tillätes honom icke att draga sig tillbaka, även om han vill. Men oftast är det kvinnorna som göra det. Då därför den man, som jag nyss nämnde, var död, sporde de hans kvinnor: 'Vem av eder vill dö med honom?' En av dem svarade: 'Jag'. Då överlämnade de henne åt två kvinnor, som måste bevaka henne och ledsaga henne överallt, var hon gick. Männen begynte då att ordna allt för den avlidne, att tillskära kläder åt honom och träffa andra förberedelser. Kvinnan drack emellertid var dag, sjöng och var munter och förnöjd.

Del av hjälm (tunn, pressad bronsplåt). Vendel. ¹/₁.

Då nu den dag kom, på vilken den avlidne och kvinnan skulle brännas, gick jag ned till floden, där skeppet låg. Men detta hade redan blivit draget upp på land. Den döde låg dock avsides i sin grav, från vilken de ännu icke hade tagit ut honom. De buro nu fram en vilbänk, ställde den på skeppet och lade på densamma stickade täcken, grekisk gyllenduk och hyenden av samma tyg.

Därefter kom en gammal kvinna, som de kalla 'dödens ängel', och utbredde dessa saker på bänken. Det var hon, som lät sy kläderna och ombesörjde hela utstyrseln, och som sedan

Del av hjälm (tunn, pressad bronsplåt). Vendel. ¹/₁.

också dödade kvinnan. Jag såg henne — det var en djävul med mork, hemsk blick.

Då de kommo till graven, skovlade de bort jorden från timret, avlägsnade detta och drogo den döde ut i den kladnad, i vilken han dott. Jag såg, att han på grund av kölden hade blivit alldeles svart. Men eljest hade han icke forändrat sig. De ikladde honom nu underbenkläder, benkläder, stovlar, kjortel av gyllenduk och kaftan med guldknappar samt en gyllenduksmössa, besatt med sobelskinn. Därpå buro de honom in i det talt, som upprests på skeppet, satte honom på de stickade täckena, stödde honom med kuddar, framburo rusgivande drycker, frukter och välluktande orter och satte det alltsammans vid sidan om honom; även brod, kött och lok satte de framför honom. Härpå kommo de med en hund, skuro den i två delar och kastade honom upp i skeppet; sedan lade de alla den avlidnes vapen vid sidan om honom. Vidare framledde de två hästar, vilka de jagade så lange, att de dröpo av svett, varefter de höggo dem i stycken med sina svard och kastade kottet upp i skeppet. Två oxar slaktades på samma satt och kastades upp i skeppet. Slutligen kommo de med en tupp och en hona, slaktade även dem och kastade dem upp i skeppet.

Darefter förde de fram kvinnan, som hade invigt sig åt döden. Hon drog bägge sina armband av sig och gav dem åt den kvinnan, som man kallar dödsängeln, och som skulle doda henne. Även sina bägge fotringar avtog hon och räckte dem till de två kvinnor, som uppvaktade henne, och som kallas dodsangelns dottrar. Darpå lyfte de henne upp i skeppet men lato henne ännu icke komma in i tåltet. Nu kommo man med skoldar och stavar och räckte henne en bägare med rusgivande dryck. Hon tog bägaren, sjong och tömde den. »Härmed», sade tolken till mig, »tager hon avsked av dem, som äro henne kära.» Därpå räckte man henne en andra bägare. Hon tog även den och stämde upp en lång sång. Då befallde den gamla kvinnan henne att skynda sig, tömma bägaren och trada in i tältet, varest hennes herre låg.

Men kvinnan hade blivit forskräckt och tveksam; hon ville trada in i taltet, men stack endast huvudet in mellan tåltet och skeppet. Ögonblickligen tog den gamla henne vid huvudet, drog henne in i taltet och gick sjalv in med henne.

Strax därpå begynte männen slå med stavarna på sina
sköldar, på det man icke skulle höra kvinnans skrik, som
kunde avskräcka andra kvinnor från att en gång begära
att dö tillsammans med sina herrar. Därpå trädde sex män

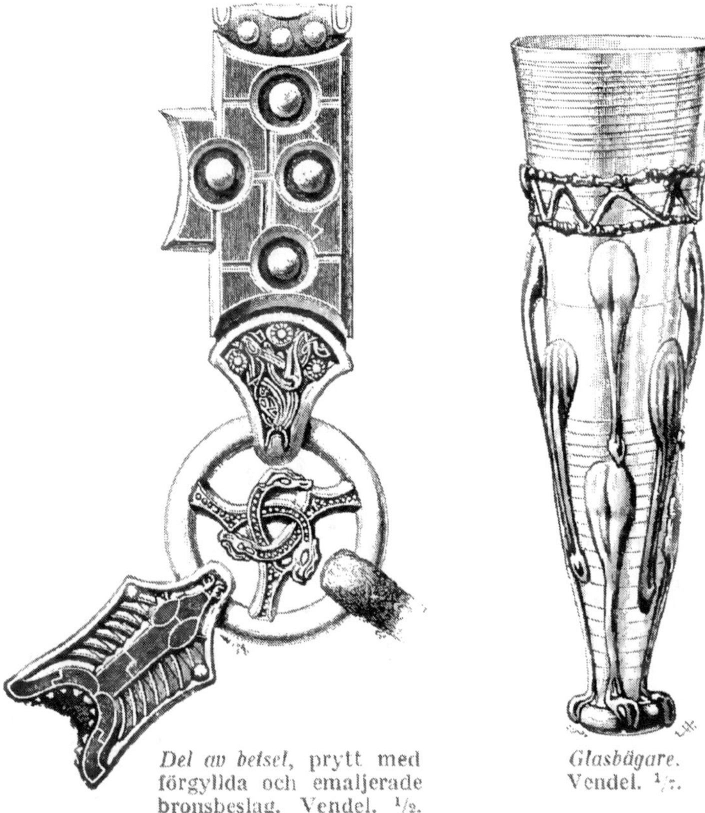

Del av betsel, prytt med
förgyllda och emaljerade
bronsbeslag. Vendel. ¹/₂.

Glasbägare.
Vendel. ¹/₂.

in i tältet och lade kvinnan vid hennes herres sida. Två
grepo henne vid fötterna, två vid händerna. Och den gamla,
som kallas dödens ängel, lade ett snöre om hennes hals, lämnade
det till två av männen, för att de skulle draga till, trädde
själv fram till kvinnan med en bredbladig kniv och stötte
den in mellan hennes revben, varpå hon åter drog ut den.

Men de två männen kvävde henne med snöret, till dess hon gav upp andan.

Nu framträdde den avlidnes närmaste släkting, tog ett stycke trä, antände det, gick baklänges till skeppet och stack eld på den ved, som var lagd under skeppet. Därpå kommo även de övriga med ved; var och en bar ett stycke, som redan var antänt i ena ändan, och kastade det på bålet. Snart fattade elden i all veden, därpå i skeppet, så i tältet och mannen och kvinnan och allt som fanns i skeppet.

Inom en timme voro skepp och timmer tillika med kvinnan och den avlidne förvandlade till aska. På det ställe, där skeppet hade stått, uppförde de något, som liknade en rund hög, och uppreste i dess mitt en stor trästolpe, på vilken de skrevo namnet på den döde.»

Det här omtalade bruket med att offra den kvinna, som vill följa sin herre i döden, är icke nordiskt; åtminstone känner man intet sådant fall i Norden från historisk tid. Däremot förekom det långt fram i tiden bland slaverna och måste från dem ha upptagits av dessa här beskrivna nordiska vikingar, som flyttat över till Ryssland.

Hur är det möjligt att bedöma forn-sakernas ålder?

EN av vårt lands populäraste föreläsare, Emil Svensén, berättar till belysning av denna fråga följande österländska sägen.

Det var en gång i forntiden en arabisk vis, som gick försänkt i djupa tankar på en karavanväg genom öknen. Vägen var upptrampad av kameler, som burit köpmännens varor lastade på sina ryggar, och den vise mannen gick i sina betraktelser med huvudet sänkt och blicken mot marken. Bäst han så strävade framåt, kommo några män löpande mot honom under ivriga åtbörder, såsom om de sökte efter någonting. När de hunno fram till honom, frågade de: »Har du sett någon kamel?» I stället för svar frågade den vise »Var han halt på ena framfoten?» — »Ja» — »Var han blind

på högra ögat?» — »Ja, det var han.» — »Hade han tappat
en framtand?» — »Ja, visst hade han det.» — »Var han lastad
med honung?» — »Ja, for all del, men efter du sett honom
och kan beskriva honom så noga, så uppehåll oss inte med
prat, utan sag oss, vart han sprungit.» — »Inte har jag sett
någon kamel, inte», svarade den lärde. De sökande blevo
ursinniga och trodde, att han drev gäck med dem eller kanske
sjalv stulit kamelen, varfor de togo fatt i honom och släpade
honom till domaren.

Men infor denne hade han icke svårt att försvara sig.
»På vägen därborta», sade han, »såg jag nyss, att en kamel
gått fram. När jag nogare kom att se på hans fotspår, märkte
jag, att spåret efter den ena framfoten var mycket mindre
djupt än efter de andra fotterna. Härav slöt jag, att kamelen
måtte varit halt på den foten. Detta är ju icke så svårt att
forstå.» Domaren medgav, att han hade rätt.

»Vidare såg jag», fortfor den lärde, »att där kamelen
gått fram, hade han betat av graset endast på den vänstra
sidan men icke på den högra, ehuru det växte lika ymnigt där.
Detta visade, att han måste ha varit blind på högra ogat.
Ar detta klart?» Även nu medgav domaren, att så var fallet.

»Ytterligare såg jag», återtog den anklagade, »att var ka-
melen bitit av en munfull gräs, satt alltid en tofs kvar på
samma ställe. Därav slöt jag, att kamelen måtte saknat en
framtand, eftersom gräset icke följde med på det stället.
Ar det begripligt?» — »Ja, det erkännes», medgav domaren
åter. »Äntligen markte jag», sade mannen, »att där kamelen
gått fram, hade en och annan droppe honung fallit till mar-
ken. Därav slot jag, att djuret måtte varit lastat med ho-
nung, men att forvaringskärlen icke varit riktigt täta.» Efter
ett så gott forsvar blev mannen frikänd och lösgiven, men
historien formäler icke, om de andra fingo ratt på sin för-
lupna kamel.

På alldeles samma sätt som den arabiske vise går fornfor-
skaren till vaga. När han gjort ett fornfynd eller tillkallas
att granska ett sådant, tager han noga reda på, hur det
legat och hur fyndstället är beskaffat m. m., och forst sedan
han vet allt detta, borjar han draga sina slutsatser. Han
jamför detta fynd med andra av liknande slag, som finnas
i museer i olika delar av världen. Genom upprepade jäm-

förelser av fornfynd från världens alla delar ha de lärde lyckats att ordna fornsakerna över hela världen efter deras ålder. Låt oss nu taga ett belysande exempel!

År 79 efter Kristi födelse blev i Italien en hel stad begravd av lava och aska från det eldsprutande berget Vesuvius.

Italienskt bronskärl, funnet i Sverige. ¹/₇.

Staden hette Pompeji. I våra dagar har man där grävt fram hus efter hus, så att det tjugonde århundradets människor kunna vandra omkring i den döda staden och leva sig in i det liv, som levdes där för över 1800 år sedan.

Men vad har detta att göra med *Sveriges* historia? Jo, mer än man skulle kunna tro. Uppe i höga Norden har man grävt fram flera bronskärl, alldeles lika dem som man funnit i

Pompeji. I norra Halsingland hittades i en forngrav ett sådant kärl, och nàr en vetenskapsman undersökte det nàrmare, fann han, att dari var inristat ett ord. Det visade sig vara namnet på en italiensk hantverkare, i vars verkstad flera av de bronskärl arbetats, som man funnit i Pompeji.

Vad visar nu detta? Jo, först och främst, att det bronskärl man fann i Hälsingland är från Italien och har tillverkats dár under staden Pompejis sista tid, alltså under forsta århundradet efter Kristus. Sedan har det forslats upp till Norden och där bytts ut mot bärnsten eller pälsverk. Storsta delen av vàgen har det antagligen förts på fartyg utfor någon av de stora tyska floderna och over Ostersjón. Till slut har man lagt ned det i en grav som hedersgåva åt en avliden kär anforvant. Dárav kunna vi fórstå, att den grav, i vilken kårlet hittades, måste vara från en tid, som icke ligger så långt efter Pompejis undergång.

Andra liknande kärl från Pompeji har man funnit tillsammans med fornsaker, som alldeles tydligt äro gjorda här i Sverige Detta visar, att alla dessa svenska fornsaker äro från ungefär samma tid som det italienska bronskårlet, alltså nära två tusen år gamla. På det sättet veta vi redan ganska mycket om hur våra forfäder hade det for nàra två tusen år sedan.

Hur underbart, att ett våldsamt naturskådespel i sodra Europa blivit ett medel for oss att blicka in i våra förfäders liv långt fore den tid, från vilken skrivna berattelser finnas!

På liknande sått kan man, tack vare snillrika kombinationer av framfór allt Oscar Montelius, leta ut åldern på annu aldre fornminnen, som hittats i den svenska jorden. Man kan då råkna ut, vid vilken tid den s. k. bronsåldern började och stenåldern slutade. Man kan få veta mycket om Sverige på Moses tid, for nàra tre och ett halvt årtusende sedan, ja, man kan, som vi ha sett, blicka ännu langre tillbaka i vårt folks historia.

Den stora folkvandringens tid.

ROMARNE voro vid Kristi fodelse herrar over nästan hela den mera kanda varlden. I Europa hade de utbrett sig till Donau och Rhen och blivit grannar till germanerna. Med dem drevo de en livlig handel, vars vagar ledde anda upp till vårt land. Handeln forde hit massor av romerska mynt, kärl av brons och glas, vapen och prydnader, vilka man i senare tid gravt upp ur Sveriges jord. Men allt ar forgangligt. Österlandets rikedomar strommade in i det romerska varldsriket och gjorde de en gång så måttliga och kraftfulla romarne njutningslystna, lastbara och forsvagade. Då kommo kraftiga, hardade germanskaror norrifrån, langtande till bordigare jord, som battre kunde föda de hastigt tillvaxande folkstammarna. Lystna voro de ock efter den romerska harlighet, som de skådat eller hort berattas om: de larde även känna det väldiga rikets svaghet. Pa olika håll försöka de tranga over dess granser. Till en tid bli val deras anlopp tillbakaslagna, men slutligen förmå inga fördämningar motstå denna valdiga folkflod. Germanskarorna kasta sig över olika landsdelar, plundra och erovra men grunda också nya stater, som bli ursprunget till flere av Europas nuvarande riken. Germanfolkens intrangande i det romerska riket kallas den stora folkvandringen. Dess början raknas från år 375 e. Kr.

Mitt under den oro, som darav vallas, forsvagas det romerska varldsvaldets motståndskraft ytterligare darigenom, att det sönderfaller i två kejsardomen, det ostromerska med Konstantinopel som huvudstad och det vastromerska, vars kejsare oftare residerade i det starkt befasta Ravenna an i Rom.

Ett av de förnamsta germanfolken under folkvandringstiden var goterna, vilka enligt nyaste åsikter skulle harstamma från Gottland, med vars urgamla tungomål deras språk är nära beslaktat. Goterna sjalva bevarade i sina sagner minnet av sin harkomst. Deras historieskrivare, Jordanes, som på 500-talet nedskrev dessa muntliga berattelser, fortäljer, att goterna utvandrat från den stora on »Scandza, folkens modeisskotc» och vaggan för många av de stammar, som inbrutit i det romerska världsriket. På denna punkt overensstammer Jordanes med moderna forskare, vilka genom undersokningar både av fornfynd och av språkliga forhållanden allmänt kommit till den uppfattningen, att södra Skandinavien jämte nordligaste Tyskland år de germanska folkens urhem.

Redan långt fore vår tideräknings borjan hade goterna från Skandinavien flyttat över till norra Tyskland, till de bärnstensrika trakterna oster om Weichsel; och omkring år 100 e. Kr. vandrade de ned till Svarta havets bördiga strander. Från denna nya boningsort trangde de in i romerska riket. En gren av stammen, de s. k. vàstgoterna, bröt vid 400-talets början in i Italien, intog och plundrade Rom men lämnade snart dessa trakter, tågade över till Spanien och grundade dar ett stort rikc.

Ostgoterna stannade daremot annu nära ett århundrade vid Svarta havet, men genom upprepade anfall på det ostromerska riket tvingade de kejsaren att årligen utbetala ofantliga skatter for att få vara i fred for krigarskarorna vid gransen. Alltjamt bevarade dessa östgoter sambandet med sina stamfrànder gotarne i nuvarande Väster- och Östergotland, och genom dem föimedlades en livlig samfardsel med handelsutbyte mellan Söderns och Nordens lander Den stora fårdevägen var Weichsel, dess biflod San och Dnjestr. På det viset fordes åtskilligt av den guldrikedom, goterna forvärvat från romerska riket, upp till Norden. Men antagligen kom annu mera hit i form av sold till de nordiska krigare, som år efter år drogo ut — »liksom bina ur kupan», for att tala med Jordanes — att fylla de glesnade leden i den östgotiska haren och efter fullgjord krigstjänst återvände hem. Det var nordbons obetvingliga lust att se sig om i varlden, langtan till Söderns rikare och soligare nejder, hoppet att i frammande lander vinna lyckan, som då, liksom nu, standigt drev nya skaror ut på aventyrsfard.

I Statens historiska museum forvaras en hapnadsvackande rikedom av guldskatter fiån denna tid, vilka hittats i den svenska jorden. Det storsta fyndct gjorde man år 1774 nära Trosa. Det bestod av smycken, som vagde nara 12$\frac{1}{2}$ kg med ett metallvarde av 30 000 kr. År 1904 giordes vid Skovde ett annat fynd, som inlöstes med 20,000 kr. I Västergötland och på Öland har man hittat halsringar av guld om cirka $^3/_4$ kg:s vikt. En del av smyckena, t. ex. de nedanför avbildade, äro dock säkert gjorda här, sannolikt av nedsmälta öster-

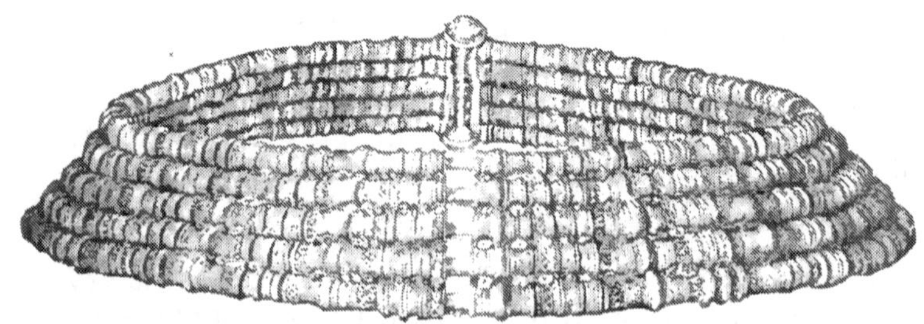

Halssmycke av guld. Öland.

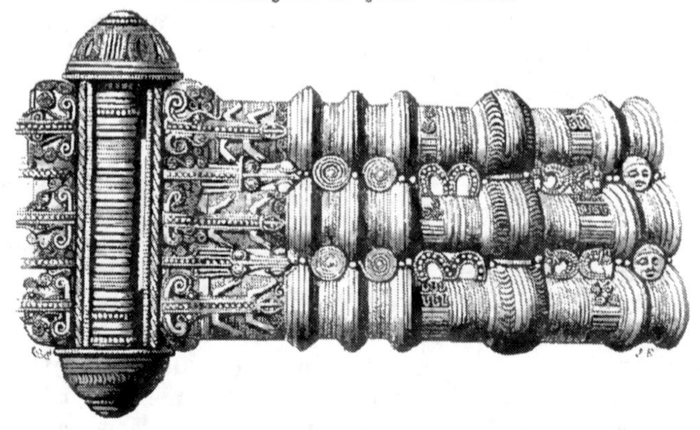

Del av ett sådant halssmycke som ovanstående. Västergötland.

ländska mynt. 400-talet är den guldrikaste perioden av Nordens fornhistoria.

Men mot århundradets slut avtar guldströmmen hastigt. Förklaringen ligger däri, att östgoterna då, ledda av sin ypperste konung, Teoderik den store, bröto upp från sina boplatser vid Svarta havet och, liksom fordom västgoterna, inträngde i Italien, där de snart gjorde sig till herrar. Sedan var Teoderik i en mansålder Italiens härskare. Nu voro forbindelserna mellan östgoterna och stamfi ånderna i Norden ej langre så livliga som forr. Det är detta förhållande som avspeglar sig dåri, att guldströmmen till Norden nu sinar for att alldeles upphora vid 500-talets mitt, då det ostgotiska riket i Italien störtades av Ostromerska rikets kejsare.

Så egendomligt forma sig alltså lankarna i utvecklingens kedja, att man kunnat i den svenska jorden avlasa skiftningarna i det östgotiska folkets hjaltesaga.

Att förbindelserna mellan östgoterna och deras nordiska stamförvanter icke varit någon enastående företeelse i folkvandringshistorien visar herulernas egendomliga öden Detta folk skall ursprungligen ha bott på de nuvarande danska öarna men fordrivits darifrån av danerna, vilka enligt Jordanes' uppgift voro av svensk börd. Detta har foranlett vår framste litteraturhistoriker, Schuck, som kommit med flere nya, lika snillrika som djarva uppslag i vår historieforskning, till att narmare undersoka, var i vårt land man skall finna danernas hembygd; och han kommer då till den overraskande slutsatsen, att danskarne harstamma från Uppland. Sitt antagande grundar han förnamligast darpå, att sammansättningen dan- ingår i en mängd uppländska ortnamn, såsom Danmarks socken, Danderyd, vilket tidigare hetat Danaror, och Dannemora. Sedan danerna vandrat over till de oar, dår herulerna bodde, och fördrivit dem, ha de overflyttat sin upplandska hembygds namn på sin nya boningsplats, alldeles som Frankrike fått sitt namn efter frankernas stam, som kom från det nuvarande tyska landet Franken.

Men vi återvanda till herulerna, vilka efter många skiftande öden på Europas fastland omkring år 500 blevo besegrade av ett annat germanfolk, langobarderna Då, berattar en nästan samtida ostromersk historieskrivare, beslot en del av dem att återvanda till Skandinavien igen, och där fingo de slå sig ned bredvid gotarnes stam. Man har gissat, att dessa återvändande heruler skulle varit stamfäderna till Värends inbyggare, virdarne, vilka lange tyckas ha kant sig som ett folk for sig. Även på Lister-halvon i Blekinge har man trott sig finna spår av herulerna; och annu leva dar personer, som hört en gammal, numera avliden gubbe saga. »Jag är en riktig akta jerul»,[1] ehuru ingen av dem förstått vad han menade

Herulernas återvändande till den urgamla hemtrakten är knappast förklarligt med mindre än att denna stam under hela sin vandringstid stått i förbindelse med Skandinavien, och av vår sagesmans berättelse framgår som ett faktum, att de heruler, som återvände till det gamla hemlandet, alltjämt bevarade sambandet med sina stamfränder, vilka av den romerske kejsaren fått tillåtelse att slå sig ned i det nuvarande Serbien. Då dessa sydlandska heruler vid mitten av 500-talet förlorade sin konung och ingen av den gamla konungaätten fanns kvar bland dem, skickade de namligen sändebud till herulerna i Sverige och hämtade en ättling av den gamla kungafamiljen att härska över dem. Den valde begav sig också i väg, åtföljd av tvåhundra svenska heruler

Den svenske forskare, som djupare än någon annan trängt in i hithörande frågor, är den i förtid bortryckte, genialiske Knut Stjerna. Genom specialundersökningar av gravarna på Bornholm kom han till intressanta resultat, som ytterligare bestyrka hans antagande, att germanfolken på Europas fastland mottagit betydande förstärkningar från sina stamfränder i Skandinavien. Stjerna fann, att vid 200-talets mitt upphöra de flesta av ons stora gravfält. De gravfält, som sedan finnas kvar, äro så få, att här måste ha ägt rum en utvandring i stor skala. Detta bekräftas också därav, att man vid denna tid börjar på gravfälten sätta upp minnesvårdar över bornholmare, som dött i utlandet. Flerstädes ligga dessa minnesvårdar gruppvis samlade, något som tyder på att dödsbuden kommit för flere personer på en gång, sannolikt som följd av något fältslag på Europas fastland. Under tiden efter år 300 minskas ytterligare ons folkmängd. Detta framgår därav, att på de gravfält, som ännu begagnas, blir antalet gravar försvinnande litet mot vad det förut varit.

Men som ersättning för folkförlusten rinner även här en guldström in i landet till dem, som sitta hemma, och gör dem så mycket rikare, till dess den framemot mitten av 500-talet sinar ut.

---

[1] Namnet [h]erul eller jerul antages vara samma ord som det senare nordiska ordet jarl och betyda »den stridbare»

Det folk, som bebott Bornholm, anses ha tillhört den folkvandringsstam, som kallas burgunder. I den äldsta uppgift, vi ha om dem, nämnes visserligen ingenting om deras samband med Bornholm; men det berättas, att de då bodde i den del av Pommern, som ligger Bornholm närmast. Vid mitten av 200-talet bryta de upp därifrån och tåga till det land, som nu kallas Frankrike, där landskapet Bourgogne ännu bär namn efter dem. Bornholms ursprungliga namn var också Burgundarholm: »Höglandsholmen».

Nu veta vi genom romerska historieskrivares uppgifter angående burgunderna, att de vid 200-talets mitt råkade i så våldsamma strider med andra germanfolk, att de blevo »nästan alldeles förintade». Det oaktat äro de i början av 300-talet åter så kraftiga, att de kunna ingripa i världshändelserna, och skildras då som »ett folk, statt i utomordentligt stark tillväxt genom ett ovanligt talrikt ungt manskap». Detta kan ej förklaras på mer än ett sätt, och vi se här bekräftelsen på vad det samtida upphörandet av de Bornholmska gravfälten ansetts betyda.

Så har en senare tids forskning med stor möda och mycken skarpsynthet lyckats ur fornfynden utläsa visserligen spridda men dock belysande drag om våra egna förfäders insats i den väldiga folkrörelse, som ledde till att det romerska världsväldet störtades och flere av våra dagars stormakter grundlades. En ansenlig del av den blodförlust, som germanfolken ledo på slagfälten i mellersta och södra Europa, har kunnat ersättas endast genom förstärkningar från »folkens moderssköte», och även vårt land har sålunda lämnat sitt bidrag till germanernas segrar.

Litteratur: Axel Kock, Är Skåne de germanska folkens urhem? (Historisk tidskrift för år 1905).
Knut Stjerna, Svear och Götar under folkvandringstiden (Svenska fornminnesföreningens tidskrift för år 1905).
Knut Stjerna, Bidrag till Bornholms befolkningshistoria under järnåldern (Antikvarisk tidskrift för Sverige för år 1908).

Vad främlingar berätta om Skandinaviens järnåldersfolk.

DEN äldsta berättelse om Skandinaviens järnåldersfolk, som vi nu känna till från andra, samtida folk, är skriven av en man vid namn Py teas från Massilia (nuvarande Marseille), som omkring 300 år före Kr. besökte Britannien och där fick höra talas om ett stort land, Tule, vilket låg så långt i norr, att det gränsade till det isiga havet. Inbyggarna idkade åkerbruk och tröskade säden i stora hus (lador). Detta kunde de ej göra under bar himmel såsom i författarens hemtrakt, emedan man i Tule sällan hade solklara dagar. Med Tule menas tydligen västra kusten av Skandinaviska halvön. — Det svenska namnet finner man första gången hos den berömde romerske historieskrivaren Tacitus, som omkring 100 år e. Kr. beskrev germanernas liv. Vid en stor, mot norr öppen vik av Oceanen, säger han, ha svionerna samhällen, mäktiga genom folkrikedom, vapen och skepp.

Jordanes namngiver i sin beskrivning av Scandza flere skandinaviska folkstammar och orter, som det är mer eller mindre lätt för språkforskaren att känna igen. Längst i norr bo »screrefennæ»: skridfinnarne, d. v. s. lapparne, vilka »leva av vilddjurens kött och fåglarnas ägg, av vilka senare en så stor mängd lägges i trasken, att de räcka både till släktets förökning och till folkets rikliga näring». Söder om dem bo »suehans», d. v. s. svearne, från vilka romarne genom handel få skinn, »som äro bekanta för sin sköna svarta färg», vidare »theustes», i vilka vi igenkänna invånarne i Tjust, »gauthigoth», d. v. s. de göter, som bodde vid floden »Gaut» (Göta älv), alltså västgötarne. Denna flod, efter vilken götarnes stam anses ha blivit uppkallad, är till namnet besläktad med ordet gjuta. Med Gaut: »Utgjutningen» förstås sannolikt Trollhattan, där älvens vatten ju häftigt gjutes nedför branten. Gauterna eller götarne äro alltså »folket kring fors-älven». I namnet »hallin» kunna hallänningarne känna igen sig, och namnet »fervir» finns ännu bevarat i

Fjäre härad kring Kungsbacka. Ordet »finnaithi» bör klinga bekant för invånarne i Finnveden i Småland, och i »liothida» igenkänner språkforskaren de skånska ortsnamnen Luggude och Lydde å på skånska slätten, medan namnet »bergio» tolkats såsom åsyftande folket vid bergen i norra Skåne, särskilt vid Hallandsås. Där fanns det under medeltiden ett »Biærghæ hæret», som nu heter Bjäre härad. »Ragnaricii» torde ha varit invånarne i norra Bohuslän. Invånarne på öarna i landskapets södra del tyckas ha varit det folk, som Jordanes kallar »euagreotingi»: ögrytingarne, ett namn, som sannolikt syftar på den steniga marken på dessa öar.

Litteratur: J. V. Svensson, De sydsvenska folknamnen hos Jordanes.

Runorna.

SKRIVKONSTEN, denna underbara förmåga att medelst små tecken sända sina tankar långa vägar till andra människor och att föreviga märkliga händelser, är en av de många gåvor, som Europa fått av Österlandet. På vilda folk har den ofta gjort intryck av trolldom. Hur många människors tankeansträngning fordrade ej uppfinningen av vad ett barn nu lär sig på kort tid! Vid Medelhavets östra kust, i Syrien, utvecklades omkring 1000 år f. Kr. de skrivtecken, från vilka vårt alfabet härstammar. Andra österländska folk hade förut haft *ett* tecken för varje *ord* eller stavelse. Den som skulle kunna skriva måste alltså ha tusentals tecken i sitt huvud. Det nya med det syriska alfabetet var, att varje *ljud* fick ett tecken. Hela språket behövde blott 22 tecken, som kunde sättas ihop till vilka ord som helst. Denna förenklade

Det ena av de år 1774 vid Vadstena funna hängsmyckena.

skrivkonst lärde sig sedan Europas folk av de vid Syriens kust boende fenicierna. Dessa, som voro världens första handelsfolk, ha gjort Västerlandet bekant med många andra österländska uppfinningar. Först kom alfabetet till grekerna, som bodde närmast, och från dem till romarne. De germanska folken ha lärt sig konsten genom beröring antagligen med bägge de sistnämnda folken.

År 1774 hittades i närheten av Vadstena två runda hängsmycken av guld. De hade redan hamnat hos en guldsmed och skulle nedsmältas, då de räddades av en vän till våra fornminnen och överlämnades till Statens historiska museum i Stockholm. Vilken oersättlig förlust det skulle varit för vetenskapen, om dessa smycken gått förlorade, kunde ingen den tiden inse, ja det skulle dröja nära ett århundrade, innan man kom till klarhet därom. Det ena av dem innehåller nämligen, jämte ett hittills oförklarat ord, den germanska runraden i en av dess renaste former. Runorna stå på densamma vända från höger till vänster; de ha således i stampen varit graverade från vänster till höger. Vadstena-smycket förskriver sig antagligen från tiden omkring år 500.

Om runorna å Vadstena-smycket vändas så, att de kunna läsas från vänster till höger, och den sista, av brist på utrymme utelämnade runan tillägges, så får man den germanska runraden.

Runorna voro hos alla de germanska folken följande 24

ᚠ ᚢ ᚦ ᚨ ᚱ ᚲ ᚷ ᚹ ᚺ ᚾ ᛁ ᛃ ᛇ ᛈ ᛉ ᛊ : ᛏ ᛒ ᛖ ᛗ ᛚ ᛜ ᛟ ᛞ

f u th a r k g w h n i j ẹ p-R s t b e m l ng o d

Vi se genast, att runorna ᚱ ᚺ ᛁ ᛊ ᛏ ᛒ nästan fullständigt likna våra »latinska» bokstäver, vilka äro desamma som de gamla romarnes. Runornas olikheter med det latinska alfabetet kunna delvis förklaras av att de ursprungligen inristades i trä. Det var då svårt att göra båglinjer, och vågräta streck skulle ofta blivit otydliga. Bokstaven U har man vänt om, sannolikt därför att det därigenom blev lättare att rista, likaså E för att få det tydligare. Då måste M skiljas därifrån och gjordes mera sammansatt, liksom O fick förlängda streck för att ej förväxlas med ng. För att N skulle skiljas från H, sammanslogos dess två lodräta streck till ett, och det sneda strecket sattes mitt på detta.

Tydningen av runorna har sin särskilda historia Den möjliggjordes genom en av de äldsta kända runinskrifterna. Den fanns på ett guldhorn, som man hittade i en dansk torvmosse. I början av 1800-talet, innan runorna ännu blivit tydda, blev emellertid det ovärderliga fornminnet bortstulet från det museum i Köpenhamn, där det förvarades. Och nu var ödet oblidare än mot de nyssnämnda svenska hängsmyckena: det oersättliga guldhornet blev lagt i smält-

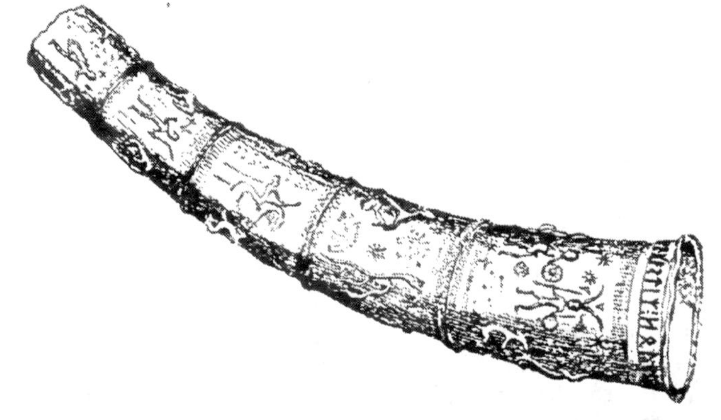

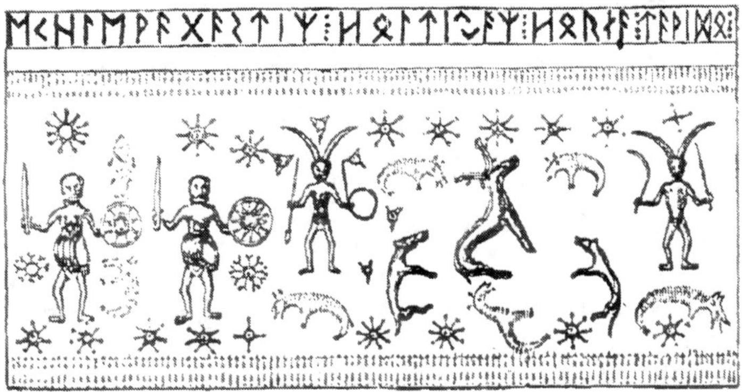

Guldhornet från torvmossen vid Gallehus i Slesvig.

degeln. Lyckligtvis hade man dock gjort noggranna avbildningar av inristningarna på hornet, och efter många försök fann den store norske språkforskaren Sophus Bugge här nyckeln till runorna. Sedan visade det sig möjligt att läsa även andra runinskrifter, och därmed voro nya områden öppnade för forskningen över våra förfäders liv.

Inskriften lyder sålunda: *ek hlewagastir hollingar horna lavido,* »Jag Hlewagastir (Legäst) från Holt (eller: Holtes ättling?), gjorde hornet.»

De germanska runorna ombildades på 600- och 700-talen med tiden i Norden till en runrad med följande 16 tecken, som användes endast här:

ᚠ ᚢ ᚦ ᚨ ᚱ ᚲ · ᚺ ᚾ ᛁ ᛏ ᛋ : ᛏ ᛒ ᛚ ᛘ -ᚱ

f u th o r k h n i a s t b l m -r

För liknande ljud brukades nu samma tecken, så för B och P, för D och T, för G och K.

De flesta runinskrifterna finnas på stenar, som rests för att hedra hadangångna släktingars minne. På somliga stenar läser man, att en son »låtit resa stenen till minne av sin gode fader» eller »sin goda moder». Ofta heter det om den avlidne, att han varit »en god bonde», »en mycket god man» eller »en mycket duktig karl». Eller också prisas han för att ha varit »rådvis», »vältalig» eller ha ägt andra framstående egenskaper. En runinskrift i Södermanland slutar med dessa ord. »Ingen föder klokare son.»

På en del stenar äro hela verser inristade med runor, t. ex .

> Torsten lät resa
> sten denna
> efter sig själv och
> son sin, Hefne.
> Faren till England
> var ungersvennen,
> dog så hemma
> till mycken sorg.

Den s. k. Rökstenen vid Röks kyrka i Östergötland bär den längsta inskrift, som finns på någon runsten.

Länge trotsade den alla tydningsförsök. Runorna äro nämligen här ej blott av det vanliga slaget utan blandade med s k. lönnrunor, d. v. s. att i stället för den avsedda runan står den närmast föregående, en hel del andra svårigheter att förtiga. Slutligen lyckades emellertid Bugge avvinna även denna hemlighetsfulla sten svaret på det väsentligaste av de gåtor, som den så länge ruvat över. Värdefulla bidrag ha sedan lämnats av några svenska språkmän, men ännu återstå dock flera dunkla punkter oförklarade

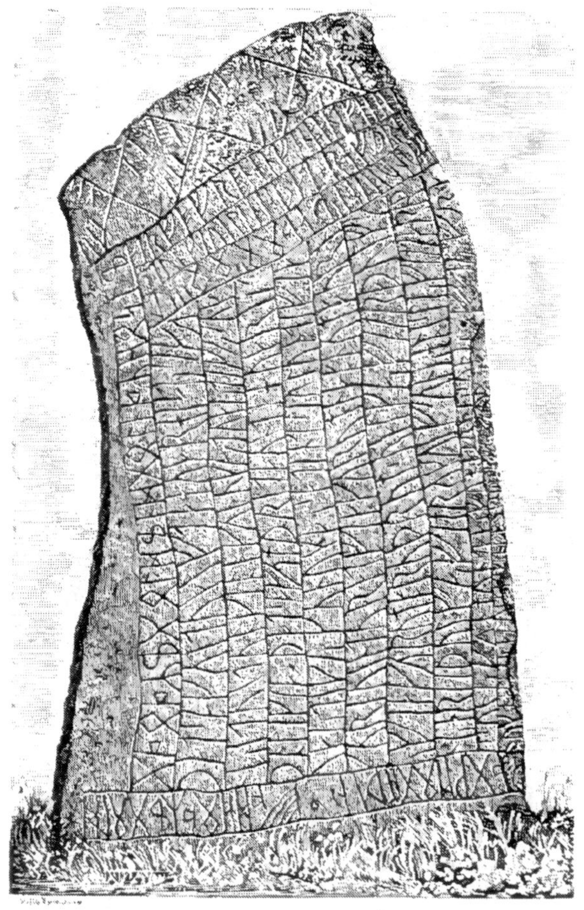

Runsten vid Röks kyrka i Östergötland.
Höjd ovan jord 2,5 meter, bredd 1,45 meter.

Rökstenen bär vittnesbörd om att det vid 900-talets början fanns en högt utvecklad skaldekonst i vårt land:
En strof lyder sålunda:

> Didrik den dristige,
> sjökämpars drott,
> rådde över
> Reidhavets kust.

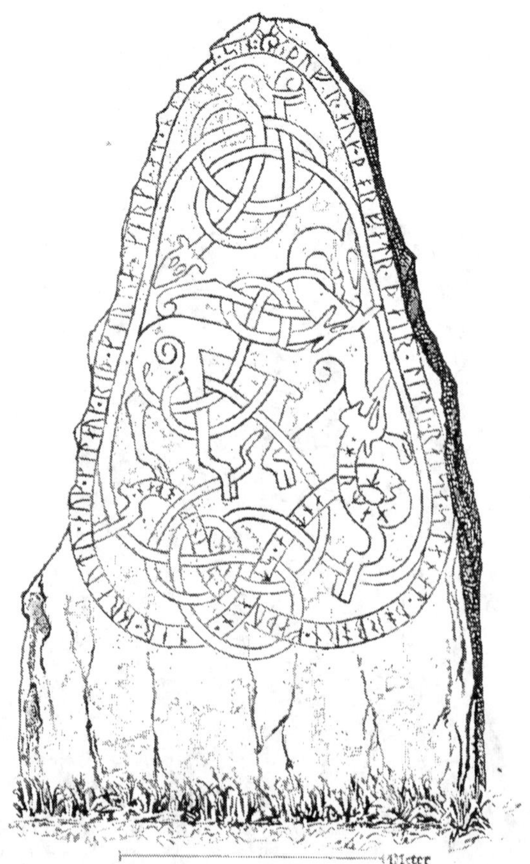

Runsten vid Ryda, Nysätra socken, Uppland.

På gotiska hingsten
Märingars herre
nu sitter rustad,
skölden i rem.

Den Didrik, som strofen syftar på, är den berömde öst-
gotiske konungen Teoderik den store, som från Verona
härskade över Italien i en mansålder under slutet av 400-
och början av 500-talet. Namnet Teoderik av Verona förenk-

lades i folkets mun till »Didrik **av** Bern». Dikten anspelar
tydligen på en berömd ryttarstaty, som i den tyska staden
Aachen fanns upprest över den vittfrejdade härskaren, och
som nordmännen lärt känna, när de på 880-talet erövrade
staden. Folknamnet märingar återfinnes i det norditalienska
ortsnamnet Marengo, senare bekant för en stor seger, som
Napoleon vann där. Denna Bugges teori har dock blivit
bestridd av senare forskare.

*

En annan ryktbar runinskrift är den, om vilken en medel-
tida författare berättar, att den fanns inhuggen på en klipp-
häll i Blekinge och förtäljde om Bråvalla slag. Om denna
inskrift sjunger Tegnér i dikten »Gerda»:

> Vårsol sken på Runamo,
> där, om du vill sagan tro,
> Hildetand i forna tider
> högg i berget fädrens strider,
> väldig runskrift halv mil lång,
> nu förnött av vandrarns gång.
>
> Här och där de djärva dragen
> stå oläsliga i dagen,
> lika dragen till att se
> på en död. Förr talte de
> jordiskt språk; vad nu de mena
> veta andarna allena.

Många lärda män ha brytt sina hjärnor med att tyda dessa
urgamla tecken, tills det visade sig, att »inskriften» var
enklare än man trott, ty den bestod i själva verket av två
naturliga längdsprickor i berget med en mängd tvärsprickor
emellan!

Litteratur: Erik Ålund, Runorna i Norden. Häft. kr. 1: 25.
     Otto von Friesen, Upplands runstenar. Häft. kr. 2: 50.

Ett besök på en svensk storbondes gård på 800-talet.

MYCKET har vårt lands befolkning ökats under de år-tusenden, som vi nu följt dess öden. Tack vare förbättrade redskap ha invånarne kunnat på många sätt göra det bättre och trevligare för sig. De små byarna vid vattenlederna ha växt ut till milsvida bygder med åkrar och ängar.

Men mellan dem utbredde sig väldiga ödemarker, skogbeväxta myrar och bergstrakter, där en färd var både farlig och mödosam. Icke nog med att vägarna — där det överhuvudtaget alls fanns några sådana — voro eländiga, utan den resande fick dessutom vara beredd på överfall av både stigmän och vilddjur. Man föredrog därför att så mycket som möjligt färdas på floder och sjöar. De vägar, som funnos till lands, voro smala och avsedda endast för ridning. Varor och förnödenheter klövjades på packhästar såsom än i dag i fjälltrakter.

I avlägsna landsändar följa ännu i dag de flesta härads- och sockenvägar dessa urgamla ridvägar. Som bekant gå sådana gamla vägar ofta fram över höga berg och förefalla därför nutida människor onödigt besvärliga. Men detta beror just på att de leda sitt ursprung från en tid, då marken var långt mera vattensjuk än nu, och då man ej förfogade över vår tids hjälpmedel att bygga vägar genom sumpmarker.

Efter en mödosam färd på sådana uppblötta vägar komma vi en mörk höstkväll fram till en storbondes gård. Den består av flera hus med blott ett rum i varje: köket är ett hus,

»stekarehuset», sovkammaren (»sómnishuset») ett annat, skafferiet (»visthuset») ett tredje o. s. v. Vi träda in i den största, den s. k. stuvan (stugan), där familjens medlemmar äro samlade. Gästfritt bli vi mottagna, ty

> »Varme tarvar
> *vandrarn*, som in kommit
> frusen och *k*all om *k*näna;
> *m*at och kläder
> den *m*an tarvar,
> som over *f*jällen *f*arit.[1]»

heter det i den berömda fornsången Havamal (»Den höges sång», d. v. s. den vise guden Odens sång).

Vi stå i en långsträckt sal. På de väggfasta bänkarna, som rymma väl hundrade män, sitta karlarne och slöjda, kvinnorna spinna och somma under sång. Man för oss fram till en hedersplats mitt emot husfadern, som mäktig och myndig sitter där i högsätet mellan två rikt utsirade pelare med gudabilder — en härskare över alla i sitt hus. Nu träder en av husets döttrar fram och bjuder oss ur hornet, »från urens panna brutet», en välkomstdryck av skummande mjöd. Sedan få vi berätta, vad vi sett och hört ute i världen, och uppmärksamt lyssna alla till nyheterna.

På den öppna härden av flata stenar mitt på golvet se vi elden flamma. Röken slingrar sig upp mot det sluttande, av synliga bjälkar uppburna taket och går ut genom en öppning vid takåsen. Därav uttrycket att bo »under sotad ås». Stugan liknar de ryggåsstugor, som ännu finnas i avlägsna trakter, såsom fäbodstugorna och finnbygdernas porten. Om dagen kommer sparsamt ljus genom gluggar på tak eller väggar. Nu lyser elden, »hemmets sol», på männens blanka sköldar, stridsyxor och svärd, som de hängt upp bakom sig för att snabbt kunna rycka dem till sig. Ty det är bistra tider.

Vi få veta, att vilken stund som helst kan man vänta ett överfall. Husets son råkade nämligen för några dagar sedan i häftig tvist med en man av annan familj. Det blev vapen-

---

[1] Fornsångernas rim är icke, som i vår tids poesi, i *slutet* av versraden utan består i att två eller tre ord i samma versrad eller verspar *börja* på samma konsonant eller på olika vokal.

skifte utav, och det slutade med att han blev den andres
baneman. Nu är det en helig plikt att utkräva blods-
hämnd på dråparen och dennes släkt. Denna plikt gäller
för alla män i den dödades familj men gäller även de familjer,
som äro närmast besläktade med denna och alltså räknas
till samma ätt. Ty dråparen hade tillfogat den dödes ätt
en förlust i styrka, som måste utjämnas. Det är nämligen
en heder och trygghet att tillhöra en stark och ansedd ätt.

Fornnordisk gäststuga.

Blodshämndens plikt kunde ställa ätter i vapen mot var-
andra under mansåldrar. De unga bidade blott den stund, då
de skulle bli stora nog för att kunna hämnas sina fallna anför-
vanter, de övade sina muskler, brukade flitigt vapen. Så
kunde *en* mans fall ha till följd, att hela ätter förödde varandra.
Härom berättar t. ex. Nials saga. Ätterna voro fast samman-
hållna liksom rustade stater, ständigt färdiga att slå till,
när det gavs tillfälle. Därför innehåller Havamal följande
levnadsregel:

> »Vapnen sina
> vike en man
> ej ett fjat ifrån på faltet,
> ty ovisst ar att veta,
> nar på vagar ute
> spjutets spets kan tarvas.»

Trots den gastfrihet, for vilken nordborna voro så beromda, heter det i samma sång:

> »Trad over ingens
> troskel in,
> forrn du spejat och spanat,
> forrn du spejat och spårat;
> ty ovisst ar att veta,
> var ovanner sitta
> borta på salens bankar.»

Nordmannaliv.

VE DEN, som ej var stark och vapenflink i en tid, då mannen standigt måste vara beredd på att ovannen sokte taga hans liv! Från forsta stund gick därfor ynglingens uppfostran ut på att gora honom duglig att bestå i livets provande kamp. Ja, det gick så långt, att vanskapta eller svaga barn ej ansågos varda att få leva. Husfadern hade makt att bestämma, om det nyfodda barnet skulle få behålla livet eller utsattas i vildmarken. Hungersnöd, som ej var någon ovanlig foreteelse i gamla tider, kunde vara giltig anledning att sålunda taga det spada barnet av daga. For den, som ej led nod, ansågs det dock vanhedrande att låta ett valskapt barn forgås. Men vanskapta barn blevo ännu långt efter kristendomens inforande avlivade i Norden Den for sydvästra Norge gällande Gulatingslagen, från början av 1200-talet, stadgar, att ett missfoster skall forst dopas — »lyftas ur hedendom», som det heter — och sedan foras till en kyrka for att där overlåtas åt doden.

Till tecken på att barnet fick behålla livet tog husfadern det upp i sina armar, varpå det vattenostes och fick namn. Den egendomliga plagseden med vattenosningen kan ha utvecklats ur germanernas bruk att doppa det nyfodda barnet i rinnande vatten. Denna sed, som sakerligen uppkommit av hygieniska skal, förckommer hos flera naturfolk.

*

Barnen i Norden gjordes tidigt fortrogna med faror och strider, de härdades med arbete samt idrotter, som krävde mod och sinnesnårvaro. Flerstades i bygderna funnos lekvallar, dar ungdomen samlades till idrottstävlingar, såsom bollspel, vilket dock allra helst idkades på is, dragkamp och brottning.

Om en berómd simtävling fortäljer en islandsk saga följande. När den store isländske idrottsmannen Kjartan Olavsson en gång under ett uppehåll i Norge gick utmed Nidån, såg han några män dar roa sig med simning. Sàrskilt utmärkte sig en bland de badande framfor de andra. Kjartan kände längtan efter att prova simstyrka med honom. Han störtade sig i ån, tog tag i mannen och holl honom lange under vattnet. Men så snart han låtit honom komma upp igen, fick han prova på annat, ty den starke simmaren drog nu ned honom, och så länge tumlade de bägge om nere i djupet, att Kjartan var nára att giva upp andan. De kommo emellertid åter upp. Men då talade de icke ett ord med varandra, utan döko snart nog för tredje gången ned i vattnet. Nu voro de ännu längre därnere, så att Kjartan började känna fruktan for hur den leken skulle komma att avlopa. När de emellertid åter voro uppe på ytan, simmade de omsider till land; och under det samtal de därunder förde fick islànningen veta, att den for honom okande mannen var ingen mindre än konung Olof Tryggvason — sin tids störste idrottsman.

Även hoppning övade man, helst iklädd rustning. Sålunda tävlade man i halsbrytande hopp från höjder och i dristiga, aventyrliga språng över gravar och åar, över hästar, manniskor och andra föremål.

Ett av de ståtligaste hopp, sagorna ha att omtala, var det, som islanningen Skarpheden en gång gjorde, då han i full rustning och med sin yxa Stridstrollet i högsta hugg for över den 7 meter breda Markarfljots vatten och det osaktat braddar-

na på ömse sidor voro tillfrusna och mycket hala. När han
kom over på andra sidans glanskis, som var »glatt som glas»,
stod han dock sakert på benen och strök fram i glidande fart
»Han rande av, så fort som fågeln flyger»; och snart stod hans
yxa i huvudet på den fiende, han på det sättet overraskade.

På flera stallen i sagorna fortäljes det, huru ett raskt språng
varit avgorande i ett förtvivlat handgemäng

En nordisk pojke fick vänja sig att reda sig själv. Med
spänd uppmärksamhet lyssnade den lille till männens be-
rattelser om sina och andras bedrifter, och han tankte i sitt
stilla sinne. »Även om mig skall man ha bragder att beratta,
när jag blir storl» Tidigt röjde sig arten hos de små. En
liten pojke hade fått en yxa som leksak. Han fick folja med
foraldrarne till ett folkmote, dar några män råkade i strid
och en blev sårad till dods, så att blodet samlade sig i en pöl.
Då får man se pilten springa dit och doppa sin lilla yxa i
blodet. Så leker blott ett vikingabarn.

En gång var storbonden Torsten Egilsson stadd på väg till
ett gästabud och hade med sig i följet sin tioårige son. Då
blev han sedd av sin gamle fiende Stenar, som var ute på
arbete med sina huskarlar och sin son, som även han var
tio år. Utan tvekan ryckte Stenar och hans folk emot Tor-
sten. Då befallde denne strax sin unge son att springa in i
den narbelagna skogen och dar hålla sig dold, så långe stri-
den varade.

Men pilten stannade kvar, och det blev en kamp uppe på
en hög kulle. Liksom de äldre drabbade här de bägge tio-
åringarne tillhopa; och når striden lyktats, fann man Torstens
son svårt sårad och Stenars son dod vid hans sida.

Hos tioåringarne hade samma starka kanslor av hat upp-
flammat som hos de aldre.

En berattelse finnes om en änka med två söner om 13
och 12 år, vilken hade hört, att en man hade talat onda och
osanna ord om henne: och gick detta henne djupt till sinnes
Hon klagade sin harm for sönerna och slutade eggande:
»Och I kunnen ju varken hamnas denna eller någon annan
skam, som tillfogas mig!» Pojkarne läto ej marka, att de hört
hennes ord, men strax darefter gjorde de sig redo att fara
hemifrån. De kommo till baktalarens gård och funno honom
ute i arbete. När han såg dem, blev han radd och sökte

undkomma. Men då slungade den äldste pojken sitt spjut,
så att det ven mannen in i livet och denne segnade död ned.
Broderna kommo hem lugna och fåordiga, som om ingen-
ting märkvärdigt hänt.

Hårdhet, sturskhet, självrådighet — det var egenskaper,
som man i ett nordmannahem ingalunda motarbetade hos
de unga. Tvärtom. Ty man såg däri ett bevis på att det
var gry i pojken. Betecknande for hur man intresserade sig
for barnets lynnesdrag är berättelsen om de frågor, som Norges
konung Olof den helige en gång ställde till sina små halv-
bröder, sonerna till fylkeskonungen Sigurd Syr.

Han frågade först den äldste, Gutorm: »Vad skulle du
helst vilja äga, frände?»

»Åkrar», svarade han.

Konungen fortfor: »Hur stora åkrar ville du ha?»

»Jag önskade», svarade han, »att hela detta näs, som här
sträcker sig ut i vattnet, varje sommar vore besått.»

På det näset, tillägges det i sagan, stodo tio gårdar.

»Mycket korn», genmälte konungen, »skall kunna växa dårå.»

Sedan sporde han den andre pilten, Halvdan, vad han
helst ville äga.

»Kor», förklarade han. På konungens fråga, huru många
han ville ha, svarade han: »När de komme ned till sjon —
Mjösen —, skulle de stå som tätast packade runt ikring den.»

Då sade konungen: »Stora bon viljen I äga; det är likt eder
fader.»

Sedan frågade han den yngste brodern Harald, som var
blott tre år gammal: »Vad önskar du dig helst?»

»Huskarlar», svarade han.

»Hur många onskar du dig?» sporde konungen.

»Så många», återtog pilten, »att de i ett enda mål förmådde
äta upp alla min broder Halvdans kor.»

Leende vände sig då konungen till sin moder Åsta· »Här
torde du uppfoda en konung, moder!»

Av denne gosse blev det sedermera den berömde konung
Harald hårdråde i Norge.

När konung Olof forst gjorde bekantskap med de små
halvbröderna, satte han dem upp i sitt knä och förvred
bistert sitt ansikte for att prova deras kynnen. De två äldre

skreko av rädsla men den yngste, treåringen Harald, såg
honom lugnt i ögonen. Då konungen sedan ryckte gossen i
håret, svarade denne med att draga hårt i hans mustascher.
Detta fröjdade konung Olof. ·

»Hämnesam månde du bliva, frände», utbrast han leende.

Och pilten blev det också Harald hårdråde var en lika
grym och hårdhant som tapper man.

Om Egil Skalle-Grimsson, Islands nationalhjälte, berattas
följande aventyr, i vilket dock sagan gor sig skyldig till en
uppenbar överdrift i fråga om hjaltens ålder.

När Egil var tre år, skulle hans foraldrar en gång tillsam-
mans med hans äldre broder Torulv och åtskilliga av husets
folk draga till gastabud hos hans morfar, storbonden Yng-
var på Alftanäs. Egil gav sin far en vink om, att han garna
ville folja med. »Är jag lika god frande till dem på Alf-
tanas som min broder Torulv», förklarade han. Men fadern
svarade med bestamdhet:

»Icke får du fara med, ty du forstår dig ej på att vara i stor-
lag, dar mycket drickes — helst som du ej tyckes vara god
att nappas med, nar du ar nykter.»

Då vart Egil missbelåten. Men när gillesfolket väl kommit
ett stycke från gården, gick han ut och fångade på tunet
ett av faderns arbetsok, klattrade upp på hasten och red
efter foraldrarne.

»Han hade vanskligt att finna fram over myrarna», heter
det i sagan, »ty han kande ej vagen, men han skönjde esom-
oftast de andras ritt, när ej hult eller skogar skymde Sent
om kvallen nådde han fram till Alftanäs. Där satt man då
kring dryckesborden.»

Den lille Egil blev varmt mottagen av sin morfar, for
vilken han oforstallt berattade »sitt och sin fars ordskifte»
Och morfadern satte honom upp hos sig i högsätet, så att
han kom att sitta mitt emot sin egen far, som intog det
andra hogsatet. Sedan hade pilten det mycket muntert på
gillet; han deltog i de äldres gamman, han kvad t. o. m.
visor liksom de, och »hos många kom Egil i ynnest för sitt
skaldskap».

Men intet berattas om, att foraldrarne ens bannat honom
for han- ”dvordigla

Tvärtom synes pojken endast ha skördat gunst för sin färd, vilken enligt de gamles mening utgjorde ett otvetydigt prov på raskhet och viljekraft.

Når Egil var sju år, deltog han i en stor bollek, som holls på slätterna kring Vitån. De aldre hade sin lek for sig, och vid sidan av dem ordnade pojkarne sig till sin. Egil kom att kasta emot en elva års pojke, »stark for sin ålder». Som de så lekte tillsammans, vart Egil den svagaste, medan den andre gjorde det bruk han kunde av sitt overtag. Men då rann vreden på Egil. Han lyfte bollträt och slog till sin motspelare.

Dock gick det ej båttre, än att denne »grep honom om livet, slungade honom med fart i marken och rappade om honom rätt illa samt sade sig skola slå honom lemlos, om han ej hölle sig tam».

Når Egil kom på fotterna igen, gick han ur leken och erholl av en bland de åldre en krumhórnad yxa, med vilken han for emot kamraten och satte den i hans huvud, »så att den med ens stod fast i hjárnan».

Då upphörde de äldre med silt spel; man rusade strax till vapnen och delade sig i skilda flockar, allt efter som man tog parti for eller emot. Och långt ifrån var det ej, att pojkarnes strid fortsatts av de äldre.

»När Egil kom hem, var hans fader Skalle-Grim fåordig, men modern menade, att Egil var ett vikingsamne, och vore det tillståndigt att giva honom härskepp, så snart han hade åldern inne. Då kvad Egil en visa:

>Det malte min moder,
att mig skulle kopas
farkost och fagra åror —
fardas på skepp med vikingai.
stånda uppe i stammen,
styra gode draken,
så i hamn få hålla,
hugga en och annan!»

*   *   *

Vanan vid blodsutgjutelse gjorde männen hårda och grymma Hos somliga naturer kunde en rent djurisk vildhet bryta ut. Det var hos de s. k. bärsärkarne, vilket egentligen betyder [»män som äro klädda i] björnhudar». När bärsarkaraseriet föll på dem, »blevo de galna som hundar och starka som björnar eller tjurar. De tjoto som vilda djur och beto i sina sköldar, så att stora stycken lossnade.» Alla som mötte dem hoggo de ned, vän och fiende utan åtskillnad. Ingenting kunde hejda dem. Det sades om barsarkarne, att varken eld eller järn bet på dem.

I ett sådant tillstånd voro de fruktansvärda att möta i strid. Men nar raseriet var stillat, blevo de liggande makt-lösa som efter en svår sjukdom. Barsårkagången betrak-tades också i forntiden som ett slags sjukdom. I Egil Skalle-Grimssons saga säges det om dennes farfader, Kväll-Ulv, att han fått sitt namn dárav att »var dag, nar det kvållades, blev han så argsint, att ej mången vågade tilltala honom».

Hans son Skalle-Grim ärvde bårsarksnaturen. När han en gång i ett bollspel blev övervunnen av sin tolvårige son Egil och dennes tjuguårige lekkamrat Tord, rann sinnet på honom och han tog först tag i Tord, lyfte honom och satte honom i backen så hårt, att han fullständigt krossades. Däref-ter grep han tag i sonen. Men en av hans tralkvinnor, Egils fostermor, stod och såg darpå och ropade hånfullt·

»Går du nu bärsärksgång emot din egen son, Skalle-Grim?»

Då släppte han Egil och slog efter henne. »Hon hukade sig undan och sprang sin vag», berattar sagan. »Skalle-Grim efter. De lupo anda ut till udden av Digranas. Dar sprang hon ifrån berget ut i sjön. Han kastade en stor sten efter henne. Den tog mellan skulderbladen, och hon kom aldrig upp mera.

När far och son senare på kvallen kommo hem till Borg, var Egil mycket förgrymmad.

Skalle-Grim satte sig med folket till bords, men sonen var annu ej kommen till sin plats.

Han hade gått in i eldhuset till den man, som var Skalle-Grim karast, och som närmast under denne hade tillsyn over arbete och gods dar på gården Honom hogg Egil banehugg och gick sedan in och satte sig på sin plats.

Skalle-Grim lat intet ord falla om detta, och allt framgent låg det målet tyst. Far och son talades icke vid, varken i godo eller ondo. Så gick det den vintern »

Om en annan islänning berättas, att »varje halvmånad kom det over honom en skalvning i hela kroppen, så var tand i munnen skallrade, fastan folk forsokte ge honom all den lindring, de kunde. Med denna skalvning följde stort raseri Han skonade då ingenting, som fanns omkring honom, vare sig vagg, stock, stav eller manniska; ja om det an var eld i vagen for honom, så gick han over den. Han slet bradfodringen och dorrkarmarna från huset, när han kom åt. Men nar raseriet lämnat honom, var han åter blid och lugn »

I våra dagar forekommer bårsarkagång annu hos en del malajiska stammar. En man, som dar gripits av hamndlystnadens eller svartsjukans blinda raseri, kan bli som ett vilt djur med blodsprangda, rullande ogon, forskrackliga tjut och mångdubblade krafter. 20—30 manniskor har det hant att en sådan best huggit ned, innan han blivit avväpnad. Man har t o. m. ett sarskilt redskap for att infånga en dylik malajisk barsark. Det består av ett slags stor Y-formad gaffel med hullingar på insidan.

◆

*   *   *

Frånsett bårsarkanaturerna, hörde sjalvbehårskning lika val som mod till den nordiske hjaltens yppersta egenskaper.

> »Tyst och klok
> vare konungason,
> och djarv, når strid står;
> munter och glad
> bland man envar,
> tills han av doden drabbas!»

säger Havamal.

Hjälten, som glad och frimodig går ur världen, är nordbons ideal:

> »Hogt log Hogne,
> då hjartat ut man skar»,

eller som Ragnar Lodbrok kvader i ormgropen: »Leende skall jag do »

Det hårda, trotsiga i nordbons sinne lamnar utrymme också for kanslor av varm tillgivenhet och karlek. Rorande ar den starke Egil Skalle-Grimssons sorg vid den unge, fagre sonen Bodvars dod.

Då han erhållit budskapet, att denne drunknat, gick han upp i sitt sovrum, slog dorrslån for och lade sig dar, fullt besluten att avvakta doden. Ingen vågade stora honom. Nar hans mest alskade dotter likval till sist formått honom att draga dorrslån ifrån, fick hon honom också att avstå från sin foresats och sjunga ut den stora sorgen i en åredikt over sonen, så djup och sann, att den hor till det, som i ord lever genom tiderna. Det heter bland annat dari

> >For min ått det lider
> nu till slut av dagen,
> lik en stam i skogen,
> skalad, tordonsslagen
> Mod har mannen foga,
> rymt har gladjeruset,
> når han bar en alskad
> frandes lik ur huset
>
> Mig har havet rånat,
> mycket från mig rivit,
> når till salla salar
> han revs bort ur livet.
> Han var skold for atten,
> varn ikring dess ara,
> tungt det ar att talja
> fall av frander kara
>
> Val jag sjalver vet det,
> att i sonen bodde
> amnet till en kampe;
> det låg gott och grodde,
> skulle vuxit våldigt,
> om han frisk fått frodas,
> tills han stått i härmåns
> led, de vapengodas
>
> Mest av allt han let till
> vad hans fader sade,
> fast allt folket andra
> ord i orat lade,
> halp mig har i hemmet,
> holl mig uppe handigt —
> det var han, som stodde
> all min styrka standigt.
>
> Ej i mannalagen
> mer jag har min gamman.
> om ock m innen kunde

hålla frid tillsamman,
ty min makas gosse
fick till gudar fara
att daruppe leta
efter franders skara.

Oblid ar mig Oden,
lagger tyngd, som trycker
hårt på mina skuldror,
stoden undan rycker.
Under kval, dem långa
leda natter valla,
kan jag ej mitt gamla
huvud uppratt hålla

Ty den tanken tynger,
att till gudars gårdar
Oden hov den milde,
som nu minnet vårdar
Ut från mig han vaxte,
attens gren den ranke,
vård fick vacker vidja
stads i moders tanke

Utan stod i stormen
infor alla står jag,
utan fagert folje
gammal gubbe går jag ›

Ett annat drag av faderssorg framstaller Håvardssagan.
Den gamle skroplige Håvard suckade så djupt, att det skalv i dem alla, som hörde det, nar underrattelse kom, att hans ståtlige son fallit for den maktige, hårdhjärtade hövdingen Torbjörn. Också han lade sig till sangs i tyst, djup undergivenhet. Han låg så i fulla tolv månader, till dess hans hustru formådde honom att stiga upp och vackla bort till dråparen Torbjorns gård for att av honom bedja om böter for sonen. Hånande svarade Torbjorn, att som bot skulle han få ett utgammalt, grått och sårigt ök, som länge legat och valtrat sig ute i gardet, men som nu dock kunde stå på benen.

Håvard gick hem och låg i nya tolv månader — säkert med sonen i tankarna

Ånyo formådde hustrun honom att stiga upp för att på tinget soka få ut boterna av Torbjorn Maktiga man bistodo honom där. Till sist slog tingsmenigheten ring ikring honom och Torbjörn, som nu skulle reda ut tre hundraden i silver för sonen. Men i stället för silver lät han i Håvards utbredda kappa den tandgård falla, som han huggit ur sonen, när han dräpt honom.

Då sprang den skröplige Håvard upp, stötte den närmaste mannen undan, tog ett högt hopp över mängden och gick sin väg raskt bort. Sorg och harm hade gjort honom stark och spänstig som en yngling.

Då han sedan en gång utmed stranden träffade sin fiende, sprang denne i havet för att rädda sig undan, men den gamle kastade sig efter, och sonens dråpare fick sin bane.

Ett tilltalande drag hos nordborna var också den orubbliga vänfasthet, som ofta rådde mellan helt och hållet oskylda män, vilka ingått fostbrödralag. Detta tillgick så, att två ynglingar sårade sig själva och läto blodet flyta samman i jorden, varvid de svuro att dela ljuvt och lett och hämnas varandras död.

De gemensamma farorna knöto många vänskapsband. Den nordiska troheten var berömd:

> Furan murknar,
> som på fjället står,
> hägnad varken av bark eller barr:
> så är ock den man,
> som ingen älskar.
> Vi skall han länge leva?
>
> (*Havamal.*)

Högre än allt annat skattade nordborna ett ärofullt rykte:

> Bort dör din hjord.
> Bort dö dina fränder.
> Själv dör du även.
> Men *ett* vet jag,
> som aldrig dör:
> domen över död man.
>
> (*Havamal.*)

Litteratur: A. U. Bååth, Nordiskt forntidsliv. Häft. kr. 2: 75, inb. kr. 3: 75.

Två fornnordiska kvinnogestalter.

FÖR att bedöma, hur högt ett folk står i kultur, ar det av största vikt att kanna kvinnans ställning i samhallct. Allt ifrån den tid, då vi forsta gången höra talas om germanerna i världshistoricn, finna vi kvinnan intaga en aktad och hedrad plats i familjen, betydligt ohka forhållandet hos t. ex. slaverna. Tacitus berättar i sin bcromda skildring av germanerna om deras kvinnors mod och dödsförakt, om hur de elda kåmparnes mod och forbinda de sårade. Hustrun ar, sager han, mannens kamrat i både arbete och faror.

Även i det nordiska hemmet hade husmodern mycket att säga. Hon var gift »till heder och husfrudöme, till lås och nycklar, till halv sang och en tredjedel i losoret».

Aldrig forr, än når vi nå fram till våra tider, står det sådan glans kring kvinnan i Norden som kring de kvinnogestalter, vi mota i de nordiska sagorna och i Eddasångerna.

Vi skola nu se, huru sagorna skildra tvenne kvinnor, vilkas yttre fägring särskilt framhålles. En typ i sitt slag ar Hallgerd, en av Nialssagans hjältinnor. Hon ger oss bilden av en hårdsint, stolt och hamndlysten fornnordisk kvinna. Så snart hennes stolthet blivit sårad, fylles hon av *en* enda tanke — på hämnd.

Hennes fader varnar den förste friaren. »Min dotter ár hård i sinnet», sager han. Men då Torvalds beslut att ákta henne är orubbligt, får han henne och det utan att hon själv tillspörjes om sin mening — en handling, vilken var fullt lagenlig, och vari forntidens kvinnor ofta funno sig märkvardigt vål. Icke så Hallgerd. Hon yttrar till fadern sin förbittring över det skedda och förklarar: »Ej synes mig detta vara ett så högt gifte, som I lovat mig.» Men denne genmaler »Ej aktar jag ditt hogmod. Jag skall råda och ej du.» Hallgerd svarar blott: »Stor är eder stolthet, fränder, och underligt år det ej, om jag fått något darav.»

På brollopsgillet ar bruden emellertid vid det bästa lynne. Hon är blid och vänlig mot sin man, och hon skrattar vid varje ord, han ságer. Men for dem, vilka ej som han äro då-

rade av hennes höviskhet och skönhet, klingar ej skrattet fägnesamt.
Man har sett henne under gästabudet
ivrigt samtala med sin dolske, ondsinte
fostrare, om vilken det säges, att han
visst icke bättrat hennes sinne: skratten
låta olycksbådande!

Vänligheten varar heller icke länge.
Snart lyckas hon att med bitande hånsord få Torvald så vred, att han slår
henne ett slag i ansiktet. Sedan sitter
hon ensam ute på gården och är sorgsen.

Då kommer hennes fostrare till och
ser, att hon är slagen i ansiktet. Han
frågar:

»Vi är du så illa medfaren?»

»Det har husbonden min vållat», säger hon, »och du skulle ej varit så långt
borta, om du eljest brytt dig om, hur
det går mig.»

»Jag visste det ju ej», säger han, »men
lika fullt skall jag hämnas det slaget.»

Och strax därefter faller mannen för
fostrarens yxa.

När denne sedan kommer hem och
håller upp sitt blodiga vapen, utropar
Hallgerd, där hon står utanför huset:

»Blodig är din yxa, vad har du gjort?»

»Slikt har jag gjort», svarar han,
»att du kommer att giftas bort en gång
till.»

»Då säger du mig Torvalds död», utbrister hon glad.

För faderns tilltag att gifta bort
henne utan att fråga efter hennes egen
vilja har hon sålunda tagit ut hämnd
genom dråpet på den man, han givit
henne. Den olyckan var det, som hennes kalla skratt bebådade.

Som husfru till den tappre, högsinte

Nyckel av brons, som troligen burits av en kvinna.

Gunnar på Lídarände är hon samma hårda, hämndlystna kvinna, som gläds, när hon ser mannen stå infor en säker död, ur vilken hon skulle kunnat rädda honom.

Var finns väl i hela litteraturen en intressantare kvinnotyp än denna sköna men ondskefulla, farliga kvinna, som med oemotståndlig makt driver männen, aven de basta, till sig men är blottad på all känsla för skillnaden mellan gott och ont?

*

Lika mork som Hallgerds gestalt står för oss, lika ljus ar bilden av Helga den fagra, sondottern av den berömde Egil Skalle-Grimsson.

Hon är hjältinnan i sagan om Gunnlög Ormtunga och Skald-Ramn

Redan vid femton års ålder sammanträffar hon med den jamnårige, reslige Gunnlög, vilken ar daglig gäst i hennes hem, den bekanta gården Borg på Vastlandet.

Han skildras såsom »till allt sitt skaplynne storslagen, tidigt ärelysten, oforvägen och våldsam, en god skald, som gärna kvad nidvisor». Därfor kallades han också ormtunga.

Han och Helga roa sig ofta med att spela tavel tillsammans, och mycket snart »fatta de gott tycke till varandra».

Hon bliver också till sist, efter faderns nödtvungna medgivande, Gunnlögs »löfteskvinna»· i tre år skall han vara utomlands och där »bilda sig efter goda mäns skick och seder», men är han icke åter på Island efter dessa års forlopp, så bliver Helga icke hans.

Så gå de tre åren utan att han kommer tillbaka.

I stallet anländer till Island en annan skald, vid namn Ramn, med vilken Gunnlög nyligen under utlandsfärden sammanträffat vid svenske konungen Olof Skötkonungs hov. Under en sångartävlan där har han gjort Skald-Ramn till sin bittre fiende.

Denne tager nu hämnd på Gunnlög genom att begära Helgas hand. Och hennes fader nödsakar henne att giva sitt ja.

»Gunnlög kom icke, och Helga tänkte med kval på giftermålet.»

Gunnlög har emellertid mot sin vilja blivit uppehållen hos Englands konung. På hemvägen får han veta Ramns frieri. Då utbrister han:

>Fastän Ramn i striden
stora hugg sägs giva,
lyckas lär han icke
linhöljd mö att tjusa.
Vet: som unga vänligt
vi ha lekt tillsammans,
jag och gyllne smyckens
ljusa bärarinna.»

Men samma kväll Gunnlög landsteg på Island, firades Helgas bröllop med Ramn. Det berättas, att bruden var mycket sorgbunden. Och sagan tillägger: »Det *är* sant vad ordspråket säger, att länge minnes man det man som ung förnummit, och så gick det henne nu.»

Kort därefter berättar Ramn en morgon för Helga, att han drömt sig ligga lik i hennes armar.

»Slikt skall jag aldrig gråta över», säger Helga. »Illa haven I svikit mig — ty Gunnlög är säkert nu på Island.»

Och Helga gråter häftigt.

Då sedan ryktet om Gunnlögs hemkomst sports runt om i bygderna, blir Helga så kärv mot Ramn, att han ej förmår hålla henne kvar hemma utan måste ledsaga henne till hennes fädernegård, där han har föga glädje av samlivet med henne.

Snart nog träffar hon emellertid på ett gästabud tillsammans med Gunnlög.

Från sin plats å gillessalens gavelbänk låter hon ofta blicken vila på honom, där han sitter i det ena högsätet, fagert klädd i den dräkt, som Irlands konung i sångarlön skänkt honom på utlandsfärden — »ståtligare än alla andra både för styrkans skull och vänhetens och växtens».

»Och det sannades, som sagt är, att icke dölja kvinnoögon, om en man älskas.»

Först när gästerna bryta upp och man rustar sig till hemfärd, går Gunnlög bort till henne, och »de tala länge tillsammans». Innan de skiljas, giver han henne en dyrbar kappa, en skänk av Englands konung; och hon tackar honom mycket för gåvan. Då kväder han:

>Värst, du väna Helga,
ville jag dock löna
falske friarn ej — men
fader din och moder.

som så fin dig fodde,
fager under drakten:
trollen måtte taga
tacka hovdingdottern!»

Och nu berättar sagan, hurusom Ramn alls icke har någon glädje i sitt samliv med Helga, sedan hon och Gunnlog råkats

För hennes skull drabba Gunnlog och Ramn nästa sommar tillsammans i en holmgång, som blir oavgjord. En tid därefter går Gunnlog en morgon med sin broder ned till ån, som flyter igenom tingsslätten. Långs andra stranden vandrar en skara kvinnor, bland vilka synes Helga den fagra.

»Ser du Helga, din väninna, där på andra sidan vattnet?» frågar brodern honom.

»Visst ser jag henne», svarar Gunnlog, och en visa undfaller honom:

»Född hon vart att väcka
vildsint kamp bland kämpar.
Rasande från Ramn jag
rycka henne ville.
Litet nu sig lönar
längtansfullt att blicka,
att den svaneljusa
se i mörka ögon»

De gå över ån. Och Helga och Gunnlog samtala en stund. När han går tillbaka med brodern, står Helga länge och stirrar efter honom. Gunnlög ser det, i det han vänder sig om, och han utbrister

»Hennes blickar blanka
blixtrande som falkens;
sköna ögon skjuta
skenet in i mina.
Deras starka stråle,
strimmande i dagen,
skall än värre vånda
vålla jämt oss bägge.»

Emellertid falla omsider de bägge rivalerna Gunnlog och Ramn i en ny tvekamp, som de för Helgas skull hålla, ty deras hat till varandra är lika outsläckligt som Gunnlogs och Helgas kärlek.

Visserligen måste Helga kort därefter ånyo foga sig efter sin faders vilja och giva sin hand åt en »rask och rik» man,

aven han skald; »men», heter det, »hon kom ej att hålla mycket
av honom, ty Gunnlog gick henne aldrig ur tankarna, fastan
han var dod».

Hennes storsta glädje ar numera att veckla ut for sig den
scharlakanskappa, hon fått av honom, och sedan hon det
gjort, »står hon länge och ser på den».

Så kommer en svår sjukdom in i gården, och aven Helga
blir sjuk men går dock uppe. En lordagsafton sitter hon
i vardagssalen, och hon vilar huvudet i sin husbondes knä.
Hon låter sända efter kappan, Gunnlogs gåva. Nar hon fått
den i händerna, breder hon den ut framfor sig och stirrar en
stund på den. Så sjunker hon tillbaka i husbondens famn
och är dod, och denne suckar:

> »Hår i famn jag håller
> husfrun dod, den goda.
> Hennes liv att lyktas
> latt fick Gud i höjden.
> Vad hon led, den vana,
> vant tungt for henne.»

Trälen.

DET FINNS en gammal Eddasång, som heter Rigstula. I den skildras de olika samhällsklasserna, vilka guden Heimdall under namn av Rig besöker. Först kommer han till trälens hydda. Den nyfödde trälen »var gråsvart i hyn».

>»Han hade skrynkligt skinn
>á skrumpna närar,
>krökta knogar
>och kartnaglar,
>knöliga fingrar,
>knotigt anlet,
>lutande rygg
>och långa hälar.
>
>Han växte till
>och trivdes väl,
>kom sig för,
>krafterna spände,
>bastrep band,
>bördor redde,
>drog ris hem
>dagen i ända.
>
>Gångande slinka
>till gården kom
>med ärriga sålor,
>solbrända armar
>och nedböjd näsa.
>
>Mitt på bänken
>sig mön satte,
>hos henne satt
>sonen i huset.
>De språkade och viskade,
>vilade i säng,
>Träl och Trälinna,
>under tunga dagar.

>Barn de fodde,
bodde nojda.
De lade stengardsgardar,
godslade akrar,
godde svin,
vallade getter,
gingo pa torvtakt.»

Sedan gastar Rig den frie mannen. Hans barn »vatten-
östes och

kallades Karl,
vart klatt och lindat,
var rodlatt och tackt,
hade tindrande ogon

Han vaxte till
och trivdes val.
oxar tamde,
arder gjorde,
timrade hus
och hoga lador,
gjorde karra
och korde plog.

De hemskjutsade mó
med hangande nycklar
och getskinnskjortel
och gifte med Karl.»

Från dem kommer de fria männens slåkte. Slutligen be-
soker Rig hovdingens hem:

»Moder fick son,
som i silke lindades,
vattenostes
och Jarl namndes;
han hade gyllne hår,
ljusa kinder
och ogon eldiga
som ormaungars.

Upp dar vaxte
den unge Jarl,
skold han bar
och bågstrangar faste,
pilbågar krokte
och pilar skaftade,
slungade spjut
och svangde lansar.

hetsade hundar
och på hastar red,
svängde svärd
och sam på vägen.

Jarl red sedan
genom svartan skog,
over frostiga fjall
och kom fram till en hall.
Han skot med spjut,
svangde skolden till varn,
hasten sporrade
och hogg med svard,
väckte strid
och valplats blodade.

Dårpå ensam han rådde
over aderton gårdar,
gods han skiftade,
gav åt alla
smycken, klenoder
och smarta hastar,
klov rodaste guld
och hogg ringar sonder »

* * *

Det forakt, som den gamla Eddasången andas for tralarne
och deras sysslor, går allmant igen i den islandska litte-
raturen.

De grövsta och tyngsta sysslorna voro trålens och träl-
kvinnans.

»I afton,
nar du svinen ger foda
och hundarna edra
till avskradet lockar»,

lyder en smådestrof, i vilken en man föraktligt tilltalas,
som om han vore »en simpel trål».

Av Vastergötlands gamla lag kunna vi se, vilka trälkvin-
nans vanligaste sysslor voro: Om en tralkvinna får barn,
till vilket en fri bonde ar fadei, skall denne enligt lagen
ersatta trälinnans ägare for den forlust i mistade dagsverken,
som han gor genom hennes barnsbord, till dess kvinnan

»gitter[1]
kvarn draga
och ko mjölka».

Att draga handkvarnen omtalas ofta som trälinnesyssla:

»Jag har ofta
ornar mattat,
medan du tralkvinnor
vid kvarnen kysst»,

säger i en Eddasång den berömde vikingen Helge Hundings-
bane hånande till sin fiende.

Tralen föraktades såsom både dum och feg. Dodsförakt
var den frie mannens främsta dygd. Men trälen »fann den
dagen dyster, då han doge från svinen».

Det urgamla föraktet för denna olyckliga tjänande klass
i forntiden visade sig starkast däri, att man ej hyste den
ringaste betanklighet att uppoffra en sådan varelses liv, när
helst det var fordelaktigt. Härtill kunde även sådana män
göra sig skyldiga, som annars prisas såsom storsinta. Nar det
gällde trålen, kommo inga samvetsbetänkligheter i fråga.
Så kroppsligen och andligen usel ansågs han i själva verket
vara.

Då den berömde Gisle Sursson erfor, att hans fiender voro
på väg emot hans hem, lastade han i hast på en släde
allt gods, som den kunde rymma, och gav sig till skogs
med sin tral Tord den huglose som följeslagare, en lika rädd
som reslig man, av samma storlek som Gisle. Nar de farit ett
stycke vag, sade Gisle till honom: »Ofta har du varit mig
trogen och gjort som jag velat. Det är darfor icke mer än
rätt, att du till sist lonas val.»

Gisle plägade vara prydligt klädd, och han bar standigt en
vacker blå kappa.

»Denna kappa», sade han till Tord, »vill jag skänka dig,
min vän; och jag vill, att du skall ha glädje av den. Svep den
nu om dig och sätt dig sedan här i släden, så skall jag draga
på mig din kåpa och sjalv leda öken.»

Därpå bytte de plats och kläder.

»Skulle det nu hända», fortsatte Gisle, »att någon ropar
dig an, så skall du akta dig väl för att svara ett enda ord. Men

---

[1] Orkar

kommer det någon, som ser ut, som om han ville dig ont, så skall du strax löpa till skogs.»

»Det var», heter det i sagan, »lika ställt med den tralens vett som med hans mod, ty han ägde intetdera.»

Så gick Gisle och höll i tömmarna, och den lika reslige Tord satt och tog sig dråplig ut i sladen. »Han bröstade sig mycket och tyckte sig vara ståtligt utstyrd.»

Men snart kommo Gisles fiender ridande efter dem; och när Tord hörde hästarnas starka trav, gick det som Gisle förmodat — »han tog ett väldigt hopp ur släden och sprang i väg åt skogen till». Förföljarne trodde naturligtvis, att det var Gisle själv, och satte i fyrsprång efter honom, ropande åt honom. Men han teg blott och sprang, tills han träffades av ett spjut, som borrade sig in i hans skuldror, och han föll i sin vackra, blå kappa. Själv kom Gisle i tralkåpan undan med livet.

*

I en annan saga berättas om en träl, som hette Egil den starke. »Han tyckte illa om sin levnadslott», heter det, »enär han var en träl», och ofta bad han sin husbonde och dennes söner, att de måtte giva honom friheten för någon god tjänst, han kunde göra dem.

Så gick han längs den ensliga fjorden en kväll för att se efter sina får. När skymningen tog till, såg han en örn komma flygande över vattnet. En stor och stark hund följde med Egil. Örnen slog ned på djuret, tog det i sina klor, flög med det tillbaka över fjorden och försvann under fjällen. Då tralen Egil kom hem till gården och berättade, vad som tilldragit sig, sade man där, att detta varslade nyheter.

Kort därefter förespeglade husbondens söner den frihetslystne Egil, att han skulle bli löst ur träldomen, om han ville draga bort till en lekplats där i närheten och fälla några av deras fiender, Bredvikingarne — de höllo nämligen där som bäst på med sitt bollspel. Han fick noggrant besked, hur han i allt skulle bete sig, ty en träl tilltrodde man ej gärna någon egen tanke.

Sedan drog han åstad och gömde sig i en bergsklyfta, som utmynnade ovanför Bredvikingarnes lekstuga nere på fältet.

Han hade fått befallning att hålla sig stilla uppe i klyftan, till dess den fram mot aftonen bleve full av rök, ty då kunde han veta, att måltidseldarna tänts i lekstugan nedanför, enar vinden om kvällarna oftast strök ifrån slätten och drev röken upp i klyftan.

Så satt han däruppe hela dagen och såg ibland ned på de lekande. En gång utbrast en av dem, under det bollspelet pågick: »Jag vet icke, vad det är jag ser däruppe i bergsklyftan, om det ar en fågel eller om en man gommer sig där — något levande ar det.» Men ingen undersökning gjordes.

I kvällningen kände Egil röken i klyftan Han klev ned och smög sig osynlig langs roken in i lekstugan, dar afton-eldarna flammade och två av bredvikingarne sutto vid elden. Dem skulle han fälla!

Och nu »förmenade han», sager sagan, »att han om en kort stund skulle vinna sin frihet för alltid».

Men Egil hade styvnat i lederna uppe i fjället, och därtill hade den ena av hans skoremmar lossnat, så att tofsen slapade; han snavade på den och föll framstupa.

Sedan säges i sagan, vad som helt säkert aldrig skulle ha sagts om en friboren man, som råkat ut for ett sådant miss-öde. »Det vart», heter det, »en så stark duns, som om kroppen av en flådd oxe kastats ned på golvet »

Naturligtvis sprungo härvid bredvikingarne upp. Den ene av dem, Bjorn, grep Egil, innan han kommit på fötterna igen, och frågade honom, vad han vore for en karl. Han svarade ängsligt: »Egil ar har, god vän, Björn!» Därpå ville man ha sannsagor av honom, och fjattrad till fotterna måste han sedan berätta till punkt och pricka allt om sin sändning, »huru det varit ämnat med hans färd».

Nasta morgon leddes han upp i bergsklyftan och dräptes i den. Den kallades sedan Egilsklyftan.

Det var alltså den stackars frihetslängtande trälens dod for hövdingars händer, som sagan låter varslas for honom, nar den berättar, hur den stolta ornen slog ned på hunden och forsvann med den.

*   *   *

De flesta trälar voro krigsfångar eller deras avkomlingar. Dock hände det även, att fattiga personer gåvo sig till trålar for att bli försörjda Trälarne köptes och såldes som boskap.

Den isländske hövdingen Höskuld var en gång i Norge för att skaffa sig hustimmer. På Biännoarna utanför Göta älvs mynning hölls det då en stor marknad, och dit samlade sig mycket folk. Höskuld for också dit med sitt skepp. »Där var mycken skämtan, dryckeslag, lekar och allsköns gladje » En dag gick Höskuld mellan de uppslagna bodarna tillsammans med några andra män »för att roa sig». Han såg då en ståtlig bod ett stycke från de andra. Med sitt följe trädde han in, och där satt en man i brokigt vävda kläder och med en rysk hatt på huvudet. Då Höskuld hörde hans namn, Gille den ryske, erinrade han sig, att denne var den rikaste bland dem, som där på marknaden sysslade med köpenskap, och han frågade »Du kan väl sälja oss något, som vi kunde ha lust att köpa?»

Gille sporde då, vad de ville köpa, och en av Höskulds följesmän svarade, att denne ville tillhandla sig en trälkvinna, ifall han hade någon att sälja. Då svarade Gille: »Jag marker nog, att I viljen sätta mig i förlägenhet genom att fråga efter något, som I tron att jag icke har till salu, men den saken är nog ej så helt och hållet avgjord.»

Man såg, att ett förhänge sträckte sig tvärs över boden. Detta lyfte Gille upp, och därinnanför sutto tolv kvinnor På hans uppmaning gick Höskuld in och såg på dem Han betraktade dem noga, och han såg, huru längst borta i hörnet satt en kvinna, som var dåligt klädd, men som syntes vacker, så vitt man kunde se.

Efter någon underhandling om priset köpte islänningen kvinnan, som befanns vara en irländsk konungadotter, vilken nyss råkat i fångenskap.

Husbonden fick behandla sin träl fullkomligt godtyckligt, ja till och med taga hans liv »Om husbonden eller husfrun eller deras barn tillfogar träl någon skada — dräp eller sår — vare allt saklöst.» Ville man beteckna, att någon var fullkomligt rättslös, sade man, att han »ej hade mera rätt än en hudstruken huskona», d. v. s. trälinna.

Husbonden var ansvarig för trälens förbrytelser, liksom han var ansvarig, om hans hund bet någon, eller om hans

kreatur gingo in i grannens säd. Om tralen begick ett brott,
fick husbonden betala böterna eller utlämna tralen till den,
mot vilken denne forbrutit sig. »Draper träl en fri man», säger
Skånelagen, skall husbonden »utlämna tralen till den dräptes
fränder» och betala sex marks boter, »eller behålle han sin
träl och bote nio mark». Vissa landskapslagar synas dock ha
velat hindra husbonden att tillgripa den bekvama utvagen
att utlamna den brottslige trälen. Östgotalagen stadgar
sålunda, att om husbonde i stället för att böta utlamnade sin
brottslige träl, ägde målsagaren ratt att taga en ekvidja och
hänga den utlämnade trälen i denna vid grindstolpen till
ägarens gård. Skar husbonden ner liket, innan vidjan rutt-
nade, så gjorde han sig skyldig till 40 marks böter. Man kan
tänka sig, att det skulle vilja mycket till, innan en person
valde att utsatta sig for att få grindstolpen på sin gård prydd
på detta sätt.

*　　*　　*

Ljuspunkter finnas dock även i dessa stackars varelsers
liv. Eftersom trälar voro en vardefull egendom, som i sin
krafts dagar betaltes lika hogt som ett par tre goda oxar,
låg det naturligtvis i husbondens intresse, att de foro väl
Och i regel voro nog också husbonderna rädda om sina trälar,
likasom en bonde nu för tiden ar rädd om ett gott arbetsok.

Många husbonder satte också sina trälar i tillfälle att ge-
nom eget arbete köpa sig fria.

Den norske hövdingen Erling Skjalgsson på Sole bestämde
åt sina trälar ett visst dagsverk och gav sedan lov åt vem
som ville att arbeta for egen räkning. Han gav dem åkerland
att så sig korn på, och det som därpå växte vart deras.
På var och en av dem satte han ett värde och en lösen, och
många loste sig fria redan det första eller andra året, och
alla, som det var något bevänt med, löste sig på tre vintrar.
Med lösepenningarna köpte Erling sig nya trälar, och dem,
som frikopt sig, forhalp han till sillfiske eller till annan näring;
somliga röjde skog och anlade nybyggen. Alla bragte han till
någon bärgning.

Litteratur. I S Landtmansson, Traldomens sista skede i Sverige
(Skr utg af K hum. vetenskapssamf i Upsala 1897)
Emil Sommarin, Träldomen i Norden (Verdandis

Sveriges rike bildas.

BLAND de folkstammar, som vid tiden omkring år 500 bodde i vårt land, voro svear och götar de fornamsta. Svearnes rike var ett Malarvalde, gotarnes bygder utbredde sig på Vänerns och Vätterns bördiga strander. Mellan dessa stammar bildade Tivedens och Kolmårdens valdiga ödeskogar en grans, som nästan omöjliggjorde all beroring, vare sig fredlig eller krigisk. Anda till 500-talet. Då blev det annat av. Då börjar en ny period i vår historia.

Under århundradena nast forut hade de båda huvudstammarna av vårt folk genomgått en utveckling av mycket olika art: götarne, som stått i livlig beroring med germanfolken på Europas fastland, hade vunnit rikedomar men förlorat i folktal; svearne daremot, som levat sitt liv for sig, oberorda av de stora varldshändelserna, voro folkrika men fattiga på guld. För den som kant historiens obevekliga lagar skulle det vid denna tid ej varit svårt att forutse, hur det måste gå. guldet lockade det fattigare men starkare folket, och så blev krig oundvikligt.

Den viktigaste kallan for vår kunskap om de valdiga strider, som på 500-talet upplågade mellan svear och gotar, ar ett engelskt kvade från omkring år 700. Det ar byggt huvudsakligen på sånger, diktade av de kampande götarne, och skildrar den gotiske hjalten Beowulfs oden, till dess han faller i kampen for sitt folk. Efter honom bar diktsamlingen namnet Beowulfskvadet. Invavda i sagomotiven finner man i denna markliga dikt fullt verklighetstrogna skildringar från striderna mellan de bägge stammarna, till punkt och pricka overensstammande med vad vi genom fornfynd veta om dessa folks odling och seder på denna tid.

Minnet av dessa strider anses gå igen aven i den sagomåttade berattelsen om Bråvalla slag vid Bråviken.

Resultatet av dessa välvningar blev svearnes seger, och darmed voro de bagge huvudstammarna i vårt land sammanslagna till ett rike med Uppland som huvudbygd. Tiden, nar detta skedde, kunna vi bestämma med ledning av fornfynd. De visa, att på 500-talet blev guldrikedomen påfallande stor i bygderna norr om Mälaren, dar man däremot knappt hittat något enda praktforemål från tiden fore år 500. Å andra sidan borja nu fornsaker av den typ, som kännetecknar svearnes egendomliga kultur, att tranga söderut till Götaland. På 500-talet ar det alltså, som det svenska riket skapas, »med blod och järn».

Enligt sägnen, bevarad av islanningen Snorre Sturlason, den store berattaren och samlaren av historiska sagor, var det Uppsala-konungen Ingjald av den frejdade Ynglinga-ätten, som genomforde enhetsverket. Han skulle ha inbjudit flere konungar, harskare over var sin landsanda, att fira arvol efter hans fader. Gastabudet var praktigt. Det var bruk vid sådana fester, att innan arvtagaren intog hustaderns plats i hogsatet, skulle han med ett dryckeskarl i hand gora ett lofte om någon bragd och sedan dricka i botten. Ingjald stod upp, hojde dryckeshornet och lovade att fordubbla sitt rikes område åt vart vaderstreck eller ock satta livet till. Det loftet uppfyllde han på ett sätt, som gasterna ej anat. Om kvallen, nar de voro druckna, satte han eld på det hus, vari småkonungarne vistades; och dem, som ej innebrandes, lat han hugga ned. På detta och liknande sätt skall han ha bragt om livet inalles tolv småkonungar, »svikande dem alla under fred; därav fick han namnet Illråde».

Sagan bar redan genom sitt innehåll en prägel av osannolikhet over sig. En sådan mordbrannare på tronen skulle icke ha blivit tåld av svenske man. Gästfrihetens lag var for de gamla nordborna heligare an något annat. Till och med den man, som drapt ens egen fader eller broder, var man skyldig att skydda och hjalpa, blott han kommit in under ens tak. En konung, som begått så skandliga brott mot denna helgade lag, skulle av våra förfader ha blivit utan krus vrakt från riket.

Även andra omstandigheter tala mot sagans trovardighet. Snorre Sturlasson nedskrev den i början av 1200-talet, alltså mer an ett halvt årtusende efter de händelser, den skildrar. Dess historiska varde kan redan darfor icke vara stort, och detta minskas ytterligare darigenom, att sagan ar byggd på en mot Uppsalakonungen hentlig tradition, som Snorre inhamtat vid besök hos sina vannei i Västergotland. Dar hade man sannerligen icke något gott oga till den konung, som bar skulden för att det gotiska folkets storhet stannat i vaxten genom att han lagt det under svearnes valde. Så har Ingjald råkat ut for olycksodet att få sin historia skildrad av motståndare och genom tiderna bara ett oknamn, som han sannolikt ar oskyldig till

Litteratur: Otto von Friesen, Om det svenska rikets uppkomst
(Verdandis småskrifter n:r 200: haft. 25 ore).
Emil Svensén, Bilder ur Sveriges forntid (Läsning
for svenska folket 1909, haft. kr. 1: 20).

En sagoö.

DEN MAN, som forenade de norska smårikena till en stat, var Harald Hårfagre, han som avgav det högtidliga löftet att ej klippa eller kamma sitt hår, förran han rådde över hela Norge Han besegrade den ene småkonungen efter den andre. Till slut vann han en stor avgorande seger åi 872 Nu var han herre över hela Norge. Men det fanns många styvsinta hovdingar, som icke ville erkänna den nye harskaren. De funno en utvag att bevara sin självstandighet. Ty vid denna tid upptacktes Island, den stora on med snofjall och våldiga joklar, med eldsprutande berg och heta källor. Goda beten funnos kring fjordarna, och Golfstrommen gor vintrarna så milda, att boskapen kan på sodra kusten gå ute året om. Havet ar rikt på valar och fisk, och skårgården vimlar av sjofågel.

Två år efter Harald Hårfagres stora seger landade har de forsta nybyggarne. De heliga högsatespelarna forde de med sig från sitt norska hem och kastade dem över bord, når de sågo det nya landets jokelmassor blåna mot sig. Dar de floto i land, byggde de sitt nya hem. Hit overflyttade nu år efter år den kraftigaste delen av Norges hovdingaätter, »maktiga och goda bönder», som hellre lamnade fadernebygden, an de bojde sig for Harald och galdade honom skatt for sin jord. — På Island fortsatte Norges stormän sitt fria liv. Har var envar sin egen herre. Minnena av hembygden bevarade de troget. Under de långa vinterkvallarna lyssnade man med förtjusning till guda- och hjältesånger och berattelser om framstående nordman; och slutligen blevo sånger och sägner upptecknade. Så ha vi islanningarne att tacka för att t. ex. de harliga Eddasångerna räddades. Flere av dessa sånger och sagner behandla handelser från vårt land. Men dar blev minnet av dem utplånat, nar kristendomen kom in. På Island vållade däremot trosskiftet ingen sådan genomgripande omvälvning, utan där vaxte det nya lugnt och stilla in i det gamla.

De isländska ättsagorna ge oss de yppersta bilder av de gamla nordbornas liv och kynne. Mycket av det vi veta om de nordiska landernas aldre historia ha vi från berattelser, skrivna på Island. Den berömdaste historieskrivaren ar Snorre Sturlasson, som författat en mangd — dock norsk-islandskt farglagda — berättelser om nordiska konungar. Han dog år 1241.

Så blev denna avkiok av världen en oersättlig skattkammare for kannedomen om Nordens forntid. Utan den isländska litteraturen skulle vi blott kunnat leta fram ett och annat drag ur livet under dessa tider, men allt det som gor den tidens människor till levande gestalter med kött och blod — allt detta hade vi måst forsaka

En islänning upptackte på aventyrsfard Grönland. På dess vastkust slogo islandska nybyggare sig ned, och deras efterkommande hollo sig kvar dar anda till på 1400-talet, då de dukade under för eskimáernas anfall.

År 1000 blev en av dessa islandska nybyggare vinddriven åt sydvast till ett land, som hade stora skogar, och dar säd och vin växte vilt. Därfor kallade nordmannen det Vinland. Det var ostra kusten av Nordamerika, vilken världsdel nu for forsta gången betraddes av européer. Narmare angivet synes Vinland ha varit halvön Nova Scotia, dar vildvin fanns vid de europeiska nybyggarnes ankomst dit på 1600-talet och växer ännu i våra dagar. Den säd, som nordmannen funno har, var troligen vilt ris, vilket forekommer litet varstades vid vattendragen i Nordamerika. De infodingar, med vilka de kraftiga nordborna har kommo i beröring, forefollo dem vara så ynkliga och skrala, att de kallade dem »skrälingar». De voro enligt sagan om denna färd »små men av ondskefullt utseende och hade styggt hår på huvudet.

stora ögon och breda kinder». Det »stygga håret» tyckes i nordbornas mun ha betytt svart och stravt hår. På hemfärden från Vinland överraskade gronlandarne fem sådana skralingar, en skaggig man, två kvinnor och två barn. De vuxna undkommo i sina hålor, »slunko ned i joiden», som det heter i sagan harom, men barnen blevo infångade och fordes med till Grönland, dar gronlanningarne larde dem tala nordiskt språk och lato dopa dem.

Ett senare försok av islanningar att kolonisera Vinland måste uppges efter strider med skralingarne, och med tiden foll upptackten i glomska Det var ett av de många, alltfor många forsummade tillfällena i Nordens histoiia. Tänk, *om* det blivit nordborna, som gjort sig till den nya världsdelens herrar! Men nar italienaren Columbus fem århundraden senare for Spaniens rakning gjoide sin beiomda upptäckt av Amerika, hade nordborna foisuttit sin ratt, och det var andra folk förbehållet att plocka Vinlands druvor, skorda dess sjalvsådda åkrar och plundra bergen på deras skatter.

*

Men vi återvanda till Islands sagoö foi att foidjupa oss i dess guda- och hjaltesånger och lyssna till några av attsagorna. Överallt finna vi dar drag, gemensamma för hela Nordens folk denna tid, och oftast ar det svårt att skilja ut vad som kan vara saiskilt for Island utmärkande.

Litteratur· Gustav Storm, Studier over Vinlandsreiserne. (Aarbøger for nordisk Oldkyndighed og Historie for år 1887)

Alexander Bugge, Spørsmaalet om Vinland. (Svenska landsmål och folkliv for år 1911)

EDDASÅNGER

Världens skapelse.

URÅLDRIG ljuder oss till mötes sången om jordens skapelse: I tidens början funnos två världar, eldens och köldens. I svalget mellan dem, Ginnungagap, follo gnistor från den förra på isen från köldvärlden. Därav uppkom den väldige Ymer, jättarnes stamfader, samt kon Ödhumla, från vilken åsarne — så kallades gudarne — leda sitt ursprung:

> I åldrarnas morgon,
> då Ymer levde,
> var ej sand, ej sjö,
> ej svala vågor;
> jorden fanns icke,
> ej upptill himlen;
> ett gapande svalg fanns
> men gräs ingenstädes.

Gudarne dråpte Ymer och skapade jorden av hans kött, bergen av hans ben; skog blev av håret, av hans blod böljorna och av huvudskålen himlavalvet. Sedan skapade åsarne det första människoparet av två träd, Ask och Embla.

Men förgängelse råder i den värld åsarne danat, förgänglig är åsarnes egen makt. Över dem råda ödets gudinnor, de tre nornorna. De sitta vid roten av den evigt grönskande asken Yggdrasel, som med sina rotter och grenar omsluter hela världsalltet

> Lyckans lotter,
> liv och död,
> hjältars öde,
> allt är av dem.

Gudar och gudinnor.

TOR är den starkaste av gudarne. Fruktansvärd är han, när han åker fram genom rymden efter sina två bockar, så att det dånar — det kalla människorna tordön — och med blixtrande slag av sin hammare krossar jättarne, ondskans släkte. Tor var en särskilt »populär» gud i Sverige. En massa ortsnamn vittna om hur utbredd hans dyrkan varit. »Denne klumpige, godmodige bondegud», säger vår främste nu levande litteraturhistoriker, »snar till vrede men också lätt försonad, icke svår att lura men själv icke utan en viss humoristisk knipslughet, då han träder i beröring med sina fiender, jättar och dvärgar — denne uråldrige gud, vars vapen ännu utgöres av en primitiv stenhammare, som aldrig rider liksom vikingaguden Oden utan vandrar till fots eller åker efter sina bockar, och som alltid slåss på egen hand, aldrig såsom anförare — denne gud leder säkerligen sina anor tillbaka ända till stenåldern och är ett ypperligt, karakteristiskt idealporträtt av den nordiske bonden, tecknat av honom själv — lika kärleksfullt som konstnären målar sin egen bild. I och för sig är denna typ ett verkligt konstverk, och ett konstverk i vilket säkerligen alla de tre nordiska folken hava del.»

Visast av gudarne är O d e n, Allfader, som rider till strids på den åttafotade hästen Sleipner och har två korpar, vilka berätta honom allt som sker. Oden har satt sitt ena öga i pant hos Mimer, vaktaren av vishetens källa, för att få dricka ur denna. Hans maka, F r i g g, är ypperst bland kvinnor. F r e j, fruktbarhetens gud, råder över solsken och regn. Varje år förde man hans bild på en vagn omkring till de olika bygderna. Eftersom han på samma gång var fruktsamhetens gud, ansågs han då »tarva hjonelag», och man lät därför hans bild åtföljas av en »Frejskona».

I Åsgård, gudarnes boning, bo också F r e j a, kärlekens gudinna, och I d u n, som gav gudar och gudinnor att äta av den eviga ungdomens äpplen. Heimdall är gudarnes vaktare, som från regnbågens bro skådar hundra mil åt alla håll och kan höra, hur gräset växer.

Tor i strid med jättarne. Målning av M. E. Winge.

Sagan om Tors färd till jättarnes värld.

Tors äventyr med Skryme.

TOR åkte en gång hemifrån efter sina bockar och hade i sallskap guden Loke samt sina tjänare, bondsonen Tjalve och dennes syster Röskva.

En dag färdades de genom en stor skog, ända tills det blev morkt. Slutligen funno de en stuga, som var mycket rymlig. Vid dess gavel var en ingång, jamnbred med själva stugan. Där togo de nattläger.

Men vid midnattstid kände de en stark jordbävning. Jorden under dem skakades, och huset skalv. Då steg Tor upp och kallade på sina följeslagare. De trevade omkring sig och funno till hoger i stugan en utbyggnad, i vilken de gingo in. Tor satte sig i dörren. De andra sutto längre in och voro mycket radda. Tor höll sin hammare i handen för att forsvara sig, ty de horde mycket buller och gny.

Då det dagades, gick Tor ut och fick se en man, som låg och sov i skogen ej långt ifrån honom. Han var icke liten, och våldigt snarkade han. Då började Tor forstå, vad det var för ett buller de hade hort om natten. Han spände om sig sitt starkhetsbälte, så att hans gudastyrka växte. I samma stund vaknade mannen och stod strax upp. Det säges, att Tor då häpnade för en gångs skull, så att han icke vågade slå till med sin hammare utan sporde mannen om hans namn Han kallade sig Skryme »Icke behöver jag», sade han, »sporja dig om *ditt* namn, ty jag vet, att du är Åsa-Tor. Men var har du gjort av min handske?» Skryme bojde sig därvid ned och tog upp sin handske. Tor såg nu, att handsken var det hus, vari han vilat over natten, och att utbyggnaden var handskens tumfinger.

Nu sporde Skryme, om Tor ville ha honom till sallskap, och därtill samtyckte Tor. På Skrymes forslag lade de sin reskost tillsammans. Skryme tog alltsammans på ryggen, gick forut hela dagen och tog stora steg. Om kvallen uppsökte han nattläger åt dem under en stor ek.

Då sade Skryme till Tor: »Nu vill jag lägga mig att sova, och I kunnen taga matsäcken och reda till er aftonmåltid.» Darefter somnade Skryme och snarkade hårt. Tor tog matsacken och skulle lösa upp den. Men hur otroligt det än må tyckas, så fick han icke upp en enda knut.

Då blev han vred, tog hammaren med bägge handerna och slog Skryme i huvudet. Denne vaknade och undrade, om ett löv fallit på hans huvud, och om de nu hade fått mat och voro fardiga att lägga sig. Tor svarade, att de nu skulle lägga sig. De gingo då bort under en annan ek. Men det var icke utan fruktan de lade sig att sova där.

Vid midnattstid horde Tor Skryme snarka så hårt, att det dånade i skogen. Han stod då upp, gick bort till honom, svängde hammaren med väldig kraft och slog till honom mitt i hjassan, så att han kunde märka, att hammaren trängde djupt in i huvudet. I samma stund vaknar Skryme och sporjer: »Vad ar det? Faller det ollon ned på mitt huvud? Eller vad ar på färde, Tor?» Tor trädde hastigt tillbaka och svarade, att han nyss hade vaknat, samt att det nu vore midnatt och således tid att sova än längre.

Då tankte Tor, att om han finge tillfälle att giva jätten annu ett slag, så skulle denne aldrig mer kunna se honom. Han låg nu och väntade, att Skryme skulle falla i sömn. — Strax fore dagningen märker han, att Skryme somnat. Han stiger då upp, springer bort till honom, höjer hammaren med all sin kraft och slår honom på tinningen, så att den sjunker in ända till skaftet.

Skryme reser sig upp, stryker sig om kinden och säger: »Månntro det sitter några fåglar i trädet över mig? Det forekom mig, när jag vaknade, som om mossa av grenarna hade fallit ned på mitt huvud. Eller är du vaken, Tor? Det är nu tid att stiga upp och kläda sig. Nu är det icke långt igen till den borg, som kallas Utgård Jag har hort er viska till varandra dårom, att I icke tycken mig vara liten till växten, men I skolen få se storre män, om I kommen till Utgård. Jag vill giva eder några goda råd· hogmodens icke, ty ingalunda skola Utgårda-Lokes hovman tåla stora ord av sådana småsvenner! Men vanden ändå hellre om! Det skulle bekomma er långt bättre. Men viljen I äntligen

fortsätta färden, så hållen åt öster? Min väg leder norrut
till dessa fjall, som I där sen.»

Därefter tog Skryme matsäcken på ryggen och gick ifrån
dem in i skogen.

Tors äventyr i Utgård.

Tor gick nu vägen framåt tillsammans med sina följes-
lagare, och de fortforo att vandra ända till middagen.

Då sågo de en borg på en stor slätt, och den borgen var
så hög, att de måste boja nacken bakåt ryggen, innan de
kunde se dess tinnar. De gingo fram till borgen. I borg-
porten var en grind, men den var stängd, och Tor formådde
ej oppna den. For att äntligen komma in i borgen kropo
de då mellan grindspjälarna och kommo så in.

De fingo nu syn på en stor sal och ställde sina steg dit. Då
de funno dorren oppen, gingo de in och sågo många män sitta
där på bänkarna. De flesta voro mycket stora. Därefter
tradde Tor och hans sällskap fram for konungen, Utgårda-
Loke, och hälsade honom. Han bevärdigade dem knappt
med en blick och sade småleende· »Är denne pilt Åsa-Tor?
Dock är du kanske duktigare, än du ser ut. Till vilka idrotter
äro du och dina följeslagare redo? Bland oss tåles ingen,
som icke utmärker sig framfor de flesta genom någon konst
eller kunskap.»

Då svarade Tors foljeslagare, guden Loke. »Jag ar redo
att visa er, att har ej finns någon, som kan fortare än jag
äta upp sin mat.» Utgårda-Loke sade: »Nog ar detta en konst,
om du formår hålla, vad du lovar. Det skola vi nu se.» Han
kallade då fram ifrån bänken en man, som hette Låge, for
att han skulle tavla med Loke. Ett tråg bars fram, sattes på
salsgolvet och fylldes med kott. Loke satte sig vid ena
änden och Låge vid den andra. De åto bägge av alla krafter
och möttes mitt i tråget. Loke hade ätit allt köttet av benen,
Låge däremot både köttet, benen och tråget. Alla kommo
överens om, att Loke hade forlorat leken.

Då sporde Utgårda-Loke, vad for konst den unge mannen
i Tors sallskap forstod sig på Tjalve svarade, att han ville
lopa i kapp med vem som helst. Utgårda-Loke svarade,
att det var en god idrott, men tillade, att Tjalve måste vara
mycket snabbfotad. om han tänkte visa sig i denna konst.

Utgårda-Loke steg nu upp och gick ut. Dar var en god rännarbana utåt den jämna slätten. Utgårda-Loke kallade till sig en ung man, som hette Huge, och bad honom lópa i kapp med Tjalve. Forsta gången de lopte var Huge så mycket före, att han vid målet vände sig om emot Tjalve. Då sade Utgårda-Loke· »Du får sträcka ut bàttre, Tjalve, om du skall vinna leken! Så mycket vill jag dock såga dig, att hit har aldrig kommit någon, som sprungit snabbare àn du.»

De sprungo nu for andra gången. Men når Huge var framme och vände sig om, var det ett långt pilskott till Tjalve. Då sade Utgårda-Loke: »Väl lopen I bagge, men knappt tror jag, att Tjalve vinner leken. Det skall nu visa sig, nar I löpen tredje gången.» — De löpte då ànnu en gång, men när Huge var vid banans slut och vande sig om, då var Tjalve ej annu kommen till mitten. Alla sade då, att dessa prov kunde vara tillrackliga.

Då sporde Utgårda-Loke Tor, vilka de idrotter voro, som *han* ville giva dem prov på. Ty nu gallde det for Tor att visa, om ryktet talade sant om hans storverk. Tor sade, att han helst ville tävla i drickande med någon av Utgårda-Lokes màn. Denne svarade, att detta vore nog gott. Därpå gick han in i salen, kallade sin munskänk och bad honom taga fram det horn, som hans hovmän voro vana att dricka ur. Strax darpå kom munskänken med hornet och lamnade det i Tors hander. Utgårda-Loke sade då: »Att dricka ut detta horn i ett drag är bra drucket. Somliga dricka ut det i två omgångar. Men ingen ar så dålig dryckesman, att han icke kan tomma det i tre »

Tor såg på hornet och tyckte icke, att det var stort, fastàn det var tämligen långt. Han var mycket tòrstig, höll det for munnen och sväljde valdeliga. Nog tankte han, att han icke mer àn denna enda gång skulle behóva sàtta hornet till munnen. Då han icke mäktade mer, tog han hornet ifrån munnen och såg efter, hur mycket som fanns kvar av drycken. Till sin hápnad fick han se, att i hornet var nàstan lika mycket nu som forut. Utgårda-Loke sade: »Duktigt drack du, men àndock icke så märkvärdigt mycket. Jag skulle aldrig ha trott, att Åsa-Tor icke kunde dricka mera. Men det ar jag säker på, att du dricker ut det andra gången.»

Tor svarade icke utan satte hornet för munnen och àmnade nu dricka en större klunk. Han drack, så länge han formådde, men såg dock, att hornets spets icke ville så högt upp som han väntade. Och när han tog hornet från munnen och såg efter, tycktes drycken ha sjunkit mindre denna gång än den första. Dock kunde man nu bära hornet utan att spilla. Då sade Utgårda-Loke: »Hur går det, Tor? Nu sparar du dig visst till en klunk mer, än din ära borde tillåta? Mig synes, att om du skall dricka ut hornet tredje gången, så måste den klunken bli den största. Men här kan du icke bli ansedd för en så stor man, som åsarne kalla dig, om du icke utmärker dig mer i andra saker än i denna.» — Då blev Tor vred, satte hornet för munnen och ansträngde sig av alla krafter att dricka. När han nu såg i hornet, hade drycken verkligen sjunkit något. Han lämnade då ifrån sig hornet och ville ej dricka mera.

Då sade Utgårda-Loke: »Nu är det uppenbart, att din kraft ej är så stor, som vi tänkte. Vill du försöka flera lekar?« Tor svarade: »Än vill jag prova mina krafter. Men jag undrar, om hemma hos åsarne en sådan drickning skulle kallas liten. Vad för lek viljen I föreslå?»

Utgårda-Loke svarade: »Unga svenner tycka det vara lekverk att lyfta upp min katt från jorden; och jag skulle aldrig ha föreslagit Åsa-Tor detta, om jag icke förut sett, att du är en mycket obetydligare man, än jag hade tänkt.» Därpå hoppade en ovanligt stor grå katt fram på golvet i salen. Tor gick fram, tog honom mitt under livet och ville lyfta honom. Men katten krökte ryggen, allteftersom Tor lyfte handen. Och när Tor hade lyft så högt han kunde, lyfte katten något upp den ena foten. Således förmådde Tor ej utföra denna lek. Då sade Utgårda-Loke: »Leken slöt så, som jag trodde. Katten är mycket stor, och Tor är liten i jämförelse med de stora män, som här äro hos oss.»

Då sade Tor: »Så liten, som I kallen mig, så utmanar jag någon av er att brottas med mig, ty nu är jag vred.» Utgårda-Loke såg sig om åt bänkarna och svarade· »Icke ser jag här inne någon man, som icke skulle anse det för en lek att brottas med dig. Men låt oss se! Kalla hit in den gamla kvinnan Elle, min amma! Med henne kan Tor kämpa, om han vill. Hon har fällt män, som icke synts vara Tor underlagsna i styrka.»

In i salen kom en gammal kvinna. Utgårda-Loke sade då, att hon skulle brottas med Åsa-Tor. Kampen avlopp så, att ju mera Tor anstrangde sig, ju fastare stod hon. Slutligen började gumman bruka knep. Strax började Tor vackla, och lange dröjde det ej, innan han foll på sitt ena kna. Utgårda-Loke gick då fram, bad dem sluta upp med brottningen och sade, att knappast skulle Tor våga utmana flera vid hans hov till brottning.

Det led nu ock mot natten. Utgårda-Loke anvisade Tor och hans stallbroder härbarge. De stannade där över natten.

Tor lämnar Utgård.

Så snart det dagades foljande morgon, stod Tor upp med sina följeslagare, klädde sig och gjorde sig redo att genast draga sina färde. Då kom Utgårda-Loke och lät sätta fram bord. Där saknades ej god förplagning, varken mat eller dryck.

Når de hade ätit, gåvo de sig i väg. Utgårda-Loke följde dem ut och gick med dem utanfor borgen. Vid skilsmassan sporde han Tor, vad denne hade tyckt om färden, och om han hade funnit någon mäktigare man än Utgårda-Loke. Tor svarade, att han icke kunde såga annat, än att vad som förefallit hade länt honom själv till mycken vanheder. »Och det vet jag», tillade han, »att I skolen kalla mig en oansenlig man, vilket jag illa kan tåla.»

Då sade Utgårda-Loke: »Nu skall jag saga dig sanningen, sedan du kommit ut ur borgen, dit du aldrig mer skall komma, om jag lever och får råda. Och tro mig, aldrig hade du kommit in, om jag forut vetat, att du agde så stor kraft. Du hade ju så när fort oss i en stor olycka. Synen har jag förvänt på dig. När du såg mannen i skogen, var det jag, som kom eder till motes. Och då du skulle losa upp matsäcken, hade jag bundit den med jarnband, så att du ej kunde öppna den. — Darefter slog du mig med hammaren tre slag. Det första slaget var svagast, och dock var det så starkt, att det blivit min bane, om det hade träffat. Du såg vid min borg en klippa med tre djupa hål. De voro märken efter din hammare. Klippan satte jag till skydd mot slagen, utan att du kunde se det.

På samma sätt gick det också till vid lekarna, då I tävladen med mina hovmän. Då Loke gjorde sitt prov, var det på det viset, att den, som hette Låge (låga), det var elden, som förtärde tråget lika väl som kottet. — Men den Huge (hug), med vilken Tjalve skulle lopa i kapp, var min tanke, och det var omöjligt for Tjalve att mäta sig med honom. — Då du drack ur hornet och tyckte, att det icke syntes någon verkan, var det ändå ett stort under, som jag aldrig trott skulle vara mojligt. Hornets ena ände stod i havet, vilket du icke såg. När du kommer till havet, skall du få se, huru mycket det minskats av vad du drack. Det kallas nu ebb.»

Vidare sade han: »Icke mindre märkvärdigt var det, att du lyfte katten Sanningen att saga, räddes alla, nar de sågo, att du lyfte hans ena fot ifrån jorden. Ty det var ingen sådan katt, som du trodde. Det var i själva verket Midgårds-ormen, som ligger kring alla land. Knappt räckte stjärt och huvud ned till jorden, ty du lyfte honom så hogt upp, att det var blott ett kort stycke kvar till himmelen. — Det var ock ett stort under med din brottning, då du brottades med Elle (ålderdomen), ty aldrig har någon funnits, ej heller skall någon komma, som icke ålderdomen skall overvinna. — Nu måste vi då skiljas, och det är det bästa for oss bägge, att I ej oftare kommen till mig. Men om så skulle hända, så skall jag då forsvara min borg med sådana konster, att I icke skolen kunna utratta något emot mig »

När Tor hörde detta tal, grep han Mjolner, men när han skulle slå till, såg han ingenstades Utgårda-Loke. Han vände då om till borgen och amnade forstora denna men såg endast fagra och vida slätter men ingen borg. Då for han tillbaka hem till Åsgård.

Tors hammare stulen.

TOR hade en gång under en av sina många färder lagt sig att sova. Når han vaknade, var hans hammare försvunnen. Det var en obehaglig upptäckt. Himmelens och jordens säkerhet berodde ju på detta vapen.

Vred var Vingtor,[1]
när han vaknade
och sin hammare
han saknade:
han riste sitt skägg,
han ruskade sitt hår.
Jordens son[2]
sökte kring sig.

Farligt var det att tala om forlusten. Ty om jattarne finge veta, vad som hänt, skulle detta öka deras mod och locka dem att angripa Åsgård. Men tiga och ingenting göra var också farligt. Då beslöt Tor att meddela den fyndige och listige Loke hemligheten.

»Hor nu, Loke, vad jag förtäljer», sade Tor, »och vad ingen i himmelen eller på jorden vet! Från åsaguden ar hammaren stulen.» »Det kan nog hjälpas», sade Loke, »om du blott kan stalla det så, att jag får låna Frejas fjäderhamn.»

Sagt och gjort. De trädde in i Frejas sal, och Tor bad henne om lånet. Åt Tor ville Freja gärna låna fjäderhamnen, om den ock varit av guld eller silver.

Loke iklädde sig fjäderskruden och flög med susande vingslag ur Åsgård till jättarnes hem. Det är sannolikt, att han på förhand visste, vem som stulit hammaren, ty han tog raka vägen till jätten Tryms gård.

Trym satt å hogen,
tursadrotten,[3]
snodde transar av guld
åt tikarna sina
och manen jämnade
på manken av hastarna.

Loke och han voro gamla bekanta, och Trym begrep nog, i vilket ärende han kom. »Hur står det till hos åsarne, och varfor kommer du till jättarnes hem?» sporde han. »Det står illa till hos åsarne, och det är väl du, som gomt Tors hammare?» sade Loke. Trym svarade:

»Jag håller åsens
hammare gomd
åtta mil
under jorden.

_____

[1] Namn på Tor. — [2] Tor var son av Oden och Jorden — [3] Jattarnes hövding.

Ingen densamma
återhämtar,
om ej Freja till mig
han for som hustru.»

Med detta besked flög Loke till Åsgård. Tor stod på
borgens gård och väntade otåligt. Han lät icke Loke sätta
sig ens, innan denne talat om, hur färden lyckats. Tor gick
då till Freja, omtalade för henne, hur det var, och bad henne
for gudars och människors bästa kläda sig i bruddräkt samt
sitta upp i hans vagn och folja honom till Trym.

Vred vart då Freja,
fnyste av harm,
så att åsa-borgen
bavade i grunden
och i bitar brast
Brisingasmycket.[1]

»Den mangalnaste
månde jag vara
om *jag* med dig åker
till jättarnes bygder»

Freja ville icke hora ett ord mera om förslaget.
Då måste gudarådet sammankallas. Åsarne gingo till
tings och åsynjorna till rådstämma för att besluta om vad som
skulle göras.

Då sade Heimdall,
solljuse åsen:
»Må vi då binda
Tor i brudelin;[2]
Brisingasmycket,
han må bara!

Ned från midjan
låtom nycklar skramla
och kvinnoklader
kring hans knan falla
och på bröstet
breda stenar,
och händigt vi skola
hans huvud pryda.»

---

[1] Ett praktfullt halsband, som konstforfarna dvärgar forfärdigat. —
[2] Brudsloja.

På detta satt skulle Trym överlistas.

> Då sade Tor,
> starke åsen:
> »Fritt kunde åsar
> karing mig kalla,
> om jag i brudlin
> binda mig late.»

Men Loke stod upp och sade till Tor. »Hämtar du icke Mjölner, så varda jättarne herrar i Åsgård.»

Då måste Tor bekväma sig till att gå in på forslaget, och åsynjorna klädde honom till brud. Hans blonda skagg klipptes bort, hans hår sattes upp efter kvinnobruk och pryddes med band och spetsar, man påtog honom en veckrik klänning, vid bältet fästes en nyckelknippa, och brostet pryddes med Frejas härliga smycke, Brisingamen. Tor såg ung och vacker ut, och han var smärt om midjan. En ståtligare brud kunde man knappt få se. Detta var en lek i Lokes smak, och han bad därför att få folja med som brudtärna. Det fick han.

* * *

Tors bockar drevos nu hem från betet på de saftiga Åsgårdsängarna och spandes i sina skacklar. Snabbt gick färden.

> Bergen brusto,
> jorden brann i lågor:
> Odens son åkte
> over till jättar.

När Trym såg gästerna komma, befallde han sina tjanare att bona sal och bänkar och duka bord.

Han fortsatte:

> »Har gå på gården
> guldhornade kor,
> helsvarta oxar
> till hugnad for jätten,
> smycken har jag många,
> smiden har jag många,
> Freja ensam
> agde jag icke »

Tidigt på aftonen satt man kring bordet vid fyllda fat och
dryckeshorn. Bruden satt vid jättehövdingens ena sida, och
på andra sidan hade han brudtärnan. Men förvånad vart
Trym over Frejas matlust. Tor forstod sig icke på att vara
behagsjuk.

> Tor åt ensam
> en hel oxe,
> åtta laxar
> och hela efterratten,
> drack så ur
> tre ambar mjod

> Då sade Trym,
> tursarnes drott:
> »Var såg du brudar
> bita vassare?
> Jag såg ej brudar
> bita bredare
> eller mera mjod
> en mo dricka.»

Men den sluge Loke sade, att det var forklarligt, ty Freja
hade längtat så mycket till jättarnes hem, att hon varken
atit eller druckit på åtta dygn — Nu blev jätten närgången

> Han lutade sig under linklädet,
> lysten att kyssa,
> men for tillbaka
> bort genom salen.
> »Vi äro Frejas ogon
> så fruktansvarda?
> Mig tyckes, att eld
> ur ogonen brinner.»

> Men den sluga tarnan
> satt framfor dem
> och genmale hittade
> att jatten svara:
> »Freja sov intet
> på åtta natter,
> så garna hon ville
> till jattarnes bygder »

Så kom kvallen, och vigseln skulle äga rum. Då befallde
Trym: »Baren in Tors hammare till brudens vigning, och
laggen den i hennes knä! Vig oss sedan samman!» Hammaren
bars in. Då log Tor i sitt hjarta, nar den lades i hans kna.

Tor och Loke såsom brud och brudtärna. Teckning av Carl Larsson.

I samma ögonblick grep han om den och dräpte tjuven samt
hela hans släkt. Med sin hammare i brudbältet återvände
sedan Tor tillsammans med Loke till Åsgård.

Sagan om Balder och Loke.

Balders död.

DEN milde Balder var ljusets och oskuldens gud. Han
bodde med sin maka, blomstergudinnan Nanna, i borgen
Breidablick, inom vilken intet ont eller orent kunde fin-
nas. Men en tid hade Balder onda drömmar, att hans liv var i
fara. Han anförtrodde de andra gudarne sina aningar, och
de rådplägade och beslöto att göra Balder trygg mot all fara.
För detta ändamål for Frigg, Odens maka, omkring och tog
ed av alla ting att aldrig göra Balder något ont. Eld och
vatten, järn och stenar, träd, fåglar och ormar, sjukdomar
och gifter — alla svuro att icke skada Balder.

Nu kände sig åsarne lugna och hittade på följande skämt.
Balder ställde sig mitt i gudasamlingen på Idavallen, och
somliga gudar sköto på honom med spjut och pilar, andra
höggo med svärd, andra åter kastade sten. Men vad de än
gjorde, tog Balder ingen skada därav.

Loke bar dock på onda tankar. Han klädde sig i kvinno-
dräkt och begav sig till Friggs salar. Där började han tala
om Balder, prisade honom mycket och frågade till slut, om
verkligen alla ting avgivit ed. Gudinnan svarade då: »Öster
om Åsgård växer en liten telning, som heter mistel. Den
syntes mig för späd att taga ed av.»

Loke gick genast bort, ryckte till sig misteln och gjorde
ett spjut av den. Med detta återvände han till gudarnes vapen-
lekar på Idavallen och frågade den blinde åsen Höder: »Var-
för skjuter icke även du på Balder?» Höder svarade: »Jag
ser honom icke, och icke heller har jag något vapen.» Då
sade Loke: »Jag tycker dock, att även du borde bidraga till
Balders ära och visa, att han är osårbar. Jag skall rikta
din arm åt det håll, där han står. Skjut på honom med denna

käpp!» Hoder tog misteln, kastade efter Lokes anvisning, och — Balder foll dod till jorden.

Mållosa av forskräckelse och fasa stodo gudarne där. Alla insågo de, vem som bar skulden. Men ingen fick hämnas, ty de befunno sig på ett fridlyst och heligt stalle. Omsider skreds till rådplagning, och det beslots, att den hurtige Harmod, Balders broder, skulle taga Odens hast, den åttafotade Sleipner, och ila till dodsgudinnan Hels boning. Han skulle bjuda henne lösepenning, ifall hon ville låta Balder återkomma till Åsgård.

Nio nätter och nio dagar red Harmod genom mörka och djupa klyftor och såg ej något ljus, förrän han kom till ån Gjall. Då han red over Gjallarbron, frågade brovaktaren: »Vem är du? I går redo fem flockar döda människor over Gjallarbron, men icke dånar bron mindre under dig allena, och icke heller har du dödsfärg. Vi rider du på de dödas väg?» Härmod svarade: »Jag rider till Hel att söka Balder. Har du icke sett honom i dessa nejder?» Brovaktaren svarade, att Balder färdats över bron, varpå Härmod fortsatte sin väg och slutligen kom fram till Hels boning. Där såg han sin broder Balder och samtalade med honom.

Härefter gick Härmod fram till Hel, beskrev den sorg, som rådde bland åsarne, och begärde, att Balder måtte få rida hem med honom. Hel svarade: »Må det utrönas, huruvida Balder är så allmänt älskad, som det säges. Om alla ting i världen begråta honom, skall han återkomma till Åsgård. Men hos mig skall han forbliva, ifall någon undskyller sig och icke vill gråta.»

*   *   *

Då Härmod återkom till Åsgård med detta svar från Hel, sände gudarne genast bud över hela världen och bådo, att alla ting måtte gråta Balder ur Hels våld. Människor och djur gräto. Träden gräto, jord och stenar gräto, såsom de doda tingen ännu göra, när de komma från frost in i värme.

Nar gudarnes sändebud uträttat sitt ärende, återvände de till Åsgård och mötte då på hemvägen en jättekvinna, som sade sig heta Töck. Buden bådo, att även hon måtte begråta Balder, men fingo till svar:

> ›Töck månde gråta
> med torra tårar
> över Balders död.
> Varken i livet eller döden
> mig glädje han gjorde.
> Må Hel behålla sitt rov!›

Töcks vägran gjorde, att Balder till gudarnes stora sorg måste förbliva hos Hel. Men Töck var ingen annan än den förklädde Loke, och när gudarne fingo veta detta, vågade den falske åsen icke längre stanna i Åsgård utan sprang bort därifrån och dolde sig.

Nu buro åsarne Balders lik till stranden för att bränna det i hans eget skepp. Men när de skulle skjuta ut skeppet, fingo de det icke från stället. Då sändes bud till jättekvinnan Hyrrocken, virvelvinden. Hon kom, ridande på en varg och med huggormar till tyglar. Hyrrocken gick fram till förstäven och sköt ut skeppet med sådan fart, att de underlagda rullstockarna fattade eld och hela jorden skalv. Häröver blev Tor så förbittrad, att han grep hammaren och krossade Hyrrockens huvud, innan gudarne hunnit bedja för henne.

Nu bars Balders lik ut på skeppet. Då brast Nannas hjärta av sorg, och hon fick följa sin make på bålet.

Genom Balders död försvagades åsarnes makt, och de onda jättarne jublade. Emot Allfaders vishet och Tors styrka förmådde jättevärlden visserligen ännu föga. Men Balders bortgång var betydelsefull, ty den ädlaste kraften, kärleken, var borta ur gudavärlden.

Lokes straff.

Invid Frånångers fors hade Loke byggt sig en hydda med fyra dörrar för att kunna se åt alla väderstreck. Då någon syntes komma, förvandlade han sig till en lax och kastade sig i forsen. En dag, när Loke satt vid elden i sin hydda, fick han se gudarne komma. Oden hade nämligen upptäckt hans gömställe. Genast bytte Loke gestalt och störtade sig i forsen.

Gudarne satte emellertid ett nät tvärs över strömmen. Tor ensam var på den ena stranden för att draga nätet, och alla de övriga gudarne drogo på den andra stranden. Men Loke gömde sig mellan två stenar på bottnen, så att nätet gick over honom. Då bundo gudarne tyngder vid den nedre nätkanten och drogo så för andra gången, men nu hoppade Loke över nätet. För tredje gången skulle då gudarne draga. Tor gick mitt i stromfåran, och de ovriga gudarne hade delat sig i två hopar, vilka drogo natet. Även nu sokte Loke hoppa över, men Tor grep honom vid stjärten och fick honom fast.

Nu togo gudarne hämnd på den falske. De förde honom in i en grotta, bundo med starka fjättrar fast honom vid klippan och hängde over honom en orm så, att ettret skulle drypa i ansiktet på Loke. Darefter foro gudarne tillbaka till Åsgård.

Men Lokes maka, Sigyn, sitter troget hos honom i grottan och håller en skål over den fjattrades ansikte, så att ormettret droppar i den. Nar skålen blir full, måste dock Sigyn slå ut den, och då droppar giftet i ansiktet på Loke. Han rycker då så starkt i fjättrarna, att hela jorden skakar. Därav kommer jordbävning.

Världens undergång.

EN TID kommer, då det stundar till ragnarök, världens undergång. Förfärliga tecken i naturen båda slutet. Månen forsvinner och solen svartnar.

> Från himmeln kastas
> de klara stjarnor.

Fruktansvärda stormar rasa. Alla onda makter slippa losa:

> Bröder varandras
> bane varda,
> dråpslag ge systrars
> soner varandra;
> varlden vändas.

> Då skälver Yggdrasels
> ask, den ståndande,
> urträdet ger sig,
> jatten lossnar

Nu stoter Heimdall hogt i sitt väktarhorn och kallar gudarne till den sista, allt forgörande striden mot ondskans makter.

Framst rider Oden. Fenresulven, ett vidunder, som en jattekvinna fött åt Loke, kommer emot honom med uppspärrat gap, så att den ena käken vidror himmeln, den andra jorden. Han slukar gudars och manniskors fader men drapes själv av en bland Odens söner. Tor dodar Lokes andre son, Midgårdsormen, men faller sjalv kvävd av ormens etter. Loke och Heimdall fälla varandra. Då kastar Surt sin eld över varlden.

Eld fraser
mot flammande eld;
hogt leker hettan
mot himmeln själv.

Men ur svallet åter
ser jag jordens
grund stiga
och grönska på nytt.
Åkrar skola
osådda vaxa,
allt ont battras
och Balder komma.

En sal ser jag,
mer ån solen fager,
guldtackt,
på Gimle stånda.
Dar månde goda
manskor bo
och i alla dagar
gladje aga.

Då kommer den väldige
till varldsdomen,
den starke ovan,
som styr allt.
Han domar faller,
frid stiftar,
stadgar, vad evigt
skall stånda i helgd.

Blot.

GUDARNE dyrkades genom blot, d. v. s. offer av djur, isynnerhet hästar, eller av människor, som var det högsta blotet. Med offrets blod beströk man gudabilderna. Offerdjurets kott användes till offermåltider, som voro bullersamma och omåttliga i både mat och dryck Havamal talar mot nordbornas omåttlighet:

> Ej ar så gott,
> som gott man sager,
> öl för människors att.
> ju mer du dricker,
> dess mindre vet du,
> vart ditt vett tar vägen.

Det vanligaste manniskooffret var trälar eller krigsfångar. men det var icke det enda. Om gottlänningarne t. ex. berättar deras gamla lag: »De blotade sina söner, döttrar och boskap under njutande av mat och dryck.» Sagorna omtala till och med, att folket offrat konungar for att blidka gudarne. En fransk forfattare, som i sitt hemland sett nordbornas vederstyggliga människooffer efter strid, berättar, att först krossades offrets huvud, darpå uppskars brostet, och det utströmmande blodet stanktes over de närvarandes huvuden.

Offren leddes av husfadern; inga särskilda präster funnos På somliga folkrika platser uppstodo med tiden särskilda gudahus, dar många människor samlades till offer, som forestodos av någon storman eller konung. Tre stora offerfester höllos om året, den fornämsta vid midvintern eller julen. Då offrades en galt åt Frej — julgrisen är ett minne av denna sed. Den, som ville utföra någon bragd under det kommande året, lade handen på galten, avgav lofte och tömde löftesbägaren.

* * *

Ett slags offerhandling var det också, nar man »ristade blodörn» på en besegrad fiende. Det tillgick på det grymma sätt, att man med svärdet skar revbenen från ryggraden och genom det öppna såret drog ut ena lungan, vilken gavs åt

Oden som segeroffer. En framstående forskare i denna tids historia ser i bruket att rista blodörn en sista lämning av äldre tiders kannibalism. Han jämnställer det med plägseden bland vilda folk på de Ostindiska öarna i våra dagar att krossa fiendens bröstkorg och taga ut hjärtat, medan det ännu dallrar, samt äta upp det, i tanke att man därmed tillägnar sig den fallnes mod och styrka.

I avlägsna skogs- och fjälltrakter blotades det långt in i kristen tid. När norrmannen Sigvat skald å Olof den heliges vägnar år 1018 gjorde en färd genom skogstrakterna i mellersta Västergötland, kom han sent en afton till en gård och bad om natthärbärge, men husfrun stod i dörren och vägrade honom tillträde, ty de hade alfablot därinne, sade hon. För dessa människor voro alltså skogarnas alfer, »älvorna», såsom de nu heta i folktron, mäktiga väsen, som det var bäst att hålla sig väl med. Ännu på 1800-talet har folket i avlägsna trakter av Småland trott sig kunna bota boskapspest genom att blidka »jordvättarne» med kreatur, som levande grävdes ned; och trovärdiga bygdeforskare förtälja, att så sent som på 1830-talet begravde en ståndsperson i Bohuslän en levande häst, ja att exempel på denna grymma vidskepelse förekom i Jönköpings län ännu år 1843.

Människooffer förekommo på sina ställen ännu in på 1000-talet. En vinter år 1026 sände Olof den helige tolv män till Jämtland för att kräva skatt. De mottogos vänligt av Jämtlands lagman, men han sade sig ej kunna giva något svar angående skatten, innan han frågat bönderna om deras mening. Han kallade därför jämtarne till tings. »Här voro alla ense om att de icke ville betala Norges konung någon skatt; men sändebuden ville några låta hänga, andra ville ha dem att blota med», berättar Snorre Sturlasson.

*   *   *

Huru har våra förfäders gudatro uppstått? Människan har alltid känt, att det finns makter, starkare än hon själv. På en tid, då hon nästan ej alls förstod att skydda sig mot de naturmakter, som voro farliga, var hennes skräck inför dessas herravälde starkare än nu. Framför allt syntes åskan fruktansvärd. Man trodde, att den kom från en varelse, mäktigare än alla andra, och det gällde att blidka denna makts vrede. Darfor var Tor den gud, som fruktades och dyrkades mest. Det omtalas så ofta i berättelser från denna tid, och hans bild stod uppstalld i templen och fanns utskuren på högsätespelarna. Torsdagen var då helgdag. Tors namn förckommer oftare an någon annan guds i namn på orter och personer, t. ex. Torshålla.

Men mot de välgörande naturföreteelserna kände männi-skorna tacksamhet: mot vaxtkraften, vilken gav henne föda, hus och bränsle, mot vattnet, nar det slackte hennes tórst eller bar hennes farkost. Dessa gagnerika krafter trodde man komma från varelser, som bodde i tråd, i kallor, floder och andra naturforemål. I nattens hemlighetsfulla dunkel trodde man sig mången gång se dessa varelser i människoliknande gestalt; och ån i dag leva alvorna, skogs-rået, sjörået och nåcken i folktron.

Andra naturföreteelser äro måktiga i att bådc gagna och skada. Solens strålar kunna ju ej blott varma och ge liv utan också förbrånna och döda. Solens gud var Oden. Man forestallde sig solen som hans oga, och beråttelsen om hans enogdhet beror därpå. Minnen av soldyrkan aro de bål, som ånnu bruka tandas vid viktigare skeden i solens krets-lopp: påsk- eller valborgsmässoeldar kort efter vårdag-jämningcn och midsommarbål vid sommarsolståndet.

För att blidka alla dessa hcmlighetsfulla makter eller vinna deras bevågenhet skänkte man dem gåvor; det var offer. Ännu in i våra dagar ha på sina ställen offrats penningar i hålsobringande kållor. Man har i somliga funnit tusentals mynt, de yngsta praglade — under Oskar II:s regering!

En krigisk religion

ar den gamla åsatron. Oden var ej blott solens gud, han vai också krigets. När strid stod, kommo hans stridsmor, val-kyrjorna, ridande på frustande hästar och förde de fallna till Odens ofantliga boning, Valhall (= de fallna krigarnes sal). Här fingo nu dessa fóra ett härligt liv· varje morgon drogo de ut till strid, men om aftonen laktes såren av sig sjalva, och förlikta redo motståndarne till Valhall. Där undfägnades de med fläsk av en galt, som varje afton slaktades men om morgonen åter var levande, samt med skummande mjöd, iskänkt av valkyrjor.

Men de fega kommo till den blåbleka Hels dystra boning under jorden. Den hemska dödsgudinnans namn ingår i ordet helvete, som förr hetat Hel-vite = döds-straff. Uttrycket slå ihjäl har hetat slå i Hel = slå [någon så, att han kommer] till Hel.

De osaligas kval skildras i Eddasången »Valans spådom» sålunda:

»En sal såg hon stånda
från solen fjärran
på Nastranden;
åt norr vetter dörren.
Etterdroppar föllo
in genom rökhålet;
av ormars ryggar
är rummet flätat.

Där såg hon i strida
strömmar vada
menediga män
och för mord fredlösa
och den, en annans hustru
hemligt lockar.
Där sög Nidhögg
de dödes kroppar,
vidundret slet männen.
Veten I än mer och vad?»

Men döden var hemsk blott för dem, som fruktade den:

»Ovis man
tror sig alltid skola leva,
om för vapenskifte han sig vaktar,
men ålderdomen giver
honom ingen frid,
fast honom spjuten spara,»

säger Havamal. Eldad av sin gudatro, gick den nordiske hjälten till kampen fast besluten att vinna ett av två goda ting: seger eller ett gästfritt mottagande i Valhall. En sådan fiende är oemotståndlig. Hellre än att invänta döden på sotsängen plägade den, som ej föll i strid, störta sig utför ett brant berg, en s. k. ättestupa, eller rista upp ådrorna med spjut och förblöda.

Sagan om Volund.

DET VAR en gång tre bröder, som slogo sig ned vid Ulvsjön i Ulvdalarne. En morgon funno de på sjö-stranden tre fagra mör, som hade sina svanhamnar liggande bredvid sig. De voro valkyrjor. Bröderna förde dem hem till sin stuga och togo dem till hustrur. I åtta år levde de lyckliga tillsammans. Men en dag voro kvinnorna plötsligt försvunna. De hade ifört sig svanhamnarna och flugit bort för att deltaga i strider. Aldrig kommo de åter

De båda äldsta bröderna gåvo sig nu ut i världen för att leta efter sina hustrur, men den yngste, Volund, stannade kvar i Ulvdalarne och hoppades, att Allvitr, hans unga maka, en dag skulle återvända.

> Ensam satt Volund
> i Ulvdalarne,
> slog guldet röda
> kring glimmande sten;
> alla ringarna på lindebast
> lyckte han väl.
> Sitt vana viv
> väntade han så,
> i hopp, att hon skulle
> till honom komma

Nära Ulvdalarne bodde konung Nidud. När han fick höra talas om den konstförfarne smeden Volund, beslöt han bemäktiga sig dennes rikedomar. Omgiven av en skara väpnade man, red han till den ensamme Volunds boning.

> Om natten kommo man
> med nitade brynjor,
> deras sköldar blänkte
> vid skenet av nedanet

De stego ur sadlarna
vid salens gavel,
gingo därifrån in
och upp längs salen;
de sågo på bast
bundna ringar,
sju hundra av alla,
som husbonden ägde.

De togo dem av,
och de trädde dem på,
förutom en,
som de av läto bliva.

Hem vände från jakten
väderbitne skytten,
Volund, vandrande
en väg så lång.

Han gick att av bruna
björnhonan steka.
Snart den torra
tallens ris,
den vindtorra veden,
för Volund brann.

På huden av björnen
satt härskaren över alfer,
räknade ringarna —
rövad var en.
Han tänkte, att den lånats
av Loddvers dotter,
Allvitr den unga,
att hon åter kommit.

Han satt så länge,
att han somnade —
i ve och vånda
han vaknade åter,
kände bojor tunga
bundna på händerna
och på fötterna
en fjätter spänd.

Nidud förde sin fånge med sig till kungsgården. Där gav
han sin dotter Bodvild den ring, som han tagit av bastet.
Själv tog han ett kostligt svärd, som Volund smitt åt sig.
Men när Niduds illsluga drottning fick se den fångne, viskade
hon:

»Fredlig ar ej han,
som fores ur skogen.
Hans tänder synas,
då svärdet visas honom
och den ring, som Bodvild
bär, han varsnar;
ogonen likna
den lomske ormens.
Skaren sonder
hans senors styrka
och satten honom sedan
i Sävarstad!»

Skedde så, som drottningen sagt. Man skar av Volunds senor i knävecken och satte honom på holmen Savarstad. Dar forfärdigade han allehanda dyrbarheter åt konungen. Ingen manniska tordes gå till honom utom konungen allena.

Volund sade·
»Jag ser på Nidud
ett svärd vid baltet,
som jag vassat har
så val jag kunnat,
och vilket jag hardade,
som helst jag ville
Borta från mig bares
denna blixtrande klinga;
jag ser den ej buren
till smedjan åt Volund.

Nu bär Bodvild
min bruds
roda ringar
— rånet ej botas.»

Men hämndetankar grodde inom fången. Nidud agde utom dottern Bodvild två söner. Dessa smögo sig en dag ned till sjön, togo en båt och satte över till Sävarstad for att få se på alla smyckena i Volunds smedja. Så var tillfallet kommet for denne att hämnas.

Gossarnas huvud
hogg han av
och lade benen
under blåsbalgens vattengrop,
men huvudskålarna,
som under håret voro,
svepte han i silver
och sande till Nidud.

Men av ögonen gjorde han
adelstenar,
sande dem till Niduds
sluga drottning;
men av tänderna
på de två gossarne
smidde han brostsmycken
och sande till Bodvild.

Alla fagnades åt de dyrbara gåvorna, men ingen anade,
varav de voro gjorda. Ingen kunde misstänka den vanmäktige
for att ha vållat ynglingarnes död.

*

Efter en tid fick Volund besok även av kungadottern.
Hennes dyrbara ring hade gått sonder, och hon vågade ej
säga det åt någon. Nu bad hon Volund laga smycket, och han
lovade hjälpa henne.

Genom ol han henne
overlistade,
så att hon somnade
dar hon satt på banken.

I detta tillstånd skandar han hennes jungfrudom

»Nu har jag hämnat,
vad mig harm har gjort,
allt utom ett
av det ondskefulla»,

utropade han.

I hemlighet hade den konstforfarne smeden forfärdigat
åt sig ett par vingar, vilka han nu spande på sig

Leende Volund
i luften sig hojde
Gråtande Bodvild
fick gå ifrån on,
sorjde alskarens fard
och sin faders vrede.

Volund flog nu upp till kungens sal. Nar drottningen fick
syn på honom, skyndade hon att väcka sin make. Nidud sade:

»Jag vaknar alltid,
valbehag saknar;
jag sover foga,
sedan sonerna dogo.
I mitt huvud det kyler,
kold ge dina råd;
jag vill nu garna
med Volund tala.»

»Yppa mig, Volund,
alfernas furste,
vad blev av blomstrande
barnen mina'»

Nu lat Volund konungen få veta hela den hemska sanningen
med följande oid:

»Gå bort till den smedja,
du byggt åt mig,
dar finner du balgarna
med blod bestankta.
Dina gossars huvud
hogg jag av
och lade benen
under balgens vattengrop.

Men huvudskålarna,
som under håret voro,
svepte jag i silver
och sande till Nidud,
och av ogonen gjorde jag
adelstenar,
sande dem till Niduds
sluga drottning.

Men av tanderna
på de två gossarne
smidde jag brostsmycken
och sande till Bodvild.
Nu Bodvild bar
ett barn under hjärtat,
enda dottern
till eder båda »

Nidud sade·
»Ej något du sagt mig,
som jag sorjt over mera
eller ville, att det varre
dig, Volund, må bekomma.

Så hög är ingen man,
att från hästen han dig tager,
inga nävar nog starka
att här nedifrån dig skjuta,
där du hänger svävande
i högan sky.»

Leende Volund
i luften sig höjde,
och kvar, i sorg
sänkt, satt Nidud.

Sigurd Fafnesbane.

DEN MEST lysande hjältegestalten i den nordiska, ja i hela den germanska sagokretsen är Sigurd Fafnesbane.

Dvärgaguldet.

En man hade tre söner. En av dem hette Utter. Han höll mest till i en fors, där han i skepnad av en utter fångade fisk. En dag hade han fångat en lax och satt på stranden och åt den blundande, ty han var till den grad snål och lysten, att han icke kunde uthärda att se, hur maten minskades.

I detsamma kommo gudarne Oden och Höner i sällskap med Loke fram till forsen. Loke, som trodde, att det var en vanlig utter, kastade en sten på honom, så att han dog. Gudarne blevo mycket belåtna över att få ett så vackert skinn och flådde genast uttern.

Samma kväll sökte de härbärge hos Utters fader. Men när de visade honom sitt jaktbyte, blev han storligen förbittrad, tog gudarne till fånga och förelade dem att, om de ville rädda livet, fylla utterskinnet med rött guld och även utvändigt hölja det därmed.

Då sände de Loke ut för att skaffa guld. Han gick ned till forsen igen, lade ut ett nät och fångade däri en gädda. Men denna gädda var i själva verket en dvärg vid namn Andvare, som brukade iföra sig en gäddas skepnad, när han ville fånga fisk. Nu sade Loke till honom:

>Vad ar det for fisk,
som i floden ranner,
kan sig ej för fara fralsa.
Lós du ditt huvud
ur Hels váld,
skaffa mig guldets glans!-

Andvare måste nu lámna Loke allt det guld han agde.
Blott en enda ring tankte han behålla för sig själv, men Loke
tog även den ifrån honom. Då forklarade dvargen:

>Detta guld,
som Gust hade.
skall tvenne bróder
till bane varda
och åtta furstar
egga till strid;
ingen manniska skall
av mitt gods njuta!-

Med dessa ord forsvann han in i en sten.

När Loke återkommit till gudarne, kunde nu dessa fylla
utterskinnet med guld, så att det stod på fotterna. Darpå
staplade de upp guld over detsamma. Nar detta var gjort,
gick Utters fader fram och såg, att ett morrhår annu stack
fram. Det måste de också holja over, och det gjorde Oden
med Andvares ring.

När Utters broder, Fafne och Regin, sågo det myckna
guldet, fordrade de att få dela det med fadern. Men denne
sade nej. Då blev lystnaden den grymme Fafne overmäktig;
han dödade sin fader och tog därefter hela skatten med sig
ut på en öde hed. Dàr låg han sedan i en orms skepnad och
ruvade över guldet. Han bar på huvudet en skrackhjàlm,
som allt levande ràddes för.

Men Regin, som också var grym och listig, torstade efter
hamnd. Han eggade den unge konungasonen Sigurd, som
han uppfostrade, att doda Fafne och taga hans guld. For
detta ándamål smidde den konstförfarne Regin åt honom
ett svard, som hette Gram. Det var så skarpt, att när han
stack ned det i floden och lät en ulltapp driva för strommen
mot dess egg, skar svardet igenom den. Sedan klöv han med
ett hugg av svärdet Regins stad itu.

Var Sigurd gick fram med Gram i handen, follo hans fiender runt omkring för dess blixtrande hugg. Ingen hade skådat en väldigare kämpe än han.

Sigurd dräper Fafne.

En dag begav sig Sigurd i sällskap med Regin ut till heden, där Fafne låg. När de funnit det spår, som Fafne gjort efter sig, då han skred till vatten, grävde Sigurd en stor grop på vägen och satte sig i den för att undgå det etter, som draken blåste ut, när han gled bort från guldet. Just som Fafne skred fram över gropen, stack Sigurd till med svärdet i hjärtat på honom. I dödskampen slog han vilt omkring sig med huvud och stjärt. Sigurd sprang då fram ur gropen, och Fafne började tala till honom:

> »Det guldröda gods
> och guldet det klingande,
> dig ringarna bliva till bane.
>
> Regin mig förrådde,
> förråda dig han skall,
> han skall bliva oss båda till bane.»

När Fafne givit upp andan, vågade sig Regin fram efter att förut ha hållit sig undan. Han började nu att med inställsamma ord prisa Sigurd. Därefter gick han fram till Fafne, skar hjärtat ur honom och bad Sigurd steka det åt honom.

Sigurd tog ormens hjärta och stekte det på en trädgren. Om en stund började blodet fradga ur hjärtat. Han kände då på det för att pröva, om det var färdigstekt. Därvid brände han sig och stack fingret i munnen. Men när Fafnes hjärteblod kom på Sigurds tunga, började denne förstå fåglalåt. Han hörde några mesar kvittra i buskarna. Den ene fågeln sade:

> »Där sitter Sigurd,
> sölad med blod,
> och Fafnes hjärta
> vid flamman steker.
> Rådig syntes mig
> ringklyvaren,[1]

---

[1] *Ringklyvaren* är ett poetiskt namn på den frikostige hjälten, som hugger sönder guldringar för att dela ut bland sina män.

om själv han åte
skimrande hjärtat.»

Den andra fågeln sade:
»Där ligger Regin
och ränker smider,
med list vill svika,
den som litar på honom.»

Den tredje fågeln sade:
»Ett huvud kortare gråhårig
gubbe han låte
fara hädan till Hel!
Allt guld han kan
då ensam råda,
den mängd, som under Fafne fanns.

Då sade Sigurd:
»Ej råde så hårt öde,
att Regin skall
namn av min bane bära,
ty båda bröderna
i brådkastet skola
fara hädan till Hel.»

Därmed lyfte han sitt svärd och högg huvudet av Regin samt åt själv upp Fafnes hjärta. Sedan följde han ormens spår till dennes bo och fann där övermåttan mycket guld, så att han därmed kunde fylla tvenne kistor. Dem klövjade han på sin goda häst Grane, som var av Sleipners blod. Men hästen ville icke gå från stället, förrän Sigurd själv steg på ryggen på honom.

Sigurd Fafnesbane och Brynhild.

Sigurd red nu upp på Hindarfjället. Där såg han ett stort ljus, som om eld brunne, och det sken därav upp till himmeln. Men när han kom dit, stod där en sköldborg och upp ur den en fana. Sigurd gick in i sköldborgen. Där låg en man och sov i full rustning. Han tog först hjälmen av huvudet på honom. Då såg han, att det var en kvinna. Brynjan satt hårt, som om hon vore fastväxt. Då ristade han med Gram upp hela brynjan från halsöppningen ned igenom. Därpå tog han brynjan av henne. Då vaknade hon och satte sig upp, fick se Sigurd och sade:

>Vad bet på brynjan?
Vi bröts min sömn?
Vem fogade, att fjättrarna
föllo, de blekgrå?»

Han svarade:
»Sigmunds son;
Sigurds svärd
åt korpen riste lik
för kort tid sedan.»

Då berättade hon, att hon var valkyrja och hade tagit del i en strid mellan två konungar. Därvid hade hon fällt den, som Oden lovat seger. Till straff därför hade guden stuckit henne med sömntörne och sagt henne, att hon aldrig mer skulle kämpa i strid utan som en vanlig kvinna äkta en man. Men då hade hon svurit en ed att aldrig tillhöra någon annan man än den som ej kunde rädas.

Sigurd bad nu valkyrjan lära honom något av sin stora visdom. Hon räckte honom då en bägare med fradgande mjöd och kvad en runesång. Så kloka råd innehöll detta kväde, att då hon hade lyktat det, utropade Sigurd: »Aldrig har jag funnit en visare kvinna än du! Därför svär jag, att dig skall jag äga. Du är efter mitt sinne.»

»Min håg står också till dig», svarade valkyrjan. »Hade jag än tusende män att välja på, så valde jag likvisst dig?» Och så svuro de varandra trohet i liv och död.

Valkyrjan hette Brynhild och var konungadotter.

Därefter red Sigurd bort. Och när Brynhild stod i sin sal och såg honom stiga till häst, tyckte hon sig aldrig ha skådat en härligare man.

Men Sigurd och Brynhild fingo ej länge vara lyckliga med varandra. Den trollkunniga drottning Grimhild beslöt att skilja dem åt, emedan hon ville hava Sigurd till man åt sin dotter Gudrun. Hon gav därför Sigurd en trolldryck. så att han glömde bort, att Brynhild fanns på jorden, och vände sin håg till Gudrun. Inom kort gifte han sig med henne.

Med Gudruns bröder, Gunnar och Högne, ingick han fostbrödralag och drog med dem vida omkring på ärorika härtåg.

Gunnar äktar Brynhild.

Sedan Grimhild så lyckats gifta bort sin dotter, började hon också tänka på att skaffa maka åt sin äldste son, Gunnar. »Du bör begära konungadottern Brynhild till brud», sade hon till honom, »ty stort anseende skulle det bereda dig att hava henne till maka.»

Villigt lyssnade Gunnar till sin moders råd. Och snart därefter red han den långa vägen över berg och dalar till kung Heimer för att begära hans fosterdotter.

Sigurd, som ej hade något minne av Brynhild, följde honom på hans giljarfärd.

Heimer omtalade, att Brynhild bodde ett stycke därifrån i en borg, omgiven av flammande eldslågor, samt att hon ej ärnade taga till make någon annan än den, som kunde rida till henne genom den flammande elden.

Gunnar och Sigurd redo då sin väg till Brynhilds borg. Och redan på avstånd sågo de, att den strålade av guld samt att en lågande eld omgav den på alla sidor.

Gunnar sporrade sin gångare och ville driva honom fram mot elden. Men hästen kunde ej förmås att gå in i lågorna.

Sigurd lånade då Gunnar sin Grane. Men hästen stegrade sig, då han märkte, att det ej var Sigurd, som satt på hans rygg. Och ej heller han lät tvinga sig in i elden.

Nu måste Gunnar begagna sig av de trollkonster, hans moder hade lärt honom. Han och Sigurd bytte växt och utseende. Och det vart nu Sigurd, som fick rida till borgen för att fria till Brynhild för Gunnars räkning. Utan tvekan sprang Grane in i elden, då han kände sin herre på sin rygg.

Ett väldigt dån hördes, då Sigurd red genom de röda lågorna, som blossade upp högt mot himmeln. Jorden skalv, och det var så svart för ryttarens ögon, som om han hade ridit i det djupaste mörker. Men snart var han framme vid borgen, och oförfärad steg han in i Brynhilds gemak.

Med stor förvåning sporde Brynhild, vem han var och vad för ärende han hade.

»Jag är Gunnar, Gjukes son», svarade Sigurd och påminde henne om hennes löfte att äkta den, som ridit till henne genom elden. Och hon måste då gå in på att giva sitt ja-ord till Gunnar, Gjukes son.

Därmed lämnade hon till den förmente Gunnar Andvares ring, som Sigurd en gång hade givit henne. Och Sigurd gav henne en annan ring, som också tillhört Fafnes skatter. Men Sigurd kände ej igen Brynhild, ej heller Andvares ring.

Sigurd red nu åter genom elden till sin vän Gunnar och mälde honom, att han var Brynhilds trolovade brudgum. Och Gunnar och Sigurd återtogo sina egna utseenden och redo därefter hem.

Drottning Grimhild ställde nu till ett ståtligt bröllopsgille för sin son Gunnar och hans brud. Under de dagarna fick Sigurd äntligen sitt minne tillbaka. Han kände nu igen Brynhild och kom ihåg sin kärlek till henne samt de eder, de hade svurit varandra. En djup sorg över det som skett slog då rot i Sigurds hjärta, men ej med någon talade han därom.

Brynhilds sorg.

Brynhild och Gudrun, Sigurds maka, kommo en dag i gräl med varandra om vilkendera av deras män som var ypperst. Därunder omtalade Gudrun för Brynhild, att det var Sigurd och ej Gunnar, som hade ridit genom elden till hennes borg.

Brynhild ville till en början ej tro, att detta var sant. Men när Gudrun visade henne Andvares ring, som Sigurd hade fått av Brynhild, då han var i Gunnars skepnad, kunde denna ej längre tvivla. Blek som en död gick hon till sin kammare och talade ej med någon den kvällen.

Nästa dag låg Brynhild till sängs, och man sade till Gunnar, att hon var sjuk. Han gick då till henne och frågade, vad hon ville att han skulle göra för henne. Men Brynhild svarade ej ett ord utan låg där länge med slutna ögon, som om hon varit död.

Slutligen öppnade hon dock ögonen, såg strängt på Gunnar och berättade honom under häftiga tårar, att hon fått veta, hur man hade bedragit henne. Hon visste nu, sade hon, att det var Sigurd, den ende hon älskat, som hade ridit genom elden till hennes borg. Och hon ansåg sig själv som en menederska, därför att hon hade svikit honom och äktat en annan man.

I bittra ord anklagade hon därefter Gunnars mor, som med sina trollkonster hade vållat hennes olycka. Hon utstötte så höga jämmerskrin, att det hördes over hela borgen. Darefter låg hon en hel vecka stilla och ville varken tala, äta eller dricka.

På sjunde dagen gick Sigurd in till henne och manade henne att ej tänka på honom utan på Gunnar, som hon korat till sin make.

Brynhild fortfor dock att utslunga bittra forebråelser mot alla, som hade bedragit henne, och slutade med de orden, att hon värst sorjde over att hon ej hade fått färga sitt svard rött i Sigurds hjärteblod.

»Däröver behover du ej sörja», sade Sigurd, »ty ej skall det länge droja, innan mitt hjärta blir genomborrat. Men du kan ej önska dig själv något värre, ty efter min dod skall du ej längre kunna leva.»

Brynhild förklarade, att hon ej heller ville leva. Dö skulle hon, då hon ej fick aga Sigurd

Sigurd bjöd henne allt vad han ägde, om hon ville lova att leva for sin make. Slutligen sade han till och med. att han hellre ville förskjuta Gudrun och äkta Brynhild, än att Brynhild skulle do. Men vid dessa ord håvdes hans bröst så häftigt, att ringarna i hans brynja gingo i stycken.

Men Brynhild svarade, att hon nu ej ville äga honom, ej heller någon annan man. Do ville hon, ingenting annat.

För Gunnar yppade hon dock, att det var något annat hon framför allt åstundade: hon törstade efter Sigurds blod.

Av denna hätskhet
hon hetsade sig till dråp:
»Gunnar, mitt land
helt forlora du skall,
som jag skankte dig,
och mig sjalv darhos,
om icke du Sigurd
omkomma låter
och en härskare bliver
hogre an andra.»

Sigurd Fafnesbanes död.

Gunnar blev djupt bedrövad över Brynhilds ord, ty vid Sigurd var han fastad genom fostbrodraeden. »Men Brynhild är mig kärare an allt», tänkte han. »Förr vill jag dö an gora henne emot.»

Han kallade nu sin broder **Högne** och sporde honom, om han ville utföra värvet att dräpa **Sigurd**.

Men även Högne hade blandat **blod** med Sigurd. Icke kunde han dräpa honom.

»Dö måste han dock», menade Gunnar. Och därmed började han egga sin yngste broder, Guttorm, att bliva Sigurds baneman. Gods och guld och eget rike lovade honom hans äldre bröder, om han ville dräpa deras svåger. Slutligen stekte de en orm tillsammans med ulvkött och gåvo Guttorm att äta därav. Då blev han så blodtörstig, att han villigt lovade utföra dådet.

Innan Sigurd ännu var uppstigen på morgonen, kom Guttorm in i hans sovkammare för att giva honom banehugget. Men då Sigurd såg på honom med sina genomträngande skarpa ögon, förlorade Guttorm allt sitt mod och vände om igen med stor förskräckelse.

Nästa morgon gick det på samma sätt.

Den tredje morgonen sov Sigurd, då Guttorm inträdde, och nu lyckades det honom äntligen att stöta svärdet i Sigurds bröst.

Sigurd vaknade dock i detsamma han fick banesåret, fattade sitt svärd, som han hade bredvid sig, och slungade det med sådan kraft efter Guttorm, att denne ögonblickligen tumlade död ned.

Gudrun satt hos den döde Sigurd; hon grät icke som andra kvinnor, men hon var färdig att brista av sorg.

> Somnad var
> i sängen Gudrun
> vid Sigurds sida,
> från sorger fri;
> till ve och vånda
> vaknade hon,
> då hon flöt
> i Frejs väns[1] blod.
>
> Så hårt hon slog
> med händerna sina,
> att raske hjälten
> reste sig vid sängen:
> »Gråt icke, Gudrun,
> och gräm dig ej,
> min unga brud;
> dina bröder leva.»

[1] Poetisk omskrivning för *hjälten*.

Gudrun suckade,
men Sigurd gav upp andan.
Så hårt hon slog
med händerna sina,
att genljud bågarna
giva i vrån
och gåssen på gården
gällt kacklade

Hon snyftade icke
eller slog med händerna,
ej heller klagade
som andra kvinnor
Visa jarlar
gingo fram,
som henne manade
så hårdsint ej vara;
dock icke Gudrun
gråta kunde,
var så djupt bedrövad,
att hjartat ville brista.

Där sutto högborna
hustrur till jarlar,
guldsmyckade,
framfor Gudrun.
Sin egen sorg
sade envar av dem,
den bittraste,
hon burit hade.

Dock icke Gudrun
gråta kunde,
så bedrovad hon var
fór sin dode make
och stel av kval
vid konungens lik.

Då fann en av kvinnorna medlet att upplösa hennes sorg i
tårar. Hon kastade undan lakanet, som höljde den käres
kropp.

En enda gång
såg Gudrun på honom,
såg furstens hår,
flackat av blod,
den blixtrande blicken
brusten i doden,
hjärtats borg av svärdet
genomskuren.

Då böjde Gudrun
mot bolstret knä,
lockarna lossnade,
i låga brann kinden,
och regnet av tårar
rann i hennes knä.

Då sade Gullrond,
Gjukes dotter:
»Eder kärlek vet jag
har varit den största
av alla människors
ovan mullen.
Ingenstädes trivdes du,
ute eller inne,
syster min,
om hos Sigurd du ej var.

Då sade Gudrun,
Gjukes dotter:
»Så var min Sigurd
mot sönerna av Gjuke,
som en vitlök vore,
vuxen ur gräset,
eller som bjärt juvel,
på band dragen,
en ädel opal,
över ädlingar han var.»

Då skrattade Brynhild,
Budles dotter,
en enda gång
av all sin själ,
när hon till sängen
höra kunde
högljudd gråt
från Gjukes dotter.

Då sade Gunnar,
godättades hövding:
»Ej skrattar du därför,
skadeglada kvinna,
nu glad på golvet,
att gott dig anar.
Vi förvandlas i vrede
din vita hy,
illdåds alstrare?
Ofärd dig väntar.»

Länge kunde dock ej Brynhild dolja den sorg, som hon kände. Häftigt gråtande förebrådde hon Gunnar hans svek mot Sigurd och forklarade, att nu ville hon dö med den man hon älskat.

Hon stötte bort sin make och alla andra, som närmade sig henne, och sade, att hennes beslut att dö var orubbligt.

Brynhild framtog nu sitt guld och andra dyrbarheter och bjöd de kringstående att darav taga så mycket de onskade. Därefter drog hon gullbrynjan på, grep sitt svärd och stack det med kraft i sin vanstra sida.

Därvid sjonk Brynhild ned på sin bädd, men länge talade hon ännu med Gunnar.

När hon kände, att döden nalkades, slutade hon sitt tal med dessa ord.

>En enda bon
jag dig bedja vill,
i världen den sista
den vara skall
Låt bygga så brett
bål på slatten,
att rum åt oss alla
rikligt bliver,
åt oss, som med Sigurd
sokte doden!

Må på andra sidan
om Sigurd brännas
mina svenner,
med smycken prydda'>

Allt skedde så, som Brynhild hade begärt. Ett väldigt bål upprestes, och dar ovanpå lades Sigurd Fafnesbanes lik samt hans tre vintrar gamle son, som Brynhild också låtit drapa. Guttorm blev även lagd på bålet samt slutligen Brynhild vid Sigurds sida.

*   *   *

Att den vitt utbredda sagan om Sigurd Fafnesbane varit omtyckt även i Sverige kan man se darav, att bilder darur finnas inristade på två runhällar i västra Södermanland.

Litteratur: Sämunds Edda oversatt av Erik Brate. Haft. kr. 6: —; inb kr. 7: 50.

Sigurdristningen å Ramsundsberget i Södermanland.

Den här avbildade ristningen visar oss inom ormslingan, som föreställer Fafne, överst till vänster uttern och därunder Regins smedstäd, hammare, tång och blåsbälg. Vidare se vi Sigurd stöta svärdet i ormen, steka hans hjärta över eld och sticka fingret i munnen. De två samtalande fåglarna i trädet synas också, och bunden vid detta står Grane, lastad med guld. Längst till vänster ligger Regin med avhugget huvud.

VIKINGASAGOR

Sagan om Hjalmar den hugstore och Ingeborg.

PÅ EN ö i sjön Bolmen i Småland bodde fordom kämpen Arngrim. Han hade tolv söner, som alla voro grymma och väldiga vikingar. Ibland kunde sådant raseri komma över dem, att de dråpo sina egna män och gingo löst på träd och stenar, beto i sköldarna och tjöto som vilda djur.

Den tiden var det sed att på julafton offra en galt åt guden Frej. Den som ämnade utföra någon bragd under det kommande året, lade då handen på galten, avgav högtidligt löfte om bragden och tömde en löftesbägare. En julafton, då bröderna sutto hemma hos sin fader, gjorde Arngrims son Hjorvard det löftet, att han skulle äga den skönaste och mest prisade kvinnan i Norden. Hennes namn var Ingeborg, och hon var dotter till konung Yngve i Uppsala. Hjorvards bröder häpnade över ett sådant löfte, ty det tycktes dem omöjligt att uppfylla. Men de lovade likväl att hjälpa sin broder i detta företag.

Våren därpå foro alltså Arngrims söner till konung Yngves hov i Uppsala. De blevo väl mottagna, eftersom de voro berömda män. När Hjorvard framförde sitt ärende inför konungen, reste sig Hjalmar den hugstore, den bäste och trognaste bland konungens hövitsmän. Han påminde konungen om att han länge varit honom ett stöd och vunnit åt honom både ära och byte. »Det vore därför bättre», sade han, »att du unnade skön Ingeborg åt mig än åt någon av dessa främmande män, som vunnit sitt mesta rykte genom missdåd.»

Konungen hade nu råkat i svår förlägenhet, men slutligen svarade han: »Ingeborg må själv välja.» Då sade hon: »Den man vill jag hava, vars dygd och ädla bedrifter jag väl känner.» Så blev skön Ingeborg trolovad med Hjalmar den hugstore. Häröver vredgades Arngrims söner och stämde Hjalmar till envigeskamp på Samsö på andra sidan Östersjön. Sedan foro de sin väg.

* * *

På denna tid var det brukligt bland kämpar, att två män, som prövat varandra i strid och funnit varandra jämngoda, ingingo fostbrödralag. De lovade att vara vänner för livet och hämnas varandras död. Hjalmar hade en sådan fosterbroder i den tappre vikingen Orvar Odd. De hade mången gång troget kämpat sida vid sida och utrustade nu två skepp för att möta Arngrims söner på Samsö.

På utsatt dag voro alla envigeskämparne samlade på ön. Arngrims äldste son, Angantyr, var huvudet högre än de elva bröderna. Han bar svärdet Tirfing, som ej kunde dragas utan att bliva en mans bane. Men Orvar Odd hade en pansarskjorta, på vilken intet svärd bet. Han erbjöd sig därför att gå emot Angantyr. Men det ville Hjalmar icke tillåta, utan striden fördelades så, att Orvar Odd gick mot de elva, men Hjalmar gick mot Angantyr.

Striden började. Där skiftades väldiga hugg, och före aftonen lågo alla Arngrims söner slagna, men Hjalmar hade fått många och svåra sår och satt lutad mot en tuva.

Då gick den trogne fosterbrodern fram till honom och kvad:

»Hur är dig, Hjalmar?
Har färg du skiftat?
Av stora sår
jag ser dig mattas.
Din hjälm är skuren
och brynjan sliten.
Ditt liv ser jag statt
på sista resan.»

Hjalmar svarade:

»Sår har jag sexton
och sliten brynja.

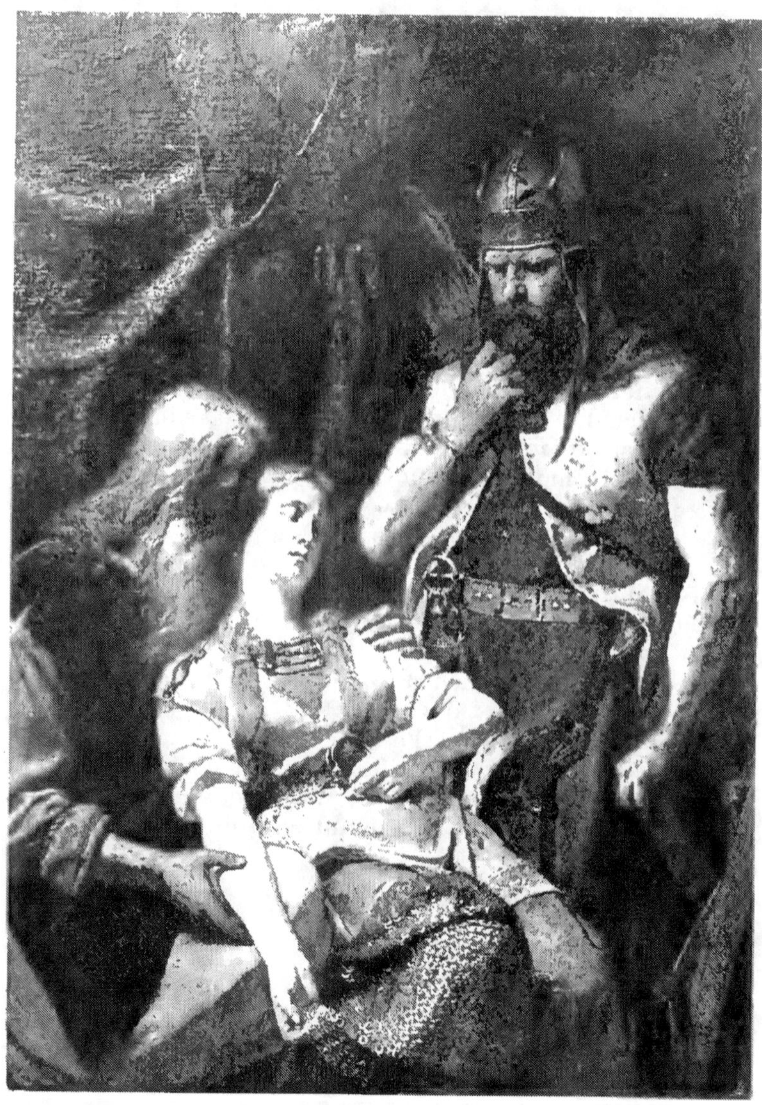

Ingeborg mottager Hjalmars ring. Av August Malmström.

Det svartnar för ögat,
jag ser ej att gå.
Skar mig i hjärtat
Angantyrs svärd
med vassa udden,
härdad i etter.»

Orvar Odd sade: »Här skulle vi ha vunnit en härlig seger,
om jag fått råda. Illa hava dina råd lyckats denna gång.
Jag har nu fått den svåraste skada jag kan lida i livet.»

»Envar skall en gång dö», var Hjalmars svar. »Nu skall
du sätta dig ned, och så vill jag kväda en sång, som du skall
föra hem till Sverige.» Därpå kvad Hjalmar:

»Bär nu till kungssal
brynjan och hjälmen,
dem du för alla
där skall visa.
Hugen lär välvas
hos konungadottern.
när brynjan hon ser
för bröstet huggen.

Drag mig av handen
guldringen röda;
giv den min unga
Ingeborg åter!
Han skall hos henne
hugfästa sorgen,
när hon mig aldrig
mera skall se!»

Så dog Hjalmar den hugstore. Orvar Odd begrov sina
fallna fiender på Samsö och uppkastade minneshögar över
dem. Men Hjalmars lik lade han på skeppet och förde
till Uppsala. Där gick han in till Ingeborg, som satt och
sömmade en mantel åt Hjalmar. Han framförde Hjalmars
sista hälsning och gav henne ringen. Ingeborg tog emot den.
såg på det kära minnet utan att yttra ett ord och dignade
död ned. De båda älskande fingo vila i samma gravhög.
och än i dag lever sagan om deras trogna kärlek i folkets
minne.

Ragnar Lodbroks saga.

SIGURD RING hette en mäktig sagokung i Nordanlanden. Han hade en son, som bar namnet Ragnar. Tidigt blev denne mäkta stor och stark, så att han redan vid femton års ålder for omkring med manskap och härskepp. Han var fager till utseendet. God och klok var han ock samt en så väldig viking, att hans like knappast fanns.

Ragnar får Tora till äkta.

På den tiden styrde i Götaland en mäktig herre, som hade en dotter vid namn Tora. Hon var den vänaste bland kvinnor. En gång hade fadern givit henne en lindorm, som var så liten, att den fick plats i en ask. Men det dröjde ej länge, förrän ormen växte så mycket, att han icke rymdes ens i kammaren utan låg i en ring runtom jungfruburen. Han var så ond, att ingen annan än den som gav honom mat tordes gå till honom. Och så glupsk var han, att han åt upp en oxe i målet.

Toras fader ville därför gärna bli av med honom och lovade fördenskull att giva sin dotter som maka åt den man, vilken han än månde vara, som dräpte ormen.

Då Ragnar fick höra detta, lät han göra sig en dräkt av ludna skinn, som han kokat i beck och därefter dragit i sand. Klädd i denna, gick han tidigt en morgon till jungfruburen, angrep ormen och stötte sitt spjut i den två gånger, så att den dog. För denna bragd blev han berömd över hela Norden. Av den underliga klädnaden fick han tillnamnet Lodbrok, vilket betyder »luden byxa».

Som belöning erhöll Ragnar Tora till maka.

Ragnars andra giftermål.

Efter en tid dog Tora. Ragnar trivdes då ej längre hemma utan drog omkring i ständiga härfärder. Varhelst han stred, vann han seger och rikt byte. En gång kom han till ett torp, som låg på Norges södra kust och hette Spangarhed. Där sände han sina tjänare i land för att baka bröd. Då de om kvällen kommo tillbaka till skeppet, var brödet, som de bakat, vidbränt. Förvånad frågade Ragnar, hur det kom sig. De sade, att i torpet bodde en så fager och vän mö, att de ej kunnat taga sina ögon från henne, och därför hade de försummat brödet. Hennes namna var Kraka.

Konungen skickade då bud i land med den befallningen, att ungmön skulle följande morgon infinna sig hos honom.

Kraka. Målning av M. E. Winge.

Hon skulle varken vara klädd eller oklädd, varken mätt eller fastande, varken ensam eller följd av någon människa. Kraka åtlydde befallningen på följande sätt: hon svepte in sig i ett fisknät, varöver hon lät sitt långa, sköna hår falla, därpå förtärde hon blott en lök och gick sedan, åtföljd av en hund, till Ragnar.

Ragnar tyckte, att Kraka var lika fager, som Tora hade varit. Därför ville han skänka torparflickan Toras guldsömmade kjortel. Men hon sade: »Det anstår mig icke att gå i granna kläder, medan jag bor där borta i torpet. Men om du icke är ombytlig av dig, må du sända efter mig framdeles.» Så skildes Kraka och Ragnar den gången.

Följande sommar lade Ragnar åter till vid Spangarhed och sände efter henne. Nu blev det överenskommet, att hon skulle bliva hans drottning. Hon var honom sedan ständigt trofast och blev moder till fyra söner: Ivar, som kallades Benlös, Björn, som erhöll namnet Järnsida, Vitsärk samt Sigurd, som benämndes Orm-i-Öga.

Kraka omtalade sedan för Ragnar, att hon var dotter till en frejdad hjälte, och att hennes rätta namn var Aslög. Hennes fader hade blivit dödad genom svek. Hon hade då fått till fosterfader Heimer, som dolt henne i en stor harpa och fört henne till Norges kust. »När Heimer», berättade hon, »kom med mig till Spangarhed, bad han att få låna hus över natten. Han fick löfte därom. Torparhustrun fick emellertid syn på en guldring, som lyste fram under hans trasiga klädnad. Och då hon strax därefter märkte, att en frans av något dyrbart tyg stack ut ur harpan, övertalade hon sin man att döda Heimer. Därefter slogo de sönder harpan och funno däri den lilla flickan. De behöllo mig hos sig och kallade mig Kraka. Sedan jag växt upp, vaktade jag deras getter.»

Ragnars sista härfärd och död.

Ragnars söner foro vida omkring i härnad och vunno därunder seger och byte. Därför prisades de ock högt i sång och saga. Då vaknade hos Ragnar hågen att på gamla dagar utföra en bragd, som ej skulle stå tillbaka för sönernas storverk. Han föresatte sig att underlägga sig England med endast två stora skepp. Aslög bad honom hellre utrusta flera små fartyg, ty med dessa kunde han ju lättare landa på Englands kust. Men Ragnar höll fast vid sitt beslut. Då de två stora skeppen voro utrustade och bemannade, steg han ombord. Aslög följde honom till skeppen. Innan de skildes, sade hon: »Nu vill jag löna dig för den silverkjortel, som du en gång gav mig», och så kvad hon:

»Dig ger jag skjortan sida.
Ej blev hon sömmad samman,
men av vitgrå håren
är hon helvävd vorden

Ej benen dig blöda,
ej biter dig svärdsegg
i helgade skjortan,
som höge gudar signat.»

Ragnar mottog gåvan, och så for han sina färde. Men tydligt såg man, att den skilsmässan gick Aslög mycket till sinnes.

Just som Ragnar och hans folk fingo land i sikte, växte det upp en stark storm, som kastade skeppen mot stranden, så att de krossades i spillror. Männen kommo dock oskadda i land och började skövla städer och byar.

I ett av Englands riken rådde denna tid en konung, som hette Ella. När ryktet om Ragnars härfärd kom till honom, lät han uppbåda var man, som kunde bära sköld och rida häst. Därpå tågade han mot nordmannahären men tillsade förut sina män, att de i striden ej skulle bära våld på Ragnar, »ty», sade Ella, »han äger söner, som ej skola lämna oss i fred, om han faller».

Snart möttes härarna, och striden dem emellan började. Ragnars manskap var fåtaligt men värjde sig dock manligen. Själv röjde sig Ragnar väg fram och åter genom Ellas här, och så väldiga voro hans hugg, att varken sköld, brynja eller svärd mäktade stå emot dem. Men på honom kunde intet vapen bita, ty han skyddades av den skjorta, som Aslög givit honom. Dock slutade striden så, att alla Ragnars män föllo och han själv blev instängd mellan sköldar. Man frågade honom, vem han var, men han svarade icke. Då sade Ella till sina män: »På värre prov skall han sättas, om han ej vill säga oss, vem han är. Kasten honom i ormgården, och låten honom sitta där, till dess han säger oss sitt namn! Yttrar han då något, varav I kunnen förstå, att han är Ragnar, så tagen genast upp honom!»

Så kastade man Ragnar i en ormgrop. Men han satt där utan att ormarna gjorde honom någon skada. Ella befallde då, att skjortan skulle dragas av honom. När detta skett, höggo sig ormarna från alla sidor fast vid hans kropp. Ragnar sade då: »Grymta månde grisarna, om de visste, vad den gamle galten lider.» Han menade därmed, att sönerna skulle hämnas hans död. Under dessa grymma lidanden kvad han en sång om sina många bedrifter och slutade sålunda:

»Vi höggo med svärd.
Hart lider nu han mot döden,
ty bittert mig biter ormen,
som bor i hjartats sal.
Jag spår dock, att spjutet
skall stånda i Ellas blod.
Nog sinnet lär svalla
hos sönerna mina.
Ej månde de styva svenner
stilla förbliva.

Vi höggo med svärd.
Jag hårda drabbningar hållit
en och femtio gånger.
bjudande fienden fejd.
Ung jag borjade bloda
brynjor i striden, och tror jag
icke, att kung lär finnas
frejdad mera bland folken.
Nu gudar kalla mig komma,
jag klagar ej döden.

Hastom då hädan!
Hem bjuda mig stridsmor,
som Oden har sänt mig
från Valhalls sal.
Glad jag månde med åsar
mjöd i högsätet dricka.
Lidna äro livets stunder,
leende skall jag dö.»

Ragnars söner hämnas sin faders död.

När Ella fick höra, vad den okände mannen sjungit i sin dödsstund, förstod han genast, att denne var konung Ragnar. Han fruktade nu storligen för dennes söner och skickade därför sändemän, som skulle erbjuda dem bot för deras fader. Då sändemännen anlände till bröderna, som nyligen kommit hem från söderlanden, voro Vitsark och Sigurd sysselsatta med brädspel, Bjorn stod på salsgolvet och skaftade sitt spjut, Ivar satt i högsätet. Fram till detta trädde sändemannen och framförde budskapet om Ragnars död. På Ivars begäran omtalade de noga, huru allt tilldragit sig. När de kommo till Ragnars ord »Grymta månde grisarna, om de visste, vad den gamle galten lider», grep Björn så hårt om spjutskaftet, att märke efter händerna syntes däri, och när berättelsen var slutad, riste han spjutet så häftigt, att det gick i stycken. Vitsärk, som höll en spelbricka i handen, kramade denna så hårt, att blodet sprang ut under var nagel. Sigurd skavde sina naglar med en kniv och lyssnade så noga på sändemännens ord, att den trängde ända in till benet, innan han märkte det; men det brydde han sig ej om. Ivars hy var än blå, än blek, än röd, under det att han hörde på, vad sändemännen förtäljde. Vitsärk ville genast börja hämnden med att dräpa sändemännen, men Ivar förbjöd det och lät dem fara i frid.

Då man berättade för Ella, hur bröderna betett sig, sade denne: »Intet gott lär någon av dem tänka, men mest ha vi att frukta av Ivar.» Däruti syntes han dock ha misstagit sig, ty då de andra bröderna genast ville företaga ett härnadståg till England, satte sig Ivar däremot och sade sig vilja taga bot för sin fader. Hans bröder voro emellertid hämdlystna och drogo åstad med en otillräcklig styrka, varför de blevo slagna av Ella.

Ivar hade varit med dem men ej deltagit i striden. Han for nu till Ella och erbjöd förlikning. Då fick han i bot för sin fader ett stycke jord. Där byggde han sig en borg. Sedan vann han genom klokhet och givmildhet de förnämsta av Ellas stormän på sin sida. Därpå sände han hemligen bud till sina bröder, att de skulle anfalla konungen. De förstodo då Ivars list och gjorde, som han föreslog. Ella fick blott ringa manskap tillsammans, och striden slutade så, att hans här flydde och han själv blev tagen till fånga. Därefter läto Ragnar Lodbroks söner rista blodörn på hans rygg till straff för den grymma död, som deras fader fått lida.

ISLÄNDSKA ÄTTSAGOR

Ur Egil Skalle-Grimssons saga.

Bonden Grim flyttar till Island.

BLAND de storbonder, som fiån Norge flyttade over
till Island, var Grim en bland de mest beromda. Han
kallades Skalle-Grim, darfor att han tidigt blev skallig
Dår han steg i land på den nyupptäckta on, fann han
grasrika ängar och myrar, bakom vilka höga fjäll reste sig
Han såg, hur vart vatten vimlade av fisk och sål Har byggde
han upp åt sig ett nytt hem.

Grim var en mycket driftig man. Från bittida på mor-
gonen intill sena aftonen holl han sina män ute på arbete.
De fingo leta reda på allt, som kunde duga att livnåra fol-
ket med. Han sande dem ut på fiske och salfångst. Ofta
kommo valar till stranden, och det var latt att skjuta dem,
ty djuren voro ännu icke skygga for människor.

I borjan hade Grim ej mycket boskap. De djur han ägde
födde sig själva året om ute i markerna. När boskapen for-
okades, drog den sig sommartiden upp till fjällen. Grim
gav akt på att den fånad, som gick uppe på fjallbetena, blev
störst och fetast. Darfor lat han bygga en gård uppe vid
fjället och satte folk att vakta kreaturen dår.

Snart hade han dar boskap i mangd.

Grim var en handig skeppsbyggare, och drivved att bygga
av saknades icke. Han var också en god smed. Ur myrarna
tog han upp klumpar av myrmalm och smalte ned till järn.
En smedja lät han bygga nära sjon. Men han kunde icke
finna något stenblock, som var hårt och slätt nog att hamra
järn emot. Så hande sig en kväll, när allt folket gått till ro,
att Grim gick ned till stranden, stotte ut en farkost och rodde

ut till några holmar. Där lät han ankaret glida ned, steg över bord och hämtade upp från bottnen en väldig sten, som han välte in i båten och rodde i land. Han bar stenen till sin smedja och satte ned den utanför dörren. På den hamrade han sedan sitt järn. Så väldig säges den ha varit, att fyra män icke orkade lyfta den.

Grim var själv ivrig med sitt smide, men hans huskarlar knotade över att de fingo stiga för bittida upp om morgnarna.

Då gjorde han följande visa:

>»Önskar man välstånd vinna,
arla ur bädd man stige,
medan det bullrar i buktig
bälg av morgonvinden.
Järnet glöder som gullet,
gnistrar för tunga släggor.
Vindiga bälgar blåsa —
elden blossar i smedjan.»

Egil Skalle-Grimsson på vikingafärd.

Grims son Egil var redan vid tolv års ålder så stor och stark, att det icke fanns många fullvuxna karlar, som vågade tas med honom. När han blev vuxen, vart han en väldig viking.

Sagan beskriver honom sålunda:

»Egils anlete var stort, pannan bred, ögonbrynen buskiga, näsan kort men mäkta tjock, överläppen vid och bred; han var underligt bred om haka och kindben, diger om halsen och långt drygare över skuldrorna än andra män. När han var vred, var han hård och gruvlig i dragen. Då sköt han det ena ögonbrynet ned mot kinden, det andra upp i hårrötterna. Hans ögon voro svarta och brynen brungrå. Han var vacker i växten och resligare än varje annan kämpe. Håret var ulvgrått och tjockt, men tidigt vart han skallig.»

En vår utrustade Egil tillsammans med en frände tre stora långskepp för härnadståg. Tre hundra man togo de med sig, bland dem många av traktens bondsöner. Om hösten lade de till vid frisernas land.[1] En natt, när vädret var lugnt, lupo de in i en bred flodmynning. Ty där var brist

---

[1] Nuvarande norra Holland.

på hamnplatser, och vid ebbtid sträckte sig vida grund ut
från kusten. Kustlandet bestod av stora slätter, men längre
in växte skog. Marken var uppblött, ty starka regn hade
fallit.

Här beslöto de sig för att gå upp. En tredjedel av folket
lämnades kvar att se till skeppen. Vikingarne följde floden
upp mot skogen och sågo snart framför sig en by. I den
bodde många bönder. Allt folk som kunde sprang ut, så
fort det fick syn på hären. Vikingarne satte efter de flyende
över markerna. Där låg en annan by och så en tredje. Allt
folk som hann flydde bort.

Landet var genomskuret av breda gravar med vatten i.
Men där vägen gick fram, lågo träbryggor över dem.

När vikingarne hunnit långt in i bygden, skockade fri-
serna sig samman i skogen. Då de blivit över tre hundrade
man starka, drogo de fram emot vikingahären, och nu bör-
jade en hård kamp. Den slutade så, att friserna flydde och
vikingarne jagade efter dem. De flyende spredo sig vida
omkring, och så gjorde även förföljarne.

Egil satte med några få män häftigt efter en manstark
flock. Friserna kommo till ett djupt dike, sprungo över det
och drogo sedan bryggan åt sig. Då nådde Egil fram och for
med ens över diket. Det var intet språng för andra män, och
ingen försökte det heller. När friserna sågo, att en man stod
där ensam, vände de om och kastade sig över honom. Men
han värjde sig väl och ställde sig så, att han hade diket till
skydd i ryggen. Elva man anföllo honom, och striden slöts
så, att han drap dem alla. Därefter sköt han ut bryggan
och gick på den tillbaka över diket. Han såg då, att hela
vikingahären vänt om till skeppen. Han var helt nära sko-
gen. Den följde han ned mot stranden, för att han i nödfall
skulle kunna springa in i den.

Vikingarne hade fört mycket byte och boskap ned till
stranden. Somliga höggo ned boskapen, andra forslade god-
set ut på skeppen, andra åter stodo med sina sköldar tätt
intill varandra till skydd mot friserna. Denna uppställning
kallades att bilda sköldborg. Friserna hade i stora hopar
dragit sig ned mot sjön och ställt upp sig i fylking. Nu an-
grepo de vikingarne med spjut och pilar.

När Egil nalkades och såg, vad där var å färde, sprang

han med fart mot bondehopen. Skölden kastade han på ryggen, grep om spjutet med bägge händerna och höll det framför sig. Han stötte det fram, och allt, som stod i hans väg, sprängdes undan. Så banade han sig väg fram igenom fylkingen.

När han kom ned till sina män, var det dem, som om mannen vänt åter från Hels salar.

De stego sedan alle man ombord, höllo ut från land och seglade till Danmark, nya äventyr till mötes.

Så låg Egil ute över ett år, innan han vände tillbaka till Island. Där blevo alla glada över att se honom åter.

Egil gästar bonden Årmod i Värmland.

En vinter var Egil på färd genom Värmland. Efter en mödosam dagsresa kommo han och hans män en kväll till en gård, som ägdes av bonden Årmod. Egil förstod snart, att denne icke var att lita på, och det skulle sedan också visa sig, att bonden försökte lägga försåt för Egil och hans män. När de kommit in i stugan, sade Årmod:

»Varden I icke bäst undfägnade, om bord strax sättas fram för eder och I fån kvällsvard, så att I sedan kunnen gå och sova? Bliver då vilan eder bäst.»

»Det likar oss mäkta väl», svarade Egil.

Årmod lät sätta in bord, och stora byttor, fulla av sur mjölk, ställdes fram för dem.

Det gjorde honom ont, sade han, att han icke hade ädelt öl att bjuda gästerna.

Egil och hans män voro trötta och mycket törstiga. De grepo om byttorna och drucko mjölken i långa drag. Egil drack dock allra mest. Där kom ingen annan undfägnad.

Mycket tjänstfolk var där inne. Husfrun satt med några andra kvinnor på tvärbänken. Bondens dotter sprang omkring på golvet, tio eller elva år gammal.

Husfrun kallade henne till sig och viskade henne något i örat.

Mön for hän till bordet, där Egil satt. Hon kvad:

>Mig hon sände, moder
min, ett ord att säga.
Vill jag Egil varna:
varligt män I klunka.

Så hon, kvinnan, sade
'Se du till din mage!
Battre varor vanta
våra goda gaster.'»

Årmod slog till henne och böd henne tiga.

»Pladdrar du jämt, vad minst höves», sade han.

Mon gick bort, och Egil stötte mjolkbyttan i bordet. Den var då nara tom

Nu blevo alla byttorna tagna undan; och även husets folk gick till sina platser. Bord sattes fram runt om hela stugan, och det kom forplägning på dem. Allsköns ratter fördes in och buros till Egil som till de andra. Sist kom in ol. Det var ädelt öl, sällsynt starkt.

Genast drack man enmänning; skulle var man dricka sitt horn ut.

Mest frikostig var värden mot Egil och hans foljesmän, och det sågs val till, att de drucko som valdigast.

Egil drack en lång stund utan hejd, och när hans män ej mäktade mera, drack han för dem, vad de icke rådde med. Så gick det, tills borden togos bort.

Då voro alla, som sutto i laget, mycket druckna. Var gång Årmod tog sig ett nytt horn, sade han: »Dricker jag dig till, Egil!» Huskarlarne drucko Egils män till med samma hälsning.

En man sattes till att racka gästerna de fyllda hornen, och han eggade dem till att dricka raskt.

Då böd Egil sitt folk hålla upp. Han drack for dem, vad de ej kunde komma ifrån.

Nu markte han, att slikt ej längre var honom hälsosamt. Han reste sig och gick tvars over golvet dit där Årmod satt.

Han tog honom i axlarna och bojde honom bakåt emot högsätesstolparna. Sedan kastade han upp all vålfägnaden, så att den flot Årmod i anletet, i ögon, näsa och mun och rann honom ned på brostet. Årmod var nära att kvavas, och när han åter fick andrum, vällde det upp ur honom också.

Hans huskarlar ropade alla, att trollen måtte taga den elandige, som ej visste att gå ut, när han ville spy.

»Icke bor jag», sade Egil, »hora ont, for det jag gor detsamma som husbonden Spyr han av alla krafter icke mindre än jag.»

Sedan gick Egil bort till sin plats, satte sig ned och bad om något att dricka.

Årmod sprang upp och störtade ut.

Egil drack ännu en stund, och vart horn, som räcktes honom, vart tomt. Ringa var glädjen i hallen, om ock några ännu rörde vid hornen.

Till sist stod Egil upp med sina män. De togo sina vapen ned från väggarna, där de hängt dem upp. Så gingo de till kornladan, vari deras hästar stodo, lade sig ned i halmen och somnade in.

Så snart det dagades, stod Egil upp. Han gick med sina följesmän hän till gården för att träffa Årmod. När de voro vid huset, vari bonden sov med husfru och dotter, stötte Egil upp dörren och trädde bort till hans säng. Han drog sitt svärd, grep Årmod i skägget och ryckte honom fram på sängkanten. Husfrun och dottern sprungo upp och bådo Egil icke dräpa Årmod. Egil sade då, att han för deras skull hölle inne med hugget, fastän han ej bort nöjas med mindre än hans liv.

Därefter skar Egil hans skägg av vid hakan och krökte fingret in i ögat, så att det föll ut på kinden. Sedan gick han ut till sina följesmän. Så drogo de sina färde.

Egils ålderdom och död.

Egil Skalle-Grimsson gick mot sina nittio år. Rask kunde han kallas; blott synen hade han mist. Han bodde nu på gården Mossfäll hos sin brorsdotter Tordis och hennes man, Grim. Om sommaren, när tingstid kom, bad Egil Grim att få rida med till tinget. Grim drog på svaret. Han förtalte sedan sin husfru Tordis, vad Egil bett om. »Jag vill», sade han, »att du söker få veta, vad han menar med denna önskan.»

Tordis gick hän och talade med Egil — det var numera hans största gamman att språka med henne. Hon sporde: »Är det sant, farbroder, att du vill rida till tings? Jag vill att du sade mig, vad du ämnar därmed?»

»Jag skall säga dig», svarade han, »vad jag ärnat. Jag har tänkt att taga med mig de två kistorna, konung Ethelstan i England en gång gav mig, de där bägge äro fyllda med engelskt silver. Dem vill jag låta bära till lagberget, när mest folk är samlat där. Jag skall så ut silvret, och det tyckes mig underligt, om alla skulle dela det *väl* mellan sig. Kanske det kunde bliva knuffar och örfilar av och det omsider bure sig så, att allt tingsfolket slogs!» Gubben tyckte kantänka, att det nu var för länge, sedan han fått vara med om en ordentlig strid. Och nu fröjdade sig den gamle obändige vikingen vid blotta tanken härpå.

»Det är ett drápligt påfund», sade Tordis, »och det skall minnas, så länge landet är bebott.»

Sedan talade Tordis om för Grim Egils uppsåt.

»Aldrig skall han få komma fram med slikt vanvett», sade Grim.

När Egil för Grim slog fram om tingsfärden, avrådde denne med fasthet allt, och Egil stannade hemma. Det likade honom ingalunda. Han vart mycket vresig.

Under tingstiden var Tordis faren till säters. En kväll, när folket redde sig till vila på Mossfäll, kallade Egil till sig tvenne av Grims trälar. Han böd dem leda fram en häst. »Jag vill fara till bad», sade han, »och skolen I göra mig följe.» Han kom ut och hade med sig sina silverkistor. Så steg han till häst.

Han red med trälarne nedåt tunet, och till sist såg man dem försvinna bakom brinken.

När huskarlarne om morgonen stått upp, sågo de, hur blinde Egil trevade om i hultet öster om gården och ledde hästen efter sig. De gingo hän till honom och fingo honom hem. Men varken trälar eller kistor kommo efter, och många äro gissningarna om var Egil dolt sitt silver.

Nedanom tunet på Mossfäll finnas stora kärr, sällsamt djupa. Många hålla för sant, att Egil där sänkt ned kistorna.

Egil förtalde, att han dräpt trälarne, och därtill, att han gömt kistorna, men han sade ingen, var han gömt dem. — Släktingarne skulle ej få glädje av silvret, när han själv ej fått det.

Om hösten föll Egil i den sjukdom, som vart hans bane.

Då han var död, lät Grim föra honom i goda kläder. Sedan lät han bära ned honom till Tjaldanäs, och i en hög där vart Egil lagd med sina kläder och vapen.

Egils huvudskalle.

Grim på Mossfäll vart döpt, när kristendomen blev i lag satt på Island. Han lät bygga en kyrka, och sägnen går, att Tordis låtit föra Egils lik dit. När sedan en ny kyrka restes på Mossfäll och den gamla revs, funnos mansben under altarstället. De voro vida större än andra mäns ben. Av gammalt folks utsago trodde man sig finna, att det var Egils. Då var prästen Skafte Torarensson tillstädes, en svåra klok man. Han tog Egils huvudskalle och satte den upp på kyrkomuren. Den var underligen stor, men sällsammast var dess tyngd. Den var skrovlig som ett musselskal. Då ville Skafte se, hur tjock skallen var. Han tog en rätt stor handyxa, svängde den till hårt hugg och slog dess hammare i skallen. Där slaget tog, vitnade den, men den varken buktade sig eller sprack. Och kan man av slikt skönja, att den skallen ej gav sig lätt för småfolks hugg, när på den funnos svål och hull.

Egils ben nedlades sedan i utkanten av den nya kyrkogården på Mossfäll.

Litteratur: Egil Skalle-Grimssons saga, från fornisländskan av
A. U. Bååth. Häft. kr. 3: 25, inb. kr. 4: 75.

Ur Nials saga.

Gunnar på Lidarände.

EN AV Islands yppersta män var Gunnar på Lidar-
ände. Han var stor till växten och stark och den flin-
kaste av alla män att bruka vapen. Han högg lika bra
med bägge händerna och svängde svärdet så rappt, att man
såg tre svärd på en gång i luften. Han var den ypperste båg-
skytt och råkade allt, vad han riktade pil emot. Han hoppade
i full rustning högre än sin egen höjd och lika långt baklänges
som framåt. Han sam som sälen, och den lek fanns icke,
vari någon vågade tävla med honom. Vän var han att se
och ljuslätt. Ögonen voro blå och blixtrande och kinderna
röda. Det rika, gula håret föll väl. Han var hövisk och väl-
villig, givmild och vänfast.

Tillsammans med sin broder Kolskägg tumlade Gun-
nar mycket om i vikingafejder och förvärvade sig därunder
stor berömmelse. Men till sist drev honom hemlängtan till
Island igen. Tidigt en vår landade bröderna på Island.

När de kommo hem, vart man glad vid att se dem. De voro
blida mot husfolket, och högdragna hade de ej blivit.

Gunnar och Hallgerd.

Snart därefter redo Gunnar och Kolskägg med sina
följeslagare till vårtinget. Så präktigt rustade voro de, där de
drogo fram på tinget, att ingen kunde mäta sig med dem.
Från alla bodar kom man ut för att beundrande se på dem.

En dag, då han gick ned från lagberget, såg han några
kvinnor komma mot sig, rikt utstyrda. Främst i flocken
gick den vackrast prydda kvinnan. Hon hälsade Gunnar, då
de möttes. Han hälsade höviskt igen och sporde, vem hon

var. Hon hette Hallgerd, Höskulds dotter. Frimodigt talade hon honom till och bad honom förtälja om sina färder. Och då han sagt, att han ej skulle neka henne det, satte de sig ned och talade samman. Hon satt där i röd och rikt sirad kjortel. Över sig hade hon en vid scharlakanskappa, gullbrämad ned i flikarna. Håret vällde stort och fagert ned på bröstet. Gunnar bar en praktdräkt, som Danmarks konung givit honom, och han hade om sin arm en gullring, skänkt av Håkon jarl i Norge. Så sutto de och talade länge högt samman. Till sist sporde han, om hon vore ogift. Hon jakade.

»Och vem som helst dristar ej att gilja till mig», tillade hon.

»Tyckes dig då intet gifte gott nog?»

»Jo visst», svarade hon, »men nog är jag granntyckt.»

»Vad skulle du svara, om jag begärde dig?»

»Det har du visst ej i sinne», säger hon.

»Jo visst», svarar han.

»Har du lust därtill», säger hon, »så sök min fader!»

Så slutade de sitt samtal.

Gunnar begav sig strax till Höskuld och begärde hans dotter till äkta. En hennes frände, som var närvarande, varnade Gunnar. »Akta dig, Gunnar», sade han, »kvinnan har ett hårt och dolskt sinne!» Två gånger förut hade nämligen Hallgerd varit gift och båda gångerna vållat sin makes död. Men Gunnar ville ej lyssna till några varningar. Brudköpet uppgjordes, och Gunnar gjorde själv bröllopet på sin gård.

När Gunnar kom för att bjuda sin bäste vän, den kloke Nial, till brudgillet, vart denne djupt bedrövad. »Stora olyckor kommer detta gifte att vålla dig», menade han, »ty Hallgerd är en led kvinna.»

»Hon skall dock aldrig lyckas att slita vårt vänskapsband», sade Gunnar. »Ej mycket kommer att fattas däri», menade Nial.

Nial kom dock till bröllopet, som firades med stor ståt.

Besöket på Bergtorsvall.

Gunnars vän Nial bodde å Bergtorsvall på Island. Han var mycket rik och vän att se men hade intet skägg. I lagkunskap var ingen hans like. Dessutom var han klok och hjälpsam. Goda råd gav han åt var och en, som vände sig till honom. Hans hustru hette Bergtora. Hon var en kärnkvinna, pålitlig men hårdsint.

Bergtora och Nial hade sex barn, tre soner och tre döttrar. Den äldste sonen, Skarpheden, var en stor och stark man. Han var väl övad i vapen och over måttan snabbfotad. Han sam som salen, var rådig och oforskrackt samt fyndig i sitt tal men var likväl lugn för det mesta. Han hade brunt hår, som vid pannan slog sig i en obändig virvel, vackra ogon samt bleka, skarpa drag. Näsan var krökt, och tandgården låg hogt. Munnen var ful och utstående, och alltid log den tyst, så att tänderna lyste, når något viktigt skulle ske, oftast när en ovan skulle nidas eller fällas. Nials andre son var Grim. Han hade svart hår och var fagrare än Skarpheden samt både stor och stark. Den tredje sonen hette Helge. Aven han var stark och vapenskicklig samt en klok och lugn man. Ehuru broderna gifte sig, bodde de likväl kvar på Bergtorsvall.

De båda vännerna Gunnar och Nial hade för sed att varje vinter gästa varandra. Denna vinter var det Gunnar, som reste på gästning till Nial. Och sin hustru Hallgerd hade han med sig. Väl blevo de mottagna av Nial och Bergtora.

Men ej drojde det länge, innan Bergtora och Hallgerd voro i fullt gral med varandra.

Hallgerd pekade darvid med djupt förakt på Bergtora och sade, att denna just inte hade mycket att brosta sig over, som hade kartnagel på vart finger, och som hade en man, vilken var skägglos.

»Men *din* man Torvald var ej skägglos», svarade Bergtora, »och ändå vållade du hans bane.»

Hallgerd vände sig nu till Gunnar och utropade: »Föga båtar det mig att äga den tappraste man på Island, om du ej hämnas detta, Gunnar!»

Han sprang upp och steg fram over bordet.

»Hem vill jag fara», sade han. »Battre ar, att du tråter dår hemma med husfolket an våcker strid i annan mans boning. For mången hederstjänst har jag dessutom att lona Nial, och jag ar ej en man, som låter mig hetsas av dig.»

Vid avfärden yttrade Hallgerd: »Minns det, Bergtora, att vi två icke äro kvitt med detta!»

Bergtora och Hallgerd träta.

Gunnar lät icke ett ord undfalla sig. Han for hem till Lidarände och stannade hemma vintern igenom.

Kvinnornas hämnd.

När sommaren kom, for Gunnar som vanligt till tinget. Men innan han reste, sade han till Hallgerd: »Var nu foglig, Hallgerd, medan jag ar borta, och visa ingen ondska mot mina vänner!»

»Trollen tage dina vänner!» sade Hallgerd.

Nial och hans soner reste också till tinget, men Bergtora satt hemma och styrde gården.

Knappast voro männen resta, förrän oenighet utbrot mellan Hallgerd och Bergtora.

Nial och Gunnar agde en skog tillsammans nara Lidarande. Dit skickade Bergtora en huskarl vid namn Svart för att hugga ved, som vanligt var.

När Hallgerd sporde detta, blev hon vred och sade, att Bergtora ville råna henne. »Men inte skall den mannen hugga mer, det lovar jag», utbrot hon.

Därpå skickade hon ut en trål vid namn Kol att doda Svart.

När Kol återkom och malde Hallgerd, att Svart var dödad, vart kvinnan glad och sande genast till tinget en man, som underrättade Gunnar om dråpet.

Gunnar sade intet om saken i budets närvaro. Men nar han kom hem, gav han Hallgerd stranga ord för vad som hänt.

Nial hade ej begärt mer än tolv ören i mansbot for Svart. »Det silvret skall snart utbetalas igen i mansbot for Kol», hade Bergtora sagt, då hon såg silvret. Och så blev det.

När Nial och hans söner nasta sommar redo till tings, tog Nial med sig en penningpung. Hans son Skarpheden sporde »Vad ar det för mynt, fader?» — »Det ar silvret», sade Nial, »som Gunnar gäldade mig för vår huskarl förra sommaren.» — »Det kan allt vara gott till något», sade Skarpheden och log menande

Medan männen voro på tinget, sände Bergtora en huskarl vid namn Atle att döda Kol.

»Dig återstår vad mest kostar på — att dö», sade Atle och rände honom spjutet i midjan. När Atle utfort dådet, red han, till dess han fann Hallgerds arbetsfolk.

»Faren upp till Kols häst och tagen vara på den!» sade han. »Själv har han fallit av och ligger där död.» — »Har du dräpt honom?» frågade de.

»Nog skall det se ut för Hallgerd, som om han ej dött sotdöd», svarade han och red hem och förtalde Bergtora dråpet. Hon tackade för detta verk och för de ord han haft därom.

För Hallgerd berättade man Kols dråp och de ord Atle fällt, och hon menade, att hon nog skulle löna Atle. Hon sände därpå en man till tinget att berätta för Gunnar om dråpet. Han sade ej mycket men sände en man att förkunna Nial det. Denne sade intet. Men Skarpheden föll in: »Nu för tiden äro trälarne vida mer fallna för storverk än förr: då flögo de i luven på varandra, och det tyckte man var oskyldigt nog, men nu vilja de slå ihjäl varandra» — och han log.

Nial ryckte ned penningpungen, som hängde på bodväggen, och gick till Gunnars bod samt lämnade den åt Gunnar. Denne kände strax igen silvret: det var detsamma som han givit Nial. Nial gick tillbaka till sin bod, och hans och Gunnars vänskap var lika stor som förr.

Då Nial kom hem, förebrådde han Bergtora dråpet, men hon menade, att hon aldrig skulle väja för Hallgerd. Denna rasade mot Gunnar för förlikningen, men hon fick det svar, att aldrig skulle han bryta med Nial och hans söner. Hon fnös till åt honom, men han brydde sig icke om det. Så vaktade man under vintern väl på, att intet stötte till.

Om våren, innan Nial drog till tinget, tillrådde han Atle att begiva sig bort ifrån Bergtorsvall, på det att Hallgerd ej så lätt skulle komma åt honom. Men Atle förklarade, att han ej var rädd. Han ville helst stanna där han var.

Hallgerd sände emellertid efter en frände vid namn Brynjulv och övertalade honom att dräpa Atle. Därefter sände hon en man till Gunnar att anmäla dråpet.

Med tungt sinne gick nu Gunnar till Nial, omtalade Atles mord och bad honom bestämma mansboten.

»Intet må störa vår vänskap», sade Nial, »men jag måste nu säga dig, att Atle var en fri man och att jag således fordrar större mansbot för honom än för en träl.» Gunnar räckte Nial handen och sade sig gärna betala, vad vännen bestämde.

Skarpheden inföll: »Ej låter Hallgerd våra huskarlar just dö av ålder.»

»Moder din skall nog sörja för, att huggen falla skiftevis i gårdarna», svarade Gunnar.

»Därtill är alltför stor utsikt», sade Nial och fastställde böterna till ett hundrade öre i silver, som Gunnar strax gäldade.

När Gunnar kom hem, sade Hallgerd till honom: »Har du guldit ett hundrade i silver för Atle och därmed gjort honom fri man?»

»Fri var han förut», sade Gunnar, »och hur som helst skall jag ej göra män ur Nials hus ogilla.»

»I haven allt kommit att likna varandra väl mycket, du och Nial», genmälte hon, »ty bägge ären I fega.»

Gunnar var länge kall mot henne, tills hon åter närmade sig honom. Allt var nu lugnt den vintern.

*

Under nästa ting var det Bergtora, som hämnades. Hon utsände en man vid namn Tord, som hade varit fostrare åt Nials söner, att dräpa Brynjulv. Tord gjorde det ej gärna men vågade icke motsäga Bergtora.

Stor blev Hallgerds förbittring, då hon sporde sin frändes dråp. »Mycket ont skall komma av detta», lovade hon, »om jag får råda.»

När budskapet om Brynjulvs dråp kom till tinget, utbrast Nial: »Flera varda nu dråpare, än jag kunnat ana!»

Nial gick nu till Gunnar, mälte honom Brynjulvs dråp och bad honom bestämma mansboten.

»Skadan var ej stor», sade Gunnar, »men hundrade öre i silver må du dock betala.»

Nial erlade strax böterna, och han och Gunnar voro lika goda vänner som alltid.

*

En frände till Gunnar vid namn Sigmund samt en svensk, som hette Sköld, gästade på Lidarände under vintern. Dem eggade Hallgerd att hämnas Brynjulvs dråp. Gunnar märkte detta och bad Sigmund akta sig, men Hallgerd fick ändå makt över denne.

När Gunnar väl hade rest till tinget, redo Sigmund och Sköld ut för att dräpa Tord. Då de funno honom, ropade Sigmund till honom redan på avstånd: »Giv hit dina vapen, Tord, ty nu skall du dö!»

»Ingalunda», svarade Tord. »Till enviges med mig må du komma.»

»Nej, nu skall det båta oss, att vi äro flera», sade Sigmund. »Underligt är ej, att Skarpheden är tapper, ty det är sagt, att man bråds en fjärdedel på sin fosterfader.»

»Det kommer du att pröva på», svarade Tord, »ty Skarpheden skall hämnas mig.»

Därpå redo de på honom, men han bröt sönder spjuten för dem bägge — så väl värjde han sig. Då högg Sköld av honom handen, men han högg igen med den andra en stund, tills Sigmund genomborrade honom. Död föll han till jorden, och de täckte honom med torv och sten.

Då Gunnar fick bud om att Tord var dräpt, gick han med sorgset sinne till Nial och bad honom fälla dom i denna sak.

Nial sade: »Skarpa ord väntar jag mig av både hustru och söner, om jag åter ingår förlikning med dig. Men ej må vår vänskap brytas för deras skull. Du må därför erlägga 200 öre i silver.»

Gunnar betalade då dubbel mansbot. Och så voro han och Nial åter förlikta.

Men Skarpheden sade knorrande till sin fader: »Hur länge skola vi bida, innan vi få lyfta handen?»

»Det torde ej töva så länge», svarade Nial, och då skall du ej heller hållas tillbaka. Men stor makt ligger på att I ej bryten denna förlikning.»

Sigmunds nidvisor.

En dag kommo några sladdersamma tiggargummor till Lidarände. De gingo in i frustugan, där Hallgerd satt tillsammans med sin dotter Torgerd och dennas man Tråen samt Sigmund och några kvinnor.

Tiggargummorna berättade, att de kommo från Bergtorsvall.

»Vad hade de där för sig?» sporde Hallgerd.

»Å, Nial, han mödade sig med att sitta stilla på en bänk, och sönerna sysslade med sina vapen», sade tiggerskorna.

»Sää, då ha de väl några riktiga stordåd i sinnet», sade Hallgerd.

»Ej veta vi det», svarade de.

»Vad gjorde Nials huskarlar?» frågade hon.

»Vad de andra gjorde kommo vi ej underfund med», sade de, »men den ene körde spillning på backarna.»

»Vad skulle det tjäna till?» sporde hon.

»Han menade, att höet skulle växa bättre där än annorstädes», sade de.

»Den gången var Nial dum», sade hon, »han som annars vet råd för allt.»

»Hur så?» frågade de.

»Jo, det är självklart», gav hon till svar, »att han hellre bort låta spillningen köras i skägget på sig, så att han en gång kunde komma att se ut som andra manfolk. Kallom honom nu skägglöse gubben och sönerna hans dyngskäggen, och kväd du något härom, Sigmund, och låt oss hava gamman av att du är skald!»

Sigmund lydde Hallgerd även denna gång och kvad en nidvisa om männen på Bergtorsvall.

I detsamma kom Gunnar. Han hade stått utanför frustugan och hört alla de onda ord, som fallit. De blevo helt häpna, när de sågo honom träda in, och de tystnade alla, som nyss varit så högljudda och skrattande. Vred vände sig Gunnar till Sigmund: »En dåre är du. Du nidar Nials söner och honom själv, du som förut kränkt dem. Detta skall ock varda din bane. Säger någon de ord efter, som här fällts, skall han bort härifrån och därtill ha över sig min vrede.»

Gunnar gick ut, och så räddes de alla för honom, att ingen tordes säga om ett ord. Tiggarkvinnorna viskade sinsemellan, att de nog skulle få lön av Bergtora, om de sade henne, vad här yttrats. De drogo ned till Bergtorsvall och berättade henne i enrum allt.

Då man satt sig till bords, sade Bergtora: »Gåvor äro eder givna, husbonde och söner, och stackare varden I, om I inga gengåvor given.»

»Vad är det för gåvor?» sporde Skarpheden.

»I, mina söner», sade Bergtora, »haven alla fått en skänk tillhopa — I ären kallade dyngskäggen men husbonden min skägglöse gubben.»

»Ej ha vi kvinnosinne», svarade Skarpheden, »att vi vredgas vid allt.»

»Vredgades dock Gunnar å edra vägnar», genmälte hon, fast han synes hovsint. Och hämnens I icke detta, då skolen I aldrig hämnas någon skymf.»

»Käringen, moder vår, finner gamman i att hetsa oss», sade Skarpheden och hånlog. Dock sprang honom svetten i pannan, och röda fläckar trädde fram på kinderna, vad eljes ej var fallet. Grim satt tyst och bet sig i läppen. På Helge rördes ingen muskel.

Nial sade: »Fram kommer man, husfru, fast man sakta far.»

Då Nial om kvällen låg i sin säng, hörde han, hur en yxa utanför rörde vid brädväggen, så att det klang. Därinne var ett annat rum, där sköldar plägade hänga. Nial såg, att de voro borta.

»Vem har tagit ned våra sköldar?» sporde han.

»Dina söner gingo ut med dem», svarade Bergtora.

Nial ryckte raskt till sig skorna och for ut, gick på andra sidan huset och såg, hur sönerna skredo uppför backen. »Varthän ämnen I eder, Skarpheden?» sporde han. Skarpheden svarade: »Ut att leta efter dina får.»

»Ej tänken I dräpa dem med vapen», sade Nial. »I annat ärende ären I stadda.»

»Laxar skola vi fånga, om vi ej finna fåren», genmälte Skarpheden.

»Väl vore då, om ej laxarna sprattlade undan», sade Nial.

Sönerna drogo sin väg, och Nial gick tillbaka in i sin säng. Han vände sig till Bergtora: »Därute voro sönerna dina alla i vapen, och du har väl eggat dem till något.»

»Innerligt skall jag tacka dem, om de bringa mig hem bud om Sigmunds dråp», sade Bergtora.

I dagningen närmade sig Nialssönerna Lidarände. Där stötte de samman med Sigmund och Sköld.

Skarpheden sade: »Tag dina vapen, Sigmund, och värj dig! Det är dig nu mer nödigt än att dikta nidkväde om oss bröder.»

Sigmund bar hjälm på huvudet, sköld vid sida, svärd i bälte och spjut i hand. Han rusade mot Skarpheden och satte

spjutet i hans sköld. Skarpheden slog med sin yxa sönder
spjutskaftet, lyfte yxan än en gång, högg i Sigmunds sköld
och klöv den vid handtaget. Sigmund svängde då svärdet
med högra handen och slog det i Skarphedens sköld, så att
det tog fäste däri. Men Skarpheden ryckte undan skölden
så hårt, att Sigmund släppte svärdet, varpå han högg till
denne med sin yxa Stridstrollet. Den träffade hans pansar-
täckta axel och klöv skulderbladet. Skarpheden ryckte den
till sig, så att Sigmund sjönk på knä — men han sprang
strax upp.

»Nu knäföll du för mig, men sträckt skall du ligga på mar-
ken, innan vi skiljas», sade Skarpheden och gav honom först
ett slag i hjälmen samt därpå dödshugget.

Grim och Helge stredo mot Sköld, och även han föll.

När Hallgerd fick veta av dråpet och omtalade det för
Gunnar, sade han: »Slikt kunde Sigmund vänta — onda råd
komma ont åstad.»

Stölden i Kyrkeby.

Ett år blev det så svår missväxt på Island, att man sak-
nade både hö och mat runtom i bygderna. Då delade Gunnar
med sig av sitt förråd åt alla, som kommo till Lidarände,
så länge där fanns något. Till sist hade han själv varken
hö eller mat. Men på en gård, som hette Kyrkeby, bodde
en rik och mäktig man vid namn Otkel. Till honom reste
Gunnar en dag för att köpa mat och hö.

»Försedd är jag med bäggedera», svarade Otkel, »men intet
vill jag sälja dig.»

»Vill du då giva mig det», sade Gunnar, »och kanske pröva
på, hur jag vill löna dig igen?»

»Det vill jag ej heller», svarade Otkel. »Men en träl kan
du få köpa av mig», sade han.

Gunnar köpte trälen, vars namn var Melkolv.

Om sommaren, då Gunnar var på tinget, föll Hallgerd på
det rådet, att hon skulle låta stjäla mat från Otkel, eftersom
han ej ville sälja någon. Hon kallade trälen Melkolv, som
var en svekfull och illasinnad man, och sade till honom, att
han strax skulle resa till Kyrkeby och taga ost och smör ur
Otkels fatbur.

»Usel är jag väl», sade Melkolv, »men tjuv har jag aldrig varit.»

»Om du ej lyder, så dräper jag dig», sade Hallgerd. Melkolv måste då begiva sig av till Kyrkeby.

Han bröt sig in i fatburen, tog maten och brände därefter upp huset, för att stölden ej skulle bliva upptäckt.

Vid hemkomsten blev Gunnar trakterad med både ost och smör.

»Varifrån är denna kostbara mat kommen?» sporde Gunnar.

»Från slikt ställe», svarade hon, »att du väl kan äta den — men eljes tillkommer det icke karlar att lägga sig i matlagningen.

»Illa är det, om jag är tjuvgömmare», utbrast Gunnar och gav henne en örfil.

»Det slaget skall jag minnas och en gång löna dig för», sade Hallgerd.

Med ett följe av elva män begav sig Gunnar till Otkel och erbjöd sig erlägga dubbla böter för den skada, som skett. Men Otkels vän, den illvillige Skamkel rådde denne att svara nej härtill.

I stället stämde Otkel Gunnar och Hallgerd för tjuvnad.

En tid därefter red Gunnar till sin vän Nial och omtalade för honom vad som hänt.

»Låt det ej gå dig till sinnes», sade Nial, »ty detta skall varda dig till den största heder, innan detta ting lyktar. Alla skola vi följa dig med råd och dåd.»

Gunnar tackade och red hem. På tinget erbjöd sig Gunnar att betala värdet av det brända huset och maten. »Vidare», sade han, »överlåter jag åt Otkel trälen Melkolv, ty öron passa bäst, där de vuxit. Men eftersom Otkel genom stämningen vållat mig hån och nesa, yrkar jag, att han må böta lika mycket, som fatburen och maten äro värda.»

Domen föll så, att Otkel måste låta sig nöja med detta anbud. Men ej skildes han och Gunnar som vänner.

Otkels ritt.

Fram på våren gick Gunnar en dag och sådde på sin åker. Han såg då, att Otkel, Skamkel och några andra män kommo ridande på vägen.

Plötsligt råkade Otkels häst i sken och satte av i vild fart in på Gunnars åker och rakt på Gunnar. Denne skulle just resa sig upp från sädeskorgen, då han träffades av Otkels sporre, som ristade en stor skråma vid örat, så att blodet rann. Gunnar trodde, att Otkel med avsikt hade ridit på honom. Han blev däröver storligen vred och ropade åt Otkels män, att de skulle vara vittne till det blodvite han hade fått av denne.

Striden vid Rangå.

En dag stod Gunnar ute på Lidarände gård och såg sin fåraherde komma ridande mot sig i fyrsprång.

»Vi rider du så hårt?» sporde Gunnar.

»Jag ville vara dig trogen», svarade han; »jag såg åtta män rida ned längs med Markarfljot, och fyra av dem voro i bjärt dräkt.»

»Då är Otkel där», sade Gunnar.

»Jag ville ock säga dig», lade fåraherden till, »att jag hört flera smädliga ord från dem. Så berättade Skamkel en gång, att du grät, när de redo på dig, och jag tålde ej höra slikt från usla män.»

»Vi skola ej ömma för ord», sade Gunnar, »men hädanefter skall du ej syssla med annat än vad du själv vill.»

»Skall jag kanske säga det till Kolskägg?» frågade fåraherden.

»Gå du och sov!» sade Gunnar. »Jag säger Kolskägg vad mig lyster.»

Svennen lade sig och somnade. Gunnar tog hans häst och sadlade den. Han tog sin sköld och gjordade sig med svärdet, satte hjälm på huvudet och grep spjutyxan — och det sjöng högt till i den. Ranveg, Gunnars moder, som hörde det, gick fram och sade: »Vred synes du mig nu, sonen min, och aldrig såg jag dig sådan förr.»

Gunnar gick ut, satte spjutyxan i marken, kastade sig i sadeln och red bort. Ranveg gick hän till stugan. Man var högröstad därinne. »Högt glammen I här», sade hon. »Men högre klang spjutyxan, då Gunnar gick ut.»

Kolskägg hörde orden. Han sade: »Det torde båda något.»

»Väl är det», sade Hallgerd; »nu skola de röna, om Gunnar gråtande viker för dem.»

Kolskägg tog sina vapen, fick sig en häst och red efter, allt

vad han kunde. Gunnar red bort till Rangå. Vid vadstället
sprang han av hasten och band den. Då redo de andra fram.
Vägen vid vadet gick fram over lerig klippgrund Gunnar
ropade: »Nu gäller det att värja sig — här är spjutyxan
Skolen I nu ock få rona, om jag gråter for eder.»

De sprungo alla av hästarna och foro mot Gunnar. Hall-
bjorn, Otkels broder, var framst.

»Kom ej hit!» sade Gunnar. »Dig ville jag minst vålla ont —
dock skall jag ej skona någon, som kommer mig inpå livet.»

»Kan ej hjalpas», sade Hallbjorn, »ty du vill dock drapa
min broder, och då ar det skam, om jag sitter och ser på.»
Han stötte med bagge händer sitt spjut mot Gunnar.

Denne skjuter skölden for — och spjutet sitter fast
däri. Genast gór han sig ledig från skölden och sätter den
så hårt i marken, att den står fast, och i detsamma griper
han sitt svärd så hastigt, »att ej öga hinner folja med», samt
ger Hallbjorn ett hugg ovan handleden, så att handen faller
till marken.

Då rusar Skamkel på Gunnar bakifrån med en stor yxa i
högsta hugg. Men snabbt som tanken har Gunnar vänt sig
om och slagit sin spjutyxa mot Skamkels yxa, så att denna
flugit ur handen på honom och ut i Rangå. Och än en gång
driver han spjutyxan mot sin dödsfiende, ränner den genom
honom, lyfter honom upp och kastar honom på huvudet i
leran. Då viner ett spjut mot Gunnar. Han griper det i
luften, slungar det tillbaka mot den som kastat vapnet,
och det med sådan kraft, att spjutet far igenom mannen ned
i marken.

Otkel är nu färdig att rikta ett svärdshugg mot Gunnars
ena ben strax nedom knäet. Men denne tager ett språng i
höjden, och Otkel hugger miste. Genast har Gunnar drivit
sin spjutyxa även genom denne fiende. Då kommer Gunnars
trogne broder Kolskagg honom till hjälp, och de hugga ned
de återstående fienderna. De dråpo dar åtta man.

Efter detta redo Gunnar och Kolskägg hem, och de redo
skarpt bort over sandbankarna. Gunnar for av hästen och
kom ned stående. Kolskagg yttrade:

»Skarpt rider du nu, frände!»

»Så sade Skamkel ock, når jag sagt: 'I riden på mig'.»

»Det har du nu hämnat», sade Kolskägg.

»Ej vet jag», sade Gunnar, »om jag i käckhet står så långt under andra män, som jag mer än andra drager mig för att dräpa.»

*

På tinget avkunnades nu den domen, att Skamkel skulle ligga ogill. Böterna för Otkel skulle gå ut mot sporrhugget han givit Gunnar. För de andra dråpen bestämdes passande böter. Gunnars fränder hulpo honom med penningar, och för alla dråpen gäldades böter på tinget.

Hingsthetsningen.

En man vid namn Starkad hade tre söner, som voro stora översittare, hårdsinta och trätlystna. Sällan fick man rätt av dem.

En annan man vid namn Egil hade också tre söner, storvuxna, häftiga och vrångsinta män. De och Starkads söner höllo alltid ihop.

Starkad ägde en hingst, röd till färgen, och man menade, att ingen hingst var jämngod med den i kamp.

En gång voro Egils söner på gästning hos Starkad. De sutto och samspråkade vitt och brett om alla bönderna där i trakten, och det kom till sist på tal, om någon där skulle ha lust till en hingststrid. Några av de närvarande, som ville hedra och smickra dem, menade på, att varken funnes bland bönderna den, som skulle våga sig i en slik strid, ej heller ägde någon ett sådant djur som de att föra fram. Då sade Starkads dotter Hildegun: »Jag vet den man, som väl vågar en hingststrid med eder.»

»Nämn honom», sade de.

»Gunnar på Lidarände äger en brun hingst, och med den skall han gå till tävlan med eder och med vem som helst.»

»I kvinnor haven alltid för eder», sade de, »att ingen kan vara hans like», och häftig träta följde.

Starkad yttrade: »Gunnar är den man, jag minst ville att I skullen giva eder i lag med, ty vanskligt varder eder att gå emot hans lycka.»

»Du har väl ej något emot, att vi föreslå honom en hingsthetsning?» sade de.

»Nej», svarade han, »blott I bjuden honom ärlig lek.»

Det skulle de. De redo till Lidarände. Gunnar var hemma.

Han gick ut, och hans bröder Kolskägg och Hjort följde honom. De hälsade vänligt de komna och sporde, varthän de ärnade sig.

»Icke längre än hit», svarade de. »Oss är sagt, att du har en god hingst. Vi vilja bjuda dig strid.»

»Mycket kan man ej säga om min hingst», svarade Gunnar; »den är ung och helt oprövad.»

»Du lovar väl dock att möta med den?» sade de. »Hildegun höll före, att du gärna släppte till ditt djur.»

»Varför taladen I härom?» sporde Gunnar.

»Där voro män, som sade, att du ej skulle töras hetsa din hingst mot vår», svarade de.

»Väl törs jag», genmälte Gunnar, »men jag skönjer ont i de orden.»

»Skola vi räkna på», sade de, »att du kommer till hetsningen?»

»God månden I finna eder färd», sade Gunnar, »då I fän eder vilja fram. Det vill jag dock bedja eder, att vi så hetsa hästarna, att det sker folk till gamman och oss själva till ingen förtret, samt att I skonen mig för all skymf. Men om I handlen mot mig som mot andra, då skall jag låta slikt komma över er, som kännes eder tungt att bära. Jag gäldar lika med lika.»

De redo hem. Starkad sporde dem, hur det gått. De svarade, att Gunnar låtit deras färd lyckas.

»Han lovade att hetsa sin hingst, och vi gjorde upp, när striden skulle stå. Skönjas kunde det i allt, att han fann sig oss underlägsen, och att han försökte slippa undan.»

»Ofta kan det varslas», sade Hildegun, »att Gunnar är svår att få i träta men hård att dragas med, då han ej kan undgå den.»

Gunnar red till Nial och förtalde honom den utsatta hingsthetsningen och ordskiftet.

»Hur tänker du att striden ändas?» sporde Gunnar.

»Du skall vinna», sade Nial, »men härav skall dock komma mången mans bane.»

»Min måhända också?» sporde Gunnar.

»Nej, icke härav», sade Nial, »men dina motståndsmän skola minnas gammal och lägga till ny fiendskap, och du skall till sist nödgas vända dig med kraft emot dem.»

Därpå red Gunnar hem.

*   *   *

Man red till häststriden, och mycket folk samlades. Gunnar och hans bröder samt Nial och alla hans söner voro där. Starkad och Egil, envar med sina söner, voro också komna. De frågade Gunnar, om man nu skulle leda hästarna samman. Gunnar jakade.

Han gjorde sig redo att hetsa sin hingst, som Skarpheden ledde fram. Gunnar var i röd kortrock, hade kring sig ett digert silverbälte och i handen en häststav. Djuren foro

Hingsthetsning. Efter en urgammal ristning på en sten, som använts till golvsten i Eggeby kyrka i Uppland. Visar att dylika häststrider hållits även i Sverige. I Telemarken och andra trakter av Norge höllo bönderna på med hingststrider ända in på 1800-talet. Under tillströmning av en massa åskådare slogos två utvalda, kraftiga hingstar med riktigt stora och skarpa framtänder. Man brukade hetsa dem på varandra genom att föra ett sto förbi som stridsämne, och när djuren reste sig på bakbenen, drevo deras ägare på dem med stavar. Sedan kunde kampen pågå, tills den ena hingsten låg död på stridsplatsen.

samman och betos länge. Leken gick av sig själv och skänkte alla den största gamman. Då lade Starkads son Torger och Egils son Kol råd samman, att då hingstarna härnäst sprunge på varandra, skulle de stöta fram sin och söka få Gunnars omkull. Hingstarna rusade hop, och i detsamma sprungo Torger och Kol sin på länden och rände till honom med all kraft. Men Gunnar körde då ock till sin, och i blinken tumlade Torger och Kol bägge över ända och hästen ovanpå dem. Raskt reste de sig upp och sprungo på Gunnar. Han kastade sig undan, grep Kol och slungade honom i backen, så att han låg avdånad. Torger Starkadsson slog då till Gunnars hingst, så att ögat for ut. Då gav Gunnar Torger ett slag med staven, och han föll sanslös. Gunnar gick hän till sin hingst, vände sig till Kolskägg och sade:

»Hugg ned djuret! Det skall ej leva med lyte!»

Kolskägg högg huvudet av det. Då var Torger åter på benen, tog sina vapen och ville åt Gunnar. Det förhindrades, och en stark trängsel uppstod.

Skarpheden yttrade: »Jag leds vid sådant stim; vida manligare är det, då män slåss med vapen.»

Men Gunnar var lugn, så att *en* man kunde hålla honom, och han sade ej ett hätskt ord. Nial menade, att man borde förlikas och lysa fred, men Torger förklarade, att han varken ville giva eller taga fred — hellre ville han se Gunnar död för det slag han nyss fått.

Kolskägg inföll: »Hittills har Gunnar stått fastare, än att han fallit för ett ord, och så gör han nog än.»

Nu red man från hästtinget, envar till sitt. Intet överfall gjordes på Gunnar.

Andra striden vid Rangå.

En dag redo Gunnar och hans bröder, tre tillsammans, hem från ett gästabud. Gunnar hade med sig spjutyxan och svärdet. Kolskägg hade ett kortsvärd. Hjort var också fullväpnad. En man, som hette Sigurd Svinhuvud hade lovat Starkad och hans söner att speja på Gunnars färd. Han förtalde dem nu om Gunnars ritt, »och aldrig», sade han, »skall det falla sig lägligare än nu — han har blott tre i följe.»

»Hur många män behöva vi då i bakhållet?» sporde Starkad.

»Fort blir han färdig med småkämpar, och rådligt är ej att komma med färre än trettio man.»

»Var skola vi lägga försåtet?» frågade Starkad.

»Vid Knavaholar», svarade Sigurd. »Där kan man ej se det, förrän man hunnit fram.»

»Far hän till Egils gård», sade Starkad, »och säg att de därifrån rusta sig, femton man starka. Vi skola härifrån rida femton andra till Knavaholar.»

Torger sade till Hildegun:

»Denna hand skall visa dig Gunnar död i kväll.»

»Men jag gissar», svarade hon, »att du bär ditt huvud lågt efter edert möte.»

Så foro far och söner, fyra tillsammans, jämte elva andra till Knavaholar och bidade där.

Sigurd Svinhuvud kom till Egils gård.

»Hit är jag sänd», sade han, »av Starkad och hans söner att säga dig, Egil, att I, far och söner, skolen rida till Knavaholar och lägga er i Gunnars väg.»

»Huru många skola vi fara?» frågade Egil.

»Femton med mig», svarade Sigurd.

Kol utbrast:

»I dag ärnar jag pröva en dust med Kolskägg.»

»Mycket ärnar du då», sade Sigurd.

Egil bad två norrmän, som han tagit emot i sitt hus, att följa med. De invände, att de ej hade något otalt med Gunnar.

»Det ser i sanning ut, som här tarvades många», tillade den ene av dem, »när en sådan flock skall fara mot tre män.»

Egil gick bort vred. Hans husfru vände sig till norrmannen: »Illa har Gudrun, dottern min, brutit udden av sin stolthet och legat när dig, då du ej vågar följa din svärfar — och månde du vara en usling.»

»Fara skall jag», sade han, »med husbonden din, och ingen av oss skall komma åter.»

När Gunnar och hans bröder kommo ridande, sade Kolskägg: »Ser du, frände, de många spjuten, som komma upp där vid höjderna? Vad är nu att göra? Jag tänker, att du ej vill springa undan för dem.»

»Det skola de ej ha att spotta över!» svarade Gunnar. »Vi skola rida fram till Rangå ut på näset. Där är en god försvarsplats.

De redo fram till näset och redde sig till värn. Kol ropade, då de sprängde förbi:

»Vart skall du nu ränna, Gunnar?»

»Förtälj du det, när dagen är all!» svarade Kolskägg.

*

Starkad eggade sina män, och de gingo fram till näset mot bröderna. Främst kom Sigurd Svinhuvud med en rund sköld i ena handen och ett spjut i den andra. Gunnar såg honom och sköt av sin båge. Sigurd höjde upp skölden, när han såg pilen flyga högt, och den trängde genom skölden in i ögat och kom ut i nacken — det var första manfallet. Gunnar sköt en ny pil mot Starkads gårdsfogde, och den ven in i mannens midja. Han föll framför fötterna på en bonde, som därvid tumlade tvärs över honom. Kolskägg kastade dit en sten; den träffade bondens huvud, och det vart hans bane. Då sade Starkad: »Det duger ej att låta honom bruka bågen. Fram raskt och oförfärat!»

Gunnar värjde sig med bågen, så länge han kunde. Sedan kastade han den och tog spjutyxan och svärdet och högg med bägge händer. Striden var hård. Gunnar högg ned män i mängd, så ock Kolskägg.

Då ropade Torger Starkadsson: »Jag har lovat bringa Hildegun ditt huvud, Gunnar!»

»Stort sörjer hon nog ej, om det löftet icke hålles», sade Gunnar. »Men vill du hava mitt huvud i din hand, må du komma närmare.»

Torger vände sig till sina bröder, Bark och Torkel: »Springom på honom alla på en gång. Ingen sköld har han; hans öde skall nu vara i våra händer.»

Bark och Torkel störtade fram. Bark högg efter Gunnar. Han mötte hugget med spjutyxan så hårt, att svärdet rök Bark ur handen. Då såg Gunnar på andra sidan om sig Torkel stå med svärdet i högsta hugg. Gunnar stod i lutande ställning. Han svängde då till med sitt svärd och träffade Torkel i halsen, så att huvudet for av.

Kol Egilsson sade: »Låt mig komma fram till Kolskägg! Jag har alltid sagt, att vi två skulle i vapen mötas som jämlikar.»

»Det kunna vi nu pröva», sade Kolskägg.

Kol lade till Kolskägg med spjutet. Och som denne just då drap en man och hade det som brådast, hann han ej få skölden för sig, utan spjutet stack honom i låret och gick därigenom. Flinkt vände han sig dock om, sprang på Kol och högg honom i låret med kortsvärdet, så att benet for av, och sade: »Träffades du, eller hur?»

»Det fick jag för det jag var sköldlös», sade Kol och stod en stund på andra foten och såg på stumpen.

Kolskägg sade: »Ej behöver du titta; det är — som du ser — av, benet.»

Då faller Kol död ned, men när Egil, hans fader, ser detta, springer han med höjt svärd på Gunnar. Denne riktar spjutyxan mot honom, och den träffar Egil i midjan. Gunnar lyfter honom upp och kastar honom ut i Rangá.

Då utbrister Starkad: »Usel är du, Tore norrman, som sitter där i ro, då Egil, din husbonde och svärfar, är dräpt!»

Då for norrmannen upp och var mycket vred Han sprang på Hjort, som hade drapt två man, och hogg honom framtill djupt i bröstet, så att Hjort segnade dod ned. Gunnar, som såg detta, kastade sig raskt till hugg mot norrmannen och skar honom av i midjan. Strax därefter slungade Gunnar spjutyxan mot Bark, och den gick honom genom midjan ned i marken. Kolskägg hogg huvudet av Kols ene broder, och Gunnar högg i armbågsvecket armen av den andre.

Då ropade Starkad: »Låtom oss fly! Det ar ej med män vi har strida!»

Gunnar sade: »I insen allt, att det varder er till liten ära, om man ej kan se på er, att I varit med i vapenleken.»

Han sprang på far och son och gav dem var sitt sår. Så skildes de; och Gunnar hade sårat många av dem, som flydde. Fjorton av hans fiender hade fallit i kampen.

Gunnar forde Hjort hem på sin skold, och han hoglades på Lidarände. Många män sörjde honom, ty han var vänsäll Starkad kom också hem, och Hildegun ansade faderns och broderns sår.

»Mycket skullen I vilja giva, om fejden med Gunnar kunde göras ogjord», sade hon

»Det skulle vi», svarade Starkad.

Gunnar blir dömd till landsflykt.

Lange dröjde det ej, forrän Gunnar blev utsatt for ett nytt forsåt, denna gång av Otkels och Starkads båda efter-levande söner, som med en stor skara folk överfollo honom och Kolskagg. Men även nu vunno broderna seger. Otkels son stupade jämte flera av sina män. På tinget dómdes Gunnar att gälda stora penningboter samt att med sin broder Kol-skägg lämna landet på tre år. I annat fall skulle de slagnes fränder ha rätt att dråpa honom.

Nial uppmanade Gunnar att lyda domen samt sokte att trösta honom i hans bedrovelse.

»Se nu val till, stallbroder, att du håller denna förlikning, och liksom din förra utlandsfärd var dig till mycken ära, skall denna varda dig det ännu mer. Du skall komma hit åter med mycken heder och varda en gammal man, och ingen skall då forsoka att har trampa på dig. Men om du icke far ut, så varder du dräpt här i landet, och det är tungt att veta för dem, som äro dina vänner.»

Gunnar svarade, att han visst ärnade hålla förlikningen.

Han red hem och förtalde den. Ranveg, hans moder, menade det vara gott, att han drog utomlands; under tiden kunde hans fiender träta med någon annan.

Gunnars fall.

Denna samma sommar foro många av Islands bästa söner utomlands. Med en av dessa skulle Gunnar och Kolskägg segla ut för att, såsom domen lydde, bliva borta i tre år.

När skeppet i det närmaste var segelfärdigt, red han till sina vänners gårdar för att säga farväl. Dagen efter gjorde han sig tidigt redo till färden och sade till allt sitt folk, att han nu red bort för att aldrig vända tillbaka. Man tog det tungt men hoppades dock, att han en gång måtte komma igen. Då han var redo med allt, tog han hjärtligt avsked av envar bland sitt husfolk, och alla följde de honom ut. Han satte spjutyxan i marken, svängde sig upp i sadeln och red bort med sin broder Kolskägg.

De redo ned mot sjön. Då snavade Gunnars häst, och han for av. Han kom att se upp mot liden och Lidarände gård och utbrast: »Fager är liden, och aldrig har den synts mig så fager förr — åkrarna vitgula och ängarna slagna. Hem vill jag åter rida och ingenstäds fara.»

»Gläd icke dina ovänner med att du bryter ditt ord», sade Kolskägg.

»Jag far icke», svarade Gunnar, »och jag ville, att ej heller du fore.»

Men Kolskägg sade: »Varken nu eller annars vill jag bryta mitt ord. Säg min moder och mina fränder, att jag aldrig ärnar se Island åter, ty jag kommer att få budskap om din död, broder, och då är det intet, som drager mig hit tillbaka.»

Så skildes de.

Gunnar red hem till Lidarände. Kolskägg red till skeppet och lämnade Island.

Hallgerd tog glad emot mannen, när han kom hem, men hans moder, Ranveg, som bodde hos sonen, sade ej mycket. Han stannade hemma och hade ej många män omkring sig.

Ändock kunde Gunnar fara vart han ville. Ingen vågade sig på honom. Men i hemlighet vaktade hans fiender på ett tillfälle att överfalla honom på hans gård. De voro fyrtio samman i förbund mot honom.

En man vid namn Mård skulle hålla utkik och underrätta, när det var lägligast att anfalla Gunnar.

*

På hösten sände Mård bud till de andra, att nu var Gunnar ensam hemma, medan allt hans folk slutade höslåttern ute på öarna.

Då träffades en afton alla, som ämnade taga Gunnars liv. De rådslogo om anfallet. Mård förklarade, att man icke kunde överrumpla Gunnar, om man ej först finge tag i bonden Torkel från Lidarändes granngård och tvunge honom att fara med. Han skulle först smyga sig ensam fram till gården och locka bort Gunnars trogna hund Såm.

Några män sändes att hämta Torkel. Han greps och fick välja emellan att dräpas eller skaffa undan hunden. Som han helst ville bärga livet, for han med dem.

En inhägnad väg förde ned till Lidarände gård, och i den stannade flocken, medan Torkel bonde gick bort till gården. Hunden låg uppe vid husen. Torkel lockade honom med sig bortåt vägen. Men nu fick hunden syn på männen, sprang upp på Torkel och bet honom i veka livet. Då sprang Anund från Trollaskog fram och högg hunden i huvudet med sin yxa. Såm gav ett så väldigt tjut ifrån sig, att ingen av dem hört dess make, och föll död ned.

Gunnar vaknade i sovrummet och sade: »Illa far man med dig, Såm min trogne. Kanske blir det ej långt mellan oss bägge.»

Gunnars sovhus var helt av timmer och hade tak av bräder. Vid översta väggbjälken voro gluggar, som slötos till med träluckor. I ett loftsrum sov Gunnar med Hallgerd och sin moder.

Fienderna voro dock ovissa, om Gunnar var hemma, och man menade, att någon borde först gå dit och se efter. Man satte sig ned på marken, medan en man vid namn Torgrim gick bort till sovhuset och kröp uppåt väggen.

Gunnar såg en röd rock skymta fram vid gluggen. Han stack ut sin spjutyxa och träffade Torgrim i midjan. Fötterna slunto, skölden rasslade ur handen, och Torgrim tumlade ned.

Han gick bort till de andra, där de sutto på marken. En man vid namn Gissur såg på honom och sporde:

»Är Gunnar hemma?»

»Sen själva efter! Nog fick jag veta, att spjutyxan hans var hemma», svarade Torgrim och föll död ned. ·

Då sprungo de fram mot husen. Gunnar sköt pilar mot dem och värjde sig väl, och deras anfall var fruktlöst. Somliga sprungo upp på husen och tänkte angripa därifrån. Men Gunnar riktade pilarna dit och höll dem på avstånd. De vilade sig och anföllo på nytt. Gunnar sköt jämt, och de måste åter vända om.

De lupo till storms för tredje gången och höllo på länge men måste vika tillbaka.

Då fann man på ett annat råd. På marken lågo några tåg, som nyttjades att fästa husen med i oväder. Mård sade: »Tågen här skola vi taga och slå om ändarna av översta väggbjälken, binda dem med andra änden kring stenarna här och sedan sno dem samman med stänger. Så vinda vi taket av sovhuset.»

De togo tågen och gjorde som Mård sagt. Gunnar märkte intet, förrän de vindat av hela taket. Men han skötte alltjämt sin båge så, att de ej kunde komma honom när.

Då sprang Torbrand Torkelsson upp på väggen och högg sönder Gunnars bågsträng. Gunnar grep spjutyxan med bägge händer, sprang raskt fram, drev den igenom honom och kastade honom död i marken. Då svängde sig Torkels broder Åsbrand upp på väggen. Gunnar lade till honom också med spjutyxan, så att han föll ut från väggen.

Gunnar hade nu sårat åtta män, och två hade han dödat. Nu fick han två sår, men alla sade, att han brydde sig varken om sår eller död. Han vände sig till Hallgerd, sägande:

»Giv mig av ditt hår två lockar och sno med moder min mig en bågsträng.»

»Står dig något på spel?» spörjer hon.

»Mitt liv», svarade han, »ty aldrig skola de komma åt mig, så länge jag kan bruka min båge.»

»Då skall jag minnas örfilen», sade hon. »Ej rör det mig, om du värjer dig längre eller kortare.»

»Länge skall jag ej bedja dig», svarade Gunnar.

Ranveg sade: »Illa ter du dig, Hallgerd, och din skam skall länge minnas.»

Gunnar fortfor att värja sig väl och käckt och sårade åtta andra så svårt, att mer än en låg nära döden. Omsider föll han av trötthet. Då gåvo de honom många stora sår, men han mäktade dock slita sig ifrån dem och än en stund försvara sig. Till sist föll han dock för alltid.

Mången man sörjde hans död.

Nialssönernas utomlandsfärd.

En sommar foro Nials söner Grim och Helge från Island. I en av Skottlands fjordar överföllos de av vikingar. De värjde sig manligen men voro nära att övermannas. Då syntes ute på havet några skepp närma sig. Å främsta skeppet stod en man vid masten. Han var klädd i silkeströja och bar gyllene hjälm samt höll i handen ett guldbeslaget spjut. Hans namn var Kåre. När han sport, att de överfallna voro Nials söner, förenade han sig med dem mot vikingarne, så att dessa efter en kort men het strid blevo slagna. Kåre och Nials söner slöto sig därefter samman. När de en tid härjat vida omkring, seglade de till Island. Kåre blev väl mottagen av Nial och var hans gäst över vintern. På våren friade han till dottern Helga, och en halv månad före midsommar stod bröllopet. De nygifta bodde liksom Helgas bröder kvar hos Nial.

Hildegun eggar Flose.

På gården Svinafjäll bodde en annan mäktig isländare vid namn Flose. Hans brorsdotter Hildegun var en vän och hugstor kvinna men grym och hård, när det gällde. Hennes man, Höskuld, kom i tvist med Nials söner, och missämjan ändades med Höskulds dråp. Detta dåd gick Nial mycket till sinnes, och han spådde därav stor olycka.

Vid denna tid hade kristendomen kommit till Island, och Nial och hans familj hörde till de första islänningar, som antogo den nya tron.

Då Flose sporde Hoskulds död, vållade det honom både
vrede och sorg, men han höll sig likväl lugn. Efter någon
tid gästade han Hildegun. Hon tog val emot honom, och
de talade länge tyst samman. Slutligen ställde hon sig fram-
for honom och brast i gråt. »Nu är dig tungt i sinnet, fränka,
efter du gråter», sade Flose. »Väl är dock, att det ar en god
man du gråter over.» Då tog hon till orda: »Huru vill du
åtala min mans dråp? Vad for hjälp kan jag vänta av dig?»
Flose genmälde: »Din sak skall jag främja, så långt lag och
ratt tillåta, eller ingå sådan förlikning, att vi få full ara
därav.» Då sade Hildegun: »Dig skulle Hoskuld ha hämnats,
om han haft att åklaga ditt dråp.» — »Icke brister dig grym-
het», sade Flose. »Jag ser, vad du vill.»

Hildegun gick ut men återvände strax med en kappa, som
Flose en gång skänkt Höskuld. I denna hade mannen blivit
dräpt. Hon lade den blodiga kappan over Flose och sade:
»Åt Höskuld gav du, Flose, denna kappa. Jag giver dig
den nu tillbaka　Vid din egen mandom och tapperhet besvär
jag dig att hämnas alla de sår, som döde Höskuld fick, eller
ock må du heta var mans niding.» Flose kastade kappan i
famnen på Hildegun och sade· »Visst ville du, att vi toge oss
det fore, som droge ofärd över oss — kalla aro kvinnoråd »
Vid dessa ord vart hon i anletet än röd som blod, än blek
som ett lik, än blå som Hel. Flose steg därpå genast till
häst med sina män och red bort.

Flose på tinget.

På tinget motte Flose med sina män och fränder Nial
och hans söner. Då Nial bad om forlikning, beslot man, att
sex män å vardera sidan skulle koras till att doma i målet.
Dessa kommo överens, att tredubbel mansbot skulle givas.
Summan samlades, och Nial lade en silkeskappa och ett
par kostbara stövlar ovanpå silverhögen. Då Flose tagit
boten i betraktande, sade han: »Det är mycket och gott samt
rundligt givet, såsom det ock var att vänta.»

Därpå tager han upp silkeskappan, som Nial i sin väl-
mening lagt överst på högen, och spörjer, vem som lämnat
den.

Ingen svarar honom.

Han svanger den om an en gång, gör samma fråga och ler. Vid åsynen av den fina, lena silkeskappan rinner honom i hågen den strava kappa, som nyss rasslat om honom, styv av frändeblod. Och han frågar åter:

»Vet då ingen av er, vem denna prydnad suttit på, eller törens I icke saga det?»

Då är det Skarpheden, som bryter tystnaden, där han står, huvudet högre än de andra

»Vem menar du har lagt dit den?» spörjer han.

Och svaret foljer snabbt och hatskt:

»Vill du det veta, skall jag saga dig, vad jag menar. Jag menar, att fader din, den skägglose gubben, lagt kappan dit, ty många, som honom se, veta ej, om han ar man eller kvinna.»

»Illa är det att så småda honom, den åldrige», sager Skarpheden, »och hittills har ingen dugande man det gjort. Väl kunnen I veta, att han år man, ty soner har hans husfru fott honom, och få av våra frander ha fått ligga ohämnade vid vår gärdesgård.»

Skarpheden rycker till sig kappan, kastar ett par blå byxor till Flose och menar, att dem har han mer bruk for.

»Varfor har jag mera bruk för dem?» spörjer Flose.

»Det har du», sade Skarpheden, »då du var nionde natt, som det säges, står brud hos trollet i Svinafjäll och det formäler sig med dig.»

Då sparkar Flose till silverhögen och förklarar, att han ej ville hava en enda penning därav — ettdera skulle nu ske antingen finge Hoskuld ligga ogill, eller ock skulle blodig hämnd tagas. »Nu kommer, vad jag länge anat», sade Nial »Detta mål faller tungt över oss.»

Flose stämde mote med sina frander vid en djup klyfta ej långt från tingsslätten. Då han kom dit, voro hundra man där samlade. De beslöto att taga hämnd, till dess alla Nials soner blivit dräpta, och togo ed av varandra, att ingen skulle svika. Därpå valdes Flose till hövding. Enligt hans råd kom man överens om att stanna hemma under sommaren, till dess höet inbärgats. Sedan skulla alla samlas på bestämd dag och ort for att gemensamt rida till Bergtorsvall och hemsoka Nials soner med eld och svärd. Ej skulle man gå dädan, förrän de alla dödats.

Floses hämnd.

En kväll, då det led mot vintern, kom den underrättelsen till Bergtorsvall, att flera män av Höskulds släkt synts komma ridande fullt väpnade. Nial bjöd då, att ingen skulle gå till sängs men var och en vara på sin vakt. Och Bergtora sade: »Detta månde vara den sista afton jag bär fram mat till mina hjon.»

När Flose och hans följe kommit till Bergtorsvall, bundo de sina hästar i dälden nedanför backen, varpå huset stod, och gingo i sluten flock tysta fram mot gården. Nial och hans söner samt Kåre och alla huskarlarne, tillsammans nära trettio väpnade män, stodo utanför. Flose stannade. Han sade: »Låtom oss nu se till, vad de ämna göra! Mig synes, som kunde vi aldrig få makt med dem, så länge de stå utanför.»

Nial sporde sina män: »Kunnen I se, huru mycket folk de hava?» — »Med många och dristiga karlar komma de», sade Skarpheden. »Men de hejda sig dock nu, ty de mena, att det skall gå dem illa, om de angripa oss här ute.»

Nial ville dock, att hans män skulle gå in. »Lätt gick det icke att få makt med Gunnar på Lidarände», sade han, »och han stod likväl ensam. Husen här äro starka liksom där, och de skola nog stå emot ett anfall.» Skarpheden genmälde, att fienderna ej skulle sky att sätta eld på huset, om de ej såge något annat råd, »och jag är ej», sade han, »lysten efter att låta mig röka inne som räv i håla.»

Nial svarade: »Nu månde det gå som ofta förr, att I, mina söner, viljen råda och akten mig intet. Det gjorden I ej, då I voren yngre, och då gick det eder ock bättre.» Helge sade, att de borde foga sig efter faderns vilja, ty det skulle gagna dem bäst. Skarpheden svarade: »Ej är jag viss på det, ty han är nu döden nära. Men väl kan jag göra min fader till viljes och låta mig innebränna med honom, ty jag rädes ej för att dö.» Därpå lovade han och Kåre varandra, att de skulle hålla tillsammans och ej skiljas. Men om annorlunda vore dem ämnat, skulle den överlevande hämnas den andres död.

De gingo därefter alla in och ställde sig innanför dörren. »Nu äro de dödens», sade Flose, »efter de hava gått in. Låtom oss skynda bort till husen och ställa oss så tätt samman som möjligt framför dörren samt akta väl på att ingen undkommer, varken Kåre eller Nials söner, ty det varder vår bane.» De sammansvurne gingo nu fram och slogo en ring omkring husen. I den strid, som genast uppstod, föll en av Floses tappraste män och sårades andra. »Klart är», sade då Flose, »att vi ej kunna få makt över dem med vapen, utan hava vi att välja mellan tvenne ting. Antingen må vi draga hädan — men det varder vår bane —, eller må vi tända eld på husen och bränna dem inne. Men det dådet ådrager oss stort ansvar inför Gud, då vi själva äro kristna män. Dock måste vi besluta oss för det sista.»

De redde nu till ett väldigt bål framför dörren. Skarpheden sade: »I tänden upp eld, svenner. Skall här kokas?» »Jo, det skall här», fick han till svar, »och hetare eld torde du ej behöva för att värma dig.» Kvinnorna slogo vassla på elden och släckte den sålunda; andra hällde på vatten. Men en av Floses män, som blivit varse en hög narvgräs bakom husen, tände eld därpå och slungade det in genom loftgluggen. De, som voro inne, visste ingenting av, förrän hela huset ovantill stod i ljus låga. Då började kvinnorna inne i husen jämra sig. »Varen vid gott mod», tröstade Nial dem, »ty detta är blott ett kort oväder. Tron ock, att Gud är misskundsam och ej låter oss brinna både i denna världen och en annan!» Nu stodo alla husen i full låga.

Nial gick till dörren och sporde: »Är Flose så nära, att han kan höra mig?» Flose svarade, att han kunde det. Nial sade: »Vill du ingå förlikning med mina söner eller tillstädja någon av mitt folk att gå ut?» Flose svarade: »Förlikning gör jag ej med dina söner. Det skall nu taga ett slut emellan oss, och jag drager ej bort, förrän de alla äro döda. Men kvinnor, barn och huskarlar må fritt gå ut.» Då gingo Nials döttrar och sonhustrur samt många andra ut. »Kom med mig!» sade Astrid, Grims hustru, till sin svåger Helge. »Jag skall kasta en kvinnokappa över dig och veckla en duk om ditt huvud.» Han vägrade först men gav slutligen efter för deras böner. »Det är en högväxt och bredaxlad kvinna, hon som går där», sade Flose, då Helge kom ut. »Gripen henne, och hållen henne fast!» Men då Helge hörde detta, kastade han av sig kappan och högg till en av männen med

svärdet, som han bar i handen. Då sprang Flose till och
gav Helge banesår.

Därpå gick Flose till dörren och ropade, att han ville tala
med Nial och Bergtora. De kommo. Flose sade: »Jag vill
tillstädja dig att gå ut, Nial, ty du är oskyldig och bör ej
innebrännas.» Nial svarade: »Ut vill jag icke gå. Jag är en
gammal man och kan ej hämnas mina söner, och med skam
vill jag ej leva.» Flose sade då till Bergtora: »Gå du ut,
hustru! Dig vill jag för ingen del bränna inne.» Bergtora
svarade: »Ung vart jag given åt Nial. Jag lovade honom
då, att samma öde skulle övergå oss bägge.» Därefter gingo
båda in.

Bergtora sade: »Vad skola vi nu taga oss före?» »Gå till
vårt sovläger och lägga oss till ro», svarade Nial. »Länge har
jag väntat efter vila.» Bergtora vände sig till dottersonen,
Tord Kåresson, och sade: »Dig skall man bära ut. Du skall
ej innebrännas.» — »Men du har ju lovat mig, mormor»,
svarade barnet, »att vi aldrig skulle skiljas, så länge jag ville
vara hos dig. Mycket bättre synes det mig att dö med dig
och Nial än att leva efter er.» Nial och Bergtora lade sig nu
på bädden med pilten mellan sig. Därpå gjorde de korsteck-
net över sig och honom samt befallde sina själar i Guds hand.
Det var det sista ord man hörde av dem. Hussvennen tog
huden efter en nyss slaktad oxe och bredde den enligt Nials
befallning över dem samt gick därpå ut.

*

Skarpheden, Grim och Kåre grepo de nedfallande brän-
derna i farten och slungade ut dem bland Floses män. Dessa
kastade spjut, men männen i stugan grepo vapnen i luften
och kastade dem tillbaka ut. Detta vapenskifte varade en
stund. Då föllo storbjälkarna ned från taket. Kåre och
Skarpheden sprungo till änden av huset. Där var en tvär-
bjälke nedfallen. »Spring ut här!» sade Kåre. »Jag skall
stödja dig och strax komma efter.» — »Nej», svarade Skarp-
heden, »löp du förut! Jag följer.» Kåre grep då tag i en lå-
gande stock och slängde den ut från taket på de nedanför
stående, så att dessa sprungo undan. Därefter störtade han
ned från taket med håret och kläderna i ljus låga. Då sade

Helge och kvinnorna lämna Njals hus.

en av dem, som stodo närmast: »Sprang där icke en man ut,
från taket?» — »Ingalunda», svarade en annan, »det var Skarp-
heden, som kastade en brand ned på oss.» Kåre sprang, tills
han kom till en bäck. I den kastade han sig och släckte så-
lunda elden. Därpå sprang han vidare till en grop och vilade
sig där.

Skarpheden sprang upp på tvärbjälken strax efter Kåre.
Men den brast under honom, och ett nytt försök att komma
upp på taket lyckades lika illa. Han sade: »Nu ser jag,
varthän det bär.» Han gick nu fram långs sidoväggen och
kom till sin broder Grim. De togo varandras händer och
trampade ned elden. Men när de kommit mitt i huset, föll
Grim död ned. Skarpheden gick då bort mot änden av hu-
set. Plötsligt vart där ett väldigt brak. Hela taket ram-
lade ned, och mellan det och gavelväggen klämdes Skarp-
heden in, så att han ej kunde röra sig.

Efter branden.

Flose och hans män stannade kvar vid brandstället, tills
det dagats. Då kom en man, som hette Germund och var
frände till Höskuld, ridande till platsen. »Väldigt stordåd
haven I här övat», sade han. »Både stordåd och illdåd skall
man kalla det», genmälde Flose. »Men därvid är nu intet att
göra.» Flose nämnde dem, som där fått sin bane. Då sade
Germund: »Död säger du den vara, som jag språkat med i
morse.» — »Vem då?» sporde Flose. »Kåre», svarade Germund.
»Hans hår och kläder voro uppbrända, och eggen av hans
svärd var blånad, men han sade, att han allt skulle härda
den i mordbrännarnes blod.» — »Ett budskap har du bringat
oss», sade Flose, »som lovar oss föga ro. Sådant blir åtalet
för denna brand, att mången därigenom torde bliva huvud-
lös och andra drivas från allt sitt gods.» Han bjöd sina fränder
hem till sig och lovade, att ett och samma skulle gå över
dem alla. Därpå redo de bort.

Under följande vinter voro både Kåre och Flose, var
och en på sitt håll, verksamma för att hos öns mäktigaste
män skaffa sig bistånd på det stundande tinget. Där var
rättegången nära att vända sig till Floses fördel, då Kåre
och hans vänner överföllo sina motståndare. En hård kamp

uppstod, och manfallet blev stort. Slutligen ingicks förlikning. Domen lydde på höga böter och landsförvisning för alla brandstiftarne. På denna förlikning gick dock ej Kåre in. Han tog blodig hämnd på de flesta av mordbrännarne men försonades slutligen med Flose.

Kåres namn blev storligen frejdat, och han ansågs ej hava sin like på hela Island.

Litteratur: Njals saga i svensk tolkning av A. U. Bååth. Häft. kr. 1: —.

Sagoöns människonaturer.

DE ISLÄNDSKA ättsagorna låta oss blicka in i en värld, där »livet är stormigt och viljekraften spänd, där själarna äro starka och ha fritt spel». Ärelystnadens och hatets lidelser äro mäktiga, liksom kärleken och tillgivenheten. Därför blir det trångt om armbågsrummet på ön där långt ute i havet.

Men vad som glöder därinne i dessa människosjälar bryter icke ut med ens. De kunna i år och dag gå omkring och knuffas med varandra, dessa gestalter i sina tunga sälskinnspälsar eller tjocka vadmalskläder de nöja sig hellre med att rynka ögonbryn och skjuta fram underläppen, än de omaka sig med att tala. På sin höjd ger man vid tillfälle ett stickord till svar på ett hånfullt tillmäle, som ens dödsfiende mumlade fram vid senaste tinget.

De ha svårt för att få tungan i gång, dessa tungförda barn av de långa vintrarnas land. Korthugget och kyligt är deras sätt att uttrycka sig: »Icke är det väl» eller »Titt aktar min broder andras ord mer än mina». Man avhåller sig från att bestämt uttala sig: »Kan väl vara», »icke är det sannolikt», »mycket kan ännu hända». Man liksom uppskjuter till lämpligt tillfälle att besvara de avgörande frågor, som möta en. Man vaktar sin tanke och väger sina ord — men man går och väntar på tillfälle att handla.

Dessa människors sätt att uttrycka sig ändrar sig icke, om de också ha döden för ögonen. När Skarpheden i det brinnande huset ser, att allt hopp är ute, säger han blott lugnt och fåordigt: »Nu ser jag, varthän det bär.»

Men under all denna kyla och tungfördhet dölja sig dock Nordens oroligaste och våldsammaste huvuden. När Viga-Glum blivit hånad, går han hem och brister ut i skratt, men **han är alldeles vit i synen**, och ur hans ögon rinna tårar, stora som hagel. »Så kom det sedan ofta över honom, när lust att dräpa växte upp i honom», säger sagan. Detta hysteriska skratt, som verkar så ohyggligt hemlighetsfullt, kommer ofta igen i sagorna så väl som i Eddan.

Självrådighet talar ur allt vad dessa ättsagornas hjältar ta sig för. Självrådighet är deras högsta lust. Redan som pojke är en sådan natur omöjlig att få bukt med. Han tål intet tvång, kan icke rätta sig efter någon annans vilja. Han slår ihjäl sin kamrat, när han förlorar i en lek, eller en träl, när denne misshagar honom. Grette, som sedan skulle bli dömd fredlös på Island, han med det röda håret och det breda fräkniga ansiktet, får vid tio års ålder höra av sin fader, att han borde taga sig något för och ej gå som en odåga i hemmet.

»Att arbeta är ej min sak», svarar Grette, »men du kan ju säga, vad du vill att jag skall göra.»

»Du skall vakta mina gäss och mina gåsungar», svarar fadern.

Det arbetet synes Grette förnedrande, och han ides ej driva de senfärdiga djuren framför sig: »han var icke den man, att han kunde lämpa sig efter omständigheterna», säger sagan. Snart finner man gässen döda eller vingbrutna runtomkring i markerna, men Grette ler blott och sjunger en visa, att fastän gässen voro äldre än han, så fick han dock bukt med dem.

Fadern blir vred och sätter honom till att om aftonen gnida hans giktsjuka rygg vid elden. Men även det arbetet synes honom omanligt, och så tar han ullkardor och gnider med, så att fadern i smärta och raseri springer upp och vill ge honom ett kok stryk.

Slutligen blir han satt till att sköta hästarna. »Det är ett manligt arbete», säger Grette.

»Men nu skall du göra, som jag säger dig!» förklarar fadern. »Jag har ett brokigt sto, som förstår sig på väder och vind.

När stoet inte vill lämna stallet, kan du vara säker på att det blir oväder. Och då skall du låta både henne och de andra hästarna stanna inomhus.»

»Inte lönar det att lita på märrens vett, hellre litar jag väl på mitt eget», menar Grette. Och så tar han i tu med att sköta hästarna.

Ända till jul gjorde Grette sin sak bra. Men så blev det en hård vinter och mycken snö, och då frös Grette och ville helst komma ifrån sin befattning.

Men hur svårt väder det än var, ville det brokiga stoet ut, och aldrig fick han djuret med sig hem, förr än det blev mörkt.

Grette vart slutligen så förbittrad på hästen, att han hoppar upp på ryggen på den och ger den med kniven en djup rispa över manken. Det hjälper; när stoet kommer ut, vill det ej äta utan sätter snart i väg till stallet igen. Nu vänta alla därhemma snöstorm — tills fadern upptäcker, hur illa djuret är tilltygat.

Så blir Grette fjorton år. Stor och grov är han som en fullvuxen karl och inte god att råka ut för. En dag kommer han i slagsmål, slår ihjäl sin motståndare och blir dömd att som fredlös lämna Island.

Så drager en sådan ung isländing bort från hemmet, oftast efter brytning med fadern. Han skall ut och se sig om. Redan på överfarten till Norge kommer han i bråk med skeppets besättning. Han uppträder vid jarlars och kungars hov men svarar härskaren morskt och uppnosigt, ställer till slagsmål med hans män, slår ihjäl några av dem och måste så helt hastigt laga sig i väg.

Efter några år kommer en sådan äventyrare tillbaka hem till sin ö — såvida hans sturskhet inte dessförinnan kostat honom själv livet. Otaliga gånger har han kört sitt hårda huvud i väggen, men självrådigheten sitter i honom lika ohjälpligt för det. Ur den växer slutligen striden på liv och död fram. Det kan ha börjat med stickord och giftiga nidvisor, som gått från gård till gård. Man har väntat med att hålla den stora uppgörelsen till höst- eller julgillet, när alla skulle vara samlade.

Inte är det just någon trevsam sällskapsglädje, som råder i salen, där bänkarna »bemannas» ättvis, med var man på sin post, alla färdiga att visa tänderna och hugga till. Men träffas skall man ju, och festligt får det lov att vara.

Man står och talas vid på gillet i all sämja — tycks det. Då kan det hända, att ett rappt yxhugg plötsligt kvittar en gammal skuld. Eller den ena parten utspejar, när den andra skall ut på skogshygge eller till säters; och där uppe i vild-

marken, fjärran från bygden, utspelas blodsdramat. Eller man omringar huset och bränner alla männen inne.

Ofta bevaras ett till det yttre vänskapligt umgänge mellan två gårdar, medan man under hand då och då hugger ned varandras män, när man kommer åt. En sådan hycklad vänskap råder mellan Gisle Sursson och hans broder. En vän till Gisle, som är på besök hos honom, finnes en morgon i sin säng genomborrad av ett spjut. Gisle sänder bud till broderns gård, som ligger i närheten, med underrättelse om dödsfallet och tillsäger budet att ha ögonen med sig. Denne kommer tillbaka med det beskedet, att alla skola komma till begravningen, men han berättar också, att fast det var tidigt på morgonen, voro alla uppe och i vapen.

»Jag tänkte nog det», säger Gisle.

Efter högsättningen sitta bröderna och tala om den döde. Inga gissningar uttalas om dödssättet, men brodern beder Gisle, att allt må förbliva som förr mellan dem. Det lovar Gisle mot att brodern till gengäld bevarar sitt goda sinnelag mot honom, om möjligtvis ett liknande slag skulle drabba honom. Sedan träffas de flera gånger vid bollspel, vid gillen — och allt är gott och väl. Men så lyckas Gisle muta en träl hos brodern att låta dörrarna till dennes hus stå öppna en natt. Han smyger sig själv i mörkret över till broderns gård under förevändning, att han skall se till några hästar, och dräper broderns vän i sängen. Därefter går han hem och lägger sig.

Om morgonen, när brodern och hans män komma över och berätta om mordet, finna de Gisle ännu till sängs och misstänka honom därför icke — blott brodern lägger märke till, att hans skor ännu äro våta av snön, och makar dem därför liksom oavsiktligt in under sängen. Då bröderna efter den mördades begravning återigen sitta tillsammans, beder Gisle med samma ord, som brodern sist använde, att de fortfarande skola vara lika goda vänner som förut.

I sådana tider fordras både rådsnarhet och kallblodighet. Det blir ett liv i ändlös väntan under våldsam spänning. Och när de hårda sinnena törna ihop, gäller det att klara varje situation.

Björn står ute på tunet och lagar en vagn, då han ser några föga välsinnade »vänner» komma. Han är ensam, de äro många. Raskt fattar han sitt beslut, går lugnt emot dem och griper med ena handen tag i anförarens kappa. Med den andra håller han sin kniv redo till hugg, allt under det att han hövligt samtalar med dem. Ingen vågar nu ta ett steg vidare — ty då kan deras anförare i en handvändning bli nedstött —, och under vänskapsbetygelser från bägge sidor följer han dem ett stycke nedåt vägen.

Litteratur: Valdemar Vedel, Helteliv. Häft. kr. 7: 50.

PÅ VIKINGATÅG.

Vikingatågen, en stor folkvandring.

DET ÄR islossning i Norden! Snön smälter, bäckarna brusa, och älvarna svälla. Fjärden ligger fri och spegelblank. Det är vår. Då rullas skeppen i sjön.

En vårdag i början av 800-talet ligger en flotta i en av Upplands vikar, färdig att avsegla. Männen ha nyss lastat

Vikingaflotta. Teckning av John Sjösvärd.

in pälsverk och andra varor, som de skola handla med i främmande länder. Men där man kommer åt, och där landet är rikt, ämnar man med våld taga egendom. Ty handeln förbindes denna tid ofta med **plundringståg.** Röveri ansågs som ett lovligt näringsfång likaväl som jakt eller fiske — och det kunde ge den djärve mycket rikare vinst än det dagliga slitet där hemma. De nordiska länderna voro fattiga och föga uppodlade. Åkerbruket drevs mycket ofullkomligt, ty jorden bearbetades föga. Därför drabbades folket ofta av missväxt. Då stod hungersnöd för dörren. Det var svårt, stundom omöjligt att lägga upp tillräckligt vinterförråd för den snabbt tillväxande befolkningen. Rov och plundring måste tillgripas. Utanför eget land var styrkan högsta lag.

Än i dag är det ju i krig tillåtet att fråntaga fienden hans handelsskepp, ehuru deras besättningar icke tagit del i striden. Men under vikingatiden rådde beständigt ett allas krig mot alla, medan i våra dagar fred mellan staterna blivit regel och krig undantag.

Männen ombord hoppas komma åter med en rik last av födoämnen och vapen, av sådant, som kan höja prakten vid gästabud, såsom smycken och präktiga tyger, dryckeskärl av guld och silver, sydländska viner. De fångar man tager skola säljas som trälar. Det är äventyrsälskande män, som tumla om i dessa äventyr. Till havet står deras längtan, till allt i naturen, som är vilt och storslaget. Eddasångerna bära vittne om vikingens kärlek till de höga fjällspetsar, där örnen och falken bygga bo, men först och sist till havet, helst när stormen ryter och vågorna bryta över stäven. Hur målande skildras ej detta i Eddasången Reginsmål, då Oden i skepnad av en gammal man står på klippudden och ropar till Sigurd Fafnesbane, som kryssar förbi:

> »Vilka rida där
> med Rävils hästar
> på höga böljor,
> på brusande hav?
> Över segelspringarna
> svallet sprutar;
> mot vinden skola ej
> vågfålar stå sig.»

Hur segerglada, hur fyllda av äventyrets tjusning äro icke stroferna om när Helge Hundingsbane seglar från Öresund till Östersjön för att utkämpa den stora striden!

»Det blev rammel av åror,
det blev rassel av jarn,
sköld slog mot sköld,
sjomannen rodde,
uti ilande fart
med ädlingarna gick
furstens flotta
fjarran från land.

Så det lat,
nar de långa kolarna
och Kolgas syster[1]
sammanstotte,
som om berg och branning
sig bröto mot varandra»

Samma känslor röra sig inom den hövding, som leder den uppländska flottans fård. För trotsig ar han för att boja sig under Uppsalakonungens herravalde. Han vill ut på det vida hav for att där vinna ära och bli en maktig sjokonung. Guld vill han vinna, ej så mycket för guldets egen skull som for att kunna samla kring sig än större skaror av följesmän, genom vilka hans ara skall annu mer växa — ty detta är hogsta målet för nordbons

Vikingayxa av jarn.　Gottland. [1]

åtrå. Till hovdingen ha slutit sig storbonder, som bemannat fartyg med sina söner och huskarlar. Sådana sjorövarfärder kallades vikingatåg. Namnet tror man ha kommit av att sjorövarflottorna först hollo sig dolda i vikar bakom klipporna. Men när männen funno lägligt, bröto de fram under vilt hårskri, med de fruktade stridsyxorna i högsta hugg, plundrade och dodade de forskräckta inbyggarne Sedan voro de lika hastigt försvunna med sitt byte.

*　*　*

____

[1] Vägen

Nu lyftas tjugu par åror taktfast och driva fram hövdingens skepp över den spegelblanka fjärden, så att det forsar om den höga bogen. Vid den högt uppskjutande bakstammen står styrmannen. Styret är en bred åra, fäst akter ut på fartygets högra sida, som därför ännu kallas styrbord. Fartygets vänstra sida har fått benämningen babord, därför att styrmannen hade denna bakom sig. — Nu kommer en vindkåre från land. Då hissas ett brett råsegel, årorna läggas in, och med god fart flyger vikingaskeppet fram över Östersjön på äventyrsfärd.

> »Helge bjöd högre
> höga seglen draga;
> från mötet med vågor
> ej manskapet ryggade,
> fast ångestväckande
> Ägirs dotter
> sjöhästarna
> stjälpa ville»,

heter det i kvädet om Helge Hundingsbane.

Stolt reser sig i framstammen det förgyllda drakhuvudet med blodrött gap, och relingen glänser av målade sköldars rad. De andra fartygen följa tätt efter.

Vikingaskepp, 24 meter långt, funnet i en stor gravhög vid Gokstad i södra Norge.

Tack vare seden att hogsätta avlidna sjökonungar i sina drakskepp känna vi nu vikingaskeppens utseende. Ur stora gravhogar vid Kristianiafjorden har man grävt fram två val bevarade vikingaskepp, som nu finnas i Kristiania universitets museum. Det ena drevs fram med 16 par valdiga åror. Fartygets typ ar egendomligt nog ungefär densamma som de berömda nordlandsbåtarnas, de erkant yppersta av alla slags norska fartyg.

Från omkring 800 till 1000 e. Kr. pågå nästan oavbrutet vikingatåg från Norden åt oster, soder och vaster. De borja naturligtvis icke med ett. De hade föregåtts av enstaka plundringar. Nordmännen blevo alltmer förtrogna med vattnet, som ju av ålder var deras ratta element; deras viktigaste samfärdsleder voro i Sverige och Norge vikarna, floderna och sjöarna, i Danmark sunden. Därfor vågade de sig tidigt ut på handelsfärder utmed kusterna och uppfor floderna i de narmast liggande landerna Det blev då lätt tvister mellan dessas inbyggare och nordmännen. Kort var det mellan ord och handling denna tid. Och vid sammanstotningar markte nordborna snart sin överlägsenhet. När de val »fått blodad tand», funno de behag i att med vapen vinna skatter. Så kommo de allt oftare och i större flockar. Vikingatågen borja.

De taga fart i och med det att nordmannen lärde sig bygga sina fartyg så, att dessa kunde bära segel. Då behovde de ej längre forsiktigt krypa utmed land utan kunde styra ut på det öppna havet och på några få dagar nå frammande lander, dit farden forr tagit månader. I ett slag hade avstånden till dessa lockande nejder minskats på ett sätt, som erinrar om inrättandet av regelbunden ångbåtstrafik over oceanen till Amerika på sin tid. I bagge fallen blev följden en plötslig massutvandring.

I Österväg!

SVENSKARNES vikingafärder gällde mest Östersjöns södra och östra kuster samt landet innanför — helt naturligt, då deras eget land låg vid detta hav. Man kallade dessa färder »i österväg». Den mest befarna vägen blev genom Finska viken, uppför floden Neva och över sjön Ladoga. Därifrån förde en ny flodfärd söder ut till sjön Ilmen. Här grundade nordmännen bland de underkuvade slaverna ett rike, vars huvudstad kallades Holmgård (nu Novgorod). Men nordmannaskarorna seglade vidare på floder åt söder. Genom att draga sina lätta fartyg långa sträckor på rullstockar kommo de till Dnjepr-strömmen, som de beforo ned till Svarta havet, grundande nya välden på den slaviska slätten, däribland Kiev, som med tiden blev det ryska rikets huvudstad. Av slaverna benämndes dessa svenskar rus eller ros, därför att de flesta komma från svenska Östersjökusten. Denna kallades nämligen Rodslagen, emedan den var indelad i roddarlag, vilka voro skyldiga att följa sveakonungen i härfärd med ett visst antal fartyg, bemannade med roddare, »rodskarlar». Nu är Roslagen namn blott på Upplands östra kusttrakt och skärgård. Det av rus behärskade landet kallades efter dem för Rus-land, vilket sedan blev Ryssland.

Härom berättar en gammal rysk krönika följande. Vid mitten av 800-talet kommo män från andra sidan havet och krävde skatt av slaverna men blevo efter några år bortdrivna av dessa, som nu försökte regera sig själva. Men då blev det ingen rättvisa i landet; stam reste sig mot stam. Därför sade de till varandra: »Låtom oss söka en furste, som kan råda över oss och döma det som rätt är!» Och de gingo över havet till rus och sade: »Vårt land är stort och rikt, men det finnes ingen ordning; kommen I och råden över oss!» Tre bröder blevo då utvalda med sina följen. Den äldste av dem, Rurik, bosatte sig i Novgorod och blev snart, efter sina bröders död, ensam härskare. — Krönikans uppgift, att svenskarne *inkallats*, får nog ej fattas efter bokstaven. Möjligen ha de kallats av något parti och besegrat dess motståndare. Men i alla händelser är det svenskarne, som grundlagt ryska riket, och den till utseendet obetydliga telning, som de planterade, har utvecklat sig till ett av de största

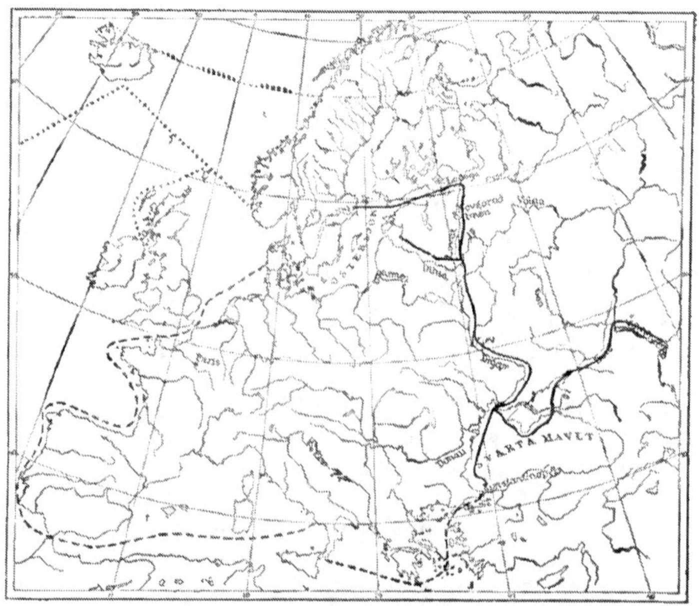

Karta över vikingatågen.

riken, som världen skådat. Sitt namn har det fått av — våra egna rospiggar, d. v. s. Rods-byggare, med vilka säkerligen en hel del av de svenskar, som utvandrat till Finland, och deras ättlingar ha förenat sig på färden i österväg.

När svenskarne väl satt sig fast i Novgorod och Kiev, fortsatte de med ny kraft sina färder utför Dnjepr och in i Svarta havet, vars stränder de hemsökte med eld och svärd. Deras mål var den grekiske kejsarens praktfulla huvudstad, Konstantinopel, vars skatter väckte deras beundran och lockade deras rovlystnad, alldeles som fordom Rom lockat deras germanska stamfränder. De kallade staden för dess väldighets skull Miklagård (= den stora borgen).

En dag visar sig plötsligt en stor vikingaflotta utanför den intet ont anande staden. Dödligt förskräckta taga invånarne, med kejsaren och den grekisk-katolska kyrkans patriark i spetsen, sin tillflykt till den heliga jungfrun, vars klädnad förvaras i staden såsom dess största dyrbarhet, och under högtidliga sånger doppas den heliga dräkten i havet. Då sker genast ett underverk. Med ens blåser det upp en storm, som krossar nästan hela den fruktade vikingaflottan mot stranden.

Men nordmännen kommo igen, anförda av en hövding vid namn Oleg — samma namn som vårt Helge. Han samlade en vikingaflotta på 2,000 skepp, och så gav han sig av till Miklagård. Men nu hade grekerna rustat sig till försvar. En rad av krigsskepp spärrade sundet, så att vikingaflottan ej kunde komma fram.

Men en morgon få grekerna se en syn, som kommer håren att resa sig på deras huvud: rakt över land kommer vikingaflottan farande för fulla segel. Oleg hade under natten låtit sätta skeppen på hjul. När en frisk vind blåste upp, hissades segel, och så bar det i väg.

De förskrämda grekerna skickade genast sändemän, som sade till Oleg: »Förstör icke vår stad! Vi skola giva dig i skatt allt, vad du någonsin kan önska.» Då befallde Oleg, att skeppen skulle hejdas, och grekerna kommo ut till vikingarna med livsmedel och vin. Men Oleg ville icke ta emot något av dessa skänker, ty han förstod, att alltsammans var förgiftat. När grekerna märkte, att Oleg icke hade låtit bedraga sig av deras svek, blevo de ännu mera förskräckta.

Oleg begärde nu, att grekerna skulle betala tolv penningar åt var och en av hans män. Han hade 40 män på varje skepp, så att de voro tillsammans 80,000. Grekerna vågade ej neka utan måste betala den stora skatten.

Nu blev fred sluten mellan greker och nordmän. Grekerna gåvo det löftet, att när nordiska köpmän komme till Miklagård, skulle de under sex månader få bröd och vin, fisk och frukt, så mycket de ville ha. De skulle få bada, så mycket de önskade, i stadens präktiga badhus, där badkaren voro av marmor och silver. De fingo köpa och sälja utan att behöva betala tull. Och när de reste hem igen, skulle grekerna ge dem reskost samt ankare, rep och segel och allt vad de kunde behöva.

Nordmannen å sin sida lovade att icke plundra, när de kommo med varor, och att icke slå sig ned i själva staden utan taga sin bostad i en förstad utanför Miklagård. Både den grekiske kejsaren och Oleg svuro dyra eder att hålla denna fred.

Så vände Oleg hem med guld och silver, frukter, vin och alla slags tyger. Han blev storligen prisad, och man kallade honom »trollkarlen».

*　　*　　*

Efter denna fred började nordmannen i Ryssland driva en livlig handel med grekerna. I Kiev samlades varje vår en mängd köpmän med varor, som skulle föras ned till Grekland. Här lastades in pälsverk och hudar, som slaverna i de stora skogarna erlagt i skatt till nordmannafursten i Kiev. Här fanns honung och vax, vilket grekerna behövde till ljus i sina kyrkor. Hit kommo också män från Sverige, vilka förde med sig handelsvaror samt trälar, som de på sina härfärder tagit till fånga. De slöto sig nu tillsammans med sina stamfränder i Ryssland, och så gav sig den stora köpmansflottan av.

En av de grekiska kejsarne, Konstantin VII Porfyrogennetos, en svag regent men en mycket lärd och vetenskapligt intresserad man, har — åtminstone delvis — högst egenhändigt gjort en beskrivning av nordmannaflottans årliga segling utför Dnjepr, vilken ger oss ett av de bästa bevisen för rus' nordiska ursprung.

Där Dnjepr gör sin stora krök, bryter floden på en sträcka av omkring 75 km. igenom ett granitbälte, varav bildas en rad forsar, där båtar icke kunna taga sig fram annat än med stor risk och endast när det är högt vattenstånd. Just därför valde nordmännen våren för sin färd.

Konstantin berättar nu, att den första fors, som rus kommo till, kallade de Essupi, vilket slaverna återgåvo med »sov icke!» — alltså ett mycket passande namn för början på svårigheternas långa rad. »Mitt i den smala forsen», säger författaren, »äro branta och höga klippor, vilka se ut som öar. När vattnet kommer till dessa, sköljer det över dem och störtar ned igen med stort och fruktansvärt larm. Därför våga ryssarne icke segla mitt in bland dem, utan de lägga till i närheten och landsätta manskapet, under det att de däremot låta alla varorna förbliva i båtarna. De gå nu nakna ut i vattnet, kännande sig för med fötterna för att icke snava mot någon sten, och med detsamma skjuta de båtarna framåt med stänger, några vid framstammen, andra vid mitten och åter andra vid bakstammen. Med sådan försiktighet gå de igenom denna första fors vid dess innersta bukt och längs stranden av floden. Men när de passerat denna fors, upptaga de åter de övriga från land och segla vidare.»

Språkforskaren tror sig i namnet Essupi igenkänna ett av greken förvrängt fornsvenskt Ne sofi (= sov icke!) eller kanske snarare det med Essupi mera ljudlika Ves uppi (= var uppe!).

Alldeles tydligt nordiskt är den andra forsens namn. Den heter, säger Konstantin, Ulforsi, vilket han återger med ett slaviskt namn, som betyder »Ons fors», antagligen efter en här liggande ö. Här har man uppenbarligen att göra med ett svenskt ord Holmfors, vars *m* hördes otydligt mellan *l* och *f* och därför bortföll, när greken skulle återgiva det. Det är alltså intet tvivel om vilket folk som givit dessa forsar deras namn, och varifrån rus härstammade. Men vi skola finna ännu flera bevis.

Den tredje forsens namn uppgiver Konstantin vara Gellandri, vilket skulle betyda »den larmande forsen». Detta kan icke vara något annat än det fornnordiska Gellandi eller Gjallandi, som betyder »starkt ljudande, skallande» och återfinnes i namnet på Heimdalls väktarhorn ävensom i det nysvenska ordet »gäll». Här vältrar sig också floden fram med starkt dån.

Svårare är att få bukt med namnet på fjärde forsen — liksom den också var den svåraste att klara för de sjöfarande. Den var farligast av dem alla, därför att hur stora vattenmassorna än voro, blev dess botten aldrig fullständigt betäckt av vattnet. Här kunde nordmännen aldrig draga

fram sina tomma båtar utan måste kringgå den på land.
Konstantin uppgiver, att rus kallade den Aifor, vilket han
översätter med ett slaviskt ord, som synes betyda »den som
icke kan bära [fartyg]». Ordet Aifor har man därför antagit
vara en sammansättning av det fornsvenska ai = icke, och
adjektivet for = farbar.

Denna fors finns även omnämnd på en runsten vid Slitehamn
på Gottland, rest av tre bröder vid deras hemkomst från en
färd i östervåg till minne av den fjärde brodern, som om-
kommit borta i frammande land. Om deras vikingafärd be-
rättar nämligen inskriften. »De kommo långt till Aifur».
Ett annat minnesmärke hade de, heter det, rest över bro-
dern »vid Rufstain».

Rufstain är en gottländsk namnform, som betyder »den
kluvna stenen». Nu heter, märkligt nog, en av de största
stenarna i början av den farliga forsen »Rvany kamen»,
ett ryskt namn som betyder precis det samma som Rufstain;
och just här skjuter det ut ett näs, vilket synes ägnat att
bära ett dylikt minnesmärke.

När vikingarne kommit förbi Aifor, var det lätt för
dem att klara sig med nästa fors, vars namn Konstantin
återgiver med Baruforos, och vars slaviska benämning
betyder »Böljforsen». Detta namn är en omisskännelig
fornnordisk sammansättning Barufors av bara = bölja.

Den sjätte forsen kallades av rus Leanti, vilket Konstan-
tin återger även med ett slaviskt namn, som betyder »den
sjudande». Tanken ledes här lättast till det svenska »leende»,
som på fornsvenska hette leandi. Namnet kan ha kommit
av vattnets porlande och skummets glittrande i denna breda
och stenuppfyllda men icke just farliga fors. Eller ock är
namnet detsamma som det fornnordiska Vellandi, vilket
just betyder »kokande, sjudande». Av slaverna har det
sannolikt uttalats Vleanti, och sedan kan v ha bortfallit.

Den, som vill leta efter flera bevis för rus' svenska ursprung,
kan finna en mängd sådana i de personnamn, som träffas på
de första bladen av Rysslands historia. Så har det ryska
Oleg uppkommit av det nordiska Helge, liksom Olga är
samma namn som vårt Helga. Igor är en förändring av det
nordiska Ingvar, och liknande är förhållandet med ett hundra-
tal andra ryska namn.

Ännu ett och annat spår av den svenska odlingen kan man leta fram i det ryska språket. När ryssen i sina kyrkor beder till Herren under namnet Gospodi, så är detta ord intet annat än det gamla svenska husbonde. Ett ledsamt minne har den svenska odlingen kvarlämnat i ordet knut, som är den ryska formen för den bedrövligt ryktbara knutpiskan.

De många fornfynd av vapen och prydnader från vikingatiden, som på senare tiden gjorts i gravhögar i Ryssland, visa också en nära släktskap med de skandinaviska. Av svenska runstenar har man i Ryssland funnit blott en enda. Den anträffades år 1905 i en gravhög på ön Berezanj utanför Dnjeprs mynning. Inskriften har tolkats sålunda: »Grani gjorde detta kummel efter Karl, sin följeslagare.» — Men varför hitta vi icke fler runstenar i Ryssland? Troligen därför att svenskarne av brist på stenblock begagnade trästockar, vilka naturligtvis under tidernas lopp ruttnat bort. Den förut citerade araben Ibn Fahdlan[1] berättar också något, som bestyrker detta antagande. Sin kännedom om nordborna förvärvade han under en vistelse som sin kalifs sändebud hos bulgarerna vid Volga. Därunder fick han tillfälle att se »rus» komma farande utför floden och slå läger på stranden. Han förtäljer om en nordbos begravning bland annat: »Vid det ställe, där skeppet med liket brändes, uppfördes ett kummel; på dess topp uppställdes en väldig trästock, och på denna ristades den avlidne konungens namn.»

Men allt detta är nu minnen blott. Svenskarne i Ryssland voro för få för att i längden kunna hålla sig som härskande folk. De drunknade i det stora slaviska folkhavet, och det Stor-Svitjod, som var isländningarnes namn på Ryssland, skulle snart leva blott i de historiska minnenas värld.

*

Men vi återvända nu till våra stamfränder på deras äventyrliga handelsfärd till Konstantinopel. När nordmännen kommo dit, bytte de till sig siden och guldstickad brokad, smycken av guld och silver, vin och sydfrukter.

Det hände dock mer än en gång, att grekerna sökte rubba på nordmännens handelsprivilegier. Då svarade dessa med

[1] Se sid. 36 och 43.

nya vikingatåg, som utstracktes aven till Svarta havets
asiatiska kuster. Darunder fingo nordborna emellertid gora
en oangenam bekantskap med den berömda »grekiska elden».
en brinnande vatska, vilken anses ha bestått huvudsakligen
av nafta, beck och svavel. Den utslungades genom ror i
framstammen på grekernas fartyg eller spreds genom pilar,
som doppats i den farliga vatskan. Den anstallde forfarliga
hårjningar och utvecklade en kvavande stank; och samtida
historieskrivare beratta, att den icke kunde släckas annat
an med attika eller sand.

Emellertid hade nordmännen på det hela taget överhand
i dessa strider, och de slutade med nya handelsfordrag, som
bekraftade deras handelsformåner. Aven i dessa krigståg
deltogo de ryska nordbornas stamfrander i Sverige i val-
diga skaror.

Efter fullbordat varv stannade en del av de nordiska kri-
garne kvar i Miklagård, där de togo tjanst i kejsarens livvakt
under namn av varingar, vilket anses betyda »edsförbundna»
(av var = lofte). »De yxbarande barbarerna från Tule»,
såsom varingarne kallades av grekerna, voro namligen mycket
efteisökta for sin kraft och pålitlighet.

Vid ingången till Venedigs arsenal står ett marmorlejon,
vilket fördes dit som krigsbyte från Grekland år 1687. En
nu nástan utplånad runskrift ar inhuggen på dess bagge
sidor, sannolikt av en väring från Sverige. Darpå tyda sar-
skilt de djurslingor, som omgiva runorna. Sådana slingor
ser man namligen mycket allmant på runstenar i Malar-
bygderna, särskilt i Uppland. I ovriga svenska landskap
aro dylika slingor hogst sallsynta, och i Danmark och Norge
finnas de icke alls (illustr. sid. 218, 219).

Sjalva inskriften daremot ar utomordentligt svårlast,
vilket framgår därav, att de olika tydningar, som under ti-
dernas lopp gjorts av framstående specialister, hogst vasent-
ligt skilja sig från varandra. Den forskare, som senast sysslat
med inskriften, Erik Brate, har, i likhet med ett par fore-
gångare, måst avstå från en fullstandig lasning och for de
olasbara runorna fått noja sig med sannolikhet. Han tyder
inskriften på följande satt:

> »Hoggo de honom
> i harskarans mitt,

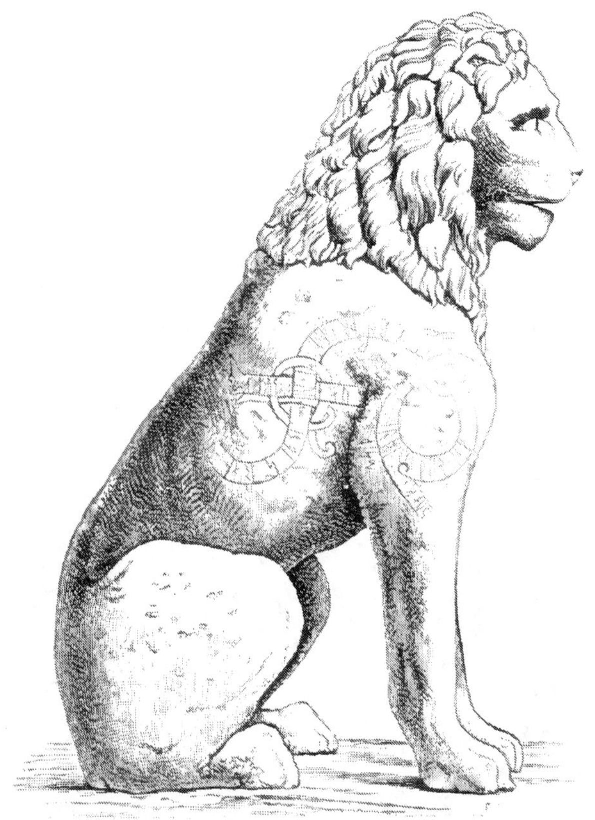

*Marmorlejon med runinskrift, från Atens hamnplats, nu i
Venedig.* Höjd 3 meter.

men i denna hamn höggo männen runor efter Horse, en bonde
god, vid viken.

    Han förfor med klokhet; guld vann han på sin färd.
    Svear anbragte detta på lejonet.
    Kämpar ristade runor.»

    Till sist angivas namnen på dem, som läto hugga inskrif-
ten. De bodde »i Rodrsland», d. v. s. i Roslagen.

Uppländsk runsten, vars djurslingor påminna om slingorna
å marmorlejonet.

Brate kommer till det resultatet, att runorna äro inhuggna
strax efter 1000-talets mitt av en känd runristare från Uppland.
Horse anser han vara samme man, som omtalas på en run-
sten nära Enköping, där det säges om honom:

> »Han väldigt for
> att vinna gods
> ute i Grekland
> åt arvingen sin.»

Från Svarta havet funno nordmännen en ny flodväg upp-
för Don. Därifrån släpade de sina fartyg över till Volgakrö-
ken och kommo på det viset in i Kaspiska havet, där de funno
nya rika tillfällen att släcka sin törst efter äventyr och byte.
Vid dess södra strand härskade araber. De kallades, lik-
som mohammedanerna i allmänhet på denna tid, saracener,
och saracenernas land blev i nordbons mun Särkland. På
araberna gjorde de kraftigt byggda nordmännen ett över-
väldigande intryck. »Aldrig har jag skådat resligare männi-
skor», säger Ibn Fadhlan. »De äro höga som palmträd,
rödkindade och ljushåriga.» Nordmännen inläto sig i en
livlig handel med Allahs tillbedjare, och massor av Öster-
landets skatter kommo nu upp till höga Norden.

I svensk jord, isynnerhet på Gottland, har man funnit
många tusen arabis-
ka mynt samt öster-
ländska smycken,
som visa, hur bety-
dande denna sam-
färdsel över Ryss-
land mellan Sverige
och de arabiska län-
derna varit. De mas-
sor av ädla metaller,
som ännu efter ett
årtusendes förlopp
grävas upp ur jor-
den, äro en svag an-
tydan om vilka rike-
domar vikingatågen måste ha bragt till Norden.

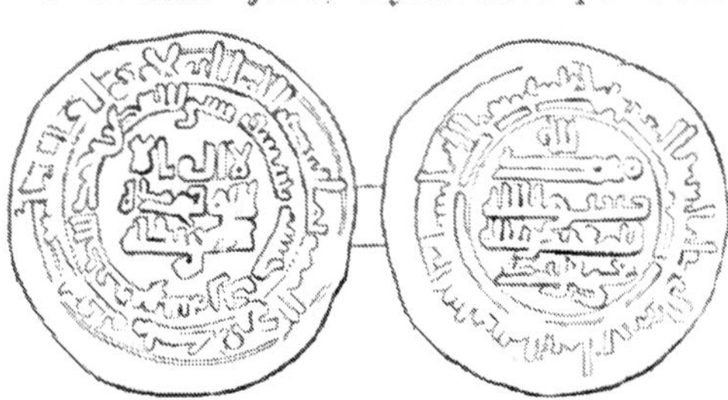

*Arabiskt silvermynt, präglat år 903 i staden
Samarkand i inre Asien.* Gottland. ¹/₁. På
de arabiska myntens framsida läses van-
ligen: »Det gives ingen Gud utom Allah»
och på baksidan: »Mohammed är Guds
profet.»

En stor mängd svenska runstenar tala om män, som farit
»i österväg».

»Bröderna voro
de bästa män
hemma i landet
och ute på leding.
Huskarlar sina
höllo de väl.
I Ryssland föll
i fejd Torsten,
den främste i landet,
lidets hövding»,

heter det t. ex. på en runsten i Södermanland, på vilken
två män hugfäst minnet av sin fader Torsten och dennes
broder. En annan runskrift är ristad till minne av en man,
»som i Grekland var hövding för väringahären». Flere andra
»Greklandsfarare» omtalas. I Täby socken i Uppland finns
en runsten med följande inskrift: »Astrid lät resa stenar
dessa efter Östen, man sin, som drog ut till Jursalir[1] och
dog borta i Grekland.»

Över tjugu stycken runstenar i Sveriges östra landskap
bevara minnet av Ingvar Vidfarne och de kämpar, som på
1000-talet voro med
honom och stupade i
österled. »Han styrde
skepp österut med Ing-
var», »han föll i öster-
väg med Ingvar» o. d.
äro de stående uttryc-
ken. En av de märk-
ligaste bland Ingvar-
stenarna är den här
bredvid avbildade, som
restes av Ingvars mo-
der eller styvmoder
över en broder till ho-
nom. Den här följan-
de inskrift:

»Tola lät resa sten
denna efter sin son Ha-
rald, Ingvars broder.

De foro manligen
fjärran efter guld
och österut
örnen matade,
dogo söderut
i Särkland.»

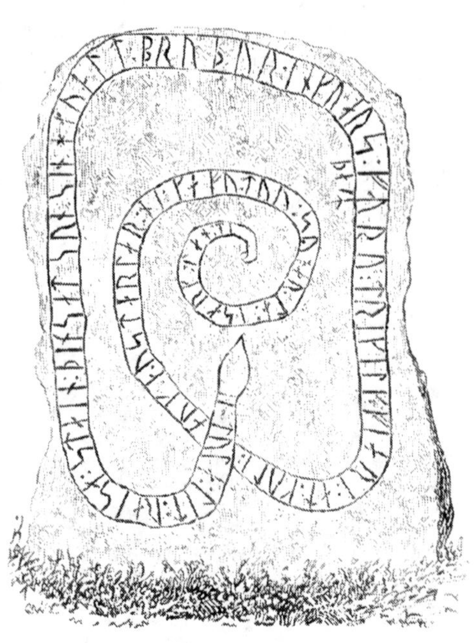

Ingvarstenen vid Gripsholm.

Enligt en isländsk saga, som bär Ingvars namn, kom
han på sin äventyrsfärd ända till Asien, där han ham-
nade hos en mäktig kristen drottning, som sagan gör

---

[1] Jerusalem.

till hans gemål. Vid södra foten av Kaukasus låg också mycket riktigt ett stort och mäktigt rike vid namn Georgien, som på Ingvars tid styrdes av en drottning vid namn Tamar. Om henne förtäljes det, att hon haft i sin tjänst en flock av tre tusen nordiska väringar. Sannolikt är det härav, som sagan om Ingvar Vidfarne bevarar ett förvirrat minne.

*

Ganska många svenska runinskrifter berätta även om män, som farit »i västerväg». Så läses t. ex. på en sörmländsk runsten: »Gudvirs söner bevisade sin käcke fader den sista tjänsten. Han var västerut: i England fick han andel i brandskatten; borgar i Saxland stormade han duktigt.»

På en annan runsten i samma landskap är ristat:

»Alrik, son av Sigrid, reste stenen efter sin fader Spjut.

som västerut
varit hade,
borg brutit,
borgmän slagit;
vikingafärder
väl han kände.»

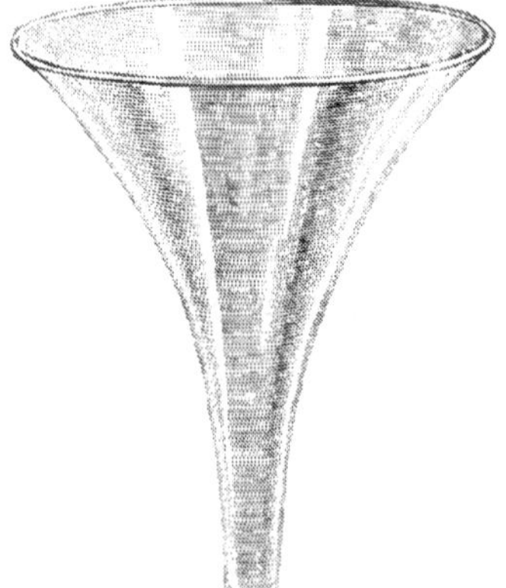

Dryckeskärl av glas från vikingatiden. Björkö. ¹/₈.

Den mängd anglosaxiska mynt, som hittats i svensk jord, tyder också på att många svenska krigare deltagit i härfärderna till England.

Ytterligare vittnesbörd om svenska mäns vikingafärder i västerväg giva en del runstenar på den lilla ön Man i Irländska sjön, och den ypperste runristaren bär det svenska eller, rättare sagt, götiska namnet Gaut Björnson.

Annars var det mest norrmän och danskar, som gjorde färder i västerväg, till kusterna av de hav, vilka begränsade deras egna länder, nämligen Nordsjön och Atlanten. Men ihågkommas må, att som danskar räknades denna tid

skåningaine och som noirman bohuslanningarne, vilka var
på sitt håll livligt deltogo i vikingafarderna.

Litteratur till vikingatiden: Erik Brate, Pireus-lejonets runinskrift
(Antikvarisk tidskrift for Sverige for
år 1914).
Alexander Bugge, Vikingerne I—II,
haft. kr 10.50
Nils Hojer, Bidrag till varagerfrågan
(Histoiisk tidskrift for år 1883).
Oscar Montelius, Svenska runstenar
om farder österut (Fornvannen for år
1914)
Rolf Nordenstreng, Vikingafaiderna,
haft. kr 3· 75.
Anna Sandström, Nordens forsta
stoihetstid. Haft kr. 2: 75; inb kr.
3: 50.
Emil Svensén, Bilder ur Sveriges forn-
tid III och IV (Lasning for svenska
folket 1910 och 1911; vardera årg
häft. kr. 1· 20)
Vilhelm Thomsen, Ryska rikets
grundlaggning genom skandinaverna,
haft. kr. 2: 50.

I Västerväg!

Norrmännens vikingafärder.

NORRMÄNNEN styrde med forkarlek till ogrupperna
norr om Skottland, som lågo dem narmast. Denna
ovarld blev deras iovnaste. På Shetlandsoarna var
bondernas språk norska ända till omkring år 1800. Från de
skotska oarna gjorde nordborna plotsliga plundringståg till
Skottlands, Englands och Irlands kustei, dar de aven grundade
maktiga riken. En tid innehade de storre delen av Irland.
Irländarne klagade: »Det finns icke en flack av kusten, icke
en hamn, icke en borg, dar det ej ligger en vikingaflotta.»
Uppfor floderna, over sjöaina kommo vikingaskepp häijande

och plundrande. En gång hemsöktes Irland av en vikinga-
flotta, som anfördes av en sköldmö. Hon kallades »den röda
mön» och gjorde sig vida omkring fruktad för sin grymhet.

Men när vikingarne väl blivit bofasta på Irland, visade de
sig här liksom i Ryssland även från en annan sida: de lade i
dagen sin förmåga att grunda stater och bringa ordning i
landet. I deras befästa städer levdes ett praktfullt liv med
rik kultur. Handeln började blomstra, ty vikingarne voro
ju icke blott sjörövare utan även duktiga sjöfarande och
köpmän, som förde Irlands alster till andra länder och hade
med sig Söderns och Nordens produkter i stället. Samtida
skildringar dröja med välbehag vid nordbornas »klenodier»,
deras praktfulla kläder av siden, sammet och kläde i lysande
färger, både scharlakansrött och smaragdgrönt, deras guld-
och silverstickade sadlar och all annan härlighet. Irland blev
en medelpunkt för handeln med trälar, vilken under vikinga-
tiden hade stor betydelse. De största slavhandlarne voro
nordiska köpmän. Genom vikingatågen blev det ju riklig
tillgång på denna handelsvara, och överallt på marknads-
platserna i Norden reste slavhandlare upp sina bodar. De
vackra, ljushyllta iriska kvinnorna med sina mörka, eldiga
ögon väckte nordmännens åtrå, och iriska trälkvinnor blevo
en av vikingatidens mest eftersökta handelsvaror. Många
nordmannahövdingar hade sådana kvinnor som frillor.

Sida vid sida med handel och välstånd blomstrade skön
konst och diktning på »den gröna ön». Nordborna kommo här
i beröring med den egendomliga keltiska kulturen, som
fick stor betydelse för Nordens folk, i synnerhet för norrmän
och islänningar. De keltiska folken, vilka i våra dagar äro
tillbakaträngda, och vilkas språk är nästan utdöende, stodo
på vikingatiden högt i bildning. Ett av deras rikaste länder
var »den evigt gröna ön» med sitt milda klimat och sin
härliga, halvt sydländska, halvt nordiska växtvärld. Från
Irlands av trosiver brinnande munkar och eremiter mottogo
nordborna sin första kännedom om Vite Krist.

Danskarnes vikingatåg.

De danska vikingarne hemsökte Englands, Tysklands
och Frankrikes kuster, i synnerhet mynningarna av Rhen och
andra stora floder. Enstaka flockar trängde till och med in

i Medelhavet och härjade. Från Afrika förde de med sig bl.
a. negrer som krigsbyte. Dem kallade nordborna »blåmän».

England blev till slut erövrat av den danske konungen
Sven Tveskägg. Hans son Knut, som för sin klokhet
och kraft kallades den store, gav det utmattade landet
fred med lagbunden ordning. Hans rike säges ha varit det
största, som någon nordisk konung behärskat. Det omfattade
ej blott England och Danmark utan även norra Tyskland och
Norge. Men det var endast Knuts kraft, som höll ihop riket,
och några få år efter hans död var det för alltid slut med dan-
skarnes herravälde i England, 1042.

I Frankrike kunde man till sist vara säker på att vart
år få se vikingaflottornas draksegel sticka upp vid synranden,
om icke förr, så vid tiden för vinskörden. För att få vara i fred
måste invånarne därför avstå en del av den söta och beru-
sande drycken, »vilken nordmännen längtade efter som björ-
nen efter honung». Långa vägar kunde de draga genom fiende-
land med största livsfara bara för att skaffa sig vin.

De vågade sig också på att angripa själva huvudstaden,
det starkt befästa Paris. Nästan hela staden låg i Seine på
en ö, från vilken ledde broar, befästa med torn, till båda
stränderna. Så långt stadens försvarare kunde speja från
tornen, sågo de floden betäckt av vikingaskepp. Två gånger
förut hade Frankrikes konung genom en ofantlig lösesumma
förmått sådana fruktade vikingaflockar att vända om. Nu
försöka stadens invånare göra kraftigt motstånd. Vikingarne
pröva på stormning. De sätta bräckjärn i tornens grundvalar
men få glödande strömmar av olja och beck över sig. Många
bli brända till döds, andra störta med brinnande hår och klä-
der ned i floden. Hela skurar av pilar flyga från fransmännens
bågar, stenar slungas av deras kastmaskiner och vålla stor
manspillan. Vikingarne måste sluligen upphäva belägringen.
Men hejdade blevo de icke för det. De släpade i stället sina
farkoster förbi staden över land, satte dem sedan i floden igen
och kommo in i det rikaste Frankrike, som låg värnlöst mot
deras plundringar.

Men Frankrikes konung hittade på ett bra sätt att befria
sitt land från vikingabesök: han överlämnade kustlandet
vid Seines mynning åt den väldige vikingahövdingen Gånge-

Rolf. Så kallades han, därför att han skall ha varit så väldig, att ingen häst orkade bära honom. Han och hans efterkommande fingo regera som hertigar i landet, mot att de försvarade det mot andra vikingar. Det gjorde de så kraftigt, att Frankrike fick lugn från denna sida. Hans hertigdöme kallades efter nordmännen för Normandie. Småningom gick det här såsom i Ryssland: de fåtaliga nordmännen sammansmälte med landets ursprungliga befolkning. Men länge voro normanderna framför andra fransmän kända för kraft och äventyrslust och fruktade i strid. Anförda av Vilhelm Erövraren, en ättling av Gånge-Rolf, erövrade normanderna vid tusentalets mitt även England och grundade där ett starkt rike.

Även i andra kusttrakter, där vikingahövdingar förvärvade land, blevo de det bästa skyddet mot andra nordmäns plundringar. Ända nere i Italien grundades ett nordmannarike. Det visade sig i västra och södra Europa, liksom i östra, att nordmännen kunde ej blott härja och plundra utan även grunda stater. När nordmännen så blandade sig med de förveklIgade folken i sydligare länder, ingöto de hos dessa friskt blod och ny kraft. Och i de riken, som vikingarne bildade, där härskade lag och ordning.

Så kunde en nordman denna tid färdas längs Europas kust, in i Svarta havet, uppför de stora ryska floderna och nästan överallt få höra sitt eget språk talas. Nordmännen voro herrar på haven. Det brusar av vapenlarm, det dånar av svärdsklang, det forsar kring kölar, som rusa fram likt rovfåglar, giriga efter byte. Hett sjuder blodet av äventyrslust och begär efter byte. Aldrig har livet i vårt land varit så rörligt som då. Det var en storhetstid för Norden, en tid som bragte hit många nyttiga kunskaper från den nya, underbara värld, vilken nordborna fått skåda. Hövdingen, som farit till fjärran land och kämpat i Konstantinopel, på Irland eller vid Paris' murar eller idkat köpenskap med araberna, var en annan människa än den, som hela sitt liv bara hade suttit hemma på sin gård och alltid sovit »under sotad ås».

FRIDENS BUDBÄRARE
I VIKINGARNES LAND.

Nordens apostel.

DE FÖRR nästan okända folken uppe i höga Norden hade blivit ett förfärligt plågoris för inbyggarne i mellersta och södra Europa. De olyckliga människorna lågo på knä i kyrkorna och bådo: »För nordmännens raseri bevara oss, milde Herre Gud!» Dessa folk hade fått den kristna tron från det romerska riket. Och det vart nu bland dem ett allmänt hopp, att Nordens vikingar skulle bli mildare till sinnes, om de finge höra Jesu kärleksrika ord. Det fanns ock män, som med glädje ville offra sitt liv för hedningarnes omvändelse. En sådan man var Anskar.[1]

Han var född i norra Frankrike. Mycket tidigt blev han fader- och moderlös och kom i en klosterskola för att uppfostras. I början var han så ivrig med lekar och självsvåldiga upptåg, att han skötte sig illa i skolan. Så fick han en natt i drömmen se en skara sköna, vitklädda kvinnor vandra fram på en grön äng. En av dem var skönare än alla de andra och hade en krona på huvudet. Han förstod, att det var Jungfru Maria. Bland de andra igenkände han sin moder. Jublande glad ville han skynda i hennes famn. Men han kunde icke röra sig: han satt fast i dy, och ju mer han ansträngde sig, desto djupare sjönk han. Då började han bittert gråta. Men Jungfru Maria talade till honom: »Vill du gärna komma till din moder?» — »Ja», snyftade den lille. »Då måste du», sade hon, »överge all fåfänglighet och alla barnsliga upptåg, ty ingen, som älskar sådant, får vara i vårt sällskap.» — Från den stunden blev Anskar ett allvarligt barn. Han slutade ej blott med skälmstycken utan även med alla lekar, läste flitigt och bad mycket. Lekkamraterna häpnade över hans förvandling.

---

[1] Samma ord som vårt namn Oskar.

Redan vid tretton års ålder blev **Anskar** munk: han iklädde sig kåpa, rakade sin hjässa och lovade ägna sitt liv åt Guds tjänst under försakelse av denna världens glädje. Vid denna tid hände något, som häftigt uppskakade honom: han fick höra, att kejsar Karl den store, en av de väldigaste härskare världen skådat, var död. Anskar hade en gång sett kejsaren i all hans glans, då han sträckte sin spira över nuvarande Tyskland, Frankrike, Schweiz, Österrike och större delen av Italien. Det syntes honom, som om kejsaren rådde över allt och visste allt. Och nu — vad fanns kvar av den, som nyss varit den mäktigaste på jorden? Ett stelnat lik, färdigt att förvandlas till mull. Starkare än förr kände han, hur förgänglig all världslig makt och härlighet är. Han tänkte på sin egen död och ängslades för sin själs salighet.

Ofta hade han underbara drömmar. En natt tyckte han sig ligga på sin dödsbädd. Så blev han förd till ett nattsvart fasans ställe, där han våndades förfärligt och icke kunde draga andan. Det var skärselden, vilken den tidens kristna trodde att alla människor måste genomgå för att renas från sina synder. Efter plågor, som han tyckte ha varat i årtusenden, fördes han till himmelen. Så lätt som tanken flyger gick färden upp till de saligas hemvist. Dessa sjöngo himmelska lovsånger och vände sig alla mot öster, varifrån ljuset utstrålade med de ljuvligaste färger så klart, att ingen på jorden sett något sådant, och dock så milt, att det ej bländade ögat. Anskar förstod, att i det ljuset bodde Herren Gud, och han hörde Guds röst, oändligt mild och ändock så klangrik, att den fyllde hela världen: »Gå bort, och kom tillbaka till mig, när du vunnit martyrkronan!» — Sedan den tiden hade Anskar *en* brinnande önskan: att få lida martyrdöden för Jesu lära liksom andra missionärer, vilka dödats av hednafolk.

Så skedde honom en dag en ovanlig heder: han blev kallad till kejsarens hov. Kejsaren, som var Karl den stores son, hette **Ludvig den fromme**. Han ville verka för utbredning av kristendomen och befria sina kuster från härjningar. Nu frågade han, om Anskar ville fara upp till Norden och förkunna Jesu lära för de vilda danskarne. En sådan färd ansågo många bära mot en säker död. Men Anskar fylldes av en outsäglig fröjd.

I några år förkunnade han nu fridens ord för dessa stridens män. Han visade en underbar förmåga att undervisa så, att alla förstodo hans tal. Det var flera, som läto sig iföras vita kläder och döpas i den ende Gudens namn.

Den kristna religionen var ej alldeles okänd för nordborna före Anskars ankomst. Under vikingafärderna hade de i söderns länder med beundran sett de kristnas praktfulla gudstjänst. De lysande mässkrudarna, de många vaxljusen, rökelsekaren, som utsände vällukter, sången och kyrkmusiken, allt detta slog an på de praktälskande nordborna; och många började anse den Gud, som så dyrkades, för mäktigare än Tor och Oden. Av kristna fångar, som förts upp till Norden, fingo de höra underbara ting om »Vite Krist». Man anser, att berättelsen om den milde Balder kommit från kristendomen. Därifrån har asaläran under sin sista tid hämtat en del annat, såsom läran om den väldige världsdomaren, som kommer efter ragnarök. Många nordbor voro fyllda av längtan att få höra mera om de kristnas Gud och vara med om hans dyrkan.

Även i Sverige var det så. Anskars trogne följeslagare, Rimbert, vilken blev hans efterträdare som ärkebiskop, berättar härom i sin bok »Anskars levnad»:

Första färden till svenskarnes land.

»En dag kommo sändebud från svenskarne till kejsar Ludvig, vilka bland annat berättade för den milde kejsaren följande: 'Det finns bland vårt folk många, som önska antaga den kristna tron. Även vår konung är i sitt sinne ganska välvilligt stämd härför, så att han tillåter, att kristna präster vistas i landet. Måtte kejsaren nu sända oss goda lärare!'

När den fromme kejsaren hörde detta, blev han mycket glad. Han kallade till sig Anskar. Då denne nu av kejsaren tillspordes, om han ville åtaga sig att fara till Sverige, svarade han med frimodig stämma, att han var beredd till allt vad kejsaren för Kristi namns skull beslutat ålägga honom.

Därpå fann man genom Guds försyn en följeslagare åt honom, nämligen munken Witmar, som var värdig och villig till ett så stort verk.

Huru många och huru stora olyckor Anskar på sin färd
råkade ut för, därom kan fader Witmar, som själv var med,
bättre berätta. För mig är det nog att blott omtala, att när
de voro halvvägs, råkade de ut för vikingar. Ehuru de köp-
män, som voro med missionärerna, försvarade sig manligen,
blevo de likväl besegrade. De förlorade sina skepp och allt,
vad de hade ombord. Blott med knapp nöd lyckades de
själva komma i land och fly undan. Vid detta tillfälle för-
lorade missionärerna således även de kungliga skänker, som
de skulle föra till Sverige, och allt vad de själva hade utom
något litet, som de vid flykten från skeppet kunde taga
med sig och bära bort. Bland det förlorade voro också nära
40 böcker, som de hade samlat för gudstjänsten. Allt detta
miste de genom vikingarne.

Efter detta beslöto några att återvända, men den guds-
mannen Anskar kunde av intet skäl förmås att avstå från
sin påbörjade resa. Ja, han såg i det som hänt honom
Guds vilja och beslöt att icke återvända, förrän han genom
ett tecken från Gud förstått, om han kunde vinna tillåtelse
att i dessa trakter predika Ordet.

Med stor svårighet anträdde de härefter till fots en lång
resa och foro med fartyg över de mellanliggande sjöarna
och havsvikarna.» Här stannar en frejdad hävdaforskare och
frågar: »Hur redde de sig i bygderna med befolkningen? Hur
letade de sig fram genom skogarna? Vem hjälpte dem över
sjöarna?»

Härom tiga hävdeböckerna. Men de förtälja oss, att Anskar
och hans följeslagare slutligen kommo fram till en hamnstad
i svenskarnes rike, vilken kallades Birka.

Detta skedde omkring år 830.

Birka anses ha legat på Björkön i Mälaren, väl skyddat
för de vikingaflottor från andra sidan Östersjön, som då och
då hemsökte Sveriges kuster. Birka var på den tiden Sveri-
ges förnämsta handelsstad.

Här rådde livlig rörelse. Köpmän från olika länder rörde
sig av och an mellan husen, som till stor del voro gjorda av
hopflätade pilkvistar, vilka översmetats med lera. De för-
mögnare hade dock timrade stugor. I Birkas goda hamn
lågo handelsfartyg ej blott från olika delar av Sverige; även
från Norge, Danmark, Tyskland och Ryssland letade de

sig hit för att sälja och köpa. Mot fientliga anfall var staden skyddad genom en vall, som gick runtomkring den, och en ringmur, som var uppförd på ett högt berg bredvid.

Omkring år 1000 lyckades dock vikingar förstöra staden. Nu är platsen ett bördigt åkerfält. Ur jorden, som är svart av kolet från de många eldstäderna, ha uppgrävts massor av fornsaker från Sverige och grannländerna, såsom kärl, smycken och mynt. En del av muren på berget står kvar. Utanför stadens område ligger ett stort gravfält, där man ännu kan se 2000 gravar.

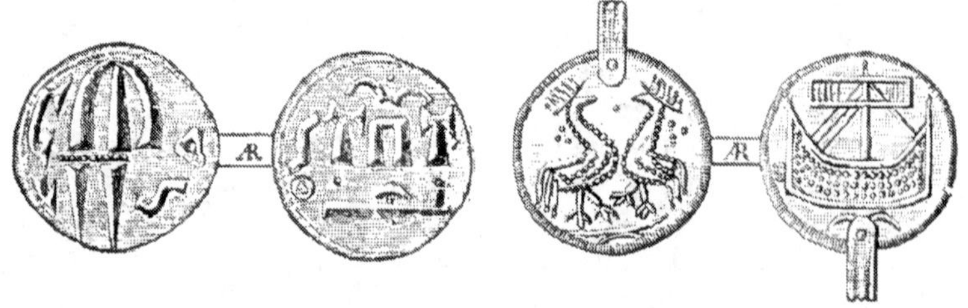

Mynt som antagligen präglats i Birka.

Anskar och hans följeslagare blevo i Birka »välvilligt mottagna av konung Björn», fortsätter Rimbert sin berättelse. »När konungen fått veta, varför främlingarne kommit, överlade han med sina rådgivare. Med dessas samtycke gav han dem tillåtelse att stanna där och predika Kristi evangelium. Var och en som ville fick mottaga undervisning av dem.

De båda gudstjänarne började nu att med glatt hjärta förkunna frälsningens ord för inbyggarne. Många voro också de, som gärna hörde Guds ord. Bland svenskarne funnos även många kristna fångar, vilka gladde sig åt att äntligen få deltaga i gudstjänsten. Det visade sig, att allt var sant, som de svenska sändebuden hade berättat för kejsaren. Många bådo ödmjukt att få bliva delaktiga av dopets nåd. Bland dessa var också Hergeir, som var befälhavare på platsen och tillika en av konungens mest omtyckta rådgivare. Han mottog dopets heliga gåva och höll orubbligt fast vid kyrkans tro. Ty han lät ej långt därefter uppbygga en kyrka på sitt arvegods och övade sig själv på det ivrigaste i Guds tjänst.

Sedan de båda Herrens tjänarne tillbragt ett och ett halvt år hos svenskarne, återvände de till hans kejserliga majestät. De voro nu övertygade om att de hade lagt en säker grund för kristendomen. De medförde ett brev, som konungen själv enligt landets sed hade skrivit.»

Nu blev Anskar av påven i Rom, som var kyrkans högste styresman, utnämnd till ärkebiskop över de nordiska länderna och högste ledare av deras omvändelse, med säte i norra Tyskland. Han var ovanligt ung för detta höga ämbete, blott trettio år.

Till Sverige sände han en annan lärare. Men denne har nog försökt även våld mot hedningarnes gudsdyrkan, ty dessa sammangaddade sig, plundrade honom och fördrevo honom ur landet.

Härom berättar Rimbert: »Emellertid hände det, att det svenska folket greps av raseri och började arglistigt förfölja Anskars efterträdare, biskop Gautbert. Och det begav sig, att en del av detta folk samlades och anföll det hus, i vilket han bodde. En släkting till honom dödade man med svärd. Gautbert själv bundo de tillika med hans trosförvanter, plundrade dem på allt vad de hos dem kunde finna, tillfogade dem skymf och smälek samt jagade dem ur landet. Men detta skedde ej på konungens befallning utan blott genom en sammansvärjning bland folket.

Anskars andra besök i Sverige.

Emellertid började vår herre och fader Anskar känna stort medlidande med det svenska folket, emedan det saknade präster. Han sade, att ännu en gång måste han försöka, om icke möjligen detta folk genom gudomlig tillskyndelse kunde förmås att tåla präster hos sig.

Således började vår fromme fader göra sig i ordning att resa dit, och hans sinne upptändes av glödande iver att så fort som möjligt fullända sitt verk.

Anskar kom fram till Birka, sedan han seglat ungefär 20 dagar. Här fann han konungen och folket fångna i en förskräcklig villfarelse. På anstiftan av djävulen, som väl på förhand kände till den helige mannens ankomst, hände just vid denna tid, att en man anlände dit och sade sig hava varit närvarande vid en sammankomst av landets gudar.

Av dem hade han blivit sänd for att säga konung och folk foljande:

'I haven länge i oss haft nådiga gudar, och I haven till följd av vår hjalp en lång tid haft fred och lycka i edra fäders land. I haven aven givit oss offer och loften, och eder lydnad har varit oss behaglig. Men nu undandragen I oss de sedvanliga offren; I ären trögare att göra oss offerlöften, och mest av allt misshagar oss, att I insätten en annan gudom over oss. Om I dårfor önsken bibehålla vår nåd, så oken på de offer, I försummat, och avläggen frikostigare loften! Den andre gudens dyrkan boren I icke tillåta hos eder. Men om I önsken hava ännu flera gudar och vi icke äro tillräckliga for eder, så upptaga vi härmed enhålligt eder forne konung, Erik, bland gudarne.'

Detta djävulens budskap, som offentligt kungjordes, hade vid biskop Anskars ankomst forvirrat allas sinnen. Man hade byggt upp ett tempel till ara åt den avlidne konung Erik och började ägna honom loften och offer, som om han varit en gud. Når vår herre biskopen anlant hit, frågade han de vänner, som han kände sedan sitt forra besök, på vilket sätt han skulle kunna underhandla med konungen om denna sak. Men de avrådde honom av alla krafter och forsåkrade, att han denna gång alls icke skulle kunna utrátta något. Om han hade med sig något av varde, borde han fordenskull giva bort det, så att han åtminstone skulle få komma undan med livet. Men Anskar svarade dem: 'Icke skall jag här giva bort något for mitt livs räddning, ty om min Herre så bestämt, är jag beredd att här för hans namns skull undergå alla kval och ljuta doden.' Då han emellertid ängslades mycket for hur det skulle gå, fattade han äntligen ett beslut och inbjöd konungen till sitt härbärge. Här tillställde han för honom ett gästabud, gav honom skänker och berättade för honom ändamålet med sin fard

Konungen gladdes såväl over hans karleksfulla välvilja som over skänkerna och sade sig gärna vilja hjalpa honom Men han tillade: 'De praster, som funnos här forut, fordrevos genom en folkrorelse och icke på kunglig befallning. Darfor kan och vågar jag ej tillåta dig forkunna din tro, innan jag genom lottkastning utforskat gudarnes vilja och frågat folket om dess åsikt Ett ombud från dig må vara i min närhet på tinget, och jag skall föra din talan inför folket. Om gudarne visa sig nådiga och folket giver sitt bifall till vad du begär, skall ditt ärende få en lycklig utgång.' Ty sådan är seden hos svenskarne, att avgörandet av allmänna ärenden mera är beroende av folkets samstämmiga vilja än av konungens makt. — När vår fromme fader således erhållit konungens svar, tog han all sin tillflykt till Herren, fastade och bad och ödmjukade sig med ett förkrossat och bedrövat hjärta inför Guds åsyn.

I sådan ångest och betryck såg Anskar dagen för tinget nalkas. När han då knäfallande åhörde den heliga mässan, fick han en himmelsk uppenbarelse. Han fylldes av den starkaste förtröstan och kände på sig, att allt skulle lyckas honom efter hans önskan. Därför sade han även efter mässan åt prästen, som var hans förtrogne, att denne icke skulle hysa någon fruktan, ty Guds nåd skulle följa honom. Då denne frågade, huru Anskar visste detta, svarade han, att Gud uppenbarat det för honom. Denne broder trodde också på Anskars ingivelse, emedan han många gånger förut hade sett, att Anskar tröstades genom gudomliga uppenbarelser.

När dagen för tinget kommit, lät konungen, såsom sed är, genom en härold utropa för folket, vad ändamålet med främlingarnes ankomst var. Då folket hört detta, började några, som förut voro betagna av villfarelse, att ropa emot och ställa till oro. Under det dessa så bullrade, steg en gammal man upp mitt ibland folket och talade: 'Hören mig, konung och folk! Många av oss veta, att denne gud kan lämna dem stor hjälp, som hoppas på honom, ty flera hava ofta märkt det i sjönöd och annan farlighet. Varför förkasta vi då det, som vi veta vara nyttigt? När våra egna gudar äro oss oblida, då är det gott att hava denne guds nåd, som alltid vill hjälpa dem, vilka anropa honom.'

Under det den gamle mannen så talade, kom hela folket enhälligt överens och beslöt, att präster skulle få vistas hos dem, och att allt som hörde till den kristna gudstjänsten skulle få utövas bland dem. Konungen steg då upp från tinget, skickade genast ett bud till biskopen och underrättade honom, att folket enhälligt bifallit hans önskan. För konungen var detta synnerligen kärt, men han kunde ej giva Anskar fullständig tillåtelse att predika, innan ett ting hade hållits även i en annan del av hans rike och han förkunnat beslutet för folket i denna trakt. Då tog vår fader sin tillflykt till sin vanliga hjälp och anropade ännu ivrigare Guds mildhet. Och genom Guds nåderika försyn enades på det andra tinget allas hjärtan så, att alla godkände det förra tingets beslut och förklarade, att de ville i alla avseenden instämma i detta.

När detta skett, kallade konungen till sig biskop Anskar och berättade för honom, vad som överenskommits. Och så beslöt konungen med allas enstämmiga vilja och bifall, att både kyrkor skulle få byggas och präster vistas bland dem. Var och en av folket, som ville, skulle utan något hinder få bliva kristen. Men vår herre och herde Anskar anbefallde i konungens beskydd den vördnadsvärde biskop Gautberts släkting Rimbert, för att denne med konungens hjälp och beskydd skulle därstädes förvalta de heliga sakramenten. Åt honom gav konungen en tomtplats i Birka till att där uppbygga en kyrka, och Anskar köpte en annan tomt med ett hus till boning åt prästen. Konungen visade biskop Anskar mycken välvilja och ynnest samt lovade, att han skulle för sin del vara trogen i avseende på den kristna religionens utövning. När således allt genom Guds nåd blivit bragt till ett lyckligt slut, återvände biskop Anskar hem.»

Han kom aldrig mer tillbaka till Sverige. Men till sin död verkade han för kristendomens utbredning i Norden.

Anskars liv.

Anskars dagliga liv var i högsta grad enkelt. Han vägde det bröd och mätte det vatten, som han för varje dag skulle förtära, ty han ville så litet som möjligt nedtynga sig med mat och dryck. Hans käraste sysselsättning var att sjunga psalmer, och detta gjorde han nästan alltid, när han för sina plikter och sitt arbete kunde det.

Han var outtröttlig i att giva allmosor och hjälpa de olyckliga. Hans högsta glädje var att kunna lösköpa kristna trälar. Så mild och kärleksfull han än var, kunde dock hans ögon ljunga av helig vrede, så att till och med jordens mäktige darrade inför den blicken, när han förebrådde dem ogärningar. Men alltjämt plågade honom hans egna synder och brister, och han sade ofta, att han skulle vilja gråta hela sitt liv över dem. När han blev gammal, tackade han Gud, att han lättare än förr kunde gråta, när han ville.

När Anskar var 64 år, blev han angripen av en plågsam sjukdom, som så försvagade honom, att man förstod, att döden nalkades. Då försjönk han i djup bedrövelse. Det var icke för sjukdomens skull, ty den bar han med största tålamod, utan därför att han alltsedan ungdomen hade hoppats, att han skulle vinna martyrkronan. Gud själv hade ju lovat honom det i en syn. »Men», tänkte Anskar, »mina synder ha varit för stora. Jag har icke befunnits värdig denna ära.» Sin djupa sorg omtalade han för en av sina vänner, som sökte trösta honom och sade: »Herren har ju icke sagt, att du skall dräpas genom svärd, uppbrännas med eld eller dränkas i vatten. Han har blott lovat, att du skall få komma till honom med martyrkronan. Du har ju lidit så mycket i Herrens tjänst, och denna din långvariga och svåra sjukdom är ju också ett martyrskap.»

Men Anskar kunde icke tröstas av vännens ord. Då tröstade Gud själv sin tjänare. En dag, då han bevistade mässan och sörjde över samma sak, hörde han en röst, som förebrådde honom, att han kunde tvivla på Guds löfte. Rösten sade: »Icke kan en människas synd vara starkare än Guds kärlek. Var stark i din tro och tvivla icke, ty Gud skall förlåta dina synder och uppfylla allt, vad han lovat.» Härav fick han tröst och gick sedan med glädje döden till mötes. Han avsomnade i frid med en maning till dem, som hade makten, att sörja för kristendomen· i Norden. Men när sorgebudet nådde upp till Mälartrakten, ringde den lilla kyrkklockan ut över bygden församlingens djupa sorg — och hoppet om seger över hedendomen.

Litteratur: Per Gust. Berggren, Svensk historia enligt samtida skildringar I; häft. kr. 0: 75.
O. Quensel, Strödda drag av svenskt kyrkoliv under gångna tider; häft. kr. 2: —.
Anna Sandström, Nordens första storhetstid.
För hela medeltiden: Sveriges historia intill 20:e seklet; afd. 2. H. kr. 13: —; inb. kr. 16: —.
Fryxell, Berättelser ur svenska historien Bd I inb. kr. 6: —.
Henrik Schück m. fl., Svenska folkets historia: band I: 2; inb. kr. 7: —.

VAPENDÅN I NORDANLANDEN.

Erik Segersäll och Styrbjörn Starke.

DET gamla vikingasinnet var länge obrutet. Mycken berömmelse vann ett förbund av vikingar, som hade sitt rovnäste i Jomsborg, en stark borg på ön Wollin vid Oders mynning. Inom borgen fanns en hamn, rymmande 300 skepp; över inloppet, som stängdes med stora järnportar, höjde sig ett fast torn. Jomsvikingarne levde tillsammans såsom fosterbröder under de strängaste lagar. Ingen fick finnas på borgen, som ej var fullt stridsduglig, alltså inga kvinnor, ingen man, som var yngre än 18 eller äldre än 60 år, ingen som flydde för en jämnstark fiende. Fruktan fick en jomsviking aldrig visa, aldrig en klagan gå över hans läppar. Alla jomsvikingar måste blint lyda sin hövding.

En gång blevo 30 jomsvikingar tillfångatagna. Fienderna satte alla fångarne med sammanbundna fötter på en trädstam. Så gick en man fram, svängde sin yxa och högg huvudet av den ene efter den andre. Men jomsvikingarne skämtade och sjöngo visor, medan de väntade på dödshugget. Sedan flere blivit dräpta, sade den som var närmast i turen: »Vi ha så ofta tvistat om, huruvida människan har något medvetande, sedan huvudet är avhugget; om jag vet till mig, sedan jag förlorat huvudet, skall jag stöta i jorden den kniv jag håller i min hand.» Så blev hans huvud skilt från kroppen — men kniven föll ur hans maktlösa hand.

Så länge jomsvikingarne levde efter sina stränga lagar, ansågos de för Nordens yppersta hjältar. Men med fasa nämndes deras namn av den fredliga befolkningen.

Mot slutet av 900-talet fingo de till hövding den svenske konungasonen Styrbjörn Starke, lika vildsint som jättestark. Han var helt liten, då fadern dog. Därför övertog hans farbror, Erik, styrelsen över hela Sverige; förut hade denne regerat blott över halva riket. Tolv år gammal begärde Styrbjörn att få sin hälft av riket som fädernearv. Erik svarade: »Än är du för ung att styra ett rike, men när du blir sexton år, skall du få ditt arv.» Det var pojken mäkta missbelåten med; och två år å rad, vid den tid då männen samlades till vikingafärd, satte han sig, bister att skåda, på faderns gravhög, för att alla förbigående skulle se, att han krävde arv. Till slut uppträdde han inför folket, när det var samlat till ting i Uppsala, och bad männen om hjälp. De svarade som farbrodern. Då blev han trotsig och pockande men retade därigenom upp bönderna, så att de med stenkastning körde bort honom från tinget.

Konung Erik såg, att han icke kunde få lugn för Styrbjörn. »Bäst att låta vildbasarn rasa ut i vikingafärder», tänkte han och gav honom en välrustad flotta. Med den drog Styrbjörn i österväg, vann genom segrar stort rykte och ett starkt följe, så att han till slut blev jomsvikingarnes hövding. Nu skulle han förverkliga stora planer, som han länge ruvat på: att göra sig till konung över hela Sverige. Så seglade han med sin flotta in i Mälaren och landade vid Gamla Uppsala, som låg vid stranden; ty sjön var då större än nu. Alla skeppen brände han, för att hans män ej skulle ha något hopp om räddning genom flykt. Själv förklarade han: »Aldrig mer vill jag lämna Svitjod;[1] här skall jag segra eller dö.»

Konung Erik hade emellertid uppbådat en stor här, som samlades på Fyrisslätten vid Uppsala. Här blev ett väldigt slag. Det förtäljes, att Erik sammankopplat en mängd hästar och tjurar medelst ok, som voro besatta med långa svärd och spjut. Upphetsade till ursinne genom stridslurarnas dån och männens härskri, drevos djuren in i fiendens fylking och gjorde stor manspillan.

I trenne dagar pågingo striderna. Natten före tredje stridsdagen blotade Styrbjörn till Tor; och samma natt, säges det, syntes i hans tält en rödskäggig man med bister uppsyn och förutsade hans fall. Erik offrade åt Oden; och det säges, att han lovat sig själv åt guden efter tio år, blott han

---

[1] Namnet *Svitjod* betyder ursprungligen Sveafolket, sedan Svea rike, Sverige.

finge seger. Då stod inför honom en högväxt enögd man i blå kappa och med stor hatt på huvudet. Han gav Erik en rörkäpp, som han skulle kasta mot fienderna med utropet: »I hören nu alla Oden till!» — När Erik slungat käppen, säges det att en allmän bävan kom över Styrbjörns män. De tyckte, att allestädes över dem svävade pilar, som förblindade dem och troddes vara sända av Oden. Till slut lågo jomsvikingarne fallna i stora högar. Då stötte Styrbjörn sitt baner fast i jorden och ropade med dånande stämma till sitt folk att hellre dö med ära än fly med skam. Så störtade han med raseri in bland fienderna och föll tillika med sina bästa kämpar. Erik fick tillnamnet Segersäll.

*　　*　　*

Denna berättelse om slaget på Fyrisslätten är ett typiskt exempel på hur i vår äldsta historia verklighet och fantasi äro

Runsten insatt i yttermuren av Hällestads kyrka i Skåne. Den anses syfta på slaget vid Fyrisslätten.

blandade om varandra. Så ingår här en ofta återkommande sägen — om mannen, som utfäster sig att dö efter en viss tid för att vinna sitt önskemål. Till diktens värld hör också berättelsen om hur övernaturliga makter ingripit och avgjort slaget. Även i berättelserna om jomsvikingarne finnas flera sagoliknande drag. Jomsborg är med fantasiens hjälp skildrat så, som nordborna måste ha tänkt sig idealet för en vikingaborg, men kan icke gärna ha haft sin fulla motsvarighet i verkligheten.

Slaget på Fyrisslätten utkämpades omkring år 990. Det var mycket berömt i Norden. Åtminstone två runstenar finnas ännu kvar, som anses syfta på detsamma. De stå i Skåne, vardera till minne av en dansk man, vilken fallit i striden. Styrbjörn hade nämligen en dansk hjälphär. Dess flesta män flydde. Men om dessa två heter det: »Han flydde icke vid Uppsala.»

Sannolikt åsyftas samma strid med inskriften på en runsten i Östergötland, som lyder:

> »Söner fick Gulli,
> en god bonde, fem:
> på Fyris föll raske Asmund,
> den orädde kämpen.
> Assur dog
> österut bland grekerna,
> Halvdan blev
> på Bornholm dräpt,
> Kari dog ej i utlandet
> och ej heller Bo.»

Litteratur: Snorre Sturlasön, Kongesagaer, oversat av Gustav Storm. Häft. kr. 1: 90; inb. kr. 2: 50 och 3: —.

Striden mellan Nordens tre konungar vid Svolder.

ETT årtionde efter slaget på Fyrisslätten stod mellan Skandinaviens tre konungar ett annat vida berömt slag. Norges konung var då Olof Tryggvason, ättling av Harald Hårfagre. Hans liv var kamp från början till slut. Under en av sina många vikingafärder hade han i England förvandlats till en lika ivrig kristen, som han förut varit viking. Han lovade nu: »Antingen skall jag kristna hela Norge eller ock sätta livet till.»

Så drog han med en stor här och åtföljd av kristna lärare från bygd till bygd utmed kusten, lockade och tvang bönderna att antaga den nya tron. Dem som motsatte sig straffade han hårt. Somliga drevos ur landet, andra dräptes eller stympades. Vikingalynnets våldsamhet satt i honom än!

Så lyckades Olof »härja Norge till kristendom». Men hans våldsamma, stundom fasansfullt grymma behandling av hedningar skaffade honom många hemliga fiender, som skulle begagna tillfället, när det kom, att skada honom. Av sina vänner var han däremot älskad och beundrad som få. Ty mot dem var han blid och givmild, och hans hov var hemvist för skämt och glädje. Vacker och ståtlig var han, stark och vig, så att ingen var hans like i idrotter. Under det ett skepp roddes med full fart, kunde han gå av och an på årorna utombords och samtidigt leka med tre svärd så, att ett ständigt var i luften. Han sam som en säl. I strid högg han lika bra med bägge händerna och kunde kasta två spjut på en gång.

Hans makt och lysande framgångar uppväckte oro och avund hos grannkonungarne. Sven Tveskägg i Danmark och Olof Skötkonung i Sverige, Erik Segersälls son. Enligt sägnen har därtill en hämndlysten kvinna eggat dem. Erik Segersälls änka, den sköna Sigrid, som för sitt stolta sinnelag, sin klokhet och stora makt kallades Storråda, fick många friare men avvisade dem alla. Två efterhängsna småkonungar, vilkas frierier hon gång på gång avslagit, lät hon till slut innebränna för att få vara i fred. Men en dag kom giftermålsanbud från Olof Tryggvason. Det var ett äktenskap, som anstod Sigrid Storråda, och hon svarade ja.

Konung Olof ville under trolovningstiden glädja Sigrid med en gåva och sände henne en stor guldring, som han tagit från ett berömt norskt avgudatempel. Den blev mycket beundrad av Sigrids omgivning. Men två av drottningens smeder, som voro närvarande, hade sina misstankar om ringen, ty de funno den för lätt. Och när de undersökte den närmare, besannades deras förmodan, att »det var svek i honom». Sigrid lät då bryta av ringen, och se det befanns, att det var koppar inuti. Drottningen vart förtörnad och sade, att Olof kunde nog svika henne i mera än detta.

Efter en tid möttes de trolovade i den norska staden Kungahälla. Nu ville Olof, att Sigrid skulle låta döpa sig, men hon vägrade. »Icke vill jag», sade hon, »gå ifrån den tro, som jag haft förr, och som mina fränder haft före mig. Men jag vill icke heller säga något om, att du tror på den gud, som du tycker om.» Då brusade konungen upp och slog henne i ansiktet med sin handske, sägande: »Vi skulle jag gifta mig med dig, din hedna hund?» — »Detta månde varda din bane», var Sigrid Storrådas svar.

Kort därpå gifte hon sig med Sven Tveskägg. Hon uppeggade honom och sin son, konungen i Sverige, så att de beslöto anfalla Olof Tryggvason, när denne återvände hem från ett sjötåg mot Pommern. De väntade honom vid ön Svolder, nära Rügen, med en överlägsen svensk och dansk flotta. Även norska fartyg voro med, ty man hade en norsk jarl till bundsförvant. De förbundna höllo sin flotta gömd bakom ön, tills Olof Tryggvason själv skulle komma. Där stodo nu konungarne med många av sina män på ön och sågo det ena efter det andra av Olofs skepp segla förbi. Först kommo de mindre båtarna, ty det var svag vind. Man lät dem oantastade fara förbi: »Ju färre motståndare, dess bättre», tänkte man. Efter hand kommo även de större fartygen glidande, och nu längtade de förbundna otåligt att få se Olofs eget skepp, »Ormen långe», det väldigaste som byggts i Norge. Flera mäktiga skrov stucko fram, och för var gång trodde konung Sven, att det måste vara konungaskeppet. Men den norske jarlen, som så väl visste, hur detta såg ut, sade: »Icke är detta Ormen långe.» Till slut kom en väldig, guldsmyckad drake. Då rätade konung Sven på sig och utropade: »Högt skall Ormen bära mig i kväll, *jag* skall styra honom!» Men den draken kallades »Ormen korte».

Äntligen kommer ett drakskepp, så väldigt, att sedan man sett fören, dröjer det en lång stund, innan aktern visar sig. Från dess rikt sirade huvud gjuter sig över böljorna ett skimmer av guld. Då frågade ingen, då visste alla, att där månde Olof Tryggvason segla. Det roddes med 34 par åror och rymde nära 1,000 mans besättning. Och det var utvalda män, vilka sades stå lika högt över andra i mod och styrka, som Ormen långe var bättre än andra skepp.

Nu rodde hela den fientliga flottan ut mot Olofs skepp, av vilka blott elva voro kvar. Men ej ville konungen lyssna till tal om flykt. Hög stod han där i bakstammen med gyllene hjälm och sköld och ropade med kraftig stämma: »Tag ned seglet! Jag har aldrig flytt i strid. Gud råder för mitt liv.» Han lät nu binda ihop alla fartygen långsides, med Ormen långe i mitten. En skarp strid började. Männen föllo tätt. Till slut voro alla skeppens besättningar avröjda utom på Ormen långe. Alla av Olofs män, som ännu kunde föra vapen, hade dragit sig dit. Över dem föll vapenregnet så tätt, att de knappast kunde skydda sig med sköldarna, ty från alla sidor lade fiendens skepp till. Olofs män voro så rasande, att de sprungo upp på skeppets reling för att nå fienderna med svärdshugg. Därvid glömde många, att de icke kämpade på jämna marken, utan sprungo i stridsiver över bord och drunknade. I aktern stod den dråplige bågskytten Ejnar Tambaskälver, Olofs trofaste vän, och sköt säkrare än andra. Men en pil kom och träffade hans båge, just som han spände den, så att den brast med stort brak. »Vad var det, som brast?» sporde konungen. »Norge ur dina händer, konung!» ropade Ejnar. »Så stor är väl ännu icke skadan», sade konungen; »tag min båge och skjut med den!» Ejnar spände den men drog den

genast framför pilspetsen och ropade: »För vek, för vek är
furstens båge!» I stället grep han svärd och sköld och kastade
sig in i huggstriden. Alltmer glesnade de försvarandes led,
och fienderna trängde talrikt ombord på Ormen lange. Ko-
nungen stred själv i bakstammen, ömsom skjutande med båge,
ömsom kastande spjut, alltid två på en gång. Kring honom
samlade sig de få av hans män, som voro vid liv. Snart voro
de nästan alla nedhuggna. Då störtade sig Olof Tryggvason
i havet — och syntes aldrig mer. De sista av hans män följde
föredömet. Men hela fiendehären höjde ett segerrop. Detta
skedde omkring år 1000. Norge delades mellan segervinnarne.

Många kunde omöjligt tro, att en så ypperlig idrottsman
som Olof Tryggvason verkligen drunknat, utan menade, att
han nog skulle komma igen. Det gick en sägen, att han under
vattnet klätt av sig brynjan, räddats ombord på ett fartyg och
sedan kommit till det Heliga landet. En norrman, som en
mansålder senare färdades dit, kom en dag till ett kloster, där
en kämpastor gammal man trädde honom till mötes och gjor-
de honom många frågor om Norge, särskilt om folket mindes
Olof Tryggvason, och vad man trodde om hans öde. Man
menade, att den gamle måste ha varit Olof Tryggvason själv.

*　*　*

I berättelsen om slaget ha vi följt Snorre Sturlasons skild-
ring, som nog är utsmyckad med en del senare tillägg och säg-
ner. En yngre svensk forskare, Lauritz Weibull, har till och
med i en nyligen utgiven undersökning rörande Svolderslaget
kommit till den slutsatsen, att striden mellan Olof Tryggvason
och hans fiender aldrig stått vid Svolder utan i Öresund, och
att Olof Tryggvason icke varit den anfallne utan den anfal-
lande. Olof hade upptänts av vrede mot Sven Tveskägg, när
han fått höra talas om att denne var i hemligt samförstånd
med Sveriges konung, och han hade eggats till striden av sin
gemål, den stolta Tyra, som skulle ha varit Sven Tveskäggs
syster.

Sådan är nämligen — konstaterar Weibull — den äldsta
prosaberättelse om slaget, som finns bevarad. Den innehål-
les i ärkestiftet Hamburg-Bremens historia, som nedskrevs vid
mitten av 1000-talet av domherren i Bremen Mäster Adam

och innehåller värdefulla upplysningar även om de skandinaviska ländernas historia.

Då det kan ha sitt intresse att något blicka in i den modernaste arten av historisk kritik och se, hur djärvt den går fram, när det gäller ett skede, där källorna äro ytterst sparsamt givande, skola vi följa Weibull i hans förklaring av hur Snorre Sturlasons alldeles olikartade berättelse kunnat uppkomma. Han uppvisar steg för steg, huru historieberättarne, den ene efter den andre ända fram till Snorre Sturlason, ändra om den äldsta berättelsen. Den avgörande orsaken till hela dramats omstöpning finner han vara, att en historieberättare flyttade skådeplatsen från Öresund till Svolder.

Vad var då orsaken till denna förflyttning? Den finner Weibull i några skaldeverser av en sonson till Egil Skalle-Grimsson, i vilka talas om en strid i söder »framför Svolders mynning». Dem ha norska historieberättare missförstått såsom avseende Olof Tryggvasons sista kamp. Allt tyder emellertid på att det är en helt annan strid, som där besjunges.

Norska historieberättare hade alltså flyttat krigsskådeplatsen till vendernas land. Men där borta i fjärran land kunde naturligtvis Olof Tryggvason icke uppträda som anfallande part, utan här var det han, som i stället blev överraskad av de förbundna.

Ett nytt steg i dramats ombildning är det, när Sigrid Storråda — inemot 200 år efter själva händelsen — drages in i dramat såsom anstiftare av striden. Redan i Mäster Adams berättelse är det en kvinna, som eggar till kamp. Det är där Olof Tryggvasons gemål, Sven Tveskäggs syster Tyra. Men när nu Olof Tryggvason förvandlats till att bli den anfallne, får hans gemål träda tillbaka och det blir en annan kvinna, som får spela rollen av dådets anstiftare. Så uppkommer motivet Sigrid Storråda, i vilken Weibull ser endast en diktad gestalt.

Och efter mönster av den framstående litteraturhistorikern Schück, som först av alla i vårt land påvisat, hur omtyckta sagomotiv kunna användas om de mest skilda personer, och som kommit med flera nya, djärva uppslag i vår historia, finner Weibull, att Sigrid Storrådas gestalt diktats med den stolta, hämndlystna Brynhild i Eddan som förebild. Sigurd Fafnesbanes motsvarighet var då Olof Tryggvason, med vil-

ken Sigrid ju varit förlovad. Och liksom diktningens Sigurd
senare blev gift med Gudrun, syster till Gunnar, så blev Olof
Tryggvason gift med Tyra, syster till Sven Tveskägg. Även
Brynhilds giftermål med Gunnar hade här sin motsvarighet,
nämligen i Sigrid Storrådas förmälning med Sven Tveskägg.

Nu återstod blott *ett* av sagans händelseled att utfylla
i det nya dramat, och det var Brynhilds eggelse till dråpet på
Sigurd. Det blev i den historiska berättelsen till Sigrid Stor-
rådas anstiftande av överfallet på hennes forne trolovade, Olof
Tryggvason. Så var det mäktiga drama, som ledde till Olof
Tryggvasons fall, färdigbyggt, och de norska historieberät-
tarne hade fått ett tillfälle att öka glansen kring sin konung,
som ej längre var den anfallande utan den försåtligt överfallne.

Naturligtvis ha Weibulls antaganden icke blivit oemot-
sagda. Hans metod att godkänna endast sådana källor, som
äro samtida eller nästan samtida med de historiska tilldra-
gelserna, har mötts så väl av instämmanden som av bestäm-
da gensägelser, i båda fallen från framstående vetenskapsmän.
Från motsidan hävdas, att senare uppteckningar kunna
grunda sig på fullkomligt eller nästan fullkomligt pålitliga
muntliga berättelser, som gått från släktled till släktled.

Klart är ju också, att i en tid då människorna hade så få
stora händelser att minnas i jämförelse med vad fallet är i
vår rastlösa tid, då vi, tack vare det tryckta ordet, få vara
med och genomleva vad som händer ej endast i våra trakter
utan också i Japan och Kina, i Amerika och Australien, i
jordens innandöme, på havet, ja uppe i luften — klart är, att
dessa forntida människor, som levde i så enkla förhållanden,
hade ofantligt mycket lättare än vi att hålla i minnet de
största dramatiska tilldragelserna, om vilka de så ofta hörde
berättas, även om sägnerna under årens lopp utsmyckades
med åtskilliga drag ur fantasiens värld. Därför gäller det för
forskaren att omsorgsfullt pröva även dessa senare uppteck-
ningar för att utröna, vad som i dem är mer eller mindre
sannolikt, ty historien får för de äldsta tidsskedena med
deras sparsamma uppgifter ofta nöja sig med sannolikhet i
stället för sanning.

Litteratur: Lauritz Weibull, Kritiska undersökningar i Nor-
dens historia omkring år 1000; häft. kr. 3: 75.

URGAMMAL LAG OCH RÄTT.

Torgny lagman på tinget.

DÅ Olof Skotkonung rådde over Sverige, var i Tiunda-
land i Uppland en lagman, som hette Torgny. Han
var nu hunnen till hog ålder och holls for den visaste
man i Sverige.

Nu var det så, att Olof Skötkonung råkat i krig med
Norges konung, Olof Digre, vilken lyckats fråntaga Sveriges
och Danmarks konungar de områden, som de beharskade
efter slaget vid Svolder, och åter gora Norge till ett sjalv-
standigt rike. Detta orlig vållade mycken otrygghet for
gransbefolkningen i både Sverige och Norge; och Snorre Stur-
lason berattar, att sarskilt vastgotarne ledsnade vid de stan-
diga fejderna, ty de kunde ej som foir kopa salt och sill, som
de behovde, från Bohuslan, vilket då var norskt. Till slut
foretog sig konungens styresman i Vastergotland, Ragnvald
jail, att resa till Uppsalakonungens hov och svearnes stora
ting for att soka utverka fred. I sitt sallskap hade han så-
som sandebud från norske konungen dennes stallare, Bjorn

En dag mot kvallen kom Ragnvald jail till Torgny lagmans
gård. Dar voro stora och praktiga hus, och många mån
stodo darute. De undfingo jarlen val och togo emot hans
hastar och ridtyg Jarlen gick in i stugan. Dår var mycket
folk, och i hogsatet satt en gammal man. En så stor kail
hade Bjorn och hans foljeslagare aldrig sett. Hans skägg
var så stort, att det låg i hans sköte och bredde ut sig over
hela brostet. Han var en statlig och vordnadsbjudande man.
Ragnvald jarl gick fram och halsade Torgny. Denne tog
val emot jarlen och bjod honom sitta i hogsatet på andra
sidan mitt emot sig.

Det drojde några dagar, innan jarlen bar fram sitt ären-
de. Slutligen bad han Torgny om ett samtal i närvaro en-

dast av Björn och hans följeslagare. Då tog jarlen till orda och berättade, att Olof, Norges konung, hade sänt sina män österut för att göra fred. Han talade länge om huru oläglig det var för västgötarne, att ofred rådde mellan dem och Norge. Han berättade också, att han lovat följa de norska sände-buden till sveakonungen, men att denne tog saken så illa, att det ej vore rådligt för någon att komma med dem till honom. »Nu är det så, min fosterfader», tillade jarlen, »att jag icke kan hjälpa mig själv i detta mål. Därför har jag sökt dig, och hoppas jag av dig goda råd och ditt bistånd.»

Då jarlen slutat sitt tal, teg Torgny en stund. Men så tog han till orda och sade: »Underliga ären I, som fiken efter jarlanamn men icke förstån att hjälpa er själva, när I kom-men i någon vånda. Mig tyckes det vara mera hedersamt att räknas bland bönder men hava frihet att tala, som man vill, om än konungen är närvarande. Nu skall jag komma till Uppsala ting och bistå dig, så att du kan orädd säga inför konungen vad dig gott synes.»

Jarlen tackade lagman Torgny mycket för detta löfte. Sedan dröjde han hos honom, tills tiden var inne att begiva sig till Uppsala ting. Då redo Torgny och Ragnvald Ulvs-son tillsamman dit. Där var en stor mängd folk. Konung Olof hade redan hunnit dit med sina hovmän.

*

Första dagen som tinget hölls satt kung Olof på sin stol och hans hovmän kring honom. Mitt emot dem sutto Ragn-vald jarl och Torgny och framför dem jarlens män och Tor-gnys huskarlar. Men bakom dem och runtomkring stod all-mogen på slätten och på högarna. Sedan man först efter sedvana förehaft konungens ärenden, stod Björn stallare upp vid jarlens stol och talade högt: »Kung Olof sände mig hit för att erbjuda sveakonungen en sådan förlikning, att gränserna mellan Norge och Sverige skola bliva så, som de av ålder varit.» Men då sveakonungen hörde talas om för-likning med Norge, for han upp från sin stol och ropade högt, att den mannen skulle tiga.

Då stod Ragnvald jarl upp och talade. Han berättade om Olof Digres fredsanbud till Olof sveakonung samt därom, att alla västgötarne sände den begäran till konung Olof, att

han skulle göra fred med Norges konung. Han uppräknade
därefter de olägenheter, som västgötarne hade därav, att de
ej från Norge kunde hämta sådant, som de behövde till sitt
underhåll. I stället kunde de bli utsatta för att Norges ko-
nung med sin krigshår härjade i deras land

Når jarlen hörde upp att tala, reste sig Olof Skötkonung
Han svarade ovanligt om förlikningen och gjorde jarlen
hårda förebråelser för hans djärvhet att sluta stillestånd
och fred med »den digre mannen» och ingå vänskap med
honom. Han sade, att Ragnvald jarl vore skyldig till för-
räderi mot konungen och landet samt förtjänade att drivas
ur riket. Han talade länge och hårt och vände slutligen
sitt tal mot Olof Digre.

Når han satte sig ned, var det i början tyst på tinget. Då
stod Torgny upp. Men när han reste sig, stodo ock alla
de bönder upp, som förut hade suttit, och de som hade varit
annorstädes trängde alla fram för att få höra, vad Torgny
sade. Då blev det först ett stort buller av det myckna folket
och vapnen, men när det omsider blev tyst, sade Torgny.

»Annorlunda är nu sveakonungarnes sinnelag, än det
fordom varit. Torgny, min farfar, mindes Uppsalakonungen
Erik Emundsson och förtäljde om honom, att så länge han
var i sin kraftiga ålder, hade han var sommar sjötåg ute,
drog till många länder och lade under sig Finland, Estland,
Kurland och många andra länder i öster. Och ännu kan man
se de jordborgar och andra storverk, som han gjorde. Dock
var han ej så högmodig, att han ej ville höra på folk, när de
hade något angeläget att tala med honom om. Min fader,
Torgny, var lång tid hos konung Björn och kände hans seder;
och stod Björns rike, medan han levde, i stor makt och min-
skades aldrig. Dock var konungen blid mot sina vänner. Själv
minnes jag konung Erik Segersäll och var med honom i mången
härfärd. Han ökade Svea rike och värjde det manligen. Dock
var det oss lätt att med honom komma i samråd. Men den
konung, som nu är, tillåter ej, att någon vågar tala med honom
annat, än det honom behagar, och därpå lägger han all kraft.
Men sina skattland låter han gå sig ur händerna av vårds-
löshet och vanmakt. I stället fikar han efter att behärska
Norge, som ingen sveakonung fordom har eftertraktat. Detta
gör många män oro.

Men nu vilja vi bönder, att du, konung Olof, gör fred med Olof Digre, Norges konung, och gifter din dotter Ingegärd med honom. Men om du vill återvinna de riken i öster, som dina förfäder hava ägt, så vilja vi alla följa dig. Vill du icke göra, som vi säga, så skola vi gå emot dig och dräpa dig, ty vi tåla icke ofred och olag av dig. Så hava våra förfäder fordom gjort. De störtade fem konungar ned i en källa vid Mora ting, emedan dessa hade varit fulla av övermod, såsom du nu är mot oss. Säg nu snart, vilketdera du väljer!»

Nu gjorde bönderna stort vapenbrak och gny. Konungen stod då upp, talade och sade, att han ville låta allt vara så, som bönderna ville. »Så hava alla sveakonungar gjort», sade han. »De hava låtit bönderna råda med sig i allt det de ville.» Då tystnade böndernas rop. Så gjordes då fred och förlikning med konung Olof i Norge, och det avtalades, att Olof Skötkonungs dotter Ingegärd skulle gifta sig med Norges konung.

Så förtäljer Snorre Sturlason, som emellertid även i fråga om denna berättelse blivit starkt kritiserad av nutida forskare, vilka i hans historieskrivning se ett alster av norsk-isländsk patriotism och funnit, att hans uppgifter på den grund få tagas med stor urskillning. Snorre Sturlason är fylld av en gränslös beundran för Olof Digre, hjälten framför alla andra norska konungar, han som lyktade sitt liv i en strid för Norges självständighet och därför blivit dyrkad som Norges skyddshelgon. Hos »hellig Olav» har Snorre Sturlason sett idel ljusa sidor; och för att framhäva dem desto starkare har han ställt alla, som stodo hans hjälte emot, i en så mycket ofördelaktigare belysning.

Av denna anledning måste Olof Skötkonung tilldelas en ynklig roll i Snorres historiska drama, och det är därför, som den berömde sagoförtäljaren lägger så hårda tillvitelser mot Sveakonungen i den gamle vördnadsbjudande Torgnys mun — ty att Torgnys tal till stor del är ett av Snorre hopdiktat vältalighetsprov och sålunda mer än 200 år yngre än den tid, då det skulle ha hållits, det är en uppfattning, som delas av framstående moderna historici i både Sverige och Norge.

Direkta bevis för denna åsikt saknas icke. Så motsäges Torgnys förmenta klander mot sin konung för slapphet och krigisk oduglighet genom tvenne skaldekväden från Olof

Skötkonungs egen tid, diktade till furstens åra. Ej nog med att Olof Skotkonungs krigiska mannamod i dem bägge prisas, utan i det ena av dem säges uttryckligen, att han gjort omfattande erövringar i de östra landen. Dylika påståenden kunde ju icke framföras för åhörare, som voro samtida med händelserna, därest de icke varit med verkliga förhållandet överensstämmande.

På en annan punkt av Torgnys förmenta valtalighetsprov slår det slint med vederhäftigheten, när man mot isländaren ställer äldre norsk historieskrivning. Det är i fråga om uppgörelsen mellan de bägge konungarne. Enligt en äldre och vederhäftigare källa kom förlikningen till stånd av den anledningen, att menigheten i Norge började knota över den långvariga ofreden med Sverige, varför en framstående islänning vid namn Hjalte i enlighet med Olof Digres önskan begav sig till Olof Skotkonungs hov i sällskap med den norske konungens stallare, Björn. Han tillvann sig den svenske konungens förtroende och gunst och började överlägga med honom om förlikning mellan furstarne. Olof Skötkonung visade sig ej obenägen härför. Då Hjalte föreslog honom den utvägen, att han skulle giva Olof Digre sin dotter Ingegärd till äkta, och Ingegärd själv befanns hågad för giftermålet, gav konungen Hjalte det svaret, att han ville sammanträffa med Norges konung för att komma till en fullständig uppgörelse. Fredsmötet ägde också rum vid Göta älv, och där blev Ingegärd lovad åt Olof Digre. Här finns alltså inte ett ord om den oresonliga envishet, för vilken Snorre beskyller Olof Skotkonung, ej heller omnämnes det våldsamma uppträdet på Uppsalatinget.

Jämte dessa av äldre källor motsagda väsentliga punkter av Snorres framställning har den nyaste forskningen konstaterat flere felaktigheter i hans detaljuppgifter. Den svenska konungalängd, som han låter Torgny uppräkna, är oriktig, ja själva uppgifterna om Torgnys egen far och farfar äro felaktiga, ty seden att uppkalla son med faders namn tillhör en senare period i Nordens historia.

Då så många svaga punkter i Torgnys berättelse kunna påvisas, måste man kanske såsom historiskt värdelös förkasta hela den ståtliga scen på Uppsalatinget, som Snorre

tecknat med obestridlig mästarehand? Det vore dock att gå
för långt. Själva sammanstötningen mellan kungamakt och
folkmakt bär verklighetsprägel över sig, men orsaken där-
till har nog varit en helt annan än den Snorre uppger. Nu
vet man genom Adam av Bremen, att Olof var en ivrig
kristen, att han av religiöst nit ville förstöra avgudatemplet
i Uppsala, och att till följd därav slitningar uppkommo
mellan honom och Upplands hedniskt sinnade bönder. San-
nolikt var det denna religiösa motsats, som framkallade hän-
delserna på Uppsalatinget.

Litteratur: Axel Åkerblom, Heimskringlas framställning av för-
  hållandet mellan Olof Skötkonung och Olaf den
  helige (Historisk tidskrift för år 1899).
  Birger Nerman, Torgny lagman (Arkiv för nordisk
  filologi för år 1916).

Våra landskapslagar.

I TORGNY lagman på tinget har sägnen bevarat minnet av
en vördnadsbjudande lagens tolk, som i sig förkroppsligar
den svenske odalmannens nackstyva självständighet och
starka känsla för lag och rätt. I varje landskap fanns en så-
dan lagman, som var böndernas ordförande, när de samla-
des på tinget för att stifta lagar, fälla domar och avgöra
viktiga politiska ärenden. Han skulle vart år för menig-
heten framsäga landskapets lag. Denna var nämligen ännu
icke skriven, utan lagmannen hade den i minnet: lagmannen
var en levande lagbok, efter vilken det dömdes. När sedan
dessa lagar på 1200- och 1300-talen nedskrevos, bevarade
de i mångt och mycket den urgamla, okonstlade språkform,
i vilken de så länge levat på lagmannens läppar.

Både genom det sunda praktiska förstånd, som talar ur
dessa lagars innehåll, och genom sina korta, kärnfulla ut-
tryck äro våra landskapslagar mästerverk av germansk
rätt, som höra till den svenska kulturens yppersta skatter

och »icke ha sin like i hela världens rättshistoria», for att begagna en berömd tysk rättshistorikers ord. På en tid, då Danmarks, Norges och Islands yppersta begåvningar ägnade sig åt skaldekonst, fortsatte svearnes och gotarnes lagmän det mödosamma arbetet att utbilda den fäderneärvda rätten. Frukten av deras tysta id vart det svenska riket, som starkt genom folkets levande rattskänsla kunde i tidernas fullbordan framträda inför den germanska världen som trosfrihetens räddare.

Denna levande rättskänsla, som av ålder varit ett svenskt nationaldrag, har tagit sig ett karnfullt uttryck i följande ord i företalet till Hälsingelagen:

»Ho som agalös lever och lagalös, han hederlos dor.»

Rättvisa, men kraftig rättvisa har också svenska folket alltid fordrat av sina härskare. Det har velat ha — vad en gammal konungalängd kallar — en konung, som »war riwer i refstum sinum.»[1]

Låt oss nu höra de gamla lagarna tala! Vi gå först till den äldsta bevarade,

Västgötalagen.

Dess ålderdomligaste del, den s k Hednalagen, har följande stadga angående ärekränkning:

»Giver man okvädinsord åt man: 'Du är ej mans jämlike och ej man i bröstet.' — 'Jag ar man som du.' De skola mötas vid tre vägars möte. Kommer den, som ord haver givit, och den kommer ej, som ord har fått, då må han vara, som han blivit kallad; han ar ej edför och ej vittnesgill, varken i mans eller kvinnas sak. Kommer däremot den, som ord har fått, men den kommer ej, som ord har givit, då ropar han tre gånger: 'Niding!' och gör ett märke på marken. Då vare han, som sade det, dess sämre man, eftersom han icke vågade stå for vad han sade.

Nu mötas de båda med fulla vapen; faller den, som ord fått, for honom botes halv bot. Faller den, som ord givit; ordförbrytelse är värst, tungan ar främste dråparen. Han ligge ogill.»

I denna lagparagraf möter oss naturmänniskans böjelse för raskt avgörande, för kraftig handling. Den ar uttryck

---

[1] Rivande i räfster sina.

En sida av äldre Västgötalagen.

Vill man mylnu gæræ han ma eig sua gæræ at topt

annærs manss spillis eig akri eig æng e-

ig væghum mannæ eig forta grannæ ok eig mylnu

þerræ ær för var gör eig fiski uærkum fiskigarþ

ma ok eig sua gæræ at þem ælþri fiskigarþi spi-

llir. eig ma fiskiæ i. stæmnum manss annar æn

þæn ær a. eigh i diki annar manss Mylnustaþer

ligær öþe þrea vettær allær þrim vættrum længær

æru fang af roten. þa sa wald at takæ ær vill

Sighir sua þen ær mylnustap atti at fang æru [eigh]

al af roten viti mæþ tvænni tylftum at stiborþ

stoþu ok stulpær ok þræskulli la ok holagh. æ

a Y (maþer) myulnustaþ mæþæn pe fang æru all vroten

Sa Y (maþer) a mylnu stad ær fyrst gær værk a hvar þæt

ær hældæ a aldra götæ æng ællær alþra grænnæ

Delæ mæn om mylnu stad kallær hvar sik

eghæ. þa skal asyn til næmnæ. pen skal lagh fa

vittnum ær þær siþæri havæ baþir iammargh vit-

ni þa skal lanz asyn næmnæ til ok skiliæ mællin

þerræ ær Y (mans) mylnu i almænnisz vattni a annar…

Vill man kvarn göra, han må ej så göra, att annan mans tomt fördärvas, ej åker, ej äng, ej mannavägar, ej grannars förrum och ej kvarn den, som förr var gjord, ej fiskeverk. Fiskegård må [man] ock ej så göra, att [man] fördärvar äldre fiskegård. Ej må [annan] fiska i annan mans fördämningar än den som äger, ej i annan mans fiskedamm. Kvarnstad ligger öde tre vintrar [år] eller längre än tre år; är virke bortrött, då äge makt att taga den som vill. Säger så den, som kvarnstad ägde, att virke är ej allt bortrött, bevise med två tolfter, att dammluckor stodo och stolpar och tröskel låg och underlag. Alltid äge man kvarnstad, så länge detta virke är allt orött. Den man äger kvarnstad som först gör verk, evad det är å alla götars äng eller alla grannars. Tvista män om kvarnstad, påstår envar sig äga, då skall nämna syn. Den skall gå ed, som har flera vittnen(?). Hava båda lika många vittnen, då skall [man] nämna landssyn och skilja mellan dem. Är mans kvarn i allmänningsvatten, äger annan nan

Transkription och öfversättning av den här återgifna sidan af Västgötalagen.

för den rättskänsla, som väl ännu sitter djupast inne hos litet var: att ärekränkning kräver blod för att avtvås.

En jämförelse med nästa § är mycket upplysande, i det den visar både den påtagliga släktskapen och de stora förändringar, som kyrkan fått genomförda i denna del av rätten.

»Kallar någon en annan hundvalp. 'Vem är det?' säger den andre. 'Du', skrek den förste. 'Jag tager de närvarande till vittnen, att du gav mig okvädinsord.' Det är 16 örtugars sak i varje lott.[1] Han skall stämma honom till tinget och låta de tillkallade vittna på utsatt dag och bevisa med tolvmanna-ed, bedja gudarne[2] så visst vara honom och hans edgärds-män nådiga, som 'du kallade mig okvädinsord, och du är skyldig i den sak, som jag nu åtalar dig för'. Så skall man kära för okvädinsord och beskyllning för styggelseverk.

Kallar någon en annan frigiven, som är genom födelsen fri, eller säger: 'Jag såg, att du sprang för en enda man och hade spjutet på ryggen', det är okvädinsord. 16 örtugars sak.

Följande äro okvädinsord till en kvinna: 'Jag såg, att du red på grinden till en fäfålla med utslaget hår i häxskepnad, då det var mitt emellan natt och dag.' Eller man skyller henne för att kunna förtrolla kvinna eller ko; det är okvädinsord. Kallar man en kvinna horkona, det är okvädinsord.»

Om dråp stadgas följande:
»Varder man dräpt, då skall arvinge kungöra dråpet på tinget och på närmast följande ting, men på det tredje skall han föra talan mot dråparen; annars är han förlustig sin rätt som målsägare. Då skall dråparen till tings fara och utanför tinget stånda och sända män att begära lejd för honom till och från tinget. Tingsmän skola honom lova tingslejd. Han skall vidgå angivelsen för dråp ..... Då skall man döma ho-nom fredlös. Därpå skall han fly ur landet, äta hemma sin dagvard och i skogen sin aftonvard. 12 mark böte härads-hövdingen, om dråparen stannar kvar och icke bryr sig

---

[1] Den vanliga fördelningen av böter var i Sverige, att en tredjedel gick till målsäganden, en till konungen och en till tingsmenigheten. Från början var tre mark, en mark i varje tredjedel, ett vanligt bötesbelopp. En mark, vars värde denna tid var omkring 300 kronor, indelades i 8 öre, och varje öre i 3 örtugar. Men med tiden ned-sattes bötesbeloppen till 16 örtugar i varje lott i st. f. 24.

[2] En kvarleva av det hedniska edsformuläret.

om domen, och 40 mark häradet och 3 mark den som äter och dricker med honom och haver mote med honom.

Vilja den dräptes anhöriga boter taga, då skall man böta 9 mark i arvabot och 12 mark i ättarbot. 6 mark skall dråparens arvinge böta. 6 mark skall hans ätt böta, 3 på fädernet och 3 på mödernet. Då skall den närskyldaste bota 12 öre, sedan den som är därnäst 6 öre, den därnäst är 3 öre och den som är därnäst halvfemte[1] örtug. Så skola alla bota, och så skola alla taga, envar halften mindre intill sjätte man.

Draper man svensk man eller småländsk, inom konungariket född man, icke västgötsk, böte 8 örtugar och 13 mark men ingen ättarbot. Draper man dansk man eller norrman, böte 9 mark. Varder sydländning[2] eller engelsman dräpt, då skall man bota 4 mark till målsägaren och 2 mark till konungen. Dräper man träl, böte därför 3 mark, så vida ej ägaren bevisar, att han var värd 4 mark. Då skall han böta så mycket. Ingen har sak däri utom målsägaren.

Dräper man man, varder dråparen sedan dräpt vid hans fötter, ligge ogill på sina gärningar. Hans baneman skall varken bota till konungen eller till häradet.

Far man hem till man och gör hemgång hos honom, dräper denne honom i nödvärn vid sin husknut, give man den döde sak och döme honom ogill på tinget.»

Ett slags brott, som aldrig kunde sonas med boter, var nidingsverk:

»Dräper man man i kyrka, det är nidingsverk, urbotamål. Dräper man å ting, det är nidingsverk. Bryter man fred och gjord förlikning, hämnas man tjuv, hämnas man straff, ådömt å tinget, med sår eller med dråp eller med brand, det är nidingsverk; han har förverkat land och lösöre.

Hugger man båda händerna av man, dräper man sovande man, det är nidingsverk. Harjar någon sitt eget land, han har förverkat jord och landsvistelse och lösöre. Binder man man i skog vid träd, det är nidingsverk. Skjuter man in genom takoppning och dräper man, dräper i badet eller badstugan, dräper, då han gör sin tarv, stinger ut båda ögonen på man, skär tungan ur huvudet på man, hugger

---

[1] 4½. — [2] Tysk

båda fötterna av man, draper man en kvinna, det är allt nidingsverk. Hon ager alltid frid till mote och mässa, hur stor än striden må vara mellan man.

Dräper man husbonde sin, det år nidingsverk. Dräper man man i ólbank med kniv, då han delar kniv och kottstycke med honom, det ar nidingsverk.

Hugger man ned mans boskap och gor sig med avseende på den till gorvarg,[1] det ar nidingsverk. Loper man på harskepp och gor sig till sjorovare, står man på en annans hals och huvud och plundrar honom, det år nidingsverk.»

Synnerligen detaljerade voro lagens bestanmelser om böter for lemlåstning och sår·

»Hugger man hand av man, bote 9 mark for såret och 3 mark for lemlåstningen. Hugger man tumme av man, bote 9 mark för såret och 12 öre for lemlastningen, for det finger, som ar därnast, 9 mark for såret och 6 ore för lemlåstningen, fór längsta fingret 9 mark för såret och $^{1}/_{2}$ mark for lemlastningen, för det finger, som är därnåst, 9 mark for såret och 2 óre for lemlåstningen, fór lillfingret 9 mark för såret och 1 ore for lemlastningen.

Hugger man näsa av man, bote 3 mark for stympningen och 9 mark for såret. Slår man oga ur huvudet på man, bote 3 mark for óga och 9 mark for såret. Hugger man óra av man, bóte 3 mark for lytet och 9 mark for såret. Slår man tänder ur huvudet på man, skadar hans talformåga, bote 3 mark for lytet och 9 mark för såret. Gållar man man: 9 mark för lemlastningen och 9 mark fór såret.

Hugger man tår av man, så skall man fór tår bota som for fingrar.

Tral får sår: bóte gårningsmannen 1 mark därfór. Tillfogar frigiven eller tral åttboren man sår, då skall man åtala honom fór att få honom dómd ogill. Vill den sårade hellre taga böter än drapa honom, bote man till honom 3 mark.»

1 tjuvabalken heter det:
»Tager man tjuv sin och tjuvgodset med, bakbinde tjuvens hander och lede honom till tings med två vittnesmän,

____

[1] Foraktfull benämning for boskapsdödare. Egentligen· den som tilltygar annans boskap så, att tarmarna med gorret falla ut

som vittna på tinget, att han ar rätte tjuven, gånge med
tolv män av tingsmenigheten ed på att 'han ar verklig tjuv;
darför ar han värd liv sitt låta.' Sedan skall man döma honom

> till *h*ugg och till *h*ängning,
> till *d*råp och till *d*od,
> till *t*orv och till *t*jära,
> *o*gill for arvinge och *d*talare »

Det anses ha tillgått så, att tjuvens huvud rakades, in-
smordes med tjara och doppades i fjader, varefter han fick
springa gatlopp mellan tingsmenigheten, som kastade torv-
stycken på honom.

Man skilde strangt på tjuvnadsbrott och »olovligt till-
agnande av annans egendom», vilket under vanliga forhål-
landen sonades med boter. Hit höra följande bestämmelser·
»Hugger man ek den, som ollon bär, olovandes, då ar han
saker till 6 ore. Hugger han tre eller flera än tre, då ar det
trenne sextonortugars sak.»
Ollonen voro av ålder ett värdefullt svinfoder
»Tager man på andtid hast eller oxe, vagn eller släde,
fartyg med påsatt styre, mjolkar ko mans, allt detta ar
olovligt borttagande av annans egendom. Han skall bota
6 öre darfor.»
»Vältrar sig häst, rotar svin på nyuppspirad åkervall,
bote därföre med slikt korn, som på åkern ar sått, en skäppa
for var tredje vältring eller vart tredje rotande.»
»Hittar man bisvärm på annan mans äng och sämjas de,
då har den hälften, som bistocken hittade, och halften den,
som marken ager. Tvista de, då har den bevisningsskyldighet,
som ängen ager. Han svärje med tolvmannaed och två mans
vittnesbord, att 'denna bistock, som du väckt tvist om,
märkte jag forr än du. Darför ager jag den och du icke'
Den har hare, som tager honom. Den har räv, som driver
upp honom. ·Den har varg, som kan få honom. Den har
bjorn, som lagger ned honom. Den har älg, som fäller honom.
Den har utter, som ur å tager honom.»

Till sist kommer följande bistert skämtsamma lagbalk:

þattæ ær lekara rætar.

Uarþær lekæri barþær,
　　　　þæt skal e
　　　　vgilt uaræ.

Varþær lekari sargaþær, þen sum mæþ gighu gangar allær mæþ fiþlu far allær bambu, þa skal kuighu taka otamæ ok flytiæ up a bæsing. þa skal alt har af roppo rakæ ok siþæn smyria. þa skal hanum fa sko nysmurþæ. þa skal lekærin takæ quighuna vm roppo, maþær
　　　　skal till huggæ
　　　　mæþ huassi gesl.

Gitær han haldit, þa skal han hauæ þæn goþa grip ok niutæ sum hundær græss. Gitær han eigh haldit,
　　　　havi ok þole
　　　　þæt sum han fek
　　　　skama ok skaþæ.
Biþi alþrigh halldær ræt æn huskonæ huþstrukin.

Översättning:

Detta är spelmans rätt.

Varder spelman slagen, det skall alltid ogillt vara.[1] Varder spelman sargad, den som med giga går eller med fiol far eller trumma, då skall man taga en otamd kviga och driva henne upp å förhöjningen bakom båset. Därpå skall man raka allt hår av svansen[2] och sedan smörja denna. Därpå skall man lämna spelmannen nysmorda skor. Då skall spelmannen fatta kvigan om svansen och en man slå till henne med ett vasst gissel. Mäktar spelmannen hålla henne, då skall han hava det goda kreaturet och njuta därav som hunden av gräs.[3] Kan han icke hålla kvigan, have och tåle det som han fick, skam och skada. Bedje aldrig om rätt med större anspråk än en hudstruken trälkvinna.

---

[1] D. v. s. är utan rättslig påföljd. — [2] Egentligen rumpan, nämligen på *kvigan*, alltså ett namn på svansen, vilket ännu förekommer i dialekter. — [3] Den »njutningen» är som bekant kortvarig.

Lekare. Efter målningar från 1400-talet i Härkeberga kyrka, Uppland.

Östgötalagen.

Härur må anföras följande paragraf om mord:

»Nu mördar man man eller kvinna man eller man kvinna eller kvinna kvinna, bär till gömsle och lägger på lön, då skall man låta stegla honom och stena henne, om de varda gripna på bar gärning eller uppenbart bevis finnes därpå.»

Av kulturhistoriskt intresse är även följande bestämmelse om vargskall:

»Nu skall varje bonde hava tre famnar vargnät. Haver han ej nät, böte därför 3 öre. Då skall man taga två män från var socken, som skola skära upp budkavle. Kommer ej bonde från varje hus, då böte 3 öre. De männen, som nämnda äro, skola utsöka penningarna, och de taga en tredjedel av dessa penningar, och de, som följa skallet, tage två delar.

Nu säger bonde, att han haver ej fått skallbud, eller att han hade förfall. Då bevise med två mans ed och hans själv tredje, att han hade laga förfall, eller att han varken fick bud eller budkavle. Börjar skallet och han lyder icke, böte därför 4 öre eller värje sig med samma ed, som bestämd är. — Nu kan rådjur i nät komma under vargskall, ligge ogillt. Sätter man nät utan vargskall och dödar rå, böte tre mark. Nu har räv den, som driver upp honom, have den honom med händerna tager. Nu må ej bönder rå taga, utan att de göra sig skyldiga till tre marks böter; ty det är konungens djur.»

Upplandslagen.

Inledningsorden till Upplandslagen äro genomträngda av den bärande kraften i det svenska lagsamhället:

»Lag skall vara satt och skipad till efterrättelse för hela folket, både rika och fattiga, och till skillnad mellan rätt och orätt. Lag skall bevaras och hållas, de fattiga till värn, de fridsamma till frid men de ospaka till näpst och skräck. Lag skall vara de rättvisa och rättfärdiga till heder men de vränga och orättfärdiga till rättelse. Vore alla rättvisa, då behövdes ej lag.»

Strängt var lagens straff för otrohet inom äktenskapet. Härom stadgas: »Går en mans hustru på bolster och lakan i

mnan hustrus sang, varder funnen på bar gärning, då skall
nan henne till tings föra. Fälla tolv män kvinnan, som fången
r, då falles hon till 40 marks boter. Haver hon ej penningar
lårtill, då bote med sina lockar och oron och näsa och hete
tympad horkona.» — Mannen hade alltså ratt att skära av
ienne hår, nasa och oron och så driva bort henne.

Gottlandslagen

rbjuder på många punkter ett alldeles särskilt intresse. Den
iorjar sålunda·

»Detta är första borjan i vår lag, att vi skola neka heden-
lomen och bekänna kristendomen och tro alle på en alls-
råldig Gud och bedja honom darom, att han unnar oss års-
räxt och fred, seger och halsa och det, att vi måge behålla
rår kristendom och vår rätta tro och vårt bebyggda land, och
att] vi måge var dag det skaffa med alla våra gärningar och
rår vilja, som kan vara Gudi till åra och vi hava storsta be-
iov av både till liv och själ.

Detta år nu därnäst, att man skall uppföda vart barn, som
varder fott i vårt land, och ej utsatta det.

Det är nu dårnast, att blot ar menigheten alldeles for-
ijudet och alla gamla sedvänjor, som folja hedendomen. In-
jen må åkalla varken lundar eller hogar eller hedniska gudar,
varken offerställen eller inhagnade platser. Om någon gör
ig skyldig dartill och ledes i bevis mot honom, att han bru-
kar någon åkallan med sin mat eller dryck, som ej foljer
kristen sed, då ar han saker till tre mark åt socknemännen.»

I fråga om böter för sår och annan kroppsskada ar
irvalet hår sardeles rikhalligt:

»Tillfogar man en annan sår, ett eller flera, då bote för var
nagels bredd både i djuphet och längd med 1/2 mark, anda till
3 mark, och hälften mindre om såret ej ar en nagels bredd
djupt och likväl behover låkedom.

För alla sår, som inträngt i bröst- eller bukhåligheten, bö-
tes med 1 mark silver.

Sårar man annan med kniv, då bötar man 2 mark silver.
Kastar man åt annan med sten eller något annat, och får den
andre sår dårav, då bötar man 3 mark. Varder man slagen
utan att blodvite uppkommer men dock så, att slagen lamna

synliga marken, då bötar man 1/2 mark för vart slag ända till fyra slag.

Är man sårad genom nåsa eller läpp, då bötar man 2 mark penningar och dessutom for lyte, om såret ar igenvuxet. Är det oppet, så att det ej kan lakas, då botas hogsta såramåls böter.[1] Men for öra bötas halften mindre Kan man tvärs over vag se årr eller lyte, som hatt eller huva ej skyler, emellan skägg och ogonbryn, då botar man 1/2 mark silver. Om man kan se det tvärs over tinget, då botas 1 mark silver och dessutom såraboter.

För huvudsvålens bristning botar man med 1 mark penningar. Syns huvudskålen, då botar man 2 mark penningar. Är huvudskålen böjd eller sprackt, då bötas 1 mark silver. Synes hjärnhinnan, då botas med 2 mark silver.

For vart ben som klingar, då man kastar det i en skål, botas med 1 mark penningar, ända till för fyra ben.

Om man misshandlar annan och hugger av båda handerna eller båda fötterna eller sticker ut båda ögonen och mannen lever sedan, då böte 12 mark silver for vartdera.

Om näsan ar skuren av någon, så att han ej kan hålla tillbaka slem eller snor, då bötar man ock med 12 mark silver.

Om man varder skadad i fodsellemmen, så att han ej kan bliva barnfader, då botas med 12 mark silver. Om lemmen är av med skaftet, så att man ej kan njuta sin bekvämlighet, utan sittande som en kvinna, då botas med 18 mark silver.

För vart revben bötar man med 2 mark, ända till fyra revben.

Är hörseln slagen någon ur huvudet med slag, som lamnat synligt marke, så att han varken hörer hund i band eller tupp på vagle eller man, då denne ropar i dorren, då bötes med 12 mark silver.

Slår du någon tänder ur huvudet, då bötar du for var tand så, som hon är dyr: for de två främsta övre 2 mark penningar för var; for de två, som sitta darnast, 1 mark penningar for var men sedan 1 mark penningar for var, kindtander och allt. Men nedre tanderna äro alla var for sig haiften lagre i böter.

Tager du man i håret med en hand, bota 2 ore! Tager du med båda, böta 1/2 mark!

---

[1] 8 mark.

Rycker du man, böta 2 öre! Skuffar du man, böta 2 öre! Slår du någon öl i ögonen, då böta forolampningsbot, 8 ortugar! Sparkar du man, bota 2 öre! Slår du man med knytnäve, böta 2 ore!

För annans skägg bötar man såsom for annat hårdrag. For hårs avryckande så stort stycke, som man kan satta ett finger på, bötas 8 örtugar. Om man kan sätta två finger därpå, då bötas 1/2 mark. Om dår är rum for tummen såsom tredje fingret, då bötas med 1 mark penningar.

Om vart hår ar avryckt, då botar man 1 mark silver.»

Kvinnofriden var på den gamla gutaon omgärdad med mycket detaljerade bestammelser.

»Tager man kvinna eller mö till hustru med rån eller våld, och ej med faders eller frånders samtycke, då råde de som fora hennes talan över hans hals eller mansbot.[1]

Slår du mössa eller huvudduk av kvinnas huvud, så att det ej år med våda gjort, och blottas hennes huvud till hälften, då bota 1 mark penningar! Men om hela huvudet blottas, då bota 2 mark!

Sliter du hakta eller märla av kvinna, då böta 8 örtugar; sliter du båda, böta 1/2 mark; men om den faller ned på jorden, då böta en mark! Sliter du snoren av kvinna, då bota 1/2 mark för vart, anda till hogsta boter, och ersätt henne allt!

Skuffar du kvinna, så att kladerna flyga för henne ur det lag som de förr voro, då böta 8 ortugar! Flyga de upp till mitten av laggen, bota 12 mark.» For våldsammare skuffande blev straffet hogre.

»Om man blir funnen på bar gärning i lågersmål med ogift gottländsk kvinna, då må man satta honom i stock och hålla honom fången i tre dygn och sanda bud till hans fränder. De lose hans hand eller fot med 6 mark silver, eller målsagaren låte avhugga handen eller foten, om han ej förmår lösa den.»

För hor blev straffet ändå strängare· »Varder man funnen på bar gärning i hor med annan mans hustru, det gäller för honom fyratio mark eller hans liv, och råde dock målsägaren, vilket han hellre vill taga: penningar eller hans liv.»

---

[1] D. v s, att han skall betala så stora boter, som skulle erlaggas i mansbot, om han sjalv bleve dråpt.

Med livets förlust straffades även våldtäkt. Mot odjuret med blott två ben och upprätt gång fanns på detta stadium av sund, ofördärvad rättskänsla och handlingskraft inget annat medel än mot andra skadedjur: utrotning.

Litteratur: Natanael Beckman, Ur vår äldsta bok. Häft. kr. 1: 25.

R. Steffen, Isländsk och fornsvensk litteratur i urval. Inb. kr. 3: 25.

Harald Hjärne, Helsingelif under helsingelag. Häft. kr. 0: 20.

Landskapslagarna finnas utgivna i Schlyters och Collins monumentala verk »Samling af Sveriges gamla lagar».

För den medeltida kulturen i allmänhet: Hans Hildebrand, Sveriges medeltid; del I—III. Häft. kr. 67: 50; inb. kr. 90: —.

VITE KRIST SEGRAR ÖVER TOR

Livet i Sverige på 1000-talet.

DEN förut citerade författaren av ärkestiftet Hamburg-Bremens historia, Mäster Adam, har bl. a. följande att berätta om vårt folk vid 1000-talets mitt:

»Sverige är ett mycket fruktbart land, rikt på åkerns gröda och honung. Boskapsskötseln står dock framför allt annat. Av främmande köpmansvaror är hela landet uppfyllt. Men svenskarne akta för intet föremålen för tom ärelystnad, såsom guld, silver, ädla hästar, skinn av bäver och mård, vilka göra oss tokiga av beundran. Endast i fråga om kvinnor känna de ingen måtta. Men dödsstraff drabbar den som förför en annans hustru eller våldtager en jungfru, liksom den som plundrar någon på hans ägodelar eller gör övervåld mot honom.

Alla nordbor utmärka sig genom sin gästfrihet. Men svenskarne äro dock särskilt framstående häri. För dem finnes icke någon större skam än den att neka vägfarande gästfrihet, så att de tävla, ja tvista om, vem som skall vara värdig att mottaga gästen. Mot denne visas all vänlighet så många dagar han vill stanna, och värden för honom omväxlande omkring i de olika husen till sina vänner. Detta är det goda, som dessa hava i sina seder. Predikarne av den sanna läran åtnjuta, om de äro kyska, kloka och lämpliga för sitt kall, så stor aktning, att biskoparne tillåtas vara närvarande vid deras folkting. Då höra de ofta icke ogärna talas om Kristus och den kristna religionen. Och kanhända skulle de genom en lättfattlig framställning kunna övertalas att antaga vår tro, om icke dåliga lärare, som söka sin egen fördel och icke det som hör Jesus Kristus till, väckte förargelse hos dem som skulle kunna frälsas.

Svenskarne bestå av många folk, framstående genom män och vapen och ypperliga krigare så väl till häst som ombord på sina skepp. Därför synas de också genom sin makt betvinga övriga nordiska folk. De hava konungar av en gammal ätt, vilkas makt dock beror på folkets vilja. Det, som alla offentligt hava bifallit, måste konungen bekräfta, såvida icke hans beslut synes vara att föredraga. Därför kunna de, då de äro hemma, glädja sig åt fullständig jämlikhet. Men då de tåga ut till strid, visa de all hörsamhet för konungen eller för den, som av konungen sättes till anförare, emedan han är kunnigare än de andra.

I öster gränsar landet intill de ripeiska bergen, varest finnas väldiga ödemarker, djup snö och skaror av vidunderliga människor, som hindra tillträdet till dessa länder. Där bo amasonerna samt människor med hundhuvuden och cykloper, som hava ett öga mitt i pannan. Där finnas också människor, som hoppa omkring på en fot. Vidare bo där sådana som älska människokött såsom föda och fördenskull undvikas.

Detta folk har ett mycket berömt tempel, som kallas Uppsala.[1] I detta tempel, som är helt och hållet prytt med guld, tillbeder folket tre gudars bilder. Tor, den mäktigaste, har sitt säte mitt i salen; till höger och vänster sitta Oden och Frej. Vart nionde år firas i Uppsala en gemensam fest för alla Sveriges landskap. Till denna fest måste alla lämna bidrag. Konungar och folk, alla sända sina gåvor till Uppsala, och — vad som är grymmare än något straff — de, som antagit kristendomen, måste köpa sig fria från deltagande i dessa högtidligheter. Av allt levande av hankön offras nio stycken, med vilkas blod man brukar blidka gudarne. Kropparna upphängas i en lund, som är strax invid gudahuset. Denna lund är så helig för hedningarne, att vartenda träd anses helgat genom de offrades död. Där ses även hundar och hästar hänga bredvid människor, och en kristen berättade mig, att han sett sjuttiotvå kroppar hänga där om varandra.

För övrigt finnas många sånger, som pläga sjungas vid fullgörandet av ett dylikt offer, men de äro ohöviska och därför bättre att förtiga.»

Litteratur: Svensk historia enligt samtida skildringar utg. av Per Gustaf Berggren. Ser. I.

---

[1] Nuvarande Gamla Uppsala.

Kristendomen tränger in.

MÄSTER Adams skildringar av offerfesterna i Uppsala visa oss hedendomen såsom ännu fullt livskraftig, ja rentav bullersamt livskraftig i Svealand vid 1000-talets slut. Efter Anskars död dröjde det nämligen länge, innan denna landsända besöktes av kristna lärare. Bland dessa missionärer från en senare tid möter oss i sägnen den helige Sigfrid, en engelsman, vilken skall ha lagt grunden till Växjö kyrka och döpt dem, som han först lyckades vinna för den kristna tron, i den källa utanför staden, som nu kallas Sankt Sigfrids källa. Senare skall han ha blivit kallad till Olof Skötkonung och döpt honom i Husaby källa på Kinnekulle. Så fick Sverige sin förste kristne konung.

Olof Skötkonungs mynt.
Olof Skötkonung var den förste svenske konung som lät prägla mynt.

Den helige Eskil, som även kom från England, skall ha varit Södermanlands apostel, och staden Eskilstuna bevarar ännu minnet av hans namn. Han säges ha lidit martyrdöden, då han på den gamla tings- och offerplats, där Strängnäs nu ligger, uppträdde mitt ibland de beväpnade bönderna och talade mot deras hedniske konung, Blotsven, som kommit dit för att offra till de gamla gudarne. Blotsven, som var en ivrig hedning, dömde då Eskil till döden, och en annan hedning krossade missionärens huvud, vid Sankt Eskils källa väster om staden.

I Västmanland skall den helige David ha verkat. Om honom förtäljes, att hans ögon på ålderdomen blevo svaga av hans många sorgetårar över hedningarnes hårdhet mot de kristne. När han så en dag skulle hänga upp sina handskar på en spik, tog han miste och hängde dem på en solstråle; och sedan skedde var dag det undret, att solstrålen bar den helige mannens handskar. Men en dag hände det, att de föllo till marken. I största själsångest genomgick han då vad han under dagen gjort och tänkt för att kunna finna, vad som kunnat beröva honom Guds nåd. Då påminde han sig, att han gått förbi en åker och därvid trampat ned några ax. Den helige mannen tillbringade nu natten i böner till Herren, och när dagen bröt in, erhöll han bevis på att han fått förlåtelse, ty se: solstrålen bar åter hans handskar!

Norrlands apostel var tysken Stefan. Djärv och kraftig som han var, bröt han överallt, där han predikade, ned de gamla gudarnes altaren. Men detta uppväckte folkets förbittring mot honom, och till sist blev han i skogen Ödmorden i Hälsingland överfallen och stenad till döds.

Långsamt och under hård kamp med hedendomen trängde således kristendomen fram i Svealand och Norrland.

Det måste också ta dryg tid att omdana själva livsåskådningen inom ett helt folk och ett så styvnackat folk därtill som svenskarne. För en blodfull, av obändig livslust sjudande vikinganatur kunde det ju icke vara så lockande, när prästen förkunnade försakelse av denna världens goda, fastor och köttets späkande som en hög och ljuvlig plikt. Hur påkostande skulle det ej kännas för äventyrslystna ungdomar att icke få följa hågen, som manade dem att styra sin drake mot fjärran kust till bragder och förvärv av byte! Sådant blev ju för de kristne dråp och stöld. Och att ej få taga hämnd på fränders dråpare! Att nödgas på ålderdomen tyna bort i bragdlös vanmakt i stället för att rista »dödsrunor djupa på bröst och på arm», den säkra vägen till Valhalls glädje! Vad hade väl de kristnes himmel att bjuda i stället?

Nu kommo Vite Krists präster och ville lägga något stillsamt dämpande över livet, dämpa sorgen liksom glädjen, dämpa lidelsernas svall. Blotfesterna, där nordbons bullrande, vilda livsglädje riktigt brukade slå sig lös, betraktades av den kristne som styggelse. Och eftersom hästen var det vanligaste offerdjuret, ansågs hästkött av dem såsom orent att förtära.

Denna fördom håller som bekant ganska envist i sig än i dag. Stor nationalekonomisk förlust har den vållat, i det att ett näringsmedel, tillräckligt till årligt underhåll av många tusen människor, under århundraden fått förfaras. Men den har också medfört ett skändligt djurplågeri, ty så länge hästens kött icke hade något värde, gällde det för en hjärtlös àgare att taga ut den arme krakens yttersta krafter, till dess blott senor och hud fanns kvar på benen. Forst når det utslitna djuret icke langre kunde drivas fram med piskan, skulle »märeflångern»[1] eller »rackarn»[2] fram och leda honom till luderplatsen[3] for att dar gora ett slut på hans lidande, draga huden av honom och làmna senorna till föda åt korparna.

Så foraktad var màreflångerns hantering, att den mat, som han i bondstugorna kommit i beroring med, icke mera dugde for folk att äta utan gavs åt hundar eller svin. Och de karl och matredskap, som han nyttjade, skulle sedan skuras, ròkas och stå avsides någon tid, och så skulle man låta någon annan person ovetande begagna dem, innan de kunde brukas i hushållet. På samma sätt med sängkläderna, som han begagnat.

Den forste i vårt land, som med kraft vågade upptrada mot denna fòrdom, var baron Adam Germund Cederhjelm på Ribbingebäck i Uppland. Efter att fòrst ha utgivit en avhandling, i vilken han bevisade, att inom landet 1/2 million skålpund kòtt skulle vinnas till manniskofoda, om de årligen dòdade hastarna anvandes till slakt, samlade han en dag år 1784 sitt folk till hastslakt på Ribbingebàck. Med egen hand stack han ned djuret och borjade själv avdraga huden. Då erbjod sig en av hans underlydande bönder att hjalpa honom. Till belóning för visat mod erholl mannen forsakran om skattefrihet for sin gård. Nu fick man se flera våga sig fram och hjälpa till med slakten. Slutligen skars kottet i skivor och stektes på gloden av ett i närheten upptänt bål. Nar nu sjalvaste baron med god smak åt av anràttningen, började de mest behjartade undra, om det kanske ändå inte kunde gå för sig att pròva på detsamma; och när den egendomliga tillstàllningen var óver, hade aderton av Cederhjelms underhavande fóljt hans fòredöme.

Patriotiska sällskapet gav Cederhjelm sitt erkännande fòr hans fosterländska garning genom att kalla honom till ledamot och lät genom landshövdingen högtidligen overlàmna sin silvermedalj åt var och en av »de aderton», som åto upp hàsten.

---

[1] Den som flångde huden av marren. — [2] Numera år titeln nattnan. — [3] Luder eller as betyder egentligen dott. ruttnande djur.

Cederhjelms bragd väckte mycket uppseende på sin tid, såsom framgår av följande anekdot. Han hade en broder, Josias, som var känd för sin bitande kvickhet. En gång, då någon i Gustav III:s närvaro nämnde »baron Cederhjelm», frågade konungen: »Vilkendera, han som äter hästar eller han som äter människor?»

*　　*　　*

Först på 1100-talet blev svenska folket i sin helhet kristet. Då hade Götalands befolkning länge varit omvänd, beroende på att denna del av riket låg närmare till de kristna länderna Tyskland, Danmark och England och hade livligare samfärdsel med dem.

Oftast trängde dock kristendomen ej så djupt i den omvände nordbons sinne. Det är så betecknande, vad den gamle kloke bonden på tinget i Birka vid Anskars andra besök yttrade om att det kunde vara nyttigt att hålla sig väl med de kristnes gud, så att man hade hans hjälp att räkna på, när de andra gudarne visade sig oblida. Därmed uttalade han nog vad som för många hedningar var den egentliga bevekelsegrunden för att låta kristna sig.

Ännu mera grotesk kunde dock omvändelsen te sig. Kejsar Ludvig den fromme hade icke svårt att få nordbor till att bli kristna — ty han gav var och en som lät döpa sig en fin, vit dopdräkt samt rikliga skänker av kläder och vapen. En gång var det så många, som ville undfå dopet, att man måste i hast tråckla ihop diverse tygstycken för att få dopdräkter till var och en. En gammal skäggig, väderbiten viking, som fått ett dylikt, mindre prydligt plagg på sig, stirrade först en stund lömskt på den egendomliga dräkten, vände sig därpå förargad till kejsaren och bröt ut: »Väl tjugu gånger har jag döpts här och var gång fått de bästa vita kläder. Men nu får jag en säck, som anstår en svinaherde och icke en hövding; blygdes jag icke för min nakenhet, skulle du och din Kristus få skjortan tillbaka.»

Ett sätt att tjäna Gud, som kunde anstå en kraftfull nordbo, var det, varom berättas i legenden om den helige Kristofer, den store, starke hedningen, som hade föresatt sig, att han icke skulle tjäna någon annan än den mäktigaste herren i världen. Därför blev han hirdman hos en mäktig och vida beromd konung

Men när han fann, att konungen räddes for djävulen, forstod han, att denne var mäktigare, och tog därfor tjänst hos den onde. Så red han med sin nye herre genom en stor skog. Men nar de kommo till ett ställe, där ett kors stod vid vägen, vek djävulen av från vägen och gjorde en lång omvag på en stenig och trång stig. Kristofer fick då avgrundsfursten till att bekänna, att han var radd for en man, som hette Kristus, och som blivit upphängd på ett kors. Då gav sig Kristofer ut for att söka efter Kristus och lat dopa sig av en from eremit.

Nu skulle han tjäna sin nye herre. Men då eremiten uppmanade honom att tjäna Kristus med att fasta och bedja, svarade han: »Fasta formår jag ej, ty min kropp måste hava riklig fóda. Bedja kan jag ej heller Lar mig dårfor något annat, varmed jag kan tjäna honom!»

Då sade eremiten till honom. »Gå till det vadstället, som du såg, nar du gick hit! Dar plågar mycket folk drunkna, och många komma endast med stor livsfara over. Du ar stor och stark och orkar arbeta duktigt. Bygg dig där en hydda och bar over allt folk, som beder dig i Kristi namn! Kristus skall rikligt lona dig.»

Så blev den starke Kristofer farjkarl. En natt, då han låg dar trött i sin hydda och vilade sig efter strängt arbete, horde han en spad rost, som ropade från andra stranden· »Kristofer, kom for Kristi skull och bär mig over!» Genast steg han upp och vadade över men fann ingen. Detta upprepades tre gånger. Men nar han tredje gången stigit upp och vadat over till andra stranden, fann han där ett litet barn, som bad honom för Kristi skull att bliva fört över strommen. Kristofer tog det på armen och steg i vattnet. Men då kände han, att barnet var mycket tungt. Darfor satte han det på sin skuldra. Men ju djupare han kom ut i vattnet, ju tyngre blev barnet. Och till slut tyngde det ned honom så, att strömmen gick over hans huvud och han endast med fara for livet kunde arbeta sig over till andra stranden Där fick han av barnet höra, att det var Kristus, sin konung, som han burit på sina skuldror.

Den helige Kristofer. Målning från 1400-talet av nederländaren Dirk Bouts.

Den store, starke hedningens svar till eremiten är talande
nog for hur sådana naturer skulle känna det infor den katolska
kyrkans fordian på forsakelse och asketism

Inbördes strider.

NÄR den gamla Uppsalaätten utslocknade med Olof
Skótkonungs soner omkring år 1060 och ny konung
skulle valjas, blevo svear och gotar oense, ty götarne
ville ha en kristen konung men svearne en som blotade till
Tor och Oden. Foljden blev långvariga strider mellan land-
skapen.

Striderna mellan olika landsändar fortforo aven sedan
hela Sverige blivit kristet. Då var orsaken den, att Svea-
land, Vastergotland och Östergotland tävlade om äran
att få ge landet konung. Sådana inbordes strider voro på den
tiden ej så underliga, ty män från olika landskap betraktade
varandra ännu som utlänningar. I Vastgotalagen kallas en
man från annat landskap for »utlandsk», och om han dräptes
i Västergötland, betaltes mindre böter for honom än for
en vastgote.

Omkring 1130 valde ostgotarne till konung en man från
sitt landskap vid namn Sverker, men sedan uppsatte svea-
ine mot honom en konung, som hette Erik. Dessa båda
man blevo stamfáder för konungaatter, som i mansåldrai
tavlade om Sveriges krona, ända tills den Sverkerska atten
utdog, år 1222. Fyra konungai hade under dessa strider fått
en våldsam död.

Under Sverkers tid inträffade en handelse, varom min-
net ännu lever på folkets läppar i det gamla Vårend inne
i Smålands djupaste skogar. Når Sverker blev gammal och
kraftlós, fick Danmarks ärelystne konung Sven lust att göra
erövringar i hans land. Som krigsorsak skall han ha be-
gagnat sig av att Sverkers son Johan, en obändig och lätt-
sinnig krabat, bortróvat tvenne for sin skönhet berömda
högborna danska kvinnor och fört dem med sig hem. Ge-
nom sitt odåd hade emellertid Johan gjort sig så avskydd
av svenska folket, att bonderna en dag overfóllo och slogo

ihjäl honom. Efter detta borde det ju ha varit klent beställt med krigsorsaken för danske konungen, men denne höll envist fast vid den förevändning han funnit.

Snart talade man vid danska hovet icke om något annat än att underkuva svenskarne, och så snart vintern kom och isbelade sjöarna, bröt konung Sven med en här från Skåne in i Småland. Den gamle konung Sverker tycks ingenting ha gjort för landets försvar utan överlåtit åt smålänningarne att reda sig själva. Det gjorde de också med kläm, och ej minst gällde detta småländskorna. Danskarne foro fram med eld och svärd, men först och främst ledo de mycket av den stränga vinterkölden, och ju djupare de trängde in i skogarna, dess mera hårdnackad blev kampen med de svenska bönderna. Trogna sin vana, försvarade de sig bakom väldiga bråtar, d. v. s. förhuggningar av timmerträd. Till sist, när Sven fruktade, att hela hans här skulle bli tillintetgjord, måste han besluta sig för återtåg.

När då en del av det danska krigsfolket tågade genom Värend, skall en förnäm och behjärtad kvinna vid namn Blända genom budkavle ha sammankallat allt bygdens kvinnfolk och med deras hjälp tillrett ett präktigt gästabud för de danska krigarne. Angenämt överraskade av detta avbrott i ett för övrigt så föga givande fältliv, läto de sig anrättningarna väl smaka och sutto till långt in på natten under skämt och glam vid de rågade borden. Men till sist tog det goda och starka ölet överhand med dem. Då visade sig Värendskvinnorna från en annan sida. I ett nu bröto de fram ur skogen och gingo på med yxor och stakar, så att icke en enda dansk vidare behövde pröva fältlivets vedermödor.

När konung Sven med den övriga hären kom tillbaka till Skåne, var stämningen en annan, än när han senast tågat igenom där. Han mottogs nu med hån och glåpord, och då han med en befallande gest bjöd tystnad bland den skriande folkhopen, kastade skåningarne sten på honom. Men de manhaftiga Värendskvinnorna skulle till tack för visad rådighet ha fått vissa företrädesrättigheter framför sina medsystrar i det övriga Sverige. Bland annat ägde de lika arvsrätt med männen på en tid, då svensk kvinna eljest icke fick ärva alls, utom ifall ingen manlig arvinge fanns. Vidare hade Värends kvinnor ratt att »som evärdeligt krigstecken» bära ett grant, rott skärp med broderier och guldfransar, och på brollopståg till och från kyrkan fingo de »till sin evinnerliga ara» bruka faltmusik och låta slå på trumma for sig, som om det gällt att tåga ut till stiid.

Dessa Varendskvinnornas företradesrättigheter voro ett faktum; men sjalva sägnen har av den skarpsinnige forskaren Schlyter, berömd som utgivare av våra landskapslagar, befunnits vara skäligen misstänkt. Han anser den helt enkelt vara uppfunnen mot slutet av 1600-talet, i syfte att hos den då arbetande lagkommissionen skydda den lika arvsrätten och for att rädda bruket av trummor vid brollopen från den nya kyrkolagens förbud mot denna plägsed. På den tiden »gjordes» av nitiska fornforskare åtskilliga mer eller mindre goda sägner

*

En ljuspunkt i denna tid av nationell söndring i vårt land ar den kraft, varmed inblandning från dansk sida tillbakavisades. Sverkers sonson, Sverker d y., blev fördriven av svearnes motkonung Erik Knutsson, som var sonson till Sverker d. a:s motkonung Erik. Men Sverker fick av Danmaiks maktige konung Valdemar Sejr en stark hjalphär, med vilken han återkom till Sverige. Erik Knutsson och svenskarne motte fienden vid Lena kungsgård norr om Falkoping år 1208. Här uppstod det blodigaste slag, som hävderna omtala alltsedan kampen på Fyrisslatten, och danskarne ledo ett så grundligt nederlag, att blott någia få av dem återkommo till Danmark.

Ericus Olai, »den svenska historieskrivningens fader», som vid Uppsala universitets inrattande år 1477 blev dess forste teologie professor, säger, att minnet av striden drojde kvar »till barnabarn», och återgiver foljande humoristiska målning av densamma, i form av verser, som bestå av latin och svenska i brokig blandning.

> »Contigit in Lenum,
> duo danskir lupu for enum
> Af swenskum swenum
> toko dorsum verbere plenum »

Detta översätter Ericus Olai sålunda:

>Thet hände sig i Lena,
at twå danske lupe vndan för en Svensk
och finge vthaff the Swenske Vngkarlar[1]
Ryggen full medh hugg.»

Antagligen ha verserna författats av en munk, kanske från det närbelägna Varnhems kloster. I vår tid har Gunnar Wennerberg till den gamla visan satt en ävenledes humoristisk musik, som låter henne komma till sin fulla rätt.

*

Hyllning på Mora sten. Ur ett i Rom 1555 tryckt arbete av den svenske prästen och historikern Olavus Magni.

Under de inbördes striderna utbildades den sedvanan, att konung tillsattes genom val, och Sveriges egenskap av valrike fastslogs i lag genom bestämmelsen, att »svear» äga konung taga, så ock vräka». Konungavalet skedde på Mora äng nära Fyrisån, där konungen hyllades genom att upplyftas på Mora sten. Konungavalet på Mora äng hade dock redan på 1100-talet nedsjunkit till blott en högtidlig cere-

---

[1] Obs. den kosteliga översättningen av s v e n u m, som betyder svennerna, krigarne. — [2] S v e a r betyder enligt senare forskningar här och flerstädes s v e n s k a r och icke, såsom man förut antagit, inbyggare i Svealand i motsats till de andra landskapens befolkning.

moni — faktiskt var det stormannen över hela riket, som avgjorde valet.

Efter valet skulle konungen avlägga sin ed. Sedan återstod ännu den formaliteten, att de olika landskapens myndigheter skulle godkänna valet. Därför red konungen från Mora äng till alla landskapens ting och lovade edligen att hålla deras lagar samt mottaga inbyggarnes hyllning. Denna färd kallades eriksgata. Namnet har varit föremål för många olika uttydningar. »Allhärskarens väg» är den översättning, som ännu är allmännast omfattad. Helt nyligen har emellertid en annan tolkning gjorts, som förefaller mycket tilltalande. Ordet skulle ha uppkommit av edhriksgata = ed-bekräftelse-färd. Den andra sammansättningsleden är ett substantiv, härlett ur adjektivet riker i betydelsen »mäktig, kraftig». Enligt denna tolkning skulle konungsfärdens namn syfta på att den nyvalde på de olika landskapstingen bekräftade den ed, han nyss svurit på Mora äng. Sannolikt var det med tanke på nationalhelgonet Erik den helige (se sid. 283 och 328) som ordet sammandrogs till »eriksgata».

Litteratur: Olof Söderqvist, Ägde uppsvearne enligt landskapslagarna rätt att ensamma taga och vraka konung? (Historisk Tidskrift för år 1915.)

Inom klostermurar.

VID klosterporten står en ung riddare och klappar på. Nyss satt han i sin glänsande rustning med vajande hjälmbuske så stolt till häst på slottsherrns borggård. Den ypperste var han i de ridderliga kämpalekarna. Åskådarnas bifallsrop och jubel ville aldrig taga slut, när han efter en hård dust med lansen stötte sin motståndare ur sadeln. Då skyndade han, som en ädel riddare höves, fram till den fallne för att hjälpa upp honom.

Men orörlig ligger motståndaren där. Riddaren fäller upp hans hjälmgaller och ser dödens blekhet i anletsdragen. Den häftiga lansstöten hade trängt genom rustningen och traf-

Sancta Klaras kloster vid Stockholm.

fat hjärtat. Ena ögonblicket ungdomskraft och svallande stridslust, andra ögonblicket livlöst stoft! »Fåfänglighet — förgänglighet!»

Så djupt grep den tanken den unge segervinnaren, att han utan ett ord kastade sig upp på sin stridshäst och sprängde i väg från slottet. — Nu står han vid klosterporten och klappar på. Han, som nyss varit den ypperste, står här med en bön på sina läppar att få bli den ringaste bland tjänande bröder för att glömma — — glömma.

För alltid har han sagt farväl åt hem och släktingar och vänner, åt gods och ära. Sitt liv har han nu bundit vid de tre munklöftena om lydnad, fattigdom och kyskhet. Han har lovat att blint lyda klostrets abbot och kyrkans alla befallningar, att försaka all enskild egendom och att leva ogift.

Aldrig mer skall han tumla sin springare vid trumpeters klang och trummors dån. Men mången gång, när längtan

blir honom för stark, skall han fly högt upp i klocktornet
och låta blicken glida över de plöjda åkerfälten bort till hem-
bygdens kära berg och skogar.

*　　*　　*

Allt är förvandlat i den unge riddarens liv. Ännu är det
mörka natten, när sovhusets klocka kallar klosterbröderna
till dagens första gudstjänst. Snart klappra deras steg ut-
efter de stenlagda gångarna, och i en lång rad skrida tunga,
oformliga gestalter i kåpor med spetsiga hättor fram över
klostergården. Ännu sömntyngda och med tänderna klapp-
rande av köld träda de i procession in i den kalla, mörka
klosterkyrkan, där endast högaltaret står i ljus. »Som ett
brus av stora vatten», än stigande, än fallande, tränger ge-
nom mörkret det dova mumlet av »Pater noster» och »Ave
Maria» i växling med den entoniga psalmsången, och där-
emellan läsas stycken ur den heliga skrift och helgonberät-
telser.

Så går hela dagen under andaktsövningar, omväxlande
med arbete; så går år efter år. Regler är det här för allting,
regler för hur man skall lägga sig och hur man skall stiga upp,
regler för hur man skall hälsa och tala, regler för bordsskick
liksom för andaktsövningar; dräkten är bestämd av regler
liksom maten. Enformigt flyter livet fram inom de tjocka
klostermurarna, enformigt men också lugnt och utan ängs-
lan för krig och omstörtningar, varav världen där ute skakas.

Skall den unge riddaren i längden kunna härda ut i detta
enformiga lugn? Skall hans livslust till slut ta överhand,
när tankarna flyga ut över ängar och skogar, ut till jakt-
marker och till riddarborgarnas stolts jungfrur? Skall man
en vacker vårmorgon, när solstrålarna hoppa och dansa där
ute i klosterträdgården, finna munkens cell tom och den
forne riddaren bli ett nytt exempel till så många andra på hur
svårt det är att döda livsglädjen? Eller skall han förvandlas
till en stilla, undergiven Guds tjänare, som kanske en gång på
gamla dagar kan blicka tillbaka på sitt liv med samma käns-
lor som den gamle munk, vilken tackade Gud för att han över
sextio år fått bo i ett kloster. »Medan jag», skriver han i sin
dagbok, »ser denna världens store störtas i olycka, är jag,
Gud vare lov, trygg i min lydnad och glad i mitt armod.»

Och så slutar han med att uppräkna alla de stora olyckor
och missgärningar ute i världen, vilka han sluppit ifrån i sin
kära, lugna klosterboning.

*Munkar (en »svartbroder»[1] och
en »gråbroder»[2]).*

Här inne är all oro och allt jäkt
bannlyst, här är man liksom utanför
tiden. Det är, som om man redan
vore inne i evigheten, som ingen
begynnelse har och ingen ände.
När döden en gång kommer, var
skulle man kunna lugnare än här
motse mötet med honom? Här
samlas ju alla bröderna med bön
och sång kring ens dödsläger och
hjälpa själen på den svåra färden
över till en annan värld. Och efter
döden bära de kroppen in i kyrkan
och sjunga själamässor. Och till
sist, när stoftet vilar i klostrets
vigda jord, står ens namn på listan
över klostrets döda och inneslutes
dagligen i brödernas förböner.

För medeltidens kristna var världen med allt vad däruti
är en styggelse. Den som läser den under medeltiden popu-
lära bok, som skrevs av den rikt begåvade, mäktige påven
Innocentius III, »om föraktande av världen», mötes där av
en världsfientlighet, som med en rentav förfärande hänsyns-
löshet avslöjar allt det djuriska i människolivet. »Kärlek,
födelse och död äro processer, som var för sig äro lika avsky-
värda. Innocentius' blickar dröja icke vid kindernas rosighet
eller armarnas rundning och hudens friskhet utan endast vid
det som gömmer sig bakom den fagra ytan. Han beskriver
med bitter tillfredsställelse alla de härdar för förbränning
och förruttnelse, som arbeta under höljet av den sköna gestal-
ten. Människan är för honom och för alla de medeltida mo-
ralpredikanterna ett väsende, som kommer till världen i
smärta och orenlighet, som lever i smitta och smuts, och som
med den tilltagande ålderdomen endast blir allt mer från-

---

[1] Överskrift: »D[omi]nic[us]», dominikanerordens stiftare. — [2] Över-
skrift: »F[ra]ncisc[us]», franciskanerordens stiftare.

stötande. Och det är icke nog med att hon själv är ett fläckat käril för ett vidrigt innehåll, utan hon ger därjämte i sin kropp rum för andra orena väsenden: för ohyran och parasiterna, vilkas arter och mångfald av Innocentius skildras med en fullständighet, vari medeltidens zoologiska vetande antagligen har blivit uttömt.» Så sammanfattar en kännare av medeltidens religiösa livsuppfattning sina intryck av den märkliga boken.

Sancta Marias forna klosterkyrka i Sigtuna.

Det behövdes denna uppjagade känsla av köttets vederstygglighet för att med systematisk kraft kunna arbeta på att späka, att döda det. För dem som voro genomträngda av en dylik känsla kunde ingen större lycka tänkas än att få fly ifrån världen och i den stilla klostercellen försjunka i böner och gudliga betraktelser. Och skulle den ej vara värd att vandra, denna försakelsens väg, som ledde till den eviga salighet, varav en ängel säges ha givit en munk försmak genom ett stråkdrag på en fiol. Så ljuvlig var tonen, att munken berättade, hurusom han skulle ha förgåtts av salig hänryckning, om ängeln blott en enda gång till fört stråken över strängarna.

»En Noaks ark mitt i världens syndaflod» är klostret.
Lyckliga de som räddat sig in i den! Men mångahanda äro
de bevekelsegrunder, som driva människors barn till denna
fristad. Icke alla är det, som fly dit av fasa över synden
därute eller för att ångra och sona vad de brutit. En kom-
mer hit därför att världen ej lockar honom mer, sedan han
förlorat det käraste han ägde, sin rikedom. En annan har
måst avstå från maktens purpur eller är mätt på ävlan
och strider. En tredje är blott angelägen att slippa ifrån
tungt arbete och bekymmer för födan. Mången som övat
djävulens verk ser nog i munklivet ett bekvämt sätt att på
gamla dagar få sina räkenskaper med Vår Herre att gå ihop.
Att ägna sina sista levnadsår åt att sjunga mässor, att dö
i munkkåpa och bli begraven i klostrets vigda jord, det vet
man nog kan göra gott för en bra mängd synder.

*   *   *

De första klostren i vårt land voro Alvastra i Östergöt-
land, Nydala i Småland och Varnhems i Västergötland,
vilka anlades vid mitten av 1100-talet av munkar, som kom-
mo hit från det berömda franska klostret Clairvaux, enligt
sägnen på begäran av Sverkers fromma drottning. Med stor
ängslan hade gudsmännen anträtt färden till »dessa avlägsna
och barbariska nejder», där folket aldrig skådat en munk.

Snart uppväxte även nunnekloster i Sverige. De äldsta
voro Gudhems i Västergötland och Vreta i Östergötland.

I vårt land liksom annorstädes blevo klostren fristäder, där
den vägfarande kunde vila trygg för stigmän och blodtörstiga
vilddjur, som ströko omkring i de djupa skogarna. När borg-
herrn i dessa nävrättens tider lämnade sin fasta gård, vän-
tade hans ovän på tillfälle att överfalla honom. Men kom
han blott till ett kloster, så var han på fridlyst rum. Mån-
gen sjuk fick ock i klostret en kärleksfull vård. »Renlev-
nadsmännen» voro sin tids läkare, och klostersystrarna voro
sjuksköterskor, som kände till hälsobringande örter och
andra helande medel.

Mycket annat gagn har klosterfolket gjort vårt land. De
voro folkets lärare och gåvo landet dess första skolor. De
föregingo med gott exempel i slöjder, åkerbruk och träd-
gårdsskötsel. Bland annat ha de fört rabarbern till vårt land.

Dem ha vi ock att tacka for våra frukttrad. Både kors-
bärs- och plommontrad, aplar och pårontrad infordes och
planterades av ortagårdskunniga klosterbroder. Ännu finns
bevarat ett brev, i vilket en svensk munk ber en annan,
att han skall sanda honom ympkvistar for ympning av frukt-
trad samt olika slags blomsterfrön. En mängd av våra mest
omtyckta prydnadsvaxter ha forst blommat i klostertråd-
gårdarna. Det år fallet med snodroppar, påsk- och pingst-
liljor, tulpaner och hyacinter Knappt någon tappa på
landet saknar numera sina pioner och ringblom bland väl-
luktande åbrodd och lavendel, av vilka lantflickan ån i dag
garna bryter en kvist, nar hon på sondagsmorgonen går till
kyrkan. Troligtvis ha nunnorna en gång i langesedan hansvun-
na tider gjort på samma satt, nar de gingo till gudstjansten
i den kvava klosterkyrkan Ty aven dessa orter ha kommit
ut till folket från klostertradgårdar.

I de tysta klostercellerna eller i klostrets skrivsal sutto
flitiga munkar och avskrevo böcker. Med innerlig karlek
till sitt varv lutade de sina rakade hjássor over pergamen-
tet och prantade sirligt bokstav efter bokstav; och vid var
ny avdelning prydde de begynnelsebokstáverna med orna-
menter i klara farger, i guld och silver. Så skapades bibliotek
på en tid, då inga tryckpressar annu funnos.

En kulturgärning, vari munkarne också utmarkte sig,
var den så ytterst val behovliga att anlägga vagar och bygga
broar. Kristendomens forkunnare insågo från borjan, att
en bättre samfardsel mellan rikets olika delar var nodvan-
digt villkor for utbredningen av hogre kultur. Darfor larde
de, att anlaggning av vag eller bro var ett Gudi behagligt
verk, som kunde bereda salighet åt den som lát utfora ar-
betet eller åt hans anhoriga. Också bevara talrika run-
stenar minnet av man, som gjort vag eller bro eller vadstalle
for »sin sjal» eller någon nara anhorigs. Vid Taby norr om
Stockholm har vagen annu i senaste tid på ett sidlant stalle
gått fram over en gammal bank av sten och grus, kantad
på omse sidor av flere hoga stenar. De båda yttersta ste-
narna på norra andan av »bron», som den kallades, bara
foljande runinskrift: »Jarlabanke lat resa dessa stenar till
minne av sig, medan han ännu levde, och han gjorde denna
bro för sin sjal. Han agde hela Taby Gud hjalpe hans sjal»

Slingornas och runornas form visar, att den mäktige jorddrotten Jarlabanke levat på 1000-talet, sannolikt före dess mitt. Hans bro har alltså hållit i nära nio århundraden!

Västgötabiskopen Benkt den gode, som levde mot slutet av 1100-talet, prisas i en gammal biskopslängd sålunda: »Slik man till goda gärningar fanns varken förr eller sedan.» O-aktat all sin frikostighet »lämnade han efter sig gods och penningar, stora silverkärl, många horn, kläder och gråverk i sådan myckenhet, att tjugu hästar nätt och jämnt orkade draga det i gott väglag. Därmed följde tjugu lispund silver. Och ändock gav han de fattiga både kläder och mat. Gud

Jarlabankes bro vid Täby.
Efter teckning från slutet av 1600-talet.

fröjde hans själ för alla hans goda gärningar!» Bland dessa goda gärningar uppräknas, att han lät slå broar på fem ställen, och att »han lät bygga väg två raster på Tiveden och en rast på Vätterskogen och en på Hökensås.»

En liknande god gärning för själens frälsning ansågs det vara att bygga härbärgen, s. k. sälohus (själahus), vid vägar i ödemarkerna. En runsten nära Uppsala talar om att »Ture lät göra sälohus efter sin hustru». Ett dylikt sälohus känna vi till från Jämtlands obygder genom Snorre Sturlassons berättelse om ett hemskt drama, som utspelades därborta i ödemarken en mörk natt omkring år 1030. Då blevo alla de köpmän, som sökte skydd där, mördade, så när som på en. Ett annat sådant härbärge låg på vägen mellan Kungälv

Runsten vid Täby.

och Skara. Även därifrån berättas om stigmän, som plundrat och mördat resande.

Litteratur: Valdemar Vedel, Bag Klostermure   Häft. 7: —
Herman Levin, Munkväsendet och dess betydelse för vårt lands odling (i »Läsning för svenska folket» 1904. Häft. kr. 1: 20).
Natanael Beckman, Ur vår äldsta bok. Häft. kr. 1: 25.

En svärmisk munks kärlek till ett helgon.

EN av medeltidens intressantaste skrifter är en levnadsteckning, som den svenske munken Petrus de Dacia på 1200-talet författade över det tyska helgonet Kristina av Stumbelen.

Petrus var född på Gottland. Redan som barn var han svärmiskt anlagd. »Så långt tillbaka jag minnes, ända från min första barndom, erfor jag en innerlig njutning var gång jag hörde berättas om helgonens liv, gärningar, lidanden och död och i synnerhet om vår herre Kristus' och hans ärorika moders», skriver han. »Då jag sedermera erinrade mig det jag hört, fann mitt hjärta en sådan tröst, att världen och dess njutningar redan från denna tid började förblekna; och ofta talade jag därför vid mina bröder om att övergiva världen.»

Utan själsstrider tog han också det avgörande steget, och klostercellen blev hans värld. Men *en* längtan hade han ännu övrig för denna tillvaron. Han önskade, som han säger, »att Herren i sin nåd värdigades visa mig någon av sina tjänare, genom vilken jag säkert och klart, ej blott genom ord, utan genom gärningar och föredömen kunde lära mig fatta de heliges liv, någon, till vilken jag i hjärtlig kärlek kunde sluta mig, av vilkens gärningar jag kunde uppbyggas, av vilkens fromhet jag skulle eldas och ryckas bort från den världströtthet, som från barndomen nedtryckt mig».

Under den tid han för sin utbildning vistades i ett kloster i Köln, fann han den Guds tjänare, till vilken hans längtans drömmar så länge gått. Han fick höra talas om att i byn Stumbelen utanför staden bodde en ung flicka, med vilken märkliga underverk skedde. Han följde då med klosterbrodern Walter, som ända från flickans barndom varit hennes biktfader, till prästens hus, där den unga flickan nu vistades. Vi låta Petrus själv berätta: »Jag inträdde således i huset och såg där, utom det torftiga bohaget och det dystra husfolket, en ung flicka, som satt avsides för sig själv och hade ansiktet betäckt med en duk. Då hon reste sig upp för att hälsa broder Walter, grep en djävul tag i henne, kastade henne baklänges och stötte hennes huvud så hårt emot vaggen, att denna skakade. Men medan alla de närvarande sörjde över de lidanden hon mäst utstå och fruktade för än varre, så genomströmmades jag ensam av en förut okänd fröjd, min själ fann tröst, och mitt sinne greps av förundran. Det var tydligt, att det var för hennes skull, som sedan skulle bliva mig så kär, som Herren nu värdigats skänka mig denna själens glädje.

Nar jag under dessa tankar kastade min blick på min kamrat och flickan, såg jag, att djävulen sju gånger kastade omkull henne, fyra gånger mot vaggen bakom dem och tre gånger mot en kista till vänster om flickan; och detta skedde med så stor våldsamhet, att både vägg och kista gåvo genljud på långt håll För min del förundrade jag mig över, att jag icke hörde flickan giva en suck eller snyftning från sig trots de många och hårda slagen. Varken i ord eller handling visade hon något tecken till otålighet eller röjde, att hon led någon smärta, utan förblev orörlig utan knot eller klagan.

Efter en stund hörde jag flickan sucka, som om plötsligt något ont träffat henne. Även kvinnorna, som sutto omkring henne, hörde detta och frågade, varför hon så suckade. Hon svarade 'Jag är sårad i fötterna'. Man såg efter och fann, att så var, ty i vardera foten fann man ett sår, varur friskt blod strömmade. På samma sätt suckade hon till av smärta fyra gånger efter varandra, allt under de närvarandes deltagande och tårar. Då man vid varje ny suck fann nya sår, reste även jag mig upp och såg efter — såsom jag vill minnas — de två sista gångerna och upptäckte såren i samma ögonblick de uppstodo, innan ännu blodet hunnit bryta fram. Emellertid slutade detta så, att jag på övre delen av den ena foten såg fyra blödande sår och på samma del av den andra foten tre, likaledes friskt blödande.»

Petrus bad nu sin äldre ordensbroder om lov att få stanna kvar i prästens hus över natten och vaka över den unga flickan. Tillsammans med sju andra personer utförde han detta värv, och han satte sig nu bredvid henne. Kristina vände sig då till honom och frågade: »Vad heter du?» Han svarade. »Petrus.» »Gode broder Petrus», yttrade hon då, »berätta mig något om Gud. Jag hör så gärna talas om honom, ehuru jag tyvärr i min nuvarande nöd ej kan vara så uppmärksam som jag önskar.»

Han började då berätta några klosterlegender, men när han slutat, suckade Kristina åter till och klagade över att hon fått ännu ett sår. På samma gång sträckte hon ut sin hand under täcket och framtog en järnspik, med vilken hennes kropp blivit genomstungen. Hon lämnade den åt Petrus, som kände huru den ännu var våt av friskt blod och så het, att den måste ha kommit från avgrunden. Efter det att djävulen ännu en gång drivit in en spik i hennes kropp, slutade äntligen denna hemska natt; och broder Petrus återvände till Köln.

»O, härliga och fröjdefulla natt», utbrister han, »under vilken det först förunnades mig att smaka, huru ljuv Herren är, och under vilken jag först befanns värdig att skåda hans brud!» Med dessa ord slutar Petrus berättelsen om sitt första möte med Kristina.

Här äga vi alltså ett fullkomligt trovärdigt och sannings-älskande ögonvittnes berättelse om hur en kvinna utför underverk, som sedan förskaffa henne namn av helgon. Tack vare de upplysningar om Kristinas liv, som Petrus upptecknade efter berättelse av prästen i Stumbelen, kunna vi också komma under fund med, hur hon hade utvecklats till att få förmågan att utföra underverken.

Medeltidens människor hade nästan ingenting annat att läsa än berättelser om helgon och deras många underverk. De fördjupade sig i martyrsägnerna om den heliga Anatolia, som blir inspärrad i en trång cell tillsammans med en giftig orm men tämjer djuret, så att det icke skadar henne, om den heliga Tekla, som varken bålets lågor eller arenans vilda djur göra något för när, om hur Sancta Lucia skall sönderslitas av oxar men de oskäliga djuren icke kunna förmås att draga till. De få höra trovärdiga berättelser om hur Sankt Dionysius och andra martyrer bli halshuggna men därpå vandra i väg med det avhuggna huvudet i handen, en berättelse som i själva verket uppkommit därigenom, att man missförstått avbildningar av helgonen med det avhuggna huvudet i handen, vilka gamla naiva konstnärer gjort för att bildligt beteckna, att martyrerna lidit döden genom halshuggning. Men med dylika sägner om heliga mäns och kvinnors underverk voro medeltidsmänniskorna fyllda — och de trodde på fullt allvar på dem

De hade inga skolor, dar de genom studium av naturlära och historia kunde som motvikt få en inblick i naturens och människolivets lagar. For dem var underverket något som kunde inträffa når som helst. I sjalva verket gingo de ständigt och väntade på att Gud skulle genom övernaturligt ingripande uppenbara sin nåd. Underverket — brytandet av naturlagarna — blev for dem det naturliga. Fantasien var till ytterlighet uppjagad och såg hela tillvaron fylld av änglar och djävlar, som kämpade om de arma människosjälarna. Och djävulens hemsokelser togo sig ofta uttryck i hysteriska anfall, påminnande om fallandesjuka.

Man kan lätt tänka sig, hur overspänd en obildad bondflicka som Kristina måste bli, fylld som hennes fantasi var uteslutande med de helgonlegender, vilka overallt forkunnades av präster och munkar, och ytterligare upphetsad genom fastor, vakor och alla slags spåkningar, varigenom hon sokte betvinga det upproriska kottet. Nar hon ej langre formådde med något upptänkligt medel hålla somnen från sig, brukade hon lägga sig på det hårda, kalla stengolvet. Så ofta hon vaknade under nattens timmar, reste hon sig for att knäböja i bon. Hon bar närmast kroppen en tagelskjorta, som stack och gnagde. Över den hade hon kastat en grov ylleklädnad, vilken hölls ihop med ett knutigt rep, som skar in i midjan.

I det tillstånd av kroppslig och andlig feberhetta, som blev den naturliga foljden av ett dylikt liv, samlade hon, liksom så mången annan av medeltidens overspända kvinnor, hela sin kanslas glöd i karlek till »brudgummen» Kristus. Liksom munken dyrkade Jungfru Maria och kunde frossa i vållusten av att mottaga himladrottningens kyssar, som fyllde hjartat med salighet, och få trycka det feberheta ansiktet mot hennes ljuva barm, så tändes också extasens glod på bleka jungfrukinder vid tanken på motet med den himmelske brudgummen. Hur torstade ej brudens lappar efter brudgummens kyss, hur langtade hon ej efter hans famntag, den starkes, den allsmäktiges, efter att känna hela sitt väsen smalta samman med hans i salig hanryckning bortom tid och rum! Den medeltida litteraturen är fylld av hänforda skildringar av

Den helige Franciscus av Assisi stigmatiseras.
Efter en målning av italienaren Giotto, † 1336.

all den sällhet, som trånande nunnor erfarit vid mötet med den himmelske brudgummen.

Till Kristina kom brudgummen en gång i nattens drömmar i en skön ynglings gestalt och sade till henne: »Älskade dotter, jag är Jesus Kristus. Giv mig din tro, så att du alltid tjänar mig! Om någon annan vill bliva din trolovade, så svara, att du givit din tro åt Jesus Kristus». Denna dröm var så livlig, att hon hela den följande dagen kände, huru brudgummens hand vilade i hennes.

Hon fördjupade sig med så lågande iver i Kristi lidandes historia, att hon plötsligt vid tanken därpå kunde falla i gråt och se den korsfästes bild livs levande för sig. »Ja, hon började», berättar vår sagesman, »brinna av ständig längtan att få ett tecken, genom vilket hon kunde erinra sig Kristi lidande». Alla hennes tankar, hela hennes fantasiliv tvingades slutligen av den överspända flickans samlade viljekraft in på detta enda: den korsfästes sår, och med glödande hänförelse anropade hon Gud om att på sin egen kropp erhålla ett minne av Frälsarens lidanden. Då inträffade det fenomen, som kallas stigmatisation,[1] och som består däri att på den stigmatiserade personens kropp öppna sig blödande sår på de ställen, där Kristi kropp genomborrades av korsets spikar. Stundom förekommer även, att pannan bär blödande märken efter törnekronan och ena sidan av kroppen företer sår till minne av det genomstingande spjutet.

Länge trodde man, att stigmatisationen blott var ett av medeltidens många religiösa bedrägerier. Men våra dagars vetenskapliga undersökningar av hypnotismen sätta utom allt tvivel, att vi här ha att göra med ett fall av självhypnotism, av stark »inbillning», om man så vill. Det finns många liknande motsvarigheter till fallet Kristina av Stumbelen, t. o. m. från vår tid. År 1868 iakttogs av läkare ett fall av stigmatisation på en ung belgisk kvinna. Och ännu från så sen tid som år 1901 finns en vetenskaplig redogörelse av en berömd fransk psykolog om ett liknande fall i hans praktik, vilket bevittnats även av en framstående svensk specialist på sinnessjukdomar. Under sina långvariga betraktelser över Kristi död på korset hade den stigmatiserade försjunkit i ett tillstånd av religiös extas, och efter en tid började hon känna häftiga smärtor i sina fötter. Det var, som om man stungit tvärs igenom dem, och de blevo blå och uppsvällda. Slutligen uppstod en blåsa på vardera foten och handen, och sedan uppkommo sådana även på bröstet, egendomligt nog blott på vänstra sidan. Alla dessa blåsor brusto sönder och efterlämnade sår. Fenomenet upprepades tid efter annan.

---

[1] Av grekiska stigma = tecken.

För att all möjlighet till bedrageri skulle vara utesluten, täcktes foten med en metallhylsa, i vilken ett urglas var infattat. Under glaset kunde man nu tvenne gånger iakttaga blåsans upptradande, bristning och övergång till sårnader.

Men hur skola vi förklara Petrus' berattelse, att Kristina räckte honom spikar, som djävulen stuckit in i hennes kropp? Måste vi här antaga ett fromt bedrageri från flickans sida i syfte att övertyga omgivningen? Nej. En så överspänd, själsfrånvarande kvinna kan mycket väl ha både skaffat sig spikarna och borrat in dem i sin kropp utan att egentligen ha haft något medvetande därom. Egendomligare saker än så ha de hypnotiska experimenten i våra dagar visat oss.

Petrus de Dacia var så gripen av detta första möte med flickan från Stumbelen, att hans tankar sedan standigt kretsade kring henne Så ofta han fick tillfälle, vandrade han ut till den lilla byn for att träffa henne, och ofta förde han med sig yngre klosterbroder, for att aven de skulle hämta uppbyggelse av hennes fromhet. Man samtalade om andliga ting, och under ljumma vårkvallar lustvandrade man i prästens tradgård. »Vi gingo par om par», skriver han om en dylik vandring; »jag gick med Kristina, och på vagen talade vi om ljuvheten i Guds karlek.»

Efter något mer än ett år avbröts emellertid denna ljuva samvaro darigenom, att Petrus av sina forman sandes till Paris for att idka ytterligare studier. Kristina foljde honom ett stycke på vagen, och så kom skilsmässans smartfyllda stund.

Petrus' enda tröst i ensamheten mitt i den stora världsstaden var att skriva brev till Kristina, brev fyllda av en glödande passion, som i sig innesluter både jordisk och himmelsk dyrkan. »O, alskade Kristina», skriver han en gång, »Kristi brud, låt mig åter en stund få tala med dig! Sag mig, var du är, när du icke mera vet av dig själv! Mig synes, som om du icke visste, om din själ är i kroppen eller utom den, ja jag ar övertygad om, att du icke vet, om du är i varlden eller utom den. O, du ljuva, for vilken varlden är för trång och för oren att bebo, var skall jag soka dig och var skall jag finna dig?»

Hon svarar på samma sätt. I det första brev, hon dikterar till honom, yttrar hon bland annat: »När jag hörde ditt brev föreläsas, kunde jag ej tillbakahålla mina tårar, dels därför att jag fann ditt beröm över mig vara oförtjänt, dels därför att jag där igenkände din trofasthet, av vilken jag fann en underbar tröst. När sedan broder Mauritius kom till mig, var jag hela dagen sorgsen, därför att det var han, som var med dig, då du reste härifrån — så hastigt, att jag av sorg icke kunde tala med dig så, som jag ville. Och när bröder från ditt hemland komma hit, påminnes jag smärtsamt därom, att du är så långt borta ifrån mig. Dina ord bringade mig alltid en stark tröst, och när du talade om brudgummen, då såg jag dig därvid så upptänd, att mitt hjärta fylldes av en fröjd, vilken jag i mitt yttre ej kunde dölja, utan som måste bryta fram i ord. Det var endast dig jag vågade visa denna glädje, och endast till dig vågade jag tala dessa ord, ty blott du förstod mig. Därför är jag nu bedrövad, emedan jag efter din bortresa icke har någon, åt vilken jag så kan och vågar förtro mig. Jag har räddhåga för alla, och i deras sällskap är jag en helt annan än tillsammans med dig.»

Efter något mer än ett års studier i Paris fick Petrus befallning att återvända till Sverige. Vägen tog han över Stumbelen och dröjde där så länge han kunde. Då slutligen han och Kristina skulle skiljas från varandra, sade hon till honom: »Broder Petrus, då du nu drager bort, vill jag spörja dig om en djup hemlighet. Säg mig, känner du orsaken till vår ömsesidiga kärlek? Då vi nu skola skiljas och jag skall bliva ensam, vill jag för dig yppa en hemlighet, som jag eljes icke skulle hava omtalat. Kommer du ihåg, när du första gången kom till mig i skymningen i sällskap med broder Walter och jag först såg dig? Minns du då, att jag satte mig bredvid dig på en kudde och lutade mig ner? I detta ögonblick uppenbarade sig Herren för mig; jag såg brudgummen och hörde honom säga: 'Kristina, känner du den man, bredvid vilken du sitter?' Då jag svarade, att jag förut ej lekamligen skådat honom och aldrig sett hans ansikte, sade han: 'Betrakta honom noga, emedan han är och alltid skall vara din vän samt skall göra mycket för dig. Men också du skall göra för honom det du icke skall göra för någon annan människa. Och vet att han skall vara med dig i det eviga livet.' Detta är anled-

ningen, broder Petrus, varför jag älskar dig och valt dig till
förtrogen. Jag har förut icke yppat denna hemlighet men
gör det nu, emedan vi inom kort lekamligen skola skiljas
från varandra och jag icke vet, om vi vidare skola råkas i
detta livet, så att du kan få höra dessa hugnesamma ord.»

Dagen därpå skildes de, och hon följde honom såsom förra
gången ett stycke på vägen. På hans avskedshälsning sva-
rade hon intet utan betäckte huvudet med en duk, satte sig
på marken och grät bitterligen.

Brevväxlingen mellan Petrus och Kristina fortfor även
sedan han flyttat över till sitt kloster i Sverige. Allt jämt
andas hans brev samma varma kärlek. Det är en kärlek,
så osjälvisk, att den ingenting begär, så ren som fjorton-
åringens svärmiska längtans drömmar

Först döden kunde slita detta band mellan två själar, som
funnit varandra. Den sista underrättelse, vi ha från Petrus
de Dacia, är en hälsning, som han genom en klosterbroder
sände Kristina från dödsbädden. Hon överlevde honom
länge, och det är egendomligt att tänka sig, att hon trots allt
det överspända stormandet på sin hälsa dog först som 70-
årig gumma. Om hennes senare liv veta vi så gott som intet,
ty ingen kärleksfull hand upptecknade numera hennes syner
och lidanden.

Litteratur: Henrik Schück, Ett helgon (Ur gamla papper. II,
haft kr 2 50).

I Guds hus.

DE FORSTA kyrkor, som byggdes i vårt land, voro
små och enkla. I dystert halvmörker låg det lilla
templets inre Blott ett sparsamt ljus silade in ge-
nom de små smala, om skottgluggar erinrande fönstren,
och blott en eller annan okonstlat naiv väggmålning upp-
livade den dystra anblicken.

De äldsta svenska kyrkorna voro av trä. Senare uppfördes
efter utländskt mönster stenkyrkor, vilka utom sitt egent-
liga syfte fingo den viktiga uppgiften att tjäna som försvars-

Råda kyrka i Värmland.

verk. Under dessa oroliga tider gåvo de vida bättre skydd
mot fiender än de av trä byggda boningshusen. De små,
gluggliknande fönstren och de järnbeslagna dörrarna av

S:t Olofs kyrkoruin i Sigtuna.

Dörr från Vånga kyrka i Östergötland.

tjocka ekplankor vittnade också om att Guds hus var ett
starkt fäste. Dess fastaste del var dock tornet med sina
tjocka murar och sin trånga branta trappa, som det icke
var lätt för en fiende att tränga uppför. Den som ser t. ex.

Stenskulptur från Skara domkyrka.
Föreställer utdrivandet ur paradiset.

Sigtuna gamla kyrkoruiner får också av dem snarare intryc-
ket av bistra försvarstorn än av fridens boningar. Det
gällde nog på sin tid att värna dem ej blott mot de hedniska
folk, som kommo från Östersjöns andra strand och hem-
sökte kusterna samt Mälarbygden med härjningar, utan också
mot hedningar i eget land.

I södra och mellersta Europas rikare länder hade den religiösa hänförelsen genomträngt även konsten och skapat den byggnadsstil, som kallas den romanska eller rund-

Gerums kyrka i Västergötland, troligen från 1100-talet.
Den större avlånga fyrkanten utgjorde det för församlingen avsedda *långhuset;* den mindre fyrkanten, *koret,* var plats för altaret och prästerskapet; den halvrunda utbyggnaden, *absiden,* var ursprungligen avsedd för biskopens stol.

bågsstilen. Denna konstriktning banade sig väg även upp till Norden och tog sig ett mäktigt uttryck i Lunds domkyrka.

Målning från Kaga kyrka i Östergötland.
Föreställer barnamordet i Betlehem.

Stenskulptur å dopfunt från Tryde kyrka i Skåne.

En kvinna ses förfärad sjunka ned vid åsynen av döden, som ledes
in av en biskop. Figuren bakom henne är troligen en abbedissa, som
uppträder till hennes skydd.

Kraftfull och majestätisk verkar den romanska kyrkan
med sin ståtliga fasad, där rundbågsfönster genombryta
den tjocka muren och breda rundbågsportaler öppna sig,
redo att draga menighetens ström till sig. Och därinne
i det mystiska halvdunklet i helgedomen vandrar man genom
en allé av massiva pelare, som bära upp rundbågar. Allt
är tungt men gediget och harmoniskt.

Lunds domkyrka.
Byggd på 1100-talet, restaurerad i slutet av 1800-talet.

Rundbågen utbyttes sedan mot spetsbågen, som känne-
tecknar den gotiska stilen. I den gotiska kyrkan strä-
var allt uppåt. Denna konststil liksom förkroppsligar i sig
sinnets svärmiska längtan mot höjden. Mot höjden strävar
varje spetsbåge, varje torn. Kyrkan blir så luftig och ljus och
allting så smäckert och lätt. Borta äro de mäktiga rund-
bågsvalvens tryckande tyngd, borta dunklet mellan de massiva
murarna och de tjocka pelarna. Så lekande lätt tyckas nu
pelare och murar bära vad som förut syntes kosta dem stor
ansträngning. Långsmala spetsbågsfönster genombryta vägg-
ytorna tätt intill varandra, så att själva väggarna liksom lösas
upp i pelarrader även de. Ljus och luft tränger befriande in i
kyrkan, och genom färgade fönsterglas silar en mystisk skym-
ningsdager in och gjuter över golv och pelare ett härligt färg-
skimmer, vinrött, violblått, guldgult. »Det är», säger en medel-
tida författare, »en syn, som om man vore förd i hänryckning
till himlen och fått komma in i en av paradisets skönaste salar.»

Uppsala domkyrka.
Byggd på 1200-talet, restaurerad i slutet av 1800-talet.

Helige mäns och kvinnors kvarlevor.

FÖR att en katolsk kyrka skulle få sin rätta helighet, borde dess altare vara uppfört över någon kvarleva av ett helgon, en s. k. helgonrelik. Det svenska medeltidsnamnet på relikerna vittnar om den djupa vördnad man hyste för dem: man kallade dem helgedomar, och de käril, som inneslöto de dyrbara kvarlevorna, benämndes med vördnad helgedoma-kar. De enklaste omhöljena för reliker i vårt land voro dosor av bly. Men eljes ansågs endast det ädlaste material värdigt att omsluta martyrernas och helgonens ben, vilka i och för sig voro »mer värdefulla än dyrbara stenar och ädlare än luttrat guld», och vilka — så säga helgonlegenderna — yppade sin helighet genom en ljuvlig doft. Man inneslöt

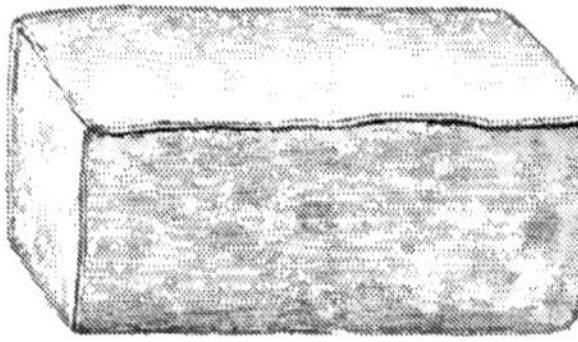

Blydosa för helgonreliker.

dem i skrin av silver eller guld, prydda med ädla stenar, eller ock gav man dem ett omhölje, som anslöt sig till innehållet, så att en fingerkota innefattades i ett finger av silver eller guld, armens benpipor i en arm av ädel metall o. s. v. Det berättas om konung Magnus Eriksson vid 1300-talets mitt, att han ägde två huvud av de elvatusen jungfrur, förvarade i två trähuvud, prydda med var sin krona.

Säll den ort, som lyckades förvärva ett helgedomakar! Den ägde ett osvikligt skydd mot örlig och farsoter, mot vådeld och drunkning, mot oväder och rövare, ja en helgonrelik ansågs som den starkaste av alla befästningar. Hundratals människor blevo botade genom att dricka vatten, vari en av den helige Vilhelms tänder legat. Somliga reliker ansågos äga en underbart kraftig verkan i särskilda fall. Så omtalas mot slutet av 1400-talet bland Lunds domkyrkas dyrbarheter »en jungfru Marias särk, som goda kvinnor i barnsnöd ganska nyttig är», och som konung Kristian I därför vid tillfälle bad att få låna — åt sin gemål.

Om ett berömt franskt helgon förtäljes följande högst trovärdiga historia. En gång vid vikingarnes annalkande blevo dess ben, såsom varande fädernestadens största dyrbarhet, räddade till en säker plats på andra sidan gränsen. Men nu fanns ingenting längre, som kunde hela krigets offer, utan de som i strid blivit ofärdiga måste för framtiden leva av den godhet, vartill deras stympade lemmar kunde beveka människors hjärtan. — Småningom blevo emellertid tiderna lugnare, och man önskade återfå de dyrbara benen.

Men vid denna underrättelse blevo de tiggande krympling-
arne hjärtängsliga. De ställdes ju med ens inför utsikten
att bli fullkomligt helade och därigenom få sin nyvunna
ekonomiska ställning undergrävd. Så fort benstumpar och

Stenskulptur å dopfunt från Tryde kyrka i Skåne.
Föreställer måhända Lazarus' uppväckande. De två sörjande
kvinnorna kunna vara Maria och Marta.

kryckor tilläto, makade de sig följaktligen mot gränsen för
att i främmande land fortsätta det från ansträngningar fria
liv, som de vant sig vid. Men o ve! De hade givit sig
av för sent! Innan de ännu uppnått Frankrikes gräns, hade
helgonets kvarlevor passerat densamma i motsatt riktning,
och nu kunde ingen jordisk makt förhindra, att krympling-
arnes ben växte ut igen. Friska och färdiga till sin kropp

Helgedomakar, i vilket förvarats ett armben av den helige Eskil. Benet stals år 1692 av en utlänning.

men med sorg i sinnet gingo de en bister framtid i arbete till mötes.

Ej underligt att man under sådana förhållanden slog sig på reliksamlande på alla håll och kanter. »Man företog upptäckts- och erövringståg för att komma i besittning av några dyrbara kvarlevor», skriver en forskare på detta område. »Man förde krig om ett nyckelben eller en fingerkota så som man krigar om provinser eller länder. Den helige asketen Jakobs kropp blev till och med ett stridsämne redan innan han hunnit dö.» När den helige Franciskus kände sitt slut nalkas, lät borgerskapet i hans fädernestad, Assisi. omgiva hans boning med en vakt av soldater, för att ingen obehörig skulle komma åt att lägga beslag på de heliga kvarlevorna, vilka ju rättvisligen borde komma fädernestaden helt till godo. En annan helig man enerverades till den grad vid åsynen av huru man redan under hans livstid på olika orter uppförde kapell för att inhysa hans ben, att han tog det löftet av sina lärjungar, att de skulle smussla undan hans kvarlevor och begrava dem i hemlighet. Ännu större olägenhet säges den helige Romoald ha haft av sin helighet. Då han beslöt att överge sitt syndiga fädernesland, Italien, säges from-

Helgedoma-kar.

ma och fosterlandsälskande män ha sammansvurit sig om att döda honom, för att deras landsmän skulle få åtnjuta välsignelsen av hans heliga kvarlevor.

»I sin fromma iver aktade man icke för synd att bestjäla eller plundra sina grannstäder för att kunna föra några lyckobringande ting hem till sin egen by. Och man handlade med det, som en gång varit fromma gudsmän, såsom man handlar med krämarvaror. Ligger det för den kristna uppfattningen något stötande i detta faktum, så förmildras saken av att trafiken vanligen sköttes av otrogna judar», säger den förut citerade forskaren.

Då kyrkorna blevo allt flere och var och en ville samla ihop åt sig största möjliga antal reliker, kan man ej förtänka dessa Israels barn, att de gjorde extra ansträngningar för att ingen kvarlevsbehövande skulle bli utan. Låt nu vara att de heliga männens och kvinnornas tal var legio — man tänke blott på de tiotusen riddare och den heliga Ursulas elvatusen jungfrur — så kunde deras kvarlevor ändå ej räcka till att fylla alla behov. Det förslog icke ens, att man tog sönder vad de lämnat efter sig här på jorden, såsom man exempelvis förfor med de svenska nationalhelgonen Erik den helige och den heliga Birgitta. Av den förres ben, som förvarades i ett helgonskrin i Uppsala domkyrka, fick Magnus Ladulås' son hertig Erik några bitar, andra tilldelades biskopen i Västerås och priorn i Sigtuna kloster. Senare skänktes ett ben till Vingåkers kyrka och en ryggkota till Vårfrukyrkan i Antwerpen.

När tillgången på reliker, trots så detaljerad behandling, ej svarade mot efterfrågan, fanns ingen annan råd än att ta och tillverka heliga kvarlevor. Ett ståtligt exempel på vad som kunde göras i den vägen hittade man för åtskilliga år sedan i Skivarps kyrka i Skåne. Reliken, som dyrkats såsom en hand av ett helgon, visade sig vid närmare granskning

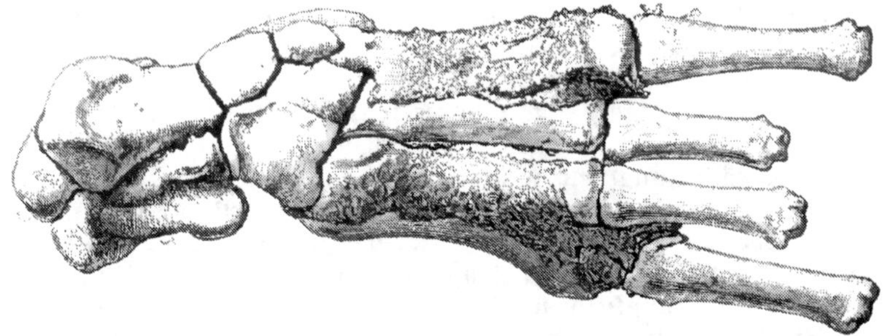

Den heliga sälfoten från Skivarps kyrka i Skåne.

vara en bakfot av en salhund. Tank så mycket gott den salfoten har gjort! Här kan man med skäl tala om »en god själ».

Ordningsälskande folk har gjort sig mödan att sammanställa de over all varlden kringspridda helgonreliker, som borde höra tillsammans, och kommit till det bedrovliga resultatet, att de heliga mannen och kvinnorna måste ha varit sannskyldiga vidunder i vanskaplighet, utrustade med flera huvud, ett otillborligt stort antal armar och ben och en hel mängd omgångar tänder

Bland Kristi reliker spelade naturligtvis hans kors den storsta rollen. Bitar darav spriddes over hela världen i sådant antal, att man därmed torde kunna fullasta åtskilliga medelstora skutor. »Det skulle vara av intresse att genom en undersokning få kunskap om huru många trädslag alla dessa korsbitar äro av», säger Hans Hildebrand. »Det heliga korsets tre spikar ha under tidernas lopp förokats så starkt, att de blivit åtminstone 36. Liknande ar forhållandet med taggarna i Kristi törnekrona, vilka ansågos som ytterst dyrbara. Biskop Brynjolf i Skara var överlycklig, när han från sin vistelse i Paris forde med sig en tagg av den beromda tornekrona, som där forvarades i ett for detta ändamål uppfort underbart vackert kapell.

Rikast försedd med reliker bland våra svenska kyrkor var Lunds domkyrka. Som en uppräkning av dem alla skulle fylla drygt ett dussin boksidor, få vi nöja oss med följande urval

»Elva bitar av det korsträ, på vilket Jesus Kristus led döden. En del av den pelare, vid vilken Kristus var bunden, når Han gisslades. En liten bit av den törnekrona, vilken Vår Herre bar till smälek och begabberi.

Ett ben ur den helige martyren Laurentii kropp. Av den heliga jungfrun Petronilla. Av den sälla jungfruns säng. Av den sälla jungfruns klader. Av den helige Petrus. Av den heliga jungfrun Katarinas olja. Av den helige Sebastians knä. Av den heliga jungfrun Cecilias huvud. Ett stort ben av den helige Zacharias, den salle Johannes döparens fader. Av den sälla jungfruns mjölk.

Ett helt huvud av den helige Laurentius, fordom konung

ı England. Ett ben av menlosa barn. Många ben av de elvatusen jungfrur.

Av paradisets trad. Av de tre konungar. Av den helige Tomas' av Canterbury tagelskjorta Av Herrens grav. En del av en kake med fyra tänder av en av de helige martyrerna i Selje. Av den helige aposteln Petri huvud och strån av hans skägg. Av den helige aposteln Pauli hår. Av den helige aposteln Mattei revben. Av den sälla jungfruns hår. Av hennes kläder. Av Herrens skodon. Av Herrens vagga.

Nastan alla benen av hela kroppen av den helige biskopen och martyren Marinus. Av den helige patriarken Abraham. Ett ben av den salle biskop Ansgarii rygg. Så gott som alla benen av den helıga jungfrun Eufrosınas kropp. Ett stort ben av den helıga Martha, Kristı vardınna. Av den helige Laurentıı jord och fett, som faıgades under halstret, när han på detta led martyrdoden.

Sex delar av de elvatusen jungfrur. En led ur den helige konungen och martyren Knuts hand En käke av de elvatusen jungfrur Många andra reliker av de elvatusen jungfrur: av halsen på en, av ett revben, av ett fınger, en tand jamte fyra andra märklıgare delar av dem.»

Lıtteratur: Hans Hıldebrand, Sveriges medeltid. III   Haft kr
24. 50, ınb kr 31 50
Yıjo Hırn, Det helıga skrinet. Haft. 14 (finska) mark.

Sverige inlemmas i den allena saliggörande kyrkan.

ÅR 1152 holl ett sandebud från påven ett kyrkomóte i Linkoping, på vilket beslots, att svenskarne skulle liksom andra folk betala till påven en årlig skatt, vilken kallades peterspenningen, dárfor att påven ansågs som aposteln Petrı eftertradare och Krıstı ställföretradare har på jorden.

En tid efter det påvliga sändebudets besok fick Sveriges konung mottaga en skrıvelse från »den helige fadern ı Rom» med förmanıng att noga ıakttaga det beslut, som nu fattats.

Till sist insockras den heliga fadersivern att bli delaktig av peterspenningens goda i följande vandning: »och fordra Vi denna skatt sannerligen icke så mycket for Vår nyttas skull som fastmer for edra sjalars fralsning, i det Vi onska, att I genom edert hjartas hangivna tjanst skolen forvarva Sankt Peters beskydd.»

Det var ej småsummor, som peterspenningen och andra skatter till påvestolen kostade det fattiga svenska folket. »En kostelig mjolkko måtte alltså», for att begagna en aldre kyrkohistorikers ord, »Svea och Gota rike hava varit for påvarna i Rom.»

I och med beslutet på Linköpings mote var vårt land inlemmat i det stora andliga rike, som styrdes enväldigt av påven å Guds vagnar. Han fordrade, att alla, furstar och folk, skulle blint lyda hans bud. Djarvdes någon motsätta sig kyrkans befallningar, så utslungade påven över honom bannlysning Ve den, som drabbades darav! Han var utstött från de kristnas samfund; prasten fick ej döpa hans barn, ej ge honom nattvarden, ej begrava hans döda kropp. Ingen fick härbärgera honom, ingen läcka honom mat eller dryck. Han var forbannad i livet, forbannad i doden. På jorden fick han irra utan frid, och dog han bannlyst, så ansågs hans själ evigt fortappad. Hemskast var det, når hela landsändar bannlystes. Då stangdes kyrkornas dorrar, sången och kyrkomusiken forstummades, inga klockor kallade menigheten tillsammans eller ringde over de döda, inga själamassor lästes for att befria deras sjalar ur skarseldens kvalfulla rening I maktlos fortvivlan måste de anhoriga stanna infor tanken på alla de plågor, som de kära avlidna skulle genomgå på detta fasans stalle, innan de kunde intrada i salighetens himmel. Somliga måste dar tranga igenom ett eldhav, andra måste med otrolig moda arbeta sig uppfor ett brant berg eller vandra over en knivskarp bro. Har funnos, liksom i helvetet, plågor, som voro avpassade efter den avlidnes skotesynder. Dar var en upphångd vid den lem, varmed han mest syndat. En annan fick stöna under bordan av allt det gods han stulit. En kejsare måste stanna länge i skärseldens plågor, darfor att han ofta låtit de små och fattiga här på

jorden få vanta lange på rättvisa. »Låt honom nu i skars-
elden lära sig, hur det känns att få sin sak uppskjuten!»
ljod Herrens rost.

I en bannlyst trakt hjälpte det ej mer att skanka stora
penningsummor eller gods och gårdar till kyrkor eller kloster,
ty där voro präster och munkar forbjudna att genom
själamässor hjälpa någon ur skärselden. Det var en fruk-
tansvärd makt. som den heliga kyrkan hade, att straffa och
kuva människorna, så mycket fruktansvärdare på en tid
då livet hade så ringa omväxling att bjuda.

Omkring ett århundrade efter Linkopings mote höll ett
annat påvligt sändebud ett kyrkomöte i Skenninge år 1248.
Har forbjödos prästerna att taga sig hustru eller sammanbo
med kvinna. Om sådant skedde, skulle kvinnorna i fråga
vara lysta i bann. De praster, som redan voro gifta eller
levde i konkubinat med kvinna, måste inom årets slut
skilja sig från henne, undantagandes femtioåriga präster
och kvinnor som vid vite av stora böter forsakrat biskopen
att leva avhållsamt och aldrig sova under samma tak. Ingen
omtanke om maka och barn, ingen familjelivets lycka skulle få
draga prästens tankar till sig; åt kyrkans tjanst skulle alla
hans krafter agnas. Hur många kära äktenskapsband måste
nu ej slitas, darfor att påven så befalldel Genom dessa och
andra stadganden blevo kyrkans man avskilda från det ov-
riga folket såsom ett särskilt stånd av Guds tjanare. De
fingo icke dömas av värdslig domstol. Kyrkans gods be-
friades senare från skatt till staten. Då blev detta stånd
kallat det andliga fralset. Frälse betyder nämligen
frihet, i detta fall från skatt.

Till prästernas och kyrkornas underhåll erlade folket i
skatt $^1/_{10}$ av åkerns groda, av boskapsskötselns, jaktens
och fiskets avkastning. Denna skatt, som kallades tionde,
utgick naturligtvis olika allt efter det slags produkter
varje landsända frambragte. I Dalalagen stadgas t. ex.
om tionde: »Bonde skall giva i tionde åt präst sin var tionde
kalv eller en penning i stallet, vart tionde lamm eller en pen-
ning i stallet, var tionde gås eller $^1/_2$ penning i stället, var
tionde killing eller $^1/_2$ penning i stallet. Bonden skall rätt
tionde göra av arter av humlegård. av lin var sextonde

kärve, så ock av hampa, var tionde fisk av varje fångst vid lektid.» I Hälsingland gällde det att utskifta tionde ej blott av spannmål, kreatur och smör utan även av säl och gråverk, lax och annan fisk, skogsfågel och annat mindre villebråd, ja även av lårbogar av älg och björn.

En av de äldsta skrivelser, som finnas bevarade i vårt land, är en påvlig bulla[1] av den för sin kraft och sin makt-

Påven Bonifacius IX:s bulla (1389—1404).
De båda ansiktena föreställa apostlarne S:t Paulus (SPA)
och S:t Petrus (SPE).

lystnad berömde Gregorius VII, i vilken denne år 1081 på-bjuder erläggande av tionde. Åttio år senare nåddes vårt land av en ny påvebulla, i vilken det heter: »Så väl det nya som det gamla förbundets lag bjuder, att tionde skall lämnas åt präs-terna och andra kyrkans tjänare. De, som samvetsgrant givit tionde av sin egendom, skola kunna förtjäna både det som jordiskt och det som himmelskt är och överflöda i allt gott. Men om någon gång hunger, brist eller fattigdom hemsöker världen, veten att det kommer helt visst av Guds vrede över att tionde ej gives! Ty Herren klagar över att vara i sina tjä-

---

[1] Bulla var egentligen namnet på det påvliga sigillet, som var runt och tjockt, men benämningen överflyttades sedan på själva påvebrevet, vid vilket sigillet var fästat.

nares personer besviken. Sådan är, enligt den utmärkte läraren Augustini vittnesbörd, Guds heliga vana, att de, som icke giva tionde, skola bringas ned till tiondedelen av sin förmögenhet. Därföre, om I viljen av Gud vinna lön och förtjäna förlåtelse, given tionde och utskiften allmosor av de återstående nio delarna!» — Påståendet att det nya testamentet påbjuder tiondens givande saknar bevis, och de ord, som äro lagda i Augustini mun, äro lånade ur en predikan, som falskeligen bär den store kyrkofaderns namn.

»Det är», säger Schück, »intressant att studera bondens uppfattning av prästerskapet, sådan denna uppfattning kommer

Dopfunt från Råda kyrka i Värmland.

fram i Västgötalagens kyrkobalk. Närmast får man intrycket av ett närigt avvägande av skyldigheter och rättigheter, av fördelar och av priset på dem. Prästen var skyldig att giva bonden sakramenten, dopet, nattvarden och den sista smörjelsen samt hålla mässa; predikningar omtalas ej och förekommo troligen ännu blott undantagsvis. Bonden å sin sida skulle betala prästen för hans arbete; vidare skulle han hålla sockenkyrkan vid makt och bestå biskopen gengärd.[1] Men han vill ej betala en örtug mera än det ytterst detaljerade kontraktet bestämmer, och han köper befrielse från skärselden med samma ekonomiska noggrannhet, som om han skulle köpa ett par oxar.

Men å den andra sidan märker man, att den nya läran vid tiden för lagens avfattande fullkomligt gått honom i blodet. På sakramentens och mässans verkan tvivlar han aldrig ett ögonblick, och prästen har för honom blivit en lika viktig faktor i samhället som konung och lagman. Han vördas särskilt såsom en 'boklärd' man, och 'boken', d. v. s. mäss-

<hr>

[1] Sammanskott av livsmedel till biskopens underhåll. då han kom på besök för att inviga en kyrka eller på nytt viga en helgedom, som blivit oskärad t. ex. genom ett dråp.

boken, betraktas såsom en halvt magisk, övernaturlig tingest med samma kraft som de likaledes trollska runorna. Högst bland prästerna står biskopen, ett slags hövding, som med sin hird av klerker rider kring i stiftet, uppbär böter och tager emot gästabud: 'För biskopen skall man gengärd göra två dagar och till kvällen på den tredje; och dricke han mjöd och alla klerker hans.' Vid sidan av lagmannen hade biskopen således trätt i spetsen för landskapet.»

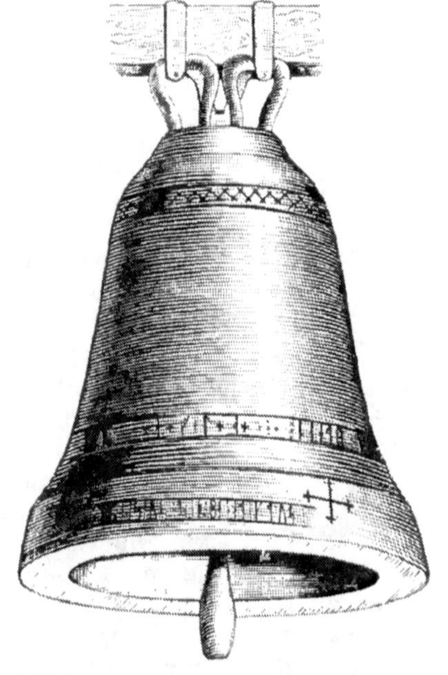

Klocka från Saleby kyrka i Västergötland, vårt lands äldsta daterade klocka. Runinskriften lyder: »þa iaik uar gör þa uar þushundraþ tu hundraþ tiuhu uintr ok atta fra byrþ Gus. agla. Ave Maria gracia plena.» Det betyder: »Då jag vart gjord, då voro ettusentuhundratjugu vintrar och åtta från Guds börd Agla Hell Maria full av nåd!»

Enligt Södermannalagen bestod den nödvändiga välfägnaden för biskopen och hans tolv män av följande kvantiteter mat och dryck: tre tunnor öl, en tunna vete- och rägbröd, en tunna bjuggbröd, två halva fläcksidor, fyra får, åtta höns, två gäss, tre pund smör, två ostar samt fyra stockfiskar. Smålandslagens farhåga: »Ej må biskop utan att mätt vara fara från en gård», synes alltså, åtminstone i Södermanland, ha varit ganska obefogad.

* * *

»Vi prästerskap, sa' klockarn» — så lyder ett bevingat ord. Klockarfar har ju av ålder haft många viktiga ting att bestyra. Hans titel kommer av att han hade att vårda kyrkklockorna och ringa till ottesång, mässa och aftonsång samt mot helg ävensom »var afton kläppa Vår fru Marias lov». Han skulle tjäna prästen vid alla mässor, och när denne gav sig ut i sockenbud, skulle klockaren vara honom följaktig samt bära hans bok och stola.[1] Han skulle dessutom elda prästens badstuga en gång i veckan, betjäna och raka honom samt hålla honom med kvastar, slakta kyrkoherrens fä, när så behövdes, och lägga prästens korn i ladan. Hans hustru skulle göra deg och baka bröd åt prästen, när så behövdes, och fick som lön därför bära med sig en bulle från prästgården. »Då klockaren haver uppfyllt allt detta året om, då skall han hava av prästen ett par skor och ett par vadmalshosor[2] och ej mera», heter det till sist i en medeltida förordning. Detta avsåg dock endast de tjänster klockaren gjorde prästen enskilt. Den egentliga lönen fick han av församlingen i form av klockarestuga eller klockaregård.

[1] Ett rikt smyckat, brett band, som hängdes över axlarna på prästen. — [2] Ett plagg, som innefattade i sig både strumpor och byxor.

Litteratur: Yngve Brilioth, Den påfliga beskattningen af Sverige intill den stora schismen.

FRAM, FRAM, KRISTMÄN,
KORSMÄN!

Till det heliga landet!

MOT slutet av 1000-talet grepos sinnena inom kristenheten allmänt av hänförelse för tanken att erövra det heliga landet från hedningarne. Förut hade stora skaror av pilgrimer brukat vallfärda till Palestina för att bedja vid Jesu grav och de platser, där han lidit. Men nu kom budskapet, att Jerusalem blivit intaget av turkar, som plundrade pilgrimskaravanerna och vägrade dem att besöka de heliga platserna. Då sammankallade påven ett stort möte i Frankrike. »Skola vi tåla», utropade han, »att se i rövarhänder det heliga landet, den plats där Kristus led för våra synder, graven varur han uppstod, fridens berg varifrån han uppsteg till himmeln? Nej! Dragen ut till Jerusalems befrielse, om I älsken eder själ, och köpen er så lösa från edra synder, ty Gud vill det . . .» —— »Gud vill det! Gud vill det!» ropade alla med en mun, och tusenden trängde sig fram till påven för att mottaga ett invigt kors av rött tyg att fästa på axeln; därav kallades deras färd för korståg.

Hänförelsen smittar med otrolig fart. I hundratusental strömma höga och låga tillsammans, brinnande av tro och iver att befria den heliga graven. De draga i väg, män och kvinnor och barn; hela byar utvandra, och som gräshoppsvärmar fara folkhoparna bort. Alla vägar äro fyllda av korsriddare och pilgrimer; de trängas i härbärgena, på skeppen, i karavanerna. Tusenden och åter tusenden duka under för hetta, törst och alla slags umbäranden. Fruktansvärt härjas deras led av pestsjukdomar, och på havet jaga sjörövarne dem likt rovgiriga hajar och bortföra många i slaveri. Men *fram* skulle de som blevo skonade för soldöd och slaveri, och efter underverk av tapperhet återtogo korsfararne till sist den heliga staden.

Nu är glömt allt vad de lidit, de lyckliga som i hänförelse
falla ned och kyssa de heliga platser, som frälsarens fot
trampat . .

Sankt Erik konung.

ÄVEN de skandinaviska folken grepos av iver att draga
ut i korståg. Men dessa gällde mest grannländernas
hedningar. Sverige, som fordom sänt ut vikingaflottor,
hade i stället blivit hemsökt med vikingatåg av sina hedniska
grannar på andra sidan Östersjön. Svenskarnes krafter togos
ju i anspråk av de nära 200-åriga striderna mellan landskapen,
och då passade de mongoliska, med lapparne besläktade
folken i Finland på att anfalla de där boende svenskarne.
Sedan foro de över Östersjön, härjade och plundrade på den
svenska kusten.

Men när kristendomen var befäst bland svenskarne, vände
sig dessa med korståg mot de finska mongolerna. Det fanns
utom det nyväckta religiösa nitet samma skäl för dem att
kristna finnarne som fordom för folken i mellersta Europa att
omvända de nordiska vikingarne: de ville göra slut på deras
härjningar.

Den som i Sverige först påbjöd korståg skall ha varit den
förut nämnde konung E r i k, stamfader för den Erikska
konungaätten. Om honom förtäljer en gammal legend, den
s. k. Sankt Erikslegenden, följande·

»Först och främst tog han sig före Uppsala kyrka, som
nu kallas Gamla Uppsala, och som forna konungar, hans
förfäder, hade grundat och något uppå byggt; och han skic-
kade därtill klerker, som gudstjänsten uppehöllo, och full-
komnade kyrkan med grov och kyrkelig byggning. Sedan
for han kringom sitt rike till sin allmoge, lag och rätt hållande,
ej vikande uppå högra sidan för gunsts eller gåvors skull och
ej på vänstra sidan för hats eller räddhågas skull utan gick
rätta vägen fram, som drager till himmelrik. Så gjorde han
samja mellan osåta, frälsande dem som förtryckte voro av
de mäktige, styrkande dem som på rättrådighetens väg
voro, utdrivande ur riket de omilde och orättvise och ski-
pande varjom rätt efter lagen.

Denne vår helge konung var idkesam i gudeliga boner och mycken vaka och fasta, varkunnsam i bedrövade människors motgång, givmild i allmosor till fattigt folk och tvingade sin kropp idkeliga med hårklade, vilket han på sig hade den tid han slagen och pint var; och gommes samma hårklade än i dag i Uppsala domkyrka bland helgedomar, ty det var vätt i hans helga blod.

Huru han sig forholl till sin hemliga tiende, som man i skötet bär, det kan därutav vetas, att när han for fastetids eller hogtiders skull ofta återhåll hade från sin hjonelagssang, då plagade han ofta — och jamval om vintertid — lonliga bada i ett kallt vattukar, drivandes olovligan lekamens hetta bort med kold.

Nu, som forr ar sagt, då den helga kyrkan var uppbyggd och riket i gott skick, så samlade han harfard for den helga tron och mot sin fiende, tagande med sig av Uppsala Sankt Henrik biskop sammastäds, och drog till Finland, som uppå den tiden var hedniskt och gjorde stor skada uppå Sverige. Då bod Sankte Erik folket i Finland att anamma kristen tro och ingå fred med honom. Men när de icke ville den anamma, så stridde han mot dem och övervann dem med svärd, hamnandes manliga kristna mäns blod, som de lange och ofta utgjutit hade. Och sedan han fått en så årlig seger, så gav han sig till gudeliga boner, fallandes på sina knän med gråtande tårar. Då sporde en av hans goda män honom till, vi han grät, efter det att han hellre borde glädjas för den ärliga seger, som han vunnit över vårs herras Jesu Kristi och den helga kristna trons fiende. Då svarade han så: 'Jag är glader och lovar högeligen Gud, att han oss unte seger. Men det sörjer jag storligen över, att så många sjalar förtappades i dag, vilka kunde fått evärdeligt liv, om de velat anamma kristendomen.'

Sedan stämde Sankte Erik inför sig det folk, som oslaget blev i landet, och satte där kvar i landet till kristendomens upprätthållande forbemälde Sankte Henrik, som sedan vart där kronter med martyrara.

Nu då tionde året av hans regering inne var, då reste människornas gamle fiende djävulen mot honom en fiende, som hette Magnus, en dansk fursteson, vilken gjorde anspråk på riket å sitt mödernes vagnar. Han hyllade till sig en mäktig man i riket och andra vrånga och orättvisa män, som han lockade till sig med gåvor och stora löften. Och de förenade och sammansvuro sig uppå konungens argaste och död och samlade lönliga en här, konungen ovetandes, i det han sig intet ont förmodade, och drogo mot honom med stor makt intill Östra Åros, som nu kallas Uppsala.

Den tid denne helge konungen åhörde gudstjänsten och mässan i den helga Trefaldighetskyrkan, då kom en av hans tjänare med bud till honom, att fienderna voro komne för staden och rådligt vore att gripa till vapen och möta dem. Då svarade han så: 'Låten mig i ro höra till ända denna stora högtids mässa! Jag hoppas till Gud, att står här något av hans tjänst åter, det skola vi annorstädes högtideligen få höra.' Och efter dessa ord befallde han sig i Guds beskydd och gjorde korstecknet samt lade harnesk uppå sig och de sina, ändock de voro få, och mötte manligen sina fiender. Och fienderna anföllo honom och slogo honom neder till jorden, huggandes och stingandes sår uppå sår, och avhöggo vanvördeliga hans vördnadsvärda huvud, då han redan var halvdöd.

Så for han med seger bort från örlig och till den evärdeliga friden. Då skedde det järtecken, att uppå det rummet, som hans blod först neder kom, sprang upp en springande källa, som än bliver, till bevis på hans helga martyrskap.»

*

Legendens Erik är en annan, än den bild man får fram ur de sparsamma historiska källorna. Klart är ju, att då S:t Erikslegenden är skriven mer än ett århundrade efter konungens död, kan den ej vara i alla detaljer tillförlitlig. Åtminstone innehåller den påtagliga överdrifter om Eriks helighet. Mycket uppseende väckte på 1890-talet den förut omnämnde forskaren Knut Stjerna genom sin idérika och genialiska men djärva kritik av legenden, som han under jämförelse med de historiska källorna plockade sönder bit för bit. I en dansk klosterkrönika fann Stjerna en uppgift, att munkarne i Varnhems kloster blivit förföljda och till sist, år 1158, fördrivna från klostret på anstiftan av konung Erik och dennes gemål, Kristina. Traktens befolkning hade hetsats mot munkarne, och en prast i grannskapet skulle ha gjort sitt till att trakassera klosterbroderna genom att låta en flock illa kända kvinnor i mer an tillborligt latta drakter störa deras procession kring klostret på palmsondagen.

Det låg ju nara till hands att av denna avoghet från konungaparets sida draga den slutsatsen, att Erik varit rent av fientlig mot kristendomen. Kronikans ord, att munkarne fingo återvanda, »nar konung Erik och drottning Kristina blivit mildare stamda», visa dock, att en sådan slutsats skulle vara förhastad; men det hela ger i alla fall det intrycket, att konung Erik i verkligheten varit en mycket ljum kristen. Att han aldrig företagit något korståg fann Stjerna vara konstaterat. Ty hade ett för den heliga kyrkan så betydelsefullt foretag ägt rum, så borde vi haft kvar något påvebrev med uppmaning till tåget eller åtminstone med tack därfor. Intetdera finns.

Hur har då sagnens bild av Erik den helige uppkommit? frågar Stjerna. Jo den historiske Erik har utsmyckats med en mängd drag, lånade från andra personer, närmast från en missionär Erik, som ett århundrade tidigare verkade i Uppland och under en forföljelse mot de kristne blev halshuggen vid Flottsund nara Uppsala. Men ej nog harmed Stjerna finner aven, att konung Erik den heliges gestalt i legenden overtagit åtskilligt av svearnes gamle hedniske nationalgud Frej, som synes ha haft binamnet Erik (= »den allsmäktige»). Den aldsta kristendomen kunde, såsom Stjerna framhåller, ej varna sig för att upptaga mycket av hedniskt ursprung. Så anses Norges nationalhelgon, Olof den helige, vara arvtagare till guden Tor. Frej och den helige konungen hade ej blott namnet Erik gemensamt: konung Erik stupade ju ock vid den plats, som var härden för Frejs dyrkan. Ett lätt igenkannligt drag i gudens dyrkan overflyttades nu på helgonet: liksom man under hednisk tid fort Frejs bild kring bygderna för att få god åring, så bar man under kristen tid ikring Sankt Eriks fana for att »helga frukten på jorden»; och ett minne av Sankt Eriks makt over årsvaxten drojer annu kvar i ordstavet om att »nar Erik ger ax, ger Olof kaka».

Under den livliga diskussion mellan fackmännen, vilken följde på Stjernas intressanta uppsats, framkommo fakta och synpunkter, som på väsentliga punkter försvagade beviskraften i hans kritik. Så påpekades, att konung Eriks och hans drottnings förföljelse mot Varnhemsmunkarne, enligt den anförda danska krönikans uttryckliga ord, berodde på en strid om drottningens arvejord — hon var nämligen släkt med den kvinna, som skänkt klostret dess jordegendom. Alltför väl känt är ju, vilken förmåga dylika intressen ha att skymma undan högre synpunkter! Och här var det ju fråga om något för den tiden oerhört, nämligen att utan släktens hörande skänka bort arvejord till ett kloster. Politiska intressen kunna också ha inverkat: klostret var grundat av den Sverkerska ätten, som därigenom sökt vinna inflytande i Västergötland. Men det ville konung Erik förhindra, först genom att driva bort munkarne och senare, efter närmare besinnande, genom att själv övertaga beskyddarens roll.

Djupast sett gällde emellertid denna konflikt mellan Erik och Varnhemsmunkarne, enligt vad nyaste forskningar utvisa, en genomgående motsättning inom den dåtida svenska kyrkan. Den munkorden, till vilken våra äldsta kloster hörde, den s. k. cistercienserorden, arbetade av alla krafter på att i grund reformera kyrkan och att till den ändan befria henne från beroendet av världslig överhet i de olika länderna. Men i denna kamp för »kyrkans frihet» stötte cistercienserna naturligtvis på motstånd från furstarnes sida, och detta motstånd representerades i Sverige av konung Erik, som i stället arbetade på att bevara och befästa den svenska nationalkyrkan under Sveriges konung som styresman. Det är alltså icke träffande att med Stjerna kalla honom en ljum kristen. Han bör i stället betecknas som en kristen av konservativ-nationalkyrklig typ.

Men hur skall man därmed förena, att han efter en tid blev munkarnes beskyddare? Jo, cistercienserna ha tydligtvis här liksom i flere andra länder förmått övervinna allt motstånd. Deras reformrörelse har även i Sverige fått en sådan makt med sinnena, att det i längden icke var lönt att sätta sig emot dem. Det är den erfarenheten, som Erik fått göra, och därför har han också övergått till att bli deras beskyddare, måhända också personligen övertygad om, att cistercienserna representerade en högre ståndpunkt.

Hur står sig då Stjernas åsikt, att Erik aldrig företagit något korståg? Det är visserligen sant, att vi icke ha från Eriks tid bevarat något påvebrev, som talar om hans korståg; men denna omständighet motväges av att det dock finns ett påvebrev, ehuru ett årtionde senare än Eriks dödsår, som av allt att döma syftar på tidigare svenska krigståg mot finnarne, företagna i avsikt att kristna dem och därigenom tvinga dem till underkastelse under Sveriges krona. Det är då högst sannolikt, att därmed åsyftas det tåg, som legenden tillskriver Erik den helige.

Det säkra resultat, som man fått fram genom den intressanta diskussionen, är emellertid, att den verklige Eriks helighet blivit betydligt överdriven i sägnen. Det felfria helgonet ter sig nu för oss med mänskliga svagheter, har liksom fått kött och blod. Sitt anseende för helighet vann nog Erik genom sin våldsamma död i kamp mot en främmande inkräktare, som sökte att med våld vinna Sveriges krona. Därigenom kom Erik att framstå inför svenska folket som martyr för sitt eget land, och därifrån blev, tack vare mannens utmärkta egenskaper som människa och

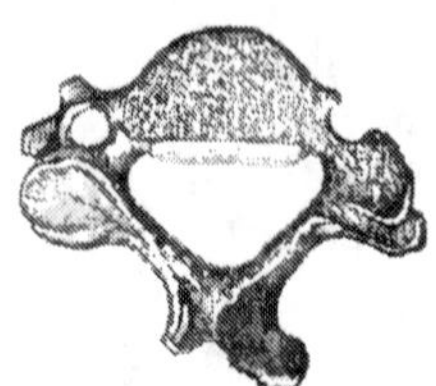

Genomhuggen halskota från Erik den heliges skrin i Uppsala domkyrka.

regent, steget till helighet ej långt. Nu uppväxte sägner om hans fromhet och om järtecken vid hans grav. Folket vallfärdade till hans kvarlevor, som nedlades i ett silverskrin i Uppsala domkyrka, och dyrkade honom som Sveriges skyddshelgon, fast kyrkan aldrig ville ge honom plats bland helgonen.

Litteratur: Knut Stjerna, Erik den helige. En sagohistorisk studie: häft. 75 öre. (Meddelanden från det litteraturhistoriska seminariet i Lund, utgivna av Henrik Schück.)

Carl M. Kjellberg, Erik den helige i historien och legenden. (Finsk tidskrift 1898.)

Otto Janse, De nyaste åsikterna om Erik den helige. (Historisk tidskrift 1898. Häft. kr. 8: —; för ledamöter i Svenska historiska föreningen, adr. Riksarkivet, Stockholm, kr 2:50. Medlemsavgift kr. 5: —.)

Natanael Beckman, Ur vår äldsta bok: h. kr. 1:25.

Knut B. Westman, Den svenska kyrkans utveckling från S:t Bernhards tidevarv till Innocentius III. häft. kr. 1:75.

Birger jarls korståg.

DET var omkring år 1160 som Erik den heliges korståg
till sydvastra Finland antages ha ägt rum. Sedan
denna del av landet blivit kristnad, fortsatte emellertid
andra finska stammar med vikingatåg mot de svenska kus-
terna. En gång trangde de in i Mälaren, plundrade dess bor-
diga stränder och brande Sigtuna, som efter Birkas förstö-
relse blomstrat upp till en rik handelsstad. Då måste sven-
skarne tanka på att satta »lås for Malaren». Detta blev ett
faste, vilket anlades på Stockholmen Där uppväxte
en handelsstad, som vid mitten av 1300-talet var Sveriges
huvudstad. — Men svenskarne nojde sig icke med försvar,
de gingo också till nya anfall mot finnarne. Konung Eriks
korståg fortsattes under hans sonsons sons, Erik läspe
och haltes, regering, dock icke av konungen sjalv, som
av helt naturliga skal icke lämpade sig bra att fora militä-
riskt befal. Hans yttre uppträdande skildras i en gammal
kronika på vers från 1300-talet, kallad Rimkrönikan. i
följande naiva ordalag:

> »Erik konunger var nokot[1] swa lasper wid,
> haltan thet var ok[2] hans sidh[3] »

For ovrigt ger krönikan honom ett ganska gott betyg

> »Han styrkte garna skal och ratt
> och alskade garna sin egen att
> Han holl husara och adela sed,
> och bonderna gav han godan fred.
> På allvar kunde han sig val forstå.
> med tornej[4] kunde han ej mycket umgå »

Som sagt: Erik läspe och halte kunde ej sjalv leda kors-
tåget. Den uppgiften tillfoll hans hogste ambetsman, Bir-
ger jarl, som tillhorde den rika och mäktiga folkunga-
atten och var vida myndigare än den oansenlige konun-
gen. Hans korståg gallde tavasterna i mellersta Fin-
land. Deras kristna grannar hade förut sökt tvinga dem med
hot, med plågor, med dödsstraff att bli kristna men förgaves

---

[1] Något — [2] Ock — [3] Sed — [4] Ridderliga kampalekar till häst

Då vägrade man dem att komma ned till kusten och köpa
livsmedel. Men hungersnöden gjorde dem rasande. Från
sina mörka skogar kastade de sig likt vilddjur över de kristna
bygderna, mördade människorna och offrade dem åt sina
avgudar.

Vid dessa underrättelser uppflammade svenskarnes strids-
lust och kristna nit. Rimkronikan berättar om förberedel-
serna till korståget.

>Av raske kampar spjut och svärd
fejades då till denna färd.
Hjälmar, brynjor och harneskplåt
hamrades till och spändes åt.
Man redde sig till, var i sin stad,
och gjorde gärna, vad konungen bad,
och sköt ut snäckor och skutor fort.
Månget penningeknyte stort
löstes då upp och gavs åt dem,
som då skulle skiljas från sina hem
och icke visste, när de komme åter
Händerna vrider och bittert gråter
mången fru, som skall mista sin kära.
Dock gladdes de, att Guds ära
skulle främjas av denna färd
Månget gammalt fädernesvärd
lyftes då från spikarna ned,
där länglig tid det hängt i fred
Man följde dem kärligt neder till strand,
sade farväl och tog dem i hand.
Där kysstes då mång röder mund,
som aldrig mer kysstes av hjärtans grund.
Ty mången såg man se'n aldrig mer
När så man skiljes, sådant sker.>

Korsfararne prövade framgångsrikt sina svärd på ta-
vasterna. Var och en som ville mottaga dopet skonades,
men de som vägrade fingo lida döden. Det var kristnade
vikingar, som här foro fram med hela den skoningslösa
kraften av den trosövertygelsen, att de förvärvade salighet
genom att ej lämna ett enda hedningahuvud kvar på dess
hals. Därför blevo de lika oemotståndliga, som deras hed-
niska förfäder en gång voro i sin förvissning om att Val-
halls fröjder väntade den i strid fallne vikingen.

Birger jarl anlade nu fästet Tavastehus till värn i öster
för den svenska kulturen.

FOLKUNGASAGAN

Birger Jarl.

NÄR efterträdare till Erik läspe och halte skulle utses, var det flere högättade män som fikade efter kronan. Till förekommande av inre strider skall da en mäktig man vid namn Joar Blå ha i all hast ställt om, att Birger jarls son Valdemar blev vald till konung. Denne var nämligen son till konung Eriks syster och alltså av kungligt blod.

Valet ägde rum medan Birger jarl höll på att omvända tavasterna. Men hem kom han mörk i hågen över att han ej själv blivit vald. Herr Joar skall då ha sagt till honom: »Vill du ej hava det, som det är, så veta vi nog, var vi kunna finna en konung.» — »Vem viljen I då hava till konung?» sporde Birger. Då svarade herr Joar Blå: »Ur den kappa jag bär skulle jag väl ock kunna skaka fram en konung.» Till dessa ord yttrade jarlen intet. Han var klok nog att tyst ge efter. Det blev ju ändå han som fick regera, ty Valdemar var ännu helt ung. Och det var, som om han aldrig blev fullvuxen. Därför fortfor Birger att regera Sverige hela sin livstid, även sedan konungen blivit myndig.

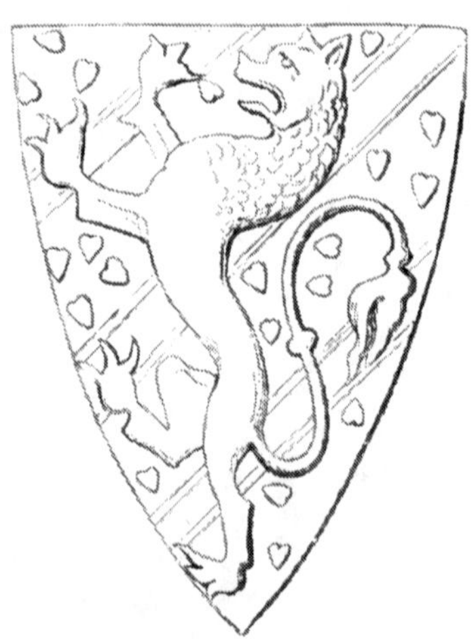

Birger jarls sköld.
Folkungaättens vapen, ett lejon över tre snedbjälkar (»tre strömmar»), gav upphov till det svenska riksvapnet. De tre kronorna insattes först av Birger jarls son Magnus Ladulås.

Fastän Birger var klok nog att icke utmana avundsjukan bland de andra stormännen genom antagande av konunga-

namn, så stack det ändå många i ögonen, att han hade
så stor makt och myndighet. Styvsinta och maktlystna voro
alla folkungar, och de egenskaperna drevo flere av dem att
förena sig om att taga makten från sin egen ätteman. I
Tyskland och Danmark samlade de en ansenlig här. Men
Birger jarl mötte dem med sitt krigsfolk vid Hervads-
bro i Västmanland, besegrade dem och lät halshugga upp-
rorets huvudmän år 1251. Rimkrönikans av Fryxell m. fl.
återgivna uppgift att jarlen skulle genom svek ha fått dem
i sitt våld saknar allt stöd i samtida berättelser om till-
dragelsen. Sägnen därom kan ha uppkommit ur en vida
trovärdigare berättelse om en svekfull handling mot Folk-
ungarne från hans son Magnus Ladulås' sida 29 år senare.

Birgers regering var till stor nytta för vårt land. Sär-
skilt arbetade han på att öka landets inkomster genom att
göra handeln livligare. Han ingick den överenskom-
melsen med Lybeck och Hamburg, Tysklands förnämsta
handelsstäder vid Östersjön och Nordsjön, att när deras
köpmän komme till Sverige för att sälja och köpa, skulle
de slippa att betala tull och skatt, ävensom att tyskar skulle
få bosätta sig i Sverige och där leva som svenska medbor-
gare. Han ville draga in kapital i landet och ge sitt folk
tillfälle att av driftiga handelsmän lära, hur handel skulle
skötas. Nu flyttade många tyskar hit, och länge dröjde
det ej, förrän de rikare och mäktigare borgarne i Sveriges
större städer utgjordes av tyskar. Ja det gick så långt,
att det på 1300-talet bestämdes i stadslagen, att borgmästare
och råd skulle till hälften utgöras av tyskar. Men sven-
skar blevo dessa inflyttade främlingar icke för det. Tvärt-
om höllo de ihop inbördes och med sina stamförvanter på
andra sidan Östersjön för att så mycket som möjligt hålla
den svenska handeln i beroende av den tyska. Således
blev det mera till tyskarnes än till svenskarnes fördel, som
Sveriges handel ökades.

De nordiska folken voro för övrigt inga svåra medtävlare
i affärer. Den inkomstkällan förstodo de sig föga på. Att
vinna guld som krigsbyte, det lockade dem. Men i brist
på krig strävade de hemma med jordbruk. Ännu hade
de knappt kommit underfund med det slags vinning, som

består i att man köper upp arbetets frukter för att sedan byta och byta dem mot andra och så vinna guld. I denna konst voro tyskarne vida överlägsna. Svenskarne hade ej heller den sammanhållning som medtävlarne. Dessa förstodo, att »enighet ger styrka». Mot slutet av 1200-talet sammanslöto sig nämligen de tyska och nederländska kuststäderna till ett väldigt handelsförbund, som blev kallat Hansan. Dess medlemmar bistodo varandra med flottor och härar. Förbundet, som styrdes av det rika Lybeck, blev med tiden så mäktigt, att det slog under sig så gott som all handel i de nordiska rikena.

Mest berömd är Birger som lagstiftare. Konungens uppgift ansågs av ålder vara att, som det heter i gamla lagar, »landom råda, rike styra, lag styrka och frid hålla». I kraft av denna sin plikt utfärdade Birger de berömda fridslagarna: om hemfrid, kyrkofrid, tingsfrid och kvinnofrid. De tre förstnämnda förbjödo att överfalla någon i hans hem, likaså när han var i kyrkan och på tinget eller på väg till och från dessa platser. Genom dessa lagar inskränktes följderna av blodshämndens urgamla hedniska sedvänja, men avskaffas kunde denna djupt inrotade sedvänja ännu ej. Genom lagen om kvinnofrid tog Birger itu med de råa naturer, som överföllo kvinnor och togo sig hustru med våld. Det hände förut, att avvisade friare lade sig med sitt anhang i bakhåll för bröllopståg och bortrövade bruden.

Fridslagarna besvuros av konungen jämte rikets stormän och kallades därför »konungens ed-söre», vilket egentligen betyder »ed-svärjande» men kom att användas för att beteckna själva de lagar, som konung och stormän sålunda besvurit. Dessa fridslagar infördes i östgötalagen, där det heter:

»Dessa mål äro konungens edsöre: Rider man hem till en annan i den avsikt, att han vill bonden eller något hans hjon eller hans gäst eller den, som i trångmål tager tillflykt till hans gård, skada göra; straxt han i gården kommer skada att göra, dräper eller slår eller hugger verkliga sår eller skråma eller gör blodvite: alla de som där äro med i flock och farnöte, de hava brutit edsöret.

Nu tager man kvinna med våld; då haver han brutit edsöret.

Nu sitter man i försåt för annan på tingsväg eller kyrkväg och dräper, sargar eller slår honom blodvite; då haver han brutit edsöret. Nu dräper man annan, hugger eller slår blodvite på tinget eller i själva kyrkan; då är där edsöret brutet. Nu om man far hem från ting eller kyrka: envar som övar våld med dråp, sår eller blodvite, förrän han hem kommer till sig, han haver brutit edsöret.

Nu äro alla dessa nämnda mål konungs edsöre. Vilken som dem bryter haver allt det förverkat, som han äger ovan jord,[1] och skall biltog[2] vara över allt riket; och hans egendom skall skiftas i tre delar: en lott till målsäganden, en till konungen, en till häradet.

För kvinnornas bästa har Birger sörjt även genom en arvslag. Dittills hade en kvinna fått ärva sina föräldrar, endast om ingen manlig arvinge fanns. Ty annars gällde lagbudet: »Gånge hatt till och huva ifrån», d. v. s. att männen togo alltihop. Dock ansågs det vara dessas plikt att försörja ogifta systrar. Men nu stadgade Birger, att syster skulle ärva hälften mot broder. Hon kunde därigenom känna sig mera oberoende. Hädanefter hette det: »Först är son och så dotter faders arvinge, son till två lotter och dotter till en lott. Evar som broder ärver, då ärver ock syster». Detta var svensk lag ända till 1845, då alla kvinnor fingo lika arvsrätt med sina bröder.

Hur frigjord Birger jarl var från fördomar, visade han bland annat genom att förbjuda järnbörd. Så kallades det bruket, att anklagades skuld eller oskuld utröntes genom att låta dem bära glödande järn eller vandra barfota på vitglödgade plogbillar. Den som lyckades att oskadd genomgå provet, ansågs ha fått Guds hjälp till bevis på att han var oskyldig. Det lyckades också för mången — tack vare bistånd av prästerna eller andra, som kände till skyddande salvor!

När Birger jarl dog, »då sörjde både gammal och ung», och kvinnorna, vilka han skyddat och hjälpt, bådo för hans själ.

---

[1] All lösegendom. — [2] Fredlös (se sid. 262).

Brödrastrid.

VALDEMAR övertog nu regeringen. Men hans bröder hade också fått stor makt. Till underhåll åt dem själva och i avsikt att för all framtid trygga kronan inom sin egen ätt gav fadern dem nämligen ansenliga områden som hertigdömen. Säkerligen hoppades han därigenom förekomma inbördes avundsjuka mellan sönerna och ge dem samfälld kraft att slå tillbaka andra som ville åt kronan. Men högre makter än mänsklig beräkning leda världens öden. Den statskloke jarlen hade icke förutsett, vart den maktlystnad skulle leda, som brann inom hans egen avkomma. Medan Valdemar tog dagen som den kom och blott tänkte på att förlusta sig, använde hans broder Magnus tiden till krigiska övningar för både sig och sina män. Det märktes nog, att han hade stora planer i sinnet, där han i egenskap av Södermanlands hertig höll hov på Nyköpings slott, omgiven av en talrik hird. Snart stod det klart för Valdemar, att hans broder strävade efter större makt än vad hertigdömet gav honom. Eller kanske var det drottningen, Sofia av Danmark, som med sin finare kvinnliga instinkt först kände, vad svågern bar i skölden. Och på äkta kvinnovis sökte hon genom stickord dölja — d. v. s. hon gjorde ännu mera uppenbar — den underlägsenhet hon kände å sin svage mans vägnar.

> »Konungen var stolt och fager
> och hertigen något svartmuskig och mager.
> Thy kallade hon honom 'kättlaböter'.[1]
> Dock var han både till händer och fötter
> skapader väl, ja till alla leder,
> och höll på tukt och goda seder»,

säger Rimkrönikan.

Den tredje i ordningen av Birger jarls söner, Erik, som också visade benägenhet att gå i vägen för Valdemar, skall hon ha kallat »Erik allsintet». En trovärdig samtida isländsk historieskrivare uppger däremot, att Erik skulle själv

---

[1] Kittelbötare, en som går omkring och lagar kittlar.

ha givit sig detta namn i harm över att han fått i arv så gott som intet i jämförelse med bröderna.

Det ligger nära till hands att tänka sig, att Magnus fått sitt öknamn vid något tillfälle, då man vid hovet roat sig med en omtyckt sällskapslek, bestående däri att man jämförde två väl bekanta personer i avseende på både förtjänster och fel. Det hörde till pjäsen, att man icke sparade på elakheterna. Nu hade drottningen även en annan svåger med namnet Magnus, nämligen den norske konung, som i historien bär hedersnamnet Magnus Lagaböter, d. v. s. »lagarnas förbättrare». Man tycker sig se den unga, livliga Sofia i kretsen av sitt levnadsglada hov äska ljud och med komiskt allvar föreslå de närvarande att jämföra två ryktbara män, som stodo henne nära, nämligen hennes norske svåger Magnus Lagaböter och hennes svenske svåger Magnus — kättlaböter!

Så hopade sig brandämnena, och vådelden kunde vilket ögonblick som helst bryta ut.

Medan Magnus mer och mer stärkte sin ställning, förstörde Valdemar med glatt mod det lilla anseende han ägde. En obotlig skada tog detta till sist genom det otillåtna förhållande, som uppstod mellan honom och drottningens syster Judith eller Jutta, som hennes smeknamn var. Den sköna prinsessan hade motsatt sig släktingarnas alla försök att gifta bort henne och i stället blivit abbedissa i ett kloster i Roskilde.

> »De ville henne enom manne giva;
> hon sade, att hon ville jungfru bliva»

heter det i Rimkrönikan.

Emellertid ledsnade hon snart vid det enformiga klosterlivet och längtade efter att få återse sin syster, drottningen i Sverige. Så kom hon då hit och blev festligt mottagen. Rimkrönikan säger:

> »Den tid hon till Sverige kom,
> var hon ej annorlunda än som
> en ängel vore från himmelrik —
> så var hon stolt och ljuvelig.
> Med konungen var hon då så kär,
> att han kunde aldrig för när

När drottningen fick veta detta, blevo hennes väna kinder än röda, än bleka, och hon utbrast: »O ve, den sorgen övervinner jag aldrig! Ve mig för alltid, att hon någonsin skulle Sverige se!» Folket skall ha blivit så harmset, att Valdemar måste företaga en vallfärd till påven för att få avlösning för sin synd.

*

En dag stodo Valdemar och Magnus mot varandra som öppna fiender. Med en god krigshär bröt denne år 1275 in i Västergötland för att möta sin broder samt skickade honom den hälsningen, att nu ville han antingen vinna riket eller sätta livet till. Konungen hade sin här lägrad vid byn Hova strax söder om Tiveden, men själv var han icke hos den, när det gällde, utan hade sökt ut åt sig en annan plats i närheten. Medan han låg där och sov, vann hans broder åt sig en krona. Härom förtäljer Rimkrönikan:

> »Då lade konungen sig neder
> och vart där så länge att sova,
> att striden var ändad i Hova.
> Några hörde mässan och andra såto,[1]
> somliga gingo och somliga åto.
> Drottningen hon lekte schacktavel[2]
> och tänkte, att hertigen hade ej avel.[3]
> Men då botade han så kittlarne medan,
> att den var glad, som först kom dädan.»

Valdemar vaknade vid att en blodbestänkt ryttare kom rännande och berättade, att konungens män voro slagna och flydde ut i mossar och kärr. Valdemar följde deras exempel men blev tillfångatagen och måste omsider avstå riket åt Magnus. Men då han icke kunde låta bli att stämpla mot konungen, blev han slutligen tagen i fängsligt förvar — »till förbättrande av hans seder», såsom det hette. Han hade, yttrar en historieskrivare på 1700-talet,[4] »ådagalagt, att det varit honom lättare att leva utan krona än utan fruentimmers sällskap». I fängelset behandlades han väl. År 1302 dog han

---

[1] Nämligen sysslolösa. — [2] Spelade schack. — [3] Ej förmådde uträtta något. — [4] Lagerbring.

i fångenskapen, »ett övertygande exempel på lyckans ostadighet och ett olyckeligt offer för anhörigas äresjuka och en vällustig obetänksamhet».

Litteratur till detta m. fl. kapitel: Erikskrönikan, utg. av G. E. Klemming: häft. kr. 2.
Gustaf Cederschiöld, Om Erikskrönikan: häft. kr. 2: 75.

Magnus Ladulås.

MAGNUS regerade i sin faders anda. Han vakade strängt över att fridslagarna höllos i kraft, och särskilt sörjde han för allmogens frid och säkerhet. Det hade inrotat sig den oseden, att stormännen på resor togo in med sina beridna följen hos bönderna samt tvingade dessa att skaffa fram mat och foder utan betalning. Så kunde de rika herrarne, som Magnus sade, »på en kort stund förtära, vad den fattige länge har arbetat för». Sådan våldgästning förbjöd han vid strängt straff. Allmogen gav honom hedersnamnet Ladulås, därför att han liksom hade »satt lås för bondens lada».

*

En genomgripande betydelse för vårt lands näringsliv fick Magnus' regeringstid. Därifrån räknar nämligen det svenska bergsbruket sin upprinnelse. Mer än tre årtusenden hade gått sedan den tid, då bronsen först blev känd i Norden och inledde bruket av metaller. Men all den brons, som här bearbetades, infördes från andra länder. I nära två årtusenden hade svenskarne förstått konsten att smida redskap och vapen av järn. Men dittills hade råämnet utgjorts enbart av myrmalm, som hämtades upp från sjöbottnen. Först omkring år 1280 fick vårt folk lära sig att bryta koppar och järn ur bergen. Och liksom tyskarne varit våra läromästare i handelsyrket, så blevo de nu föregångsmännen även i bergsbruk. Den första gruvdriften i vårt land var ett svenskt-tyskt företag, startat av konung Magnus och svenska stormän i kompanionskap med tyska

kapitalister, huvudsakligen rika lybska köpmän och bergs-
män från Harz, vars gruvor denna tid voro de enda mera
betydande i norra och mellersta Tyskland.

Så uppstod Sveriges äldsta industribolag. Delägarne
hade ett större eller mindre antal lotter alltefter sin penning-
insats i företaget. Så vet man t. ex., att år 1322 en borgare i
Lübeck gav sin dotter en lott »i det berg, där man i Sverige
hämtade koppar». Därmed åsyftades Falu koppargruva,
vilken jämte »Norbergs järn- och stålberg» synes vara
vårt lands äldsta malmgruva.

Raskt grep gruvdriften kring sig, och nya gruvor upptogos
litet varstädes, där malmen låg i dagen. Alltjämt gingo
tyskarne i spetsen. Garphyttan[1] och Saxberg i Öre-
bro län bära än i dag namn efter dem, och tyska bergsmän
möta oss ofta i Bergslagens historia. Å andra sidan vittna
sådana namn som Dalkarlsberg och Västgötehyttan
om att folk även från andra trakter av Sverige lockats dit
redan under medeltiden. Den som hade tur med sig kunde
ju tjäna mycket mera på att bryta gruvor än på att bryta
åkermark. Av samma skäl uppmuntrades den nya närings-
grenen av både konungen och kyrkan, vilka bägge voro ange-
lägna att öka sina inkomster. Tidigt fick Bergslagen av
konungen särskilda förmåner. Det äldsta kända privilegie-
brevet är från år 1340 och utfärdat av konung Magnus Eriks-
son, Magnus Ladulås' sonson, för nuvarande Lerbäcks bergs-
lag i Närke men gäller antagligen även för andra trakter av
Bergslagen. Dess första bestämmelse lyder sålunda:

»Först stadga vi och lova alla dem som till förenämnda
bergslag komma i avsikt att där kvarbliva, att de skola
vara alldeles frikände både till liv och gods för varjehanda
missgärningar, som de tillförene gjort hava, så framt de
icke äro mördare, tjuvar eller förrädare.» I samme konungs
privilegier för Kopparberget sju år senare undantages även
»den som kvinnofrid bryter».

I privilegierna för Norberget föreskrives bl. a., att där ej
skulle få finnas »flere än fyra, som öl sälja vid gamla ber-
get, de som Vår fogde därtill utser. Och ej få de någon
dag till någon arbetare sälja öl utom på helgedag ifrån hög-

---

[1] Garp = tysk.

massans slut till solnedgången och ej heller forrän torgdag eller ting hållet ar. Item[1] skola ej legodrängar och lego-kvinnfolk gå lösa, utan de skola arbeta och taga arbetslön där den bjuds. for halvt eller helt år och ingalunda mindre. Och vilja de ej arbeta, skall fogden satta dem i kistan,[2] till dess de vilja arbeta.»

Snart blev det en formlig rusning till gruvorna. Man får t. o. m. se bönder nere i de bordiga dalarna overge plog och harv för att med spett och slagga fresta lyckan uppe i bergen. Liksom folk i senare tider gripits av guldfeber, skulle man här kunna tala om en »järn- och kopparfeber», smittosam även den, om också ej i lika hög grad. Denna folkvandring innebar ingenting mindre än ett nytt tide-varv i avseende på Sveriges bebyggelse Nu be-byggas för forsta gången bergen och de karga grusmarkerna. vilka hade legat försmådda, så länge slatters och dalgångars rika vaxtkraft mer än något annat lockade till fast bosatt-ning. Nu hade äng och åker fått en konkurrent, for vilken de lågo under. ända tills bergens forråd av lattbruten malm och skogarnas bransle började minskas.

Lange inskrankte man sig till malmbrytning i små oppna daggruvor. Det tillgick så, att man forst upptande stock-eldar på berget och nar stenen blivit upphettad göt på vat-ten. Genom stenens haftiga sammandragning efter upphett-ningen bildades sprickor i berget, och man kunde nu med spett flisa sonder stenen. Det var ett oerhort slöseri med ved, men än så lange behovde man ej tanka på att spara skogen, som boljade tät over berg och dalar. Forst på 1600-talet får man hora klagan över att skogen börjar sina

Smältningen drog också stora massor ved. Metoden var i huvudsak densamma som forut for myrmalmen. Under tider-nas lopp hade de ursprungliga stensatta smaltgroparna (se sid. 39) ersatts av verkliga ugnar, vilka fylldes med ved, varefter man pålade malm. Med tillhjalp av blåsbalgar smältes eller rättare sagt uppmjukades jarnet till en seg massa. Balgarna drevos med trampning eller vattenkraft, vilken man erhóll från de små bäckar, som strömmade ned utefter bergsluttningarna. Dar anlade man foljaktligen helst smält-

---

[1] Vidare. — [2] Haktet.

hyttorna, naturligtvis på samma gång så nära gruvan som
möjligt. Det järn, som på detta sätt framställdes, kallades
av ålder osmundjärn. Med tiden gjordes emellertid bälg-
verken kraftigare, och i samma mån kunde hettan i ugnarna
ökas, så att järnet bragtes till verklig smältning. På det
viset uppkommo stora masugnar, i vilka man smälte tack-
järn.

Till sist låt oss lyssna till en berömd medeltida författares
beskrivning av det svenska bergsbruket. Hans namn är
Olavus Magni. Som landsflyktig svensk ärkebiskop skrev
han i Rom vid 1500-talets mitt en historia om de nor-
diska folken, vilken är den märkligaste skildring, som fin-
nes av svenska folkets liv mot medeltidens slut.

Vi anföra därur följande:

»Man ser på ovanstående bild ett stort hjul eller hiss-
verk, som drives runt därigenom, att människor eller drag-
djur vandra inuti detsamma. Vidare finner man där männi-
skor, som klänga sig fast i linor och så stiga ner i djupet,
och i andra ändan av linorna hänga tunnor fulla av malm
eller vatten, som dragas upp. Vid hjulens kringvridning

betjänar man sig även av de oskäliga djuren, såsom hästar och stora björnar, vilka arbeta turvis eller sida vid sida.

Gruvarbetarne, som ständigt ha att utstå ett hårt och tungt arbete, äro ett härdat släkte. Ofta nog ha de kommit till bergverken såsom fågelfria till följd av vissa begångna illgärningar och vistas där, emedan det är den enda plats, där de kunna leva i trygghet, om de vilja slippa att gå i landsflykt och sedan aldrig återkomma till hembygden.

Emellertid äro dessa arbetare underkastade de lagar, som innehållas i bergsrätten, och ehuru de av naturen äro snara till oväsen, upplopp, mord och tusentals andra ogärningar, hållas de genom dessa stränga förordningar i tygel, så att de ej tillfoga någon något ont. För övrigt äro de våghalsar, som ej frukta att utsätta sig för några faror eller olycksfall, vilka så lätt inträffa vid stenras, eller när bjälkar skola anbringas såsom stöd mellan bergväggarna eller i följd av dödsbringande utdunstningar från malmerna eller den instängda luftens tunga och kvävande beskaffenhet.

Därför gå de ofta rysliga öden till mötes. Mitt under ett ivrigt arbete kan det hända, att stöden brista och ett stenras inträffar. Då bliva de antingen genast krossade, eller också måste de i flere dygn under fasansfull jämmer och vånda lida hungerns kval, till dess de duka under genom kvävning. Ingen möjlighet finnes att draga dem ut levande.

Man plägar på en gemensam liten gravvård angiva dödssättet ävensom de omkomnas antal — det kan vara 30, 60, 100 eller ännu flere, som så få sätta livet till i ett ögonblick. Likväl bevara de återstående arbetarne sitt okuvliga mod och låta sig ingalunda avskräckas av dessa eller liknande rysligheter, som tima inför deras ögon. Understundom är till och med ett lätt hammarslag tillräckligt att bringa stora berg med deras ofantliga tyngd att störta samman.»

Om smedernas konstskicklighet berättar Olavus Magni. »I många av Nordens landskap sätter man högt värde på alla slags metallarbetare, de må vara smeder, gjutare eller mejslare. Isynnerhet är detta fallet bland dalkarlarne, som äro ett släkte av oövervinneliga krigare. Dock finner man i hälsingarnes mot norr belägna landskap så skickliga och samvetsgranna smideskonstnärer, att de knappt ha sina likar i hela Norden. Ty det formlösa råämnet förstå de att med tillhjälp av sinnrikt inrättade vattenhjul uthamra till betydande längd, och sålunda kunna de på kort tid utföra storartade arbeten. De förfärdiga även allehanda nyttiga kärl av koppar- och järnstänger, och av allt detta skörda de ej ringa vinst. Likaledes förstå de att tillverka järnportar, fönsterluckor och gallerverk av så olöslig fasthet i fogarna, att maken till hållbart arbete knappt står att finna i hela Europa.

Järnmalmen smältes med tillhjälp av vattenhjul, som driva blåsbälgar. Dessa förvandla malmen till en klyvbar massa, vilken medels hackverktyg fördelas i kakor eller tackor av en knytnäves storlek eller intill fyra gånger detta mått. Man tillverkar årligen flere hundra tusen sådana tackor, som sedan fraktas till utlandet eller avyttras inom riket med stor vinst.

Även utsökt stål finnes i Norden i så stort förråd, att det räcker till för såväl inbyggares som främlingars alla behov av verktyg, såsom pansarskjortor, hjälmar, svärd och spjut.»

*

På samma gång konung Magnus fortsatte Birger jarls arbete på Sveriges inre styrka och ordning, ville han göra det kraftigt utåt. I och med att nordborna kristnades och slutade upp med att ligga ute i vikingatåg, sjönk den allmänt utbredda krigiska dugligheten bland bönderna. De kunde ej heller uträtta så mycket i krig nu, sedan man i södra och mellersta Europa funnit på att kläda krigarne i järnrustning och förse dem med långa lansar och tunga slagsvärd. Rustningen blev till slut så tung, att krigaren hade svårt för att gå och måste strida till häst. Då pansarkläddes även hästen delvis. En sådan ryttare var som en levande fästning, orubblig i försvaret, förkrossande i anfallet. Men hans utrustning var så dyrbar, att det stora flertalet icke kunde bestå sig en sådan. Konung Magnus överenskom då med de förmögnaste bönderna, att de skulle sätta upp sådana ryttare i stället för att betala skatt eller mot andra förmåner.

Magnus Ladulås' sköld.

Vid ett möte på Alsnö kungsgård på Adelsön i Mälaren omkring år 1280 utfärdade han en stadga, att alla män som ville göra russtjänst, d. v. s. sätta upp en häst (russ) med fullrustad ryttare till rikets försvar, skulle vara fria från skatt till konungen. Så uppkom ett särskilt krigarstånd, det adliga frälset.

Vid samma tid var även det andliga frälset färdigbildat. Så blev folket här liksom i andra länder delat i stånd. Det tredje ståndet blev borgerskapet i städerna, vilket ägnade sig åt handel och hantverk. Återstoden av folket var bönderna. Under hednatiden hade den frie mannen varit både krigare, präst och jordbrukare. Nu

horde var och en av dessa uppgifter till ett särskilt
stånd.

När viktiga frågor skulle avgöras, kallade konungen till
sig de förnämsta av det andliga och det adliga fralset for
att rådplaga med dem. Ty han måste på forhand vara
säker på att han ej skulle få de maktigaste i riket emot
sig, når det gallde en viktig handling. Dessa storman
benämndes darfor **konungens råd.** Det var myndiga
herrar, och det behovdes sådana kraftiga konungar som
Magnus Ladulås for att hålla dem i styr. Nar sarskilt vik-
tiga beslut skulle fattas, sammankallade konungen *alla* stor-
man — ej blott de fornamsta — till moten, som kallades
herredagar.

*   *   *

Magnus Ladulås' kraftiga hand marker man också i hans
utrikespolitik. Han vidgade sitt rikes gränser genom att för-
må gottlanningarne att stalla sig under Sveriges konung.
Deras o hade dittills intagit en så gott som självstandig
ställning. Visby, Östersjohandelns gamla medelpunkt, hade
genom att i århundraden förmedla nästan all handel mel-
lan Ryssland och osterlandet å ena sidan och vastra Europa
å den andra blivit Nordens rikaste stad. Det var medlem
av Hanseforbundet och beboddes av en mängd tyska köp-
man Men då de övermodiga borgarne forsökte tyrannisera
hela on, var det Magnus Ladulås som grep in och tvang
deras härsklystnad att hålla sig inom Visby murar.

Litteratur: Helge Nelson, En bergslagsbygd. (Ymer, tidskrift
    utg av Svenska sallskapet for antropologi och geo-
    grafi år 1913 haft kr 10.)
  Karl Gustaf Westman, Svenska rådets historia till
    år 1306

Riddarliv.

KONUNG MAGNUS tyckte om att uppträda med prakt och ståt. Vid hans lysande hov samlades ofta de förnämsta adelsmännen.

Ypperst bland dem voro riddarne.[1] För att bli riddare måste en ädling ha fått särskild uppfostran. Vid sju års ålder skickades han till en ansedd riddares borg. Där fick han först lära sig att lyda och tjäna. De unga svennerna passade upp borgherrn och borgfrun vid måltiderna, följde dem på ritter och jakter och lärde sig av dem att föra sig höviskt, som en riddare anstod. Dagligen övades de i krigiska idrotter: att skjuta med båge, att sköta lans, svärd och sköld, under det de tumlade sin häst. De höllos viga och spänstiga genom att brottas, genom springning, hoppning och klättring för att en gång kunna lätt röra sig i den tunga riddarrustningen. En och annan fick även lära sig spela luta och sjunga, men för övrigt voro riddarne oftast högst okunniga. I den ädla skrivkonsten kommo de vanligen ej långt. Många kunde ej ens skriva sitt namn. Icke utan orsak var det modernt att sluta ett mer eller mindre galant brev: »Banna icke skrivaren! Läsaren bör också ha besvär med brevet.»

Vid 21 års ålder blev den som väl bestått sin prövotid slagen till riddare. Det brukade ske i en högtidlig församling av riddare, högre präster och adliga damer. Natten förut hade ädlingen hållit vakt i en kyrka framför den heliga jungfruns bild. Nu fördes han in och svor riddareden: »Jag beder Gud vara mig huld, så ock jungfru Maria, så visst som jag vill efter yttersta makt med liv och gods beskärma den heliga kristna tron, stånda emot orätt, styrka frid och rätt, beskydda fader- och moderlösa barn, jungfrur och änkor samt vara trogen min konung och mitt rike. Så hjälpe mig Gud!» — Än i dag kallas ju den ridderlig, som går ärliga vägar, föraktande svek, som kämpar för rätt och sanning och modigt bistår de värnlösa. — När den unge ädlingen

---

[1] Betyder egentligen ryttare.

avlagt sin ed, gav honom en berömd riddare med flatsidan av sitt svärd riddarslaget över skuldran. Andra riddare spände svärd vid hans sida, gyllne sporrar på hans fötter och räckte honom den tunga rustningen stycke för stycke. Ärofullast var det att »vinna sina sporrar» genom mandomsprov i strid och på själva slagfältet mottaga riddarslaget. Rustningen var riddarens stolthet. Iförd den steg han i brudsängen, och för mången voro slagsvärd. hjälm och stridshingst kärare än både hustru och barn.

Riddarne ägnade sitt liv åt strid, men mycket därav var inbördes fejder. För att i så oroliga tider kunna känna sig trygga uppförde de till bostäder starkt befästa borgar, omgivna av vallgravar och av murar, späckade med torn. Redan själva läget valdes ur försvarssynpunkt. Antingen lades borgen uppe på en klippa eller brant höjd, eller också omgav man den med vatten. Enklast var då att bygga den på en holme ute i en sjö. I

Riddare i rustning.
Efter svenska rikssigillet från år 1436.

Danmark, dit Skåne denna tid hörde, var det ont om sjöar men gott om mossar och sumpmarker. Där uppfördes flere av Danmarks största herrgårdar på hela skogar av ek, som drevos ned i dyn. Sedan grävde man ut djupa gravar runt omkring, vilka av sig själva fylldes med vatten. Dyrbart blev det, och osunt blev läget, men vad betydde det i jämförelse med den trygghet det gav! För den känslan

fingo borgens invånare offra mycket av hemtrevnaden i
övrigt. De massiva murarna, som kunde vara ända till sju
meter tjocka, såsom på sina ställen i Malmöhus slott, gåvo
en tung och dyster prägel åt borgens inre; och genom fönster-
öppningarna, vilka med hänsyn till försvaret gjordes små och
glesa, fingo rummen aldrig någon full dager över sig. När
man trädde in genom torndörren, slog en genast till mötes
denna instängda luft, som höll sig iskall till långt fram på
sommaren och ljum, nästan tryckande ända inemot juletid.
Så kom man innanför de tjocka murarna alltid liksom en
årstid efter livet därutanför. Det var, som om ljus och luft
hade lika svårt som fiender att komma in i denna avskilda
boning.

Svårt att förlika med hemtrevnaden var också den in-
rättning, som på dåtida språk benämndes »hemligheten».
Med hänsyn till belägringar måste man ha den inom själva
borgen, och det enklaste sättet att lösa uppgiften var att
anbringa en stor kloak mitt i byggnaden. Man hade där-
med dolt det onda för synsinnet, men alltför påtagligt blev
dess befintlighet för ett annat sinne. »Det är», säger en
dansk kulturhistoriker, som fördjupat sig i detta ämne, »något
ohyggligt i att mitt under skildringen av medeltidens prakt
och härlighet kasta en blick på dessa förhållanden och få
ett intryck av hur det hela i verkligheten måste ha tagit
sig ut. Man tänke sig som festskådeplats en sal, genom-
trängd av den mest motbjudande stank, en scen som den
i Erfurts slottssal 1183, då bjälkarna under golvet — i åra-
tal påverkade av kloakens förtärande dunster — med ett
brusto, så att åtta furstar, en mängd adelsmän, hundra rid-
dare och en skara andra funno en förskräcklig död där nere
i kloakgropen, medan kejsaren själv räddade livet endast
genom att raskt kasta sig upp i en fönsteröppning.»

Borgens starkaste del och de försvarandes sista tillflykt
var huvudtornet. Dess ingångsdörr låg oftast så, att man
måste flytta dit en hög stege för att kunna komma in. Ett
sådant medeltidstorn, som bevarats ända till vår tid, är
Hälsingborgs kärna, d. v. s. den inre delen av ett vidsträckt
fäste, vilket varit omgivet av en ringmur med små torn.
Själva ingångsporten ligger här ej mindre än sex meter över
marken. Den dystra undervåningen, dit blott två ytterst

Viks hus i Uppland, uppfört sannolikt under senare hälften av
1400-talet, restaur. 1858—60.

smala öppningar tilläto några ljusstrimmor att tränga in,
var avsedd som förvaringsrum för fångar och olydiga tjänare.
Genom en lucka i taket sänktes de ned till detta fasans

ställe, där den siste fången enligt sägnen skall ha plågats ihjäl av ormar och ödlor. I första våningen låg antagligen borgens vaktmanskap. Andra våningen innehöll kök och bakrum. Våningen ovanför bestod av festsalen och slotts-

Hälsingborgs kärna.

kapellet. De översta våningarna torde ha upptagits av bostadsrum för slottsherrns familj samt gästrum.

Ett typiskt exempel på en befäst stormansgård från medeltiden finns ännu bevarat i den gamla skånska herrgården Glimmingehus. Dyster ter den sig för nutida människor med sina små fönster. Strax ovanför jordytan finns en rad smala gluggar, innanför vilka skyttar sutto redo att taga emot ovälkomna gäster. Uppe under taket sitta också skottgluggar. Ingångsdörren ligger här ej särdeles högt över

marken men var i alla fall icke lätt att komma igenom för
en fiende, ty denne riskerade att från ett utsprång i själva
takkanten få ned över sig pilar, stenar, kokhett vatten eller
andra obehagligheter. Samma mottagande väntade honom

Glimmingehus, den enda i sitt ursprungliga skick varande riddar-
borgen i Norden. Uppfördes 1499 i en sidländ trakt och var ur-
sprungligen skyddat genom slottsgravar, fyllda med vatten.

än en gång, om han kommit in i förstugan, där en lucka
kunde öppnas i taket för dylika ändamål. Hade han lyckats
undgå alla dessa faror, så återstod för honom att klättra
uppför en smal vindeltrappa med fotshöga steg, en färd
under vilken försvararne hade en mängd möjligheter att
genom gluggar bereda honom obehag.

Var borgen tagen, så återstod i regel ännu en möjlighet
för dess inbyggare att rädda sig. Från de flesta borgar

ledde nämligen lönngångar under jorden ut i det fria. Genom lönnrum och lönntrappor, som kunde vara sinnrikt dolda i en ihålig pelare, kom den invigde in i den hemliga gången. Det var naturligtvis av största vikt för slottsherrn, att hemligheten ej blev känd av obehöriga. En, som den ju icke kunde döljas för, var byggmästaren. Den omständigheten torde förklara, varför man så ofta använde utländska byggmästare, vilka reste sin väg genast borgen var färdig. Ett ännu säkrare medel att bevara hemligheten var att dräpa mästaren, när verket var fullbordat, och medeltida berättelser tala om flere sådana fall. Så knötos ofta sägner om något hemlighetsfullt och ohyggligt till de gamla borgarna och herrgårdarna, och många äro de trovärdiga män, som intygat, att de nattetid hört hemlighetsfulla ljud. viskningar, djupa sukar och steg av en man, som stönande släpat sig uppför en lönntrappa för att plötsligt med ett skri störta utför den o. d.

Men riddarborgen må ha sina dystra sidor; riddarens stolthet är den dock. När han är borta, längtar han hem till sin borg, och hjärtat jublar i honom, när han återser dess torn och tinnar. Stolt som en kung är han, när hovarna av hans stridshingst dåna mot vindbryggan, som fällts ned för att bära honom över vallgraven. »Hade jag min ena fot i paradis och den andra i min borg», säger en riddare i en medeltidsdikt, »nog droge jag foten ur paradiset och satte den bredvid den andra i borgen.»

*　　*　　*

Riddarnes största nöje var att sammanträffa till torneringar. Det var dyrbara kämpalekar till häst, som rika riddare tillställde på sina slott. — I blänkande rustningar med vajande hjälmbuskar komma riddarne inridande på frustande hästar inom torneringsskranket. De ha hela huvudet täckt av en hjälm med galler. För att kunna kännas igen har därför varje riddare ett vapenmärke målat på skölden, vilket är gemensamt för hela hans ätt. Vid skrankets ena långsida sitta riddare och adliga damer som åskådare. Mången riddare får nu utmärka sig inför sitt hjärtas dam, vars älsklingsfärger han bär på skölden, och till vars ära han svurit att strida. Nu ordna sig riddarne i två skaror, trumpeterna smattra, trummorna gå, och med fällda lansar av trä störta de mot varandra. Mången lans splittras, mången riddare stötes ur sadeln, ja blir livsfarligt skadad; men segervinnarne rida fram till tribunen. Framför den dam, vars färger han bär, sänker var och en sin lans, och ur den skönas hand får han mottaga segerpriset.

Hertig Erik i ridderlig skrud (se sid. 366)
Efter hans sigill 1304.

Om en ståtlig tornering, som hölls år 1278, när Sveriges och Danmarks konungar, Magnus Ladulås och Erik Glipping, möttes i Laholm, berättar Rimkrönikan:

»För dansk och svensk det var en lust
att se de manliga riddares dust.
Svensk red mot dansk med så väldig kraft,
att sönder brusto spjutens skaft

och elden flög ur hjälmar ut
vid häftig stöt av månget spjut.

En dansk, het Magnus Dysevold,
han var en kämpe stark och båld.
Han lät utropa: 'Finnes här
en svensk, som så modigt hjärta bär,
att han en dust med mig vill bestå,
min sköna häst jag sätter upp då
som pris och hundrade mark därtill.
Var finnes här den man, som det vill?'
Erengisle Plata svarade då:
'Jag vill dig gärna här bestå.
Just som jag önskar, kommer du.
Gör dig tillreds att möta mig nu!'

Sen tövade de ej länge just,
och vart där en stolt och kraftig dust,
så dansken till sist till marken föll.
Båd' häst och pengar svensken behöll.»

Torneringarna avslutades med fest i den ståtliga riddar-
salen, som var prydd med praktfulla bonader, sköldar och
vapen. Efter festmåltiden tråddes dansen av riddare och
stolts jungfrur.

Så var riddarens ideal ett liv i »dust och tornej» med »dans
och lek och fager ord». Riddardikter sådana som den i
Sverige mycket omtyckta Ivan Lejonriddaren med
de tusende äventyr, som hjälten upplever, visa, vilken
genomgripande förändring folkets ideal undergått sedan vi-
kingatidens dagar. Visserligen förhärligas nu som då krigar-
modet och dödsföraktet, men det har förlorat det tunga,
bistra allvar, som vilade över nordmannalivet under hednisk
tid. Riddaren, som tumlar om i krigiska äventyr blott för
njutningen av att höra svärden klinga och hästar frusta, bju-
der faran spetsen lätt och lekande, liksom med en elegant gest.
Han är icke den barbariske krigaren utan framför allt den
i varje tum höviskt fulländade, belevade ädlingen. Mycket
av det nya som tillkommit i detta ideal är ytlighet blott,
men över skildringarna av riddarlivet vilar dock solsken och
livsglädje.

Förytligad har emellertid framför allt uppfattningen av
kärleken blivit. Denna känsla, som i Eddan och de isländska
sagorna, *när* den skildras, är en mäktig, djupt tragisk lidelse

med olycksdigra följder, den har i riddardikten förändrat
väsen. Aldrig tröttnade de vandrande riddarne på att be-
sjunga kvinnan: hennes kinders fägring, lik rosenknoppen,
när den öppnar sig för morgondaggen, hennes mun så röd
att den vid varje leende liksom strör rosor omkring sig,
den fagra halsen med en vithet så fin, »att man kunde genom
huden se rodnaden av det vin, som den sköna drack». För
blott en blick av en skön dam är riddaren färdig att när
som helst sätta livet på spel. Intet pris är för högt för det
minsta ynnestbevis från den hulda. Men den djupa, inner-
liga känslan har förvandlats till ett utsökt galanteri, till

Satirisk målning i Råda kyrka. Föreställer två riddare, som kämpa
med varandra, den ene i en bocks, den andre i en galts skepnad.
Suggan synes representera så väl musikanterna vid de ridderliga
spelen som den sköna dam, vilken bär segerpriset i handen.

äventyr, där föremålen ständigt växla. Att en dam var gift
ansågs icke utgöra något hinder för att hon skänkte sin
ynnest åt den vandrande riddare, som vid en tornering burit
hennes färger. Tvärtom betraktades det ynnestbevis, som
riddaren kunde vinna av den gifta kvinnan, såsom varande av
finare, mera utsökt kvalitet än den känsla som helt enkelt
bestod i att »två hjärtan funno varann». Den var ej tillräck-
ligt märkvärdig för den verklige riddaren. Nej kärleken
skulle ha stora svårigheter med sig — annars aktade man
den ej. Och funnos ej sådana svårigheter, så måste man
skapa dem själv, måste efter råd och lägenhet krångla till
förhållandet. I stil härmed var det, som det ansågs duktigt
att locka till sig ynnestbevis av en annans maka.

Litteratur: August Hahr, Skånska borgar: h. 1—2; kr. 18: —.

Torgils Knutsson och striden mellan Magnus' söner.

NÄR Magnus Ladulås dog, år 1290, voro hans söner späda. Han uppdrog därför åt sin höge ämbetsman, marsken Torgils Knutsson, att styra landet som deras förmyndare. Om dennes tid säger Rimkrönikan:

> »Så väl stod Sverige då,
> att sent skall det bättre sta.
>
> Fröjd och dans och tornej,
> säd och fläsk, det fattades ej,
> Sill och fisk kom ymnigt till land;
> riket led ej minsta grand,
> hade fred och endräkt lång —
> ingen tordes göra annan förfång.»

Torgils fortsatte Birger jarls korståg i Finland. I dess östra del fanns en hednisk stam, karelerna, som härjade de svenska inbyggarnes land och begingo gräsligheter mot dem själva. Torgils övervann och kristnade dem. Även han anlade ett starkt fäste; det var Viborg, som skulle vara ett värn särskilt mot ryssarne, vilka Torgils ävenledes besegrade.

Under detta krig hände enligt Rimkrönikans berättelse följande:

> »Vid skogens bryn en ryssehär,
> väl tiotusen man, församlad är.
> Som solen själv så glimma de —
> så blanka äro vapnen att se.
> De svenskes skara vakta de på.
> En kristen säger: 'Jag vill bestå
> mot en av de bästa männen bland dem,
> eller ock må han föra mig fången hem!'
>
> *
>
> Raskt ädle riddaren redo var,
> och glänsande rustningen stolt han bar.

På hästen man lade ett skönt schabrak;
så red han fram i sakta mak.
Strax han utanför lägret kom,
då vände den stolte hjälten sig om
och sade: 'Farväl, kamrater kära!
Vill Gud i dag mig lycka beskära,
så skolen I mig här återse,
och en annan jag föter med kanske.
Men om det mig skall illa gå,
så ske Guds vilja i himmelrik då!'

Matts Kettilmundsson var riddarens namn.
Ett bud han sände till ryssarne fram,
som sade: 'En kämpe håller här.
Han en bland våra bästa är.
Han redo är och sig utbeder
en tvekamp med en av de bästa bland eder
om frihet, liv och egendom.
Där sen I, varför hit han kom.
Stöter honom någon från hästen ner,
så ger han sig fången och följer er.
,Men faller i tvekampen eder man,
må den taga samma villkor an.'

'Vi se väl, att han håller här
och haver oss ridit mycket när',
så ryssarne sade och lade råd.
Deras konung talte: 'Stort hjältedåd
det gäller för den honom möta skall.
Betänken väl den faran all!
En kämpe båld han är att se;
helt visst ej den sämste sände de.
Vem helst av oss, som honom består.
jag fruktar, att honom illa går.'

De ryssar svarade: 'Den finns ej till,
som med sådan hjälte sig mäta vill.'

*

Han höll där stilla, tills natten kom.
Sen vände den ädle riddaren om
och red tillbaka hem till sin här.
Väl vart han nu mottagen där.
För käckheten have den hjälten tack!
Skam have det usla hedniska pack!

*

Bort ryssarne lupo, förr än det blev dag,
men annars det blivit ett väldigt slag.
De svenske ville så gärna fått strida,
om ryssarne blott hade vågat bida.»

Magnus hade liksom fadern givit hertigdömen åt sina yngre söner. Även i denna brödrakrets var den blivande konungen svag. Han hette Birger. Den andre i ordningen, hertig Erik, var en fulländad riddare. Han var fager att skåda, ädelt och höviskt förde han sig, tapper var han i faran. Men var det fråga om att vinna makt och ära, så var han utan samvete. Snart började förhållandet mellan konungen och hans bröder betänkligt likna det, som rått mellan deras fader och dennes äldre broder. Erik förband sig med sin yngre broder, Valdemar, mot Birger. Men så länge denne hade Torgils' kraftiga stöd, kunde hertigarne ingenting uträtta.

Då inbillade dessa den lättrogne brodern, att det var Torgils, som förorsakade deras osämja, och övertalade honom att göra sig av med sitt stöd. Torgils fick varningar av sina vänner men svarade: »Konungen är min vän, och jag är hans man. Jag önskar, att jag så väl hade tjänat Gud, som jag tjänat honom.» En dag infunno sig alla tre bröderna på Torgils' gård Lena i Västergötland. Här lät Birger fängsla den, som varit honom i faders ställe. »Blygd haven I härav, herre konung, så länge I leven», utbrast den gamle. Torgils blev kastad upp på en häst och förd den långa vägen till Stockholm med fötterna hopbundna under hästens buk, för att hans vänner ej skulle kunna rycka honom fri. I Stockholm blev han insatt i fängelse och slutligen halshuggen år 1306. Det var den lön konungen gav honom för hans trogna tjänst.

Rimkrönikan förtäljer:

> »Först så grovo de hans grav,
> sedan höggo de honom huvudet av.
> O värld, huru du plägar löna
> den man, som dig vill utröna!
> Din härlighet, din fagra låt,
> de ändas ofta med sorg och gråt.»

Någon tid senare blev hans kista upptagen ur graven och nedsatt i klosterkyrkan på Gråmunkeholmen, nuvarande Riddarholmskyrkan, vid sidan av hans första maka, Birgitta. Den nu förstörda gravstenen bar följande latinska inskrift, som innehåller en del verklig poesi, sådan som sällan påträffas i medeltidens inskrifter:

Torgils Knutssons gravsten.

»Här ligger jordad konungens marsk Tyrgils
våldsamt halshuggen, lidande oförtjänt straff,
given till gemål åt Birgitta, nyss begraven
och vid hustruns sida med henne förenad liksom fordom på den
äkta bädden.»

Men »straffet följer brottet i spåren». Snart visade hertigarne, vad de haft för planer. En dag senare på året kommo
de helt oförmodat och hälsade på konungen på hans gård
Håtuna nära Sigtuna. De blevo väl mottagna och besvarade
gästfriheten med — att under natten fängsla konungen och
hans familj. Denna tilldragelse blev kallad Håtunaleken.

Birgers svåger, danske konungen, hjälpte honom väl slutligen till friheten. Men han fick nöja sig med en tredjedel av riket och heligt lova, att all oenighet skulle vara
glömd.

Nu var Sverige delat mellan tre unga furstar, som alla
förde ett slösande hov. Men den glansen fingo bönderna
betala med svett och möda. Mest praktfullt uppträdde
Erik. Han förmälde sig med en norsk prinsessa, enda arvingen till Norges krona, och välvde nu stora planer i hugen.

År 1317 höll Birger hov på Nyköpings slott. Dit red en
dag hertig Valdemar för att tala med sin broder. Rimkrönikan förtäljer, huru väl man mottog honom: konungen
gick själv ut för att möta honom och fägnade honom med
blida ord — men Gud vet, vad i hans hjärta var. Sammaledes gjorde drottningen. Hon sade: »Välkommen, broder min!
Huru månde min andre broder må? Han kommer aldrig
ur mina tankar, den milde hertig Erik. Att han skall så
fly mig, och att jag så sällan får se honom, det gör mig
hjärteligen ont. Det vet Gud, att jag haver honom så kär
som min köttslige broder.»

Hertig Valdemar låg kvar där över natten. Behövde hans
folk något och begärde någon en sak, så fick han dubbelt
upp, säger Rimkrönikans författare. Så väl blev han fägnad,
att han för sin broder Erik kunde berätta, hurusom konungen alldeles vänt om sin håg och nu menade väl med hertigarne. På det viset övertalade han brodern att följa med
på ett nytt besök i Nyköping.

Mottagandet var även denna gång det hjärtligaste. Konun-

gen giek själv ut att möta sina bröder, han tog dem i hand
samt förde dem in i slottet och fägnade dem med fagra
ord och åthävor. Men han bar en ond avsikt innerst i hjärtat
och tänkte hela tiden på nedrigt svek, eggad av sin äre-
lystna drottning. Ingen tunga kan beskriva all den vän-
lighet, som man hycklade mot hertigarne. Det säges, att
man aldrig hade sett drottningen så glad och uppsluppen
som då.

Om natten fingo hertigarne sig anvisade sovrum på slot-
tet. Men för deras män sade man att det icke fanns plats
på slottet. De skulle ligga nere i staden. När den siste av
dem gått ut genom slottsporten, reglades denna väl till.
Nu voro hertigarne värnlösa i broderns våld. — Dörren till
deras sovrum ryckes upp! Det är konungen, som tränger
in med väpnade män och slår sina bröder i bojor. Hans
ögon stirra vilt mot dem. »Minnens I Hátunaleken?» väser
han fram. »Denna leken skall ej bliva eder bättre.» Han
befaller sina män att sätta dem nederst i fängelsetornet
och fjättra dem vid muren med tunga järnkedjor. Detta
nidingsdåd brukar kallas Nyköpings gästabud.

När Birger nu hade utfört sin plan, som han i elva år
ruvat på, slog han i förtjusning tillsammans sina händer,
skrattade högt och betedde sig som en vanvetting, utropande:
»Nu haver jag Sverige i min hand!» — Men »den illa gör,
han illa far». Hertigens anhängare samlade sig och ryckte
mot Nyköping. Då flydde Birger, slutligen till Danmark.
Men när Eriks och Valdemars anhängare lyckats bryta upp
dörrarna till slottstornet, funno de fångarne döda, troligen
av svält. I sin förbittring läto de avrätta Birgers unge son,
ehuru han var alldeles oskyldig till faderns brott. »Det vet
Gud», utbrast ynglingen vid budskapet om att han måste
dö, »att det var mot min vilja, som hertig Erik och hertig
Valdemar så skulle mista livet. Nu skall jag dö — men
varför? Gud give själen ro och salighet!» Så knäföll han
med lugn och ädel hållning och mottog dödshugget. Bud-
skapet därom förkrossade den landsflyktige fadern och på-
skyndade hans död.

Men i Sverige hade män samlats från alla landskap på
Mora äng år 1319 och valt till konung den olycklige hertig
Eriks treårige son, Magnus, arvtagare till Norges krona.

Magnus Erikssons lyckliga tid.

GENOM Magnus Erikssons val till Sveriges konung hade detta land fått samma regent som Norge. Så uppkom den första unionen, d. v. s. föreningen, mellan de bägge rikena. Men det blev ingen verklig gemenskap av; ty så länge konungen var omyndig, styrdes vartdera riket av sitt råd.

Konung Magnus började sin regering med ett lyckligt landförvärv. Danmark genomgick nu en svaghetsperiod, under vilken en konung tog sig för att pantsätta större delen av sitt land till grevarne av Holstein. Dessa förtryckte folket, så att skåningarne grepo till vapen mot tyskarne. Och eftersom deras egen konung icke kunde hjälpa dem, bådo de Magnus att taga landskapet under sitt beskydd. Holsteinarne funno då klokast att avstå Skåne, Halland och Bleking till Sverige mot en ofantlig penningsumma, motsvarande 15 millioner kronor i vårt mynt. Så var Magnus konung över hela Skandinaviska halvön jämte Finland.

Även Magnus' inre styrelse började väl. När han red sin eriksgata, påbjöd han: »Till Guds och jungfru Marias ära, för vår käre faders och våra farbröders själaro stifta vi den lag, att ingen som av kristen man och kvinna födes må någonsin vara träl eller trälinna eller detta namn bära. Ty likaväl som Gud har från hedendomen frälst *oss*, har han frälst trälarne.» Detta var en seger för kristendomens lära, att alla människor äro bröder och lika inför Gud. Dock hade de flesta redan förut, åtminstone på dödsbädden, brukat lösa sina trälar »för Kristi skull».

Magnus' regering är betydelsefull även genom annan lagstiftning. Så livlig som handel och samfärdsel mellan rikets delar nu blivit, var det besvärligt för t. ex. en västgöte att behöva följa en lag i sitt eget landskap, en annan, när han kom till Småland, och åter en annan i Östergötland. Därför fingo lagkunniga män omkring år 1350 arbeta ihop landskapslagarna till Magnus Erikssons allmänna landslag, som blev gällande för landsbygden över hela riket, och författa en stadslag för rikets städer. Man skulle icke längre känna sig som västgöte eller upplänning o. s. v. utan först och främst som svensk.

Magnus Erikssons rikssigill.

Magnus Erikssons landslag är efter vanligt bruk indelad i s. k. balkar och börjar med en konungabalk, som föreskriver, hur riket skall styras. Här heter det: »Nu är till konungsriket i Sverike konung väljande och ej ärvande.» Efter valet skulle konungen avlägga konungaeden:

»*Att* han skall älska Gud och den heliga kyrkan och styrka hennes rätt;

att han skall all rättvisa och sanning styrka, älska och bevara men all vrångvisa och osanning och all orätt nedtrycka både med rätt och konungslig makt sin;

att han skall ingen fördärva till liv eller lem, utan att denne är lagligen överbevisad;

att han skall rike sitt Sverike styra och råda över med inländske män och ej utländske;

att konung äger leva av kronans gods och årliga laga utskylder av land sina och ingen ny pålaga å sitt land lägga utan på följande villkor: först att utländsk här vill land hans härja, eller att någon inländes sätter sig emot kronan m. m. I dylika fall skola biskop och lagman i varje landskap och sex av hovmän och sex av allmogen det sinsemellan [över]väga, vad hjälp allmogen må göra konung sin.»

»Nu äger konung sin eriksgata rida, och landskapets män äga honom följa och giss-

Tjuv föres till domare.

Stockstraff.
Begynnelsebokstäver ur en handskrift av Magnus Erikssons landslag.

lan[1] sätta, med vilka han är trygg och säker. Och äger konung att i vart landskap lova och jaka, att han skall dem alla sina eder hålla, som han svor, då han först till konung togs.

Då är den konung lagligt till land och rike kommen och har ridit sin eriksgata.

Nu, då konung vill, äger han i Uppsala [in]vigas och krönas eller ock annorstädes, dock helst av ärkebiskop — för bådaderas värdighets skull.

Nu, då konung vald är, då äger han råd sitt välja, först ärkebiskop och så lydbiskopar och andra klerker[2] samt riddare och svenner.»

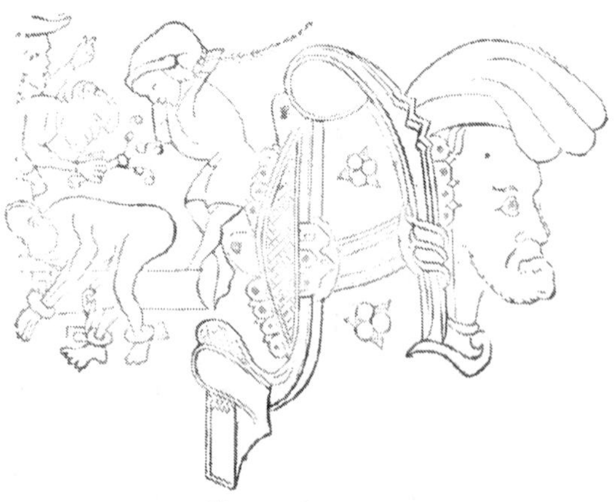

Hudstrykning.
Begynnelsebokstav ur en handskrift av Magnus Erikssons landslag.

*

Landslagen innehåller, liksom de gamla landskapslagarna, även balkar om giftermål, arv, köp, ägotvister, jakt och dylikt — den delen av lagen kalla vi nu **civillag** — ävensom om mord, dråp, annat våld och tjuvnad, vilka räknas till brottmålen och nu behandlas i **strafflagen**.

Mördaren straffades med att steglas (hans lemmar krossades med hjul), mörderskan blev stenad. En man, som levde i tvegifte, halshöggs, och hans kvinnliga medbrottsling stenades. Mordbrännaren, som greps »med *blåsande* mun och *brinnande brand*», förlorade sin egendom, och, heter det »den skall å *båle brinna*, som *bränt* haver för *bonden*». En

---

[1] Män, vilka följde honom såsom säkerhetspant. — [2] Präster.

mordbrännare, som icke greps å bar gärning men dömdes och icke kunde gälda skadan, fick vem som helst dräpa. — Blodshämndens sed, som försvagats av Birger jarl (se sid. 341), var nu förbjuden: därest den dödades arvinge fällde dråparen utan dom, straffades han med böter.

Magnus Erikssons olycksöden.

Landförluster.

SVERIGES tillväxt i område ledde egendomligt nog till att konungamakten försvagades. Den ofantliga lösesumman kändes många gånger tyngre än 15 millioner kronor för våra dagars Sverige, vilket har mer än tio gånger så stor och därtill mycket mera välmående befolkning. För att kunna betala måste Magnus pantsätta en stor del av kronogodsen, vilka voro avsedda att bekosta rikets styrelse. Följden blev, att han icke hade ens hälften av sina årliga inkomster kvar. Ja han måste tillgripa så förtvivlade åtgärder som att sätta sina båda kronor i pant för att få låna pengar i utlandet. Hur skulle konungen då ha kraft att hålla stormännen i styr och skydda allmogen mot deras självsvåld? Hur kunna möta våld med våld, när krigsmakten utgjordes just av stormännen själva och deras följen av hundratals väpnade riddare? Likaväl kunde dessa vända sig *mot* konungen som följa *med* honom. Nå, men vördnaden för konungens person? — Ja, men Folkungaätten var dock blott en stormannaätt bland andra mäktiga ätter, vilka ansågo sig lika värdiga att taga högsta makten i Sveriges land. Visst hade folkungarne givit landet två kraftiga regenter, men deras regeringstid hade för övrigt varit allt annat än uppbygglig genom inbördes strider inom ätten. Vad fanns väl då för skäl för män av andra ätter att visa dem hänsyn?

Nu hade det tarvats, att folkungaättens maktställning burits upp av en kraftkarl sådan som Birger jarl eller Magnus Ladulås. Men Magnus Eriksson var av vekare gods. Han klagade att han med böner och hotelser sökt utrota stormännens onda vanor men allt förgäves. I stället sammangaddade sig herrarne mot honom och blevo honom övermäktiga.

Hans första stora olycka var Norges förlust. Norrmännen ville ha sin egen konung; de klagade över att unionskonungen försummade deras land. Magnus måste gå in på att hans son Håkan skulle bli Norges konung. Så brast den svaga unionen. I Sverige eggade de missnöjda herrarne Magnus' son Erik till uppror mot sin fader, som måste avstå halva riket åt honom. Men helt plötsligt avledo den nyblivne konungen, hans gemål och barn i pest.

*　　*　　*

I Danmark härskade sedan 1340 Valdemar med tillnamnet Atterdag. Detta skall han ha fått därför, att »med honom blev det åter dag i Danmarks rike». Han började som konung över blott en liten del av Jylland men hade satt som sitt mål att ena Danmark igen. Slugt förstod han att dölja sina planer, men kraftigt grep han in, när tillfället var kommet. Efter tjugu års strävan var han herre över hela Danmark.

Nu gav honom den inbördes tvedräkten i Sverige ett kärkommet tillfälle att rycka till sig de landskap Magnus Eriksson köpt. Visserligen hade han en gång uttryckligen erkänt, att denne förvärvat full äganderätt till dem. Men det var då, det. Nu var det rika bytet lätt vunnet med våld och list, år 1360.

Valdemar var nu vorden en mäktig härskare. Då lyste det honom att vinna makt från det stolta Hanseförbundet. En dansk flotta gick ut för att erövra Gottland, som sedan Magnus Ladulås' dagar erkände den svenske konungens överhöghet och gav honom skatt. Här låg hansestaden Visby, »Östersjöns pärla», om vars rikedom det stod i en gammal visa:

> Guld väga de gutar[1] på lispundsvåg,
> de spela med ädlaste stenar.
> Svinen äta ur silvertråg,
> och hustrurna spinna på guldtenar.

---

[1] Gottlänningar.

Strandgatan i Visby med det s. k. Gamla apoteket.
Teckning av John Österlund.

Tack vare den guldström handeln fört hit, hade här växt
upp härliga kyrkor och massiva boningshus. Och innanför sin
starka ringmur kände sig Visbys borgare så trygga. Men
en starkare kom och med honom ofärden. Valdemar be-
segrade gottlänningarne utanför Visby en julidag år 1361,
och hans krigare tågade in i staden.

Ett gammalt minneskors, enligt sägnen upprest av Valdemar själv, utvisar ännu platsen, där den blodiga kampen stod. I våra dagar har den halvtusenåriga graven öppnats. Man fann där, berättar en fornforskare, tre hundra skallar »i en enda sammanhängande massa, likt en gigantisk korall, icke lagda sida vid sida i dödens stilla frid utan vräkta ned i den stora graven, som avskräde vräkes i en sopgrop». I sin hemskhet fängslande var fyndet av två huvuden, ännu klädda i sina pansarhuvor. Man såg i öppningen »det gulnade kraniet med vita, starka tänder och tomma ögonhålor — ett konstverk, ville man säga, från den första renässansens tider, ja ett konstverk av mästaren dödens hand.»

Man kan på dödsoffren iakttaga verkningarna av de vapen, som fördes denna julidag år 1361. »Inträngd mellan revbenen i en bröstkorg sitter pilspetsen, som vinande träffat sitt mål, innan handgemänget börjat. Ur kraftigt byggda lårben ha stora skärvor huggits bort. I en huvudskalle har det första hugget skurit en bred flisa; det andra har kluvit skallen. Detta har gjorts med svärd, tunga som järnspett och ofta förda med båda händer, eller med stridsyxor, breda i eggen och med meterlånga skaft. I en huvudskål synes ett stort, fullkomligt kvadratiskt hål, i en annan ett något mindre; de äro märken efter spikklubbor eller 'gissel' med kraftiga järntaggar.»

Med spännande av alla muskler, med offrande av alla sin kropps krafter ha dessa människor gått löst på varandra, och blodet har sprutat och lemmar ha krossats och

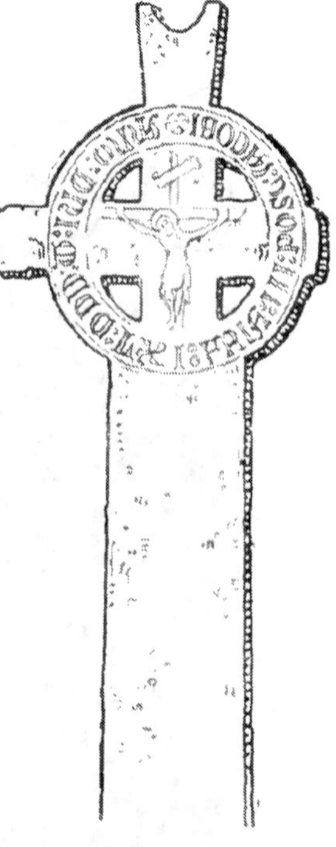

Minneskorset över slaget vid Visby år 1361.

Den latinska inskriften lyder sålunda: »Herrens år 1361, dagen efter S:t Jakobs dag, föllo gutarne framför Visbys portar i danskarnes händer. Här vila de. Bed för dem!»

Sancta Katarinas gråbrödrakyrka i Visby.
Teckning av John Österlund.

köttet har huggits i flisor från benen — då man betraktade dessa fallna, som vräkts tillsammans i den stora graven, så ville man nästan tro på sägnens ord, att den dagen »forsade blodet in genom Visby portar och rann utför backarna ända ned till havet».

*

När Valdemar Atterdag blivit herre över Visby, måste borgerskapet ställa upp stadens tre största ölfat på torget och fylla dem med guld och silver. Sedan Valdemar satt danskar som fogdar på ön, seglade han hem. Men ett av de skepp, på vilka han lastat rovet, säges ha forgåtts i vågorna

Olyckan hade kommit så plötsligt over Visby, att sägner uppstodo om svek: hurusom Valdemar förkladd smugit sig in i en mäktig borgarcs hus och vunnit hans dotters karlek, och huru hon sedan hjalpt de danska krigarne in i staden. Men detta ar blott dikt. — Plundringen var ett hårt slag for Visby. Redan forut hade dock staden börjat gå tillbaka i makt, ty den hade i de nordtyska städernas, framfor allt Lybecks, handlingskraftiga köpmän fått medtavlare, som seglade forbi Gottland och direkt till Ryssland.

Valdemar hade emellertid ej ostraffat plundrat en medlem av Hansan, som nu stod på höjden av makt. Sjuttiosju hansestäder, alltifrån nederländska till livländska kusten, slöto anfallsforbund och förenade med sig några tyska furstar. Då stod Valdemar maktlos, ty hanseaterna beharskade sjön, och freden blev dyrkopt.

Digerdöden.

Till Sveriges andra olyckor hade kommit en hemsk pest, kallad svarta doden eller digerdoden, d. v. s. »stordoden». Den började borta i »yttersta östern», bland det kinesiska rikets myllrande millioner, och spred sig darifrån västerut, skördande otaliga offer. Aldrig, varken forr eller senare, har mänskligheten genomgått en så fruktansvärd hemsokelse. Den foregicks av jordbävningar och meteorer, fruktansvärda översvamningar, omvaxlande med en allt forbrännande torka samt gräshoppsvarmar, som formorkade dagens ljus och fortarde allt grönt på marken. Fåfänga voro alla försök att undslippa de glupska djuren. Endast hagel och regn formådde slå ned dem, men då blevo deras ruttnande kroppar liggande och forpestade luften runt omkring. Kronikorna tala också om »tjocka stinkande dunster», som stego upp på flere stallen, inholjde allt liksom i en tät dodssvepning samt spredo dodens blekhet over människornas anleten och mattighet i deras lemmar. Man har beräknat, att pesten i Europa tagit 25 millioner manniskoliv eller omkring $^1/_4$ av folkmångden. Särskilt svårt tycks den ha hemsokt de nordiska landerna, framfor allt Norge.

Dit kom den på sommaren 1349 med ett engelskt fartyg, lastat med yllevaror. Det löpte in i Bergens hamn, och man hade just börjat lasta ur godset, då, enligt isländska uppteckningar, hela besättningen helt hastigt skördades av döden. Kort därefter bröt samma sjukdom ut även i staden, yttrande sig i häftig feber med hastigt påkommande ångest och oro, blåaktiga eller svarta fläckar och strimmor på huden, här och där bölder på kroppen, smärtsamma sting i bröstet, stinkande andedräkt, svartaktig, liksom förbränd tunga samt framför allt de våldsammaste blodstörtningar genom näsa och mun. Efter två eller tre dagar brukade den sjuke vara död; men det kunde också hända, att människor, som sutto glada och friska, en timme därefter voro dödens. Från Bergen gick »den store mandråparen» härjande fram över hela landet och säges ha skonat blott $1/3$ av inbyggarne. En samtida författare skildrar det hemska tillståndet sålunda: »Ensam och övergiven ligger den sjuke på sin bädd. Ingen släkting vågar närma sig honom, knappt en läkare träda inom hans boning. Till och med prästen ger honom endast med en rysning det heliga sakramentet. Hjärtslitande ropar barnet efter sina föräldrar, hustrun efter sin man och mannen efter sin hustru. Men förgäves!»

På våren 1350 nådde den hemska gästen vårt land. Man har ännu kvar ett av Magnus Eriksson utfärdat påbud om allmänna bot- och bönedagar med anledning av »att Gud för människornas synders skull haver en stor plåga allmänneligen kastat ut i världen med bråd död, så att mesta parten av det folk, som var i länderna västanför vårt land, är utav den plågan död; och står den nu omkring allt Norge och Halland och nalkas hit, så att vart man spörjer däromkring, så står den så starkeliga, att utan all sjukdom faller folket ned allt på en gång och dör.» Ingenting kunde emellertid hejda den fruktansvärde fienden. Snart fanns knappt ett hus, i vilket icke en död låg. Människorna lågo i brinnande böner och gjorde botövningar för att avvärja himmelens vrede, prästerna skyndade från dödsbädd till dödsbädd för att trösta, tills de själva föllo offer. Ja det berättas om präster, som kallades till en pestsjuk, att de blevo smittade och dogo före denne. Över huvud taget visade präster och nunnor ett verkligt hjältemod, något som bestyrkes

Allegori över digerdöden. Kyrkmålning i Pisa. Till vänster synas riddare, som häpna stanna framför de döda; i mitten tiggare, bönfallande inför döden-befriaren, som med lien hotar de levnadsglada världens barn. Upptill inväntas döden med lugn av eremiter. Änglar och djävlar slitas om de dödas själar.

av de höga dödssiffrorna för dem. Så lära ensamt inom
Västergötland ej mindre än 466 präster ha bortryckts av
digerdöden.

Men mången greps av sådan skräck inför allt det hemska
och fasansfulla han fick bevittna, att han föll död ned.
Från andra delar av Europa berättas om hur skaror av
vettskrämda stackars människor sökte blidka Gud genom
att sluta sig tillsammans till botgörartåg, som drogo från
ort till ort och vunno ny tillslutning. Utanför kyrkorna
kastade de sig ned i rader med blottade ryggar, och an-
förarne gingo omkring och slogo dem med ett gissel, i
vilket vassa järnbitar voro inflätade, så att blodet rann.
Därefter gisslade sig botgörarne själva med vanvettigt, för-
tvivlans raseri under högljudd sång. — Andra åter hängåvo
sig, då allt syntes hopplöst, åt de vildaste utsvävningar.
»Låtom oss äta och dricka, ty i morgon måste vi dö», blev
valspråk för mången.

Här i Norden voro utbrotten av vad som rörde sig i män-
niskosjälens djup mera dämpade. I detta sammanhang kan
det emellertid ha sitt intresse att läsa vad en namnkunnig
läkare från 1500-talet, Erik XIV:s och Johan III:s livme-
dikus Benedictus Olai föreskriver i pesttider. I hans be-
kanta arbete »Een nyttigh läkere-book» heter det: »Uti
denne förskräcklige pestilents plåga skall människan hava
ett fritt mod och sinne och glad vara och älska många-
handa lustig spel och lekar, lutor, harpor, gigespel, älska
ren och vacker kläder, intet dödeligt tänka eller begrunda.»

Man antager, att digerdöden i Sverige bortryckt $^1/_3$ av
befolkningen. I Uppland minskades invånarantalet enligt en
gammal anteckning till $^1/_6$, och ännu två århundraden efteråt
levde minnet av »stordöden» kvar där bland folket. I som-
liga trakter utdogo människorna alldeles; husen och kyr-
korna blevo övergivna, åkrarna övervuxna med skog. I
hela Värmlands bergslag överlevde blott tre personer. Många
år efteråt hände sig i det landskapet, att en jägare, som
i en tät skog i Ekshärad skjutit bom på en tjäder, gick för
att hämta pilen. Denna hade fallit på en mossbelupen klippa,
tyckte han. Det visade sig vara en gammal kyrka, som efter
digerdöden blivit bortglömd och kringvuxen av timmerskog.

Länge dröjde det, innan Nordens folk efter denna man-spillan kommo till sina fulla krafter igen och de öde land-sträckorna åter blevo befolkade och uppodlade. Naturen har dock en underbar förmåga att hela sådana förluster. Samstämmigt intyga de pålitligaste källor, att när farsoten var över, följde en ovanlig fruktsamhet inom äktenskapen, vilken visade sig ej blott i tätt återkommande barnsbörd utan även i riklig födsel av tvillingar och trillingar. Så var det, som om en förnyelsens kraft kommit in bland mänskosläktet. »Medeltidens hemska midnattstimma» var överstånden.

*

Alla Sveriges olyckor skyllde stormännen på den stackars konungen, till och med digerdöden: den hade förstås kom-mit såsom ett Guds straff för Magnus' synder! De erbjödo kronan åt en tysk furste, Albrekt av Mecklenburg, en av sin tids slugaste och samvetslösaste politiker — vilket ej vill säga litet. Därmed började ett långvarigt inbördes krig, som slutade 1371 med att Albrekt erkändes som Sveriges konung. Magnus måste lämna landet och tillbragte sina sista år i ro hos sonen Håkan i Norge. De blevo ej många. En dag över-fölls han av storm ute på havet, och skeppet höll på att för-lisa bland skären. För att rädda sig sprang han då över bord, kom levande i land men fick ett krampanfall och gav upp andan, nära 60 år gammal. Så slutade den skiftesrika bana, som vid tre års ålder börjat med herravälde över det största rike, någon svensk konung behärskat.

Sista akten i Folkungaättens sorgespel var ändad.

Magnus Erikssons eftermäle har allt för länge varit tecknat av hans politiska motståndare, de maktlystna stormännen. Upphetsade av partilidelser, skildrade de honom som en dålig, föraktlig människa. Men sedan man i våra dagar omsorgsfullt rannsakat urkunderna till hans historia, har om-dömet blivit: »Icke dålig men svag» eller rättare: »Icke kraf-tig nog för vad den hårda tiden krävde».

Litteratur: E. G. Folcker, »Hic Sepulti», ett Visbyminne. (Ord och bild för år 1906.)

John Österlund och Carl Ugglas, Visby. En bok om en gammal stad. Häft. kr. 5: 25, inb. kr. 6: 75.

SIERSKAN FRÅN NORDEN.

25—162253   Göteborg, Sveriges Litt. ... ...aktiebolag. I.

Den heliga Birgitta.

Hennes släkt.

PÅ Finsta gård i Uppland, mellan Uppsala och Norr-
tälje, föddes, sannolikt 1303, den kvinna, som skulle bli
Sveriges första europeiskt ryktbara person. Hennes fa-
der, Birger Persson, var en mäktig och rådklok storman, Upp-
lands lagman och en av rikets största jorddrottar. Modern
var av Folkungastam. Det var i det dåtida Sveriges kan-
ske mest aristokratiska hem, som den heliga Birgitta växte
upp.

Hennes moder var dotter till östgötalagmannen Benkt
och Sigrid den fagra, vilka gjorts till huvudpersoner
i sägnen om bröllopet på Ulvåsa, som i våra dagar tagits
till ämne för ett omtyckt skådespel. Berättelsen härom
förekommer för första gången i ett arbete om Birgittas
släkt, författat på 1400-talet av abbedissan i Vadstena klo-
ster Margareta Clausdotter.

»Först är vetande», skriver författarinnan, »att Sancta
Birgittas morfar, han hette herr Benkt lagman och var bro-
der till den konungen, som då styrde riket. Han tog till
hustru en den ädlaste och fagraste jungfru, som het Sigrid,
född av en god men dock ej så stor och mäktig släkt som
hans egen. Konungen, hans broder, blev honom därför
mycket oblid och sände honom till smälek en kjortel, till
hälften guldstickad, till hälften av vadmal, varmed han
mente, att herr Benkt hade vanvördat sin släkt. Men herr
Benkt lät sy vadmalen med guld och pärlor samt besätta
den med ädla stenar, så att den delen av kjorteln blev dyr-
barare än den andra. Då förklarade konungen honom fejd
på liv och död samt sände honom bud, att han ville hem-

*Birger Persson och hans frus gravhäll i
Uppsala domkyrka.*

söka honom. Då herr Benkt det förstod, böd han fru Sigrid, att hon skulle iföra sig sina bästa kläder, gå ut emot konungen och fägna honom det bästa hon kunde; men själv flydde han till skogen.

Frun gjorde som hennes herre hade budit henne, och då konungen fick se henne, täcktes hon honom så väl, att han steg av sin häst och tog henne i sin famn och sade: 'Hade min broder detta ogjort, då skulle jag det göra'. Därpå bad han, att hans broder skulle utan räddhåga återvända hem.

Sannerligen må sägas, att Gud gjorde med denna hedervärda fru, såsom han fordom gjorde med Ester, vilken konung Ahasverus tog till drottning för hennes ödmjukhets och stora fägrings skull.»

Hur står sig nu denna sägen inför den obarmhärtiga historiska kritiken?

Hjälten, herr Benkt, skulle ju ha varit broder till den regerande konungen. Den ende som detta kan passa in på

år Birger jarls broder Benkt Visserligen var ju Birger icke
konung, men han styrde dock med kunglig makt. Men
värre är, att hans broder Benkt aldrig var lagman utan
biskop, och som sådan kunde han icke ingå aktenskap.

Har det då aldrig funnits någon Benkt lagman? Jo en
gammal krönika talar om »herr Benkt, ostgotarnes lagman»,
och hans hustru »fru Sigrid», som dött i slutet av 1200-talet.
Här ha vi alltså den verklige Benkt lagman. Men felet ar,
att han icke var broder till den då regerande konungen,
Magnus Ladulås, utan blott kusinbarn till denne. Konungen
kunde omojligen ha tagit sig hans giftermål så nara, som
sägnen påstår — *om* nu lagmannen verkligen gift sig under
sitt stånd, något som i verkligheten ingalunda var fallet,
ty Sigrid den fagra var tvartom en högboren kvinna med
stolta later. Allra minst kan Birger jarl, vilken i skåde-
spelet upptrader som handlande person, ha haft något att
invända mot aktenskapet, ty när detta ingicks, hade han
redan i tio år vilat i graven

Schuck, som vi ha att tacka for denna undersokning av
sägnens historiska varde, förmodar, att berättelsen om lag-
man Benkt och Sigrid den fagra är »blott en halvt novell-
artad anekdot, som av Vadstenanunnan knutits till den
verklige lagman Benkts och fru Sigrids namn».

Schuck anför ur mängden av liknande fall en vacker
medeltidsballad, som handlar om herr Magnus, vilken en sjo-
jungfru soker locka till sig. Av herr Magnus blev med
tiden hertig Magnus, och hertig Magnus, det var natur-
ligtvis Gustav Vasas sinnessjuke son. På sådant satt har
man nu kommit därhän, att man kan i Vadstena slott visa
det fonster, genom vilket den olycklige furstesonen skulle ha
stortat sig ut, lockad av sjöjungfrun där nedanfor. Så latt
kan en historisk sägen uppkomma.

Barndomsintryck.

Tungt ruvade mörkret och enformigheten över Birgittas
liv på den upplandska herrgården. Sparsamt silade dags-
ljuset genom de små fönstergluggarna in i rummen bakom
de tjocka väggarna, och under de långa vinterkvällarna var
det flammande, oroliga skenet från stockvedsbrasan den
enda belysning som bjöds i den stora, tomma salen med

dess rader av enkla träbänkar kring väggarna. I detta halvskumma rum tillbragte husets folk sina kvällar. Under det kvinnorna spunno och sömmade, lyssnade man till husets kapellan, som entonigt föredrog några böner eller någon gammal helgonlegend, under det att snön genom det öppna rökfånget i taket yrde in i den dystra stugan.

Barnets hela fantasivärld kom således att inriktas på Kristus och den heliga jungfrun samt legendens heliga män och kvinnor.

Ständigt hade hon dem så starkt i sina tankar, att hon till slut tyckte sig se och tala med dem. När hon var sju år, såg hon — berättar en gammal legend — en natt vid sin säng ett altare; och en kvinna i skinande kläder satt över altaret med en krona i sin hand och sade till henne: »O Birgitta, kom hit!» Då hon kom till kvinnan, sade denna: »Vill du hava denna krona?» — »Ja», svarade Birgitta. Kvinnan satte kronan på henne, så att hon granneligen kände, hur dess rundning berörde hennes huvud. Och genast försvann synen. Men ur hennes minne gick den aldrig.

Några år senare hade hon en annan syn. Det var en afton, då hon icke kunde falla i sömn. Det brann intet ljus i hennes kammare, men hon låg så länge i sin säng och stirrade ut i mörkret, att detta slutligen liksom vek tillbaka. Natten var ljus av snön utanför, och en svag grådager kom in genom fönstergluggen. Hon kunde urskilja det lilla altaret vid fotändan av sängen och krucifixet, som hängde där-över . . . .

Plötsligt såg hon icke något annat än detta krucifix. Det blev så stort, så verkligt, så levande. Hon såg tydligt alla de röda gisselslagen över den korsfästes magra armar, och blodsdropparna, som sipprade fram under törnekronan och droppade ned i hans förgråtna ögon. Hon såg det alltsammans, och det var en syn så bedrövlig, att hennes hjärta var nära att brista av sorg och medömkan och harm. »O, min käre Herre, vem har väl gjort dig detta?» sporde hon, nästan utan att veta det — hjärtat slog häftigt i hennes bröst. Då öppnade den korsfäste sina blå, liksom frusna läppar, och en röst, som lät så sorgsen som vindens klagan genom säven i Finsta borggrav, svarade sakta: »Alla de, som glömma mig och förakta min kärlek.»

I samma nu var det, som om ljuset släcktes i rummet.
Det var samma grådager som forut, och Birgitta kunde knap-
past urskilja altaret och krucifixet mera. Men hon kunde
icke somna: hjartat fortfor att bulta i hennes brost; hon
hörde dess slag i nattens djupa stillhet, och det var, som
om varje slag drivit håida spikar in i hennes sjal. Hon
kunde icke bliva liggande i sin säng; på sina nakna fotter
sprang hon ut på det kalla golvet och kastade sig ned for
korsets fot . . . .

Äktenskap och hovliv.

Birgitta greps av langtan att i den tysta klostercellen få
leva blott for att tjäna Gud. Men hon fick vånta på sina
drommars uppfyllelse. Blott tretton år var hon, når hennes
fader »gav henne åt en arlig riddare till hjonelag», såsom
Margareta Clausdotter skriver. Det var den adertonårige Ulv
Gudmarson, son till en av faderns vänner. Sådana akten-
skap mellan barn stiftade föräldrar ofta, for att två släkter
skulle forenas och hjälpa varandra. Så voro de båda bar-
nen man och hustru. Men lilla Birgitta hade hellre velat
dö ån trada i brudstol, berättade hon på aldre dagar for
sin dotter Katarina. På hennes tillskyndan avlade brudparet
löfte om avhållsamhet under forsta året av åktenskapet. Så
levde de båda unga tillsammans som bror och syster —
intill dess kárleken kom och kravde ut sin rätt. Under lop-
pet av tio år blev Birgitta nu moder åt fyra soner och fyra
döttrar. Hennes make var god men svag, och Birgitta var
uppenbarligen den bestammande viljan i detta åktenskap.
Den unga husfrun blev snart kánd for sin stränga from-
het; hon spakte sin kropp, fastade och vallfårdade till heliga
platser. Men hennes fromhet var icke av det slag, som lag-
ger an på att lysa inför människorna. Det var når hon
kunde komma åt utan att synas, som hon spåkte sig med
fastor, med hård bädd och med gisselslag. Som husmoder
var hon både duktig och givmild. Ett stort hus lat hon
stålla i ordning, i vilket fattiga och sjuka fingo en fristad.
Sjalv vårdade hon dem, och efter Frälsarens exempel tvådde
hon deras fotter och kysste dem. Under fastan bespisade
hon var dag tolv fattiga vid sitt bord.
En tid vistades fru Birgitta vid sin frándes, konung Mag-

nus Erikssons hov, där hon skall ha tjänstgjort som drottningens hovmästarinna. Här var hon i varje tum den mäktige och myndige upplandslagmannens dotter. Ingen hade skarpare blick för hur föga Magnus Eriksson räckte till att fylla de svåra uppgifter, som förelågo honom. Ingen har obarmhärtigare gisslat varken hans politiska eller hans personliga svagheter. Därvid gick Birgitta ofta till oresonliga överdrifter, som satt fläckar på konungens eftermäle. För att förstå detta måste man erinra sig, att hon genom sin börd tillhörde stormännens krets och såg allting med deras ögon. Med dessa aristokratiska fördomar förenade sig här en fromhet av det stränga slag, som ej vet av några förmildrande omständigheter.

I sina berömda uppenbarelser, till vilka vi sedan skola återkomma, förmanar hon genom Kristus konungen att dagligen läsa sina bestämda böner till jungfru Maria, dagligen läsa två mässor, fasta på de stora helgdagsaftnarna, giva tionde åt de fattiga och var fredag två tretton fattiga mäns fötter. Han får dessutom av hovmästarinnan uppmaningar att bära hövisk klädebonad »till ett konungens hederstecken» samt krona på de större helgdagarna. Och det smakar ej av smicker, när hon förmanar sin konung att, »eftersom han är barnslig», låta läsa för sig »om manliga mäns gärningar, efterdöme och åthävor, av vilka hans håg må uppväckas till Gud». Än mindre vittnar det om underdånig vördnad, när hon i sina skrifter kallar konungen »en krönt åsna med ett harhjärta» eller »en rövare och en själaförrädare». I en vrede, som flammar av fosterlandskärlek, förebrådde hon till slut konung Magnus både Skånes och Norges förlust.

En som ej heller finner nåd inför Birgitta är konungens syster, »huggormshonan» som hon får heta, och dennas gemål, hertig Albrekt d. ä. av Mecklenburg, som hon i sina uppenbarelser brukar benämna »räven», stundom även »ormen». Hon kan ej nog varna konung Magnus för den listige hertigen och dennes son Albrekt d. y., vilken också blev den som till slut störtade Magnus Eriksson från tronen. Bland allt vad Birgitta uttalat är det få saker, som i pigg och åskådlig skildringskraft kan mäta sig med uppenbarelsen om »Ormungen och hans moder». Varje liten detalj är här genomträngd av den kärleksfulla omsorg, som endast det varma, innerliga hatet kan framalstra. Uppenbarelsen borjar sålunda:

»Ormen och hans hona hava båda gift i sin beblandelse, och av deras natur fodes en etterorm. Eftersom modern ej har spenc, som den nyfodde ormcn kan dia, lägger hon sig över sin son och gor honom så het, att han nästan kvävs. Nàr han så känner mycken värmc ovantill och mycken kold från jorden, då tvingar noden honom att vànda munnen till jorden och så småningom suga jorden och àta. Dàrefter lär modern honom att róra sig och slinger honom i stjärtcn. Och när han börjar sträcka ut sig, stinger hon honom åter-igen, for att han skall draga åt sig stjarten. Sammalunda stinger hon huvudet och lär honom så att omsom sträcka ut sig och omsom slingra sig i krok.

Dàrpå ser modern ut något ställc, varest solen ar varm, och drager sin son med sig dit och går sakta fóre honom, så att han lar sig folja. Och när han följer och somnar i solens hetta, tänker modern så for sig sjalv: 'Min son har gadd till ilska, och darfòr ar behovligt, att han lär sig stinga. Men emedan hans gadd annu ar mjuk, brister den snart, om jag lägger något hårt framfór honom, innan han blir stark och van att stinga.' Och dàrfor uppletar hon något, som är mycket mjukt, och lägger for honom, medan han sover. Dàrefter blåser hon i hans oron och väcker honom så håftigt, att han blir alldeles som utom sig av hennes andedràkts rorelser och borjar att stinga det mjuka, som blivit lagt framfor honom. Han vanjes nu så lange att stinga det mjuka, att gadden hårdnar genom styngens upp-repande; och sedan borjar han stinga stenar och stockar och andra hårda ting. Nar sonen så blivit lard att stinga, låter modern honom fara.

Sådan är den mannen, som du känner, ty han är såsom en ormunge, fodd av ormlik fadcr och ormlik och etterfull kvinna. Ty båda dessa sammankommo med det vårsta etter, som är hògfàrden, vilken på ett mera fórdàrvligt satt skadar själen än gift skadar kroppen. Visserligen, denne orm hade en overmàttan stark ärelystnad och oskahga begärelser och brann av lusta till kvinnan. Och hon såg honom vara klok och fager och brann med stadig älskog till ormen. Sålunda kommo de samman med hogfard och forsmådde att frukta mig, sin Gud, och födde liksom en etterorm av giftig släkt.

Emedan nu modern ej har den andliga kärlekens spene, med vilken hon kunde giva sin son di, så gör hon honom het under sig, det är: hon uppfostrar honom till att älska världen och för ut honom bland världens högt uppsatta män, åstundande av allt sitt hjärta, att han måste räknas bland mäktige män. Lärd av modern och upphettad till världsliga ting men kall i kärlek till Gud börjar han då att äta och suga i jorden, i det han med orätt åstundar jordiska ting; och då han äter, hungrar han ständigt än mer.

Därefter blir han stungen i stjärten av modern, för att han skall lära sig röra lemmarna och sätta upp huvudet, när han lär sig av henne att locka till sig somliga med goda löften och förena andra med sig genom vackra och lockande ord.

Modern lär ormungen krypa och går före och leder honom till solens hetta, när hon högfärdas i sin arghet och med sina lösa seder uppeggar honom till samma saker, sägande till honom så väl förtroligt som uppenbart: 'Så levde din fader och dina släktingar, och så tillkommer det mäktige och tappre män att leva och framträda. Skam är det, om du vill vara heligare än de.' Framlockad av dessa maningar följer nu ormungen sin moder från den ena synden till den andra, till dess han kommer till köttets skörlevnad liksom i solens hetta. Och när han där börjar att vila sig och med välbehag förlusta sig, läres han av modern att stinga.»

Birgitta utbyter sin jordiska kärlek mot en himmelsk.

Vid 40 års ålder förlorade Birgitta sin make. Några dagar efter dödsfallet, då hon var i sitt kapell, försjunken i bön, greps hon av hänryckning. Därunder såg hon ett glänsande moln, och ur molnet hörde hon en röst säga: »Kvinna, hör mig!» Hon blev förfärad och flydde flera gånger; men samma röst hördes var gång hon kom tillbaka. Och till slut såg hon i molnet gestalten av en man, som sade: »Kvinna, hör mig! Jag är din Gud, och jag vill tala med dig. Du är min brud och förbindelsen mellan mig och människorna. Du skall höra och skåda andliga ting, och min ande skall dröja hos dig ända till din sista dag.» — Birgitta hade av sin döende make mottagit ett »fingergull», som han bett henne bära till

Den heliga Birgitta mottager en uppenbarelse.
Målning i Tolfta kyrka i Uppland.

minne av deras äktenskap. Nu strök hon ringen av fingret. Då man förvånade sig över en sådan kärlekslöshet, svarade hon: »När jag begrov min man, begrov jag med honom min jordiska kärlek, ty ehuru jag älskat honom såsom min egen själ, önskar jag ej att ens med en örtug återköpa honom till livet mot Guds vilja. Så länge jag bar denna ring, var den mig en börda, emedan jag då erinrade mig en svunnen glädje. Men nu skall min själ vända sin kärlek endast till Gud, och därför vill jag glömma både ringen och min make.» Birgitta hade utbytt sin jordiska kärlek mot en himmelsk.

Sedan den jordiska kärleken numera blivit henne förmenad, fick hennes rika känsloliv sitt avlopp i att tillsammans med den himmelske brudgummen »lustas andeligen», såsom den fornsvenska översättningen av Birgittas uppenbarelser uttrycker sig. Tankar och drömmar, som hon förut ansett syndfulla och därför hållit bundna, de bryta nu med ohejdad kraft alla dammar. »Min kropp», skriver hon om sig, »är såsom en otamd fåle och min känsla som den vilda skogsfågeln.»

Kristus, hennes brudgum, talade nu dagligen till henne i uppenbarelser. Vid sådana tillfällen föll hon i ett tillstånd av hänryckning, såg intet, hörde intet av vad som hände omkring henne. Men sedan omtalade hon för sin omgivning, vilka härliga ting hon skådat och hört under samtal med Kristus och med hans helgon. Dessa ord nedskrevos av hennes biktfäder och lästes med beundran inom hela kristenheten.

I hänförda ordalag utmålar hon sin himmelska kärlekslycka i en uppenbarelse, där »brudgummen» säger: »Om du intet åstundar utom mig, om du försmår allting för min skull, ej blott barn och föräldrar utan även ära och rikedomar, så skall jag giva dig den dyrbaraste och skönaste lön: ej guld eller silver, utan jag skall giva mig själv såsom lön och morgongåva. Ditt hjärta skall vara i mitt hjärta och upptändas av kärlek till mig, liksom det torra riset upptändes av elden, och jag skall bliva i dig, så att alla världsliga ting skola varda dig beska och köttets lustar såsom etter. Du skall vila i min gudoms armar, där ingen köttets lusta är, utan andens fröjd och förnöjelse.»

Det väsentliga i brudtanken hos Birgitta är dock icke, såsom för många andra medeltidskvinnor, njutningen vid mottagandet av brudgummen, utan vad som hos henne träder starkast fram är tanken på hur hon skall täckas brudgummen, göra sig värdig att mottaga honom. Hela hennes liv blev sålunda en förberedelse till brudgummens slutliga ankomst.

I sina känsloglödande uppenbarelser ter sig den nordiska sierskan som en av medeltidens yppersta diktarnaturer. Birgitta var på en gång religiös ivrare och skald, med ett ord en äkta profetnatur.

Men liksom Birgitta kunde hänryckas till himmelsk sällhet, så kunde hon också i sina uppenbarelser få skåda de ogudaktigas värsta pina i skärselden, som hon en gång skildrar med följande ohyggliga kraft i teckningen: »Därefter tyckte Guds brud liksom att ett fasansfullt och mörkt ställe upplät sig, vari det inre av en brinnande ugn syntes, och den elden hade intet annat att bränna an avgrundsandar och levande själar. Och ovantill på denna ugn syntes den själ, vars dom nu fälldes. Själens fötter voro fästade vid ugnen, och själen stod rätt upp liksom en människa. Hennes skepnad var förskräcklig och underlig. Och ugnens eld syntes draga sig upp genom själens fötter, såsom när vattnet stiger högt upp genom en pipa. Den pressade sig kraftigt tillsammans och for upp över huvudet, så att alla svettporerna stodo såsom rinnande ådror med brinnande eld. Öronen tycktes, liksom malmgjutares bälgar, sätta hjärnan i rörelse med oavbruten bläster. Ögonen tycktes bakåtvända och insjunkna och innantill fästade vid nacken, munnen öppen och tungan utdragen genom näsborrarna, så att den hängde ned på läpparna. Tänderna voro som järnspikar fästade genom gommen, armarna voro så långa, att de räckte ned till fötterna, och båda händerna tycktes sammantrycka något fett med brinnande tjära. Huden, som syntes över själen, såg ut som ett djurskinn över en människokropp och var såsom linnetyg övergjutet med fuktighet. Och det klädet var så kallt, att var och en, som såg det, han skalv. Och av klädet flöt såsom var av bölder med ruttet blod och en sådan elak stank, att den ej kan jämföras med den värsta stank i världen.

Då hördes själen under tårar ropa av alla krafter först: 'Ve mig, att jag älskade Gud så litet för hans myckna godhet och den nåd, som var mig given!' Andra gången: 'Ve mig, ty jag fruktade ej Guds rättvisa så mycket som jag skulle!'

Tredje gången: 'Ve mig, ty jag älskade mitt syndiga kötts
och min kropps lusta!' Fjärde gången: 'Ve mig för världens
rikedomar och för min högfärd!'»

Kraft och åskådlighet förlänar Birgitta ofta sina bilder ge-
nom att välja dem från naturen. Så säger hon om en biskop:
»Denne biskop är såsom en snigel, som ligger i den träck, vari
han föddes, och släpar huvudet efter jorden. Så ligger han
och finner sin vällust i syndernas smuts och orenlighet, dra-
gande sitt sinne till jordiska ting och ej till de evinnerliga.»

En annan gång använder hon om en kvinna följande
drastiska bild: »Denna kvinna är lik svansen på en ko, som
går i dyn och stänker ned och orenar alla, som nalkas henne,
så ofta hon viftar omkring sig med svansen.»

Allt syndigt, allt orent var för denna efter renlighet träng-
tande själ en styggelse. Det berättas, att hon i närvaro av
en människa, som befann sig i dödssynd, eller av en hyck-
lare kände en lukt av svavel och fick en odräglig, besk smak
i munnen — så stark var hennes vedervilja. Om en dylik
hycklares besök hos sierskan förtäljer en gammal legend:
»Det hände en gång, att en ogudelig man, som var bortvänd
från allt gott, satte sig när henne och sade: 'Huru förhåller
det sig med den andan, som du sägs hava? Är han av dig
eller av någon annan?' Hon, näppeligen förmående uthärda
hans onda lukt, sade till honom: 'Du haver illa luktande
inbyggare, och därför framgå illa luktande ting av din mun.
Gör därför skriftermål, och gör ånger och bättring för dina
synder, att ej Guds hämnd komme över dig!' Han bort-
gick vred, och strax som han somnade därefter hörde han
otaliga röster sägande: 'Dragom honom till djävlarnes ge-
menskap, ty han försmådde maningen till bättring!' Han,
hörande det, rättade sitt leverne, och sedan bortgick ond
lukt från honom. Och sedan kändes god lukt när honom.»

Åt späkningar och försakelser hängav sig Birgitta efter
makens död med sådan iver, att en av hennes biktfäder, som
skrivit en levnadsteckning över henne, förvånar sig över
att denna lilla späda kvinna[1] kunde stå ut med sådana

---

[1] Att Birgitta varit liten till växten framgår bl. a. därav, att den
grova, lappade yllemantel, som tillhört henne och som nu förvaras i
klostret Santa Lucia in Selci i Rom, är framtill blott 1.10 meter lång.

ansträngningar. Hon sov
i vinterkölden på bara
marken med blott en
matta och ett hyende
under sig och en tunn
mantel över sig. Att bada
ansåg hon i likhet med
de flesta medeltidshelgon
för veklighet. Hon bar
en tagelklädnad närmast
kroppen och om livet ett
knutigt rep, som smärtade
vid varje rörelse. Varje
fredag droppade hon hett
vax på armen till minne
av frälsarens lidanden.
»Och om såren läktes före
nästa fredag, så upprev
hon dem med sin nagel,
för att hennes lekamen
skulle ej vara utan pina
och sår; och detta gjorde
hon till den ändan, att
Jesu Kristi pina skulle all-
tid vara i hennes åmin-
nelse», säger en levnads-
tecknare. Så ofta ett över-
ilat ord undföll henne,
tuggade hon på bittra
örter. Det var något un-
derbart med hennes barm-
härtighet, ty den tycktes
räcka till för alla.

Birgitta i Rom.

För denna eldsjäl blevo
snart Sveriges gränser för
trånga. Birgitta började
drömma om att omskapa
världen. Vart hon blic-

Den heliga Birgitta.
Målning å altarskåp från Salems
kyrka i Södermanland.

kade, fann hon människorna vandra i synd och laster, och sorgligast var det att se, hur förfallet trängt in bland dem som lovat ägna hela sitt liv åt Gud. Munklöftenas onaturliga krav på människonaturen, hänvisad till ett instängt, stillasittande levnadssätt, hämnade sig på olika sätt. Hos somliga utvecklade sig en rent av ohygglig känslighet gent emot det andra könet. Vi höra t. ex. talas om fromma män, som icke ens kunde tåla att se en kvinnas anlete i kyrkan. Bakslaget kom också i form av klostertuktens förfall. Förbuden mot dans och kortspel inom klostren och det upprepade inskärpandet av straffen för sedlighetsbrott vittna nogsamt om vart det bar hän. Betecknande för hur aktningen för munkarne var stadd i sjunkande är följande mycket gängse medeltida anekdot: En abbot, som förevisade sitt kloster för en konung, skröt med hur hans munkar späkte och gisslade sig och försäkrade, att djävulen hatade denna plats mer än någon annan. »Det förvånar mig ej», sade konungen, »att djävulen tycker illa om Ert kloster, då hans goda vänner där få prygel och måste slita ont.» Anekdoten är blott en bland en massa dylika, som gissla munkarnes okunnighet, skenhelighet och vällevnad.

För sierskan från Norden blev det genom uppenbarelser klart, att hon var kallad att återupprätta klostren ur deras förfall och än en gång göra dem till härdar för Guds rike. Så skulle från dem en förnyelsens anda tränga ut bland mänskligheten och till slut göra alla människor goda samt omskapa jorden efter Guds beläte. I Vadstena skulle Birgitta nedlägga det frö, ur vilket världens förnyelse skulle framgå. Där ville hon anlägga ett dubbelkloster, i vilket kvinnor och män skulle verka samman till Guds tjänst och för medmänniskors gagn. Här skulle adliga kvinnor uppfostras till goda och arbetsamma människor. Nyttigt arbete skulle omväxla med andaktsövningar, och om söndagarna borde munkarne predika för folket. — Men dessa nya klosterregler måste stadfästas av påven. Av Kristus fick hon därför i en uppenbarelse befallning att vallfärda till Rom. Mitt under digerdödens härjningar i mellersta och södra Europa gav hon sig av. Men Birgitta fruktade den ej, ty hon leddes av stora syften.

På väg till Rom vandrade långa rader av pilgrimer. Här

trängdes, skriver Verner von Heidenstam i sin bok »Heliga
Birgittas pilgrimsfaid», »barfotaman och sjungande kvinnor.
Vilda rovriddare, som gripits av fasa för sin egen dodsstund,
vandrade med forvuxna skägg mellan drömmande guds-
vänner, och över de oppna andaktsböckerna läste de halv-
hogt sina botgorarboner. Med påse over ryggen kommo
hela biodralag från olika kloster och anslöto sig till den all-
manna folkvandringen.»

Så kom den dag, då det forunnades sierskan från Norden
att beträda den heliga stadens mark, som en gång färgats
av martyreinas blod »Det var», sager den till katolicismen
övergångne danske forfattaren Johannes Jorgensen, »det
högtidligaste ogonblick Birgitta annu genomlevat, då hon,
snarare buren av pilgrimsskarans trångsel än själv gående,
beträdde Sankt Peterskyrkans mosaikgolv. Längre och
längre fram bars hon tillsammans med sina svenska vanner
— nu boijade männen, som voro längre än hon, att tala
om apostelns grav, som de skymtade i fjärran.... Nu när-
made hon sig den guldstiålande Konfessio — nu beträdde
hon trappstegen som förde ned i kryptan. . Birgitta Birgers-
dotter från Finsta i Uppland knåböjde vid apostlafurstens
kista, vid Petri grav. ..

Mitt i mängden bad hon länge, ororlig. Stora känslor ge-
nomstrommade henne....»

Men på dessa överväldigande intryck tiängde sig snart
andra, beklämmande, modstjalande. Var voro de nu de
stora män, som givit glans åt kristenhetens medelpunkt?
Roms herde, påven, hade overgivit staden, lockad till Frankri-
ke av dess konung, som på det sättet fick kyrkans overhuvud
i sina klor. Det liv, som påven och hans omgivning här forde,
har den samtida store italienske skalden Petrarca tecknat
på foljande drastiska sätt: »Hoppet om ett tillkommande
liv var en fabel, sanningen vanvett, kyskheten skam, och
var dag utmärktes genom orgier, som dessa stinkande gamla
bockar, kardinalerna, höllo, medan Satan satt i en vrå och
gapskrattade.» Nära sjuttio år varade denna nesliga tid;
den kallas därför »påvarnes babyloniska fångenskap».

I dystra tankar vandrade sierskan från Norden fram ge-
nom den eviga staden. Överallt grinade henne forfallet till
mötes. Hon såg kyrkor ligga i ruiner och vanhelgas. Rovar-

band huserade på gatorna, och skamlösa kvinnor vinkade åt männen i hennes sällskap, fastän dessa buro munkdräkten.

Då suckade Birgitta djupt och utbrast i bitter besvikelse: »Ack ofta hade jag tänkt, att den dag då jag kom till Sankt Peters stad, då skulle mitt hjärta sjunga Te deum från morgon till kväll. Men nu ljuder i min själ Jeremias profetens klagovisa.»

Räddningen ur denna skam för kristenheten såg Birgitta i att påven återvände till Sankt Peters stad. Orädd som alltid, utslungade hon skarpa ord mot hans vanärande liv i Frankrike. I en av sina uppenbarelser ger hon följande kraftiga uttryck åt sina tankar om den samtida »helige fadern»: »Han synes sådan för människorna som den man, som är väl prydd och stark och fager och tapper i sin herres strid. Men när hjälmen är borttagen från hans huvud, är han ful och led att se och oduglig till arbete. Ty hans hjärna synes blottad. Han haver öronen i ansiktet, ögonen i nacken. Hans näsa är avskuren, hans kinder alldeles skrumpna såsom en död människas. Hans haka med käkarna och halva läpparna är bortfallen på högra sidan, så att intet är kvar på högra sidan utom strupen ensam, vilken synes alldeles blottad. Hans bröst är fullt med uppvällande maskar, hans armar äro såsom två ormar, hans hjärta är uppfyllt av det giftigaste kräldjur, som kallas skorpion. Hans rygg är som bränt kol, hans inälvor äro illaluktande och ruttna såsom det kött, som är fullt med var och orenlighet. Hans fötter äro döda och oanvändbara till gång.

Nu skall jag säga dig, vad dessa tingen betyda. För människorna synes han utvändigt vara prydd med goda seder och vishet samt vara verksam till min ära. Men ingalunda är han så, ty om hjälmen borttoges av hans huvud, det är: om det visades människorna, hurudan han är andligen till själen, vore han den fulaste av alla.

Hans hjärna är bar, ty dårskapen och lättsinnet i hans levnadssätt bevisar för goda människor med talrika tydliga tecken, att han är ovärdig den heder han åtnjuter.

Han har öronen i ansiktet, ty i stället för den ödmjukhet, som han skulle hava i sin makts värdighet att förelysa andra och lära dem i det goda, så vill han intet annat höra än sin ära och sitt lov.

Han har ögonen i nacken, ty hela hans tanke står därtill, huru han måtte täckas människor och ej huru han måtte täckas mig och rädda själarna.

Hans näsa är avskuren, ty han är berövad all urskillning, varmed han skulle granska och skilja mellan synden och dygdiga gärningar.»

På detta sätt förklaras den ohyggliga liknelsen punkt för punkt.

År ut och år in låg Birgitta i brinnande böner, att Gud måtte göra slut på kristenhetens förnedring. Hon fördubblade sina vakor, sina fastor och späkningar för att beveka himlen, och äntligen, år 1367, upprann den stora, den efterlängtade dagen, då alla Roms klockor ringde jublande och utan avbrott, ty dess herde närmade sig den eviga stadens portar. På en vit häst kom han inridande och utdelade välsignelser åt alla sidor. Överallt ljöd sång och jubel.

Sierskan från Norden skaffade sig nu företräde inför den helige fadern. Härom berättar Margareta Clausdotter:

»När sancta Birgitta hade vistats några år i Rom, böd Vår Herre henne att låta sina söner komma inför påven i sin ridderliga skrud, till ett vittnesbörd för henne, vem hon vore. Ty på det viset skulle det värv få bättre framgång, som Gud hade antvardat henne att utföra. Då kommo de båda till Rom, herr Karl och herr Birger. Någon tid efter det de kommit dit, tog sancta Birgitta dem båda med sig och gick inför påven. Då hade herr Birger sida kläder, som räckte ned uppå foten, och sitt bälte, som han plägade bära, och var alltigenom klädd på det mest höviska sätt. Men herr Karl hade klätt sig i ridderlig skrud på det sätt, som de bruka, vilka älska världen: med silverbälte, bjällerbälte, riddarkedja och halsband, som då var sed. Och han hade uppå sig en hermelinskjortel, och de skinnen voro uppstoppade, så att när han rörde sig, såg det ut, som om de djuren hade alla varit levande, och såsom om somliga lupo upp och andra ned; och hade vart djur en förgylld klocka om sin hals och en guldring i munnen. Då påven hade sett dem båda, sade han till herr Birger: 'Du är din moders son.' Men till Karl sade han: 'Du är världens son.' Då föll sancta Birgitta på knä för påven och bad ödmjukligen om syndaförlåtelse för sina söner. Då kände påven på herr Karls bälte och på annat dylikt, som han hade på sig, och sade: 'Att bära denna tyngd vare honom nog till syndabot.' Då sade sancta Birgitta: 'O helige fader, skilj honom från synderna, så vill jag skilja honom från bältet.'»

Om denne Birgittas äldste son säger krönikans författarinna: »Herr Karl var en mycket levnadsglad och lustig man. Dock älskade han jungfru Maria och hade en innerlig kärlek till henne och sade ofta, att hellre ville han evärdeligen i helvete vara, än att den jungfrun, Guds moder, skulle bliva fjärmad från Gud i allra minsta mån.»

Birgittas sista pilgrimsfärd.

År 1370 erhöll Birgitta äntligen påvens stadfästelse på sin klosterorden. Hennes stora livsuppgift var tryggad.

Nu kom till henne i en uppenbarelse Guds befallning att göra en pilgrimsresa till det heliga landet. Fastän sjuk och svag lydde hon med glädje sin Herres bud. Vägen togs först till Neapel, dit Birgitta förut en gång gjort en pilgrimsfärd. Överallt hade ryktet om hennes helighet gått före henne. Hennes av harm flammande straffpredikningar mot förfallet inom kristenheten, den glödande bildprakten i hennes språk och den hänsynslösa kraft, varmed hon utslungade sina tillvitelser — allt var ägnat att ge hennes ord vingar bland folket. Den mystiska sierskan från sagolandet långt i norr, den förnäma kvinnan med kungligt blod i sina ådror var för Söderns folk ett helgon, långt innan kyrkan förklarat henne helig. Neapels lättsinniga drottning Johanna hade förut — för någon kortare stund — visat sig mottaglig för Birgittas stränga förmaningar. Även nu mottog Johanna henne med de största hedersbetygelser. Hon fick också föreställa sina söner för drottningen. Birgitta hade hos dem inskärpt de tillbörliga vördnadsbetygelserna mot den höga kvinnan: »huru de skulle gå inför drottningen och hälsa henne vördsamt efter landets sed med bugningar och knäfall och kyssa hennes fötter», såsom Margareta Clausdotter säger.

Herr Birger utförde samvetsgrant de hovceremonier hans goda moder lärt honom; men om hur herr Karl bar sig åt berättar krönikans författarinna följande: »När herr Karl kom fram till drottningen, bevisade han henne vördnad efter vad som hövdes och henne tillkom. Och sedan kysste han henne på munnen, varav drottningen fick stor kärlek till honom, därför att han vågade det; och ville hon ingalunda låta honom fara dädan utan sade, att hon äntligen ville behålla honom och hava honom till make. S:a Birgitta sade, att det ingalunda kunde ske, ty hans hustru levde ännu hemma i Sverige.» Men detta inverkade icke på en sådan kvinna som Johanna, som själv hade sin tredje gemål i livet.

Då anropade Birgitta i brinnande böner Herren om hjälp ur en sådan ohygglighet. Bönhörelsen kom, men helt visst annorledes än hon hade tänkt: herr Karl föll i en dödlig sjukdom. Modern satt några steg från den sjukes bädd. När hans sista ögonblick var inne, reste hon sig icke upp för att träda närmare; hon gav icke ett ljud ifrån sig, fällde icke en tår. Stilla satt hon, med upplyfta händer, i sitt innersta lovande Gud, som förhindrat den påtänkta stora synden.

Med stor ståt följdes herr Karls kista till graven. »Drottningen anställde hans jordafärd med så stor kostnad, som om han varit hennes make.» Själv ledsagade hon jämte en stor skara människor kistan till graven. Klagan och gråt hördes överallt. Blott en gick till det yttre orörd efter båren, utan klagan, utan tårar. Det var sierskan från Norden.

Senare vände sig Birgitta med nya förmaningar till Neapels drottning: hon borde ödmjuka sig, ångra sina synder och i sitt hjärta hysa fruktan utan återvändo, förty hon hade snarare fört en skökas än en drottnings leverne. Om hon icke lyssnade till Gud, skulle han döma henne som en avfälling och gissla henne från hjässan till fotabjället. Märkvärdigt nog förverkade Birgitta icke heller denna gång drottningens vänskap genom sitt hårda tal utan fick tvärtom nya bevis på densamma i form av stora skänker.

Efter Karls död lämnade Birgitta Neapels hamn och anlände efter åtskilliga vedermödor till Jaffa, där fartyget led skeppsbrott i själva hamnen. Men med hjärtat fyllt av himmelsk fröjd kom den ålderstigna sierskan fram till den heliga graven. Högsommarens brännande hetta kunde icke dämpa hennes iver att skåda Betlehem och Josafats dal och andra heliga platser men den bröt hennes av spräkningar

och sjukdom försvagade krafter. Vid återkomsten till Rom
var det uppenbart, att en annan pilgrimsfärd nu förestod
henne — den, från vilken ingen vänder åter. Tidigt i gry-
ningen en julimorgon 1373 uppenbarade sig Kristus åter
för sin brud för att trösta henne i dödsarbetets plågor. Hon
såg honom stå framför altaret i hennes kammare och hörde
honom säga: »Jag har handlat med dig, som brudgummen
handlar med sin brud: han döljer sig stundom för henne, på det
hon dess hetare och kärligare skall åtrå honom. Jag har ej
under denna tid besökt dig med hugsvalan, ty det skulle vara
för dig en prövningens tid. Nu är du prövad. Gör dig redo,
ty tiden är inne!» Så åhörde hon mässan, mottog sakramen-
ten och utandades sin sista suck, omgiven av sina närmaste.

Efter sin död blev Birgitta under stora högtidligheter
förklarad för helgon. Det skedde efter skrivelser från bl. a.
det svenska prästerskapet till påven, vari den märkliga
kvinnan kallas för »en doftande nardus, ett kosteligt oliv-
träd, sanningens dotter och fromhetens telning». I påvliga
kapellet, som var prytt med dyrbara vävnader och friska
olivkvistar, hölls predikan över hennes underverk och uppen-
barelser. Därpå tog påven själv upp en lovsång, öppnade
den gyllene bok, i vilken alla helgon voro upptecknade, och
inskrev däri Birgittas namn. I Peterskyrkan höllos högtidliga
gudstjänster vid skenet av tusentals lampor, och i alla Roms
kyrkor ringde klockorna. När helgonets stoft fördes åter till
fosterjorden, samlades stora människoskaror i andakt, varhelst
tåget gick fram och slutligen kring graven i Vadstena, och
sjuklingar strömmade till för att hos helgonet söka hjälp
för krämpor, som trotsat läkarkonstens ansträngningar.

Litteratur: Henrik Schück, Bröllopet på Ulfåsa (Ur gamla
          papper I: häft. kr. 2: 50).
       Henrik Schück och Karl Warburg, Illustrerad
          svensk litteraturhistoria I. H. kr. 14; inb. kr. 16: 75.
       Lydia Wahlström, Den heliga Birgitta (Heimdals
          folkskrifter n:r 86; häft. 40 öre).
       Knut B. Westman, Birgittastudier I; häft. kr. 5: 50.
       Richard Steffen, Den heliga Birgittas uppenbarel-
          ser. Häft. kr. 5: 75: inb. kr. 7.
       Emil Hildebrand, Den svenska kolonien i Rom
          under medeltiden (Historisk tidskrift för år 1882).
       C. Bildt, S. Birgittas hospital och den svenska kolo-
          nien i Rom under 1600-talet (Historisk tidskrift för

I Vadstena kloster.

VADSTENA kloster var ett dubbelkloster, där systrarna bodde i sin särskilda byggnad, styrda av en abbedissa, och bröderna för sig under en priors ledning. Abbedissan hade dock högsta ledningen av det hela. De båda könen fingo icke ha någon som helst beröring med varandra annat än i två fall: när en dödssjuk nunna skulle undfå sakramentet och när den avlidnas kropp skulle bäras ut ur klostret. Kyrkan var gemensam, men brödernas kor låg i nedre våningen, systrarnas i övre. Systrarna förbjödos vid äventyr av bannlysning och under hänvisning till yttersta domen och den eviga fördömelsen att låtsa sjukdom för att under denna förevändning få tillfälle att råka någon av klosterbröderna. Skulle en syster under bikten begynna tala köttsliga ord eller eljest om världsliga ting, var klosterbrodern skyldig att vända bort huvudet och förbjuda det.

Redan mellan klockan 3 och 4 på morgonen ljöd sovhusets klocka, och munkarne skyndade till klosterkyrkan att förrätta ottesång vid skenet av flämtande vaxljus. När denna slutat, kommo nunnorna in i procession, och så växlade bröderna och systrarna med varandra att hålla gudstjänst, tills klockan var 8. Ej underligt, att systrarna allt emellanåt »tyngdes av sömn». Hela den nämnda tiden skulle det, enligt klosterreglerna, »ej vara återvändo eller tystnad i sång och Guds lov i kyrkan». Systrarnas sång skulle vara »sedlig, måttlig, mogen och enfaldig, ej med bruten röst,[1] ej med gäll diskant, ej i ropande röst utan fast hellre full med all ödmjukhet och gudlighet. Den syster, som icke kan sämja sig med de andra i sången, tige eller sjunge sakteligen, hellre än att hon med ropande röst gör oljud för alla.» Birgitta säger själv förmanande: »Ej är hugen lottlös av synden, när den som sjunger lustas mera av noterna än i de ting som sjungas.»

---

[1] Ej i stämmor, utan unison.

Vadstena klosterkyrka.

Under större delen av gudstjänsten fingo systrarna icke tala till varandra, blott mot slutet växla några ord i gudliga ämnen; men löje och fåfängt tal voro strängt förbjudna. En gång mellan dessa gudstjänster vandrade nunnorna par om par till en öppen grav för att påminna sig alltings förgänglighet.

Först klockan 8 fingo bröder och systrar njuta föda. Munkar och nunnor åto i var sin sal. Systrarna sutto vid två långa bord, envar efter sin ålder i klostret. Abbedissan var

uttryckligt förbjuden att ge någon en bättre plats på grund
av förnäm börd eller rikedom. Maten var enkel men ganska
kraftig; det behövdes efter den långa fastan under ansträng-
ande gudstjänst. Birgitta unnade människan »lika väl som
det uttröttade djuret» att hämta krafter genom nödig näring.
Öl, berett av vad klostrets humlegårdar avkastade, synes ha
varit daglig dryck efter tidens sedvänja. Men för sådana
starka kryddor som peppar och kummin varnade stifta-
rinnan, ty »sådana heta ting äro skörhets uppväckelse».

Vid bordet fick ingen yttra ett ord. I stället föreläste en
nunna under hela måltiden uppbyggelseskrifter och helgon-
legender. Än var det om aposteln Andreas, som hälsar det
kors, på vilket han skall naglas fast, med orden: »Alltid har
jag älskat dig; alltid har jag längtat efter att få omfamna
dig!» än om andra heliga martyrer, som bemött sina plågo-
andars sataniska uppfinningsrikedom med ett föraktligt:
»Skall *detta* vara plågor! Har ni intet bättre att bjuda på?»
Man får höra, hur aposteln Jakob för var lem som hugges
av honom glad utropar: »Nu kan jag icke längre synda med
den lemmen», och påminner om att »man beskär ju vinstocken,
för att den skall bära frukt». Och från den rost, på vilken
den helige Laurentius ligger utsträckt, ropar han till sina
plågoandar: »Nu kan ni vända steken; nu är den sidan stekt
nog!» Man eggas av ett sådant föredöme som munkens, vil-
ken under fyrtio dagar avhöll sig från att dricka men satte
framför sig ett kar fyllt med vatten, för att hans törst vid
åsynen därav skulle bli ännu mer brännande och han där-
igenom få en rikare lön av Gud.

Med böner hade måltiden börjats; den slutade på samma
sätt. Abbedissan lät hopsamla den överblivna maten att ut-
delas åt de fattiga.

Sedan fingo systrarna samtala med varandra men blott i
vissa rum. Inga världsliga personer fick en nunna tala med,
såvida ej abbedissan tillät, och i sådant fall blott »några
gånger om året» med »föräldrar och släktingar och höviska
vänner». De samtalande fingo då meddela sig med var-
andra genom ett järngaller i närvaro av två andra nunnor.

Men snart börjar det världsliga arbetet. Därom heter det
i klosterreglerna: »Emedan alla tider skola användas till
Guds heder, goda gärningar och gudligt arbete, så skola ock

systrarna vara verksamma hela den tid de ej sysselsätta sig
med Guds lov i sång och läsning. Då skola de ägna sig åt
handarbeten; och såsom de tjänat Gud med munnen, så skola
de ock tjäna honom med andra lemmar.» Somliga systrar
hade att vårda de sjuka, andra att sköta om visthus och
källare, andra skulle sy och laga bröders och systrars kläder
eller brodera mässkrudar, altardukar och dylikt. Det var
ett arbete, som fordrade mycket tålamod, men som ofta
vittnar om en utsökt smak. Än i dag fortlever i Vadstena
konsten att knyppla spetsar, och den leder sitt ursprung
från Sancta Birgittas kloster. Handarbetet utfördes i en stor,
ljus sal under abbedissans uppsikt.

Under tiden läste bröderna själamässor för de många, som
i sina testamenten skänkt klostret rikedomar — dessa stego
slutligen i jordegendom till den väldiga siffran av nära 1,000
gårdar med »ängar, ekeskogar och bokeskogar, kvarnar, ström-
mar och fiskevatten, åar och torp». Andra bröder präntade
sirligt på pergament avskrifter av gamla böcker, gjorde
översättningar av främmande skrifter och upptecknade i
klostrets dagbok märkliga händelser för kommande släkten.
Bland nunnorna funnos också goda skriverskor. Biblioteket,
klostrets stolthet, var troligen det största i Norden. Böcker
voro denna tid mycket dyra, eftersom de ju skrevos för hand
på pergament. Det finns exempel på att en bok byttes bort
mot ett gods. De dyrbaraste böckerna voro med kedjor
fastlåsta vid sin plats.

Bland bröder och systrar funnos ock goda örtagårds-
mästare. Klostret hade stora trädgårdar, omgivna av höga
murar. I dessa »lustgårdar», där både valnöts- och mull-
bärsträd och många sällsynta, hälsobringande örter växte,
kunde klostrets invånare få en stunds förströelse genom att
»sitta och fröjda sig av den rika blomdoften och lyssna till
den förnöjeliga fågelsången».

En rörande kärlek till trädgårdar tycks ha varit utmär-
kande för medeltidens människor. Det omtalas så ofta, hur
man gick ut i trädgårdar att »förlusta sig». Stockholms
stads jordebok berättar om ett fall, då en kvinna i staden
säljer sin fasta egendom, till vilken även hörde en örtagård
på Södermalm. Vid försäljningen fästes dock det villkor,

att hon fortfarande skall ha tillträde till trädgården att där
forlusta sig med sina barn.

Klockan 4 ringde klosterklockan till aftonsång. Nar den
var lyktad, vidtog dagens andra och sista måltid på unge-
får samma satt som den forsta. Mellan dessa måltider var
det strangeligen förbjudet att ata eller dricka något. Några
föreskrifter om andra slags kroppsliga spakningar än fastor
förekomma ej i Birgittas klosterregler i motsats till en del
beslaktade ordnar, som foreskrevo gissling varje fredag och
åderlåtning flere gånger om året. Dock omtalas även dessa
spakningar för klosterfolket i Vadstena såsom varande
goda garningar.

Då och då höll abbedissan rannsakning med dem som over-
trått klosterreglerna. De flesta förseelserna tyckas — som
man kunde vanta — ha bestått i prat och skvaller. I svårare
fall kunde unga systrar, d. v. s. sådana som voro under 24
år, få smaka riset, dock ej mera an fem slag. Svårare för-
bryterskor — sådana som sande alskogsbrev till varldsligt
folk eller grepos, då de forsokte klättra över klostermuren
— lades i klostrets »morkastuga», såsom fangelset benamndes.

Nar klockan slår 8, ar allt tyst i Vadstena kloster. Bro-
derna ha gått till vila i var sin cell, systrarna ligga i en ge-
mensam sal på halmbäddar i sangar av enkla brader. Alla
dessa, som har sökt tröst mot stora sorger och en stilla fri-
stad för att »ostörda av världens buller få glädjas åt sin
enslighet», de vila nu efter dagens varv. Ha de funnit den
fiid de trangtat efter?

*

Vadstena kloster var högt ansett. Många broder och
systrar voro av rikets förnämsta atter, ja drottningar lato
inskriva sig där som systrar, ehuru naturligtvis utan att
taga nunnedoket. Vadstenamunkarne fingo stor betydelse
som biktfader och predikanter. Många manniskor kunde i
åratal gå och gömma på svåra och skamliga synder utan
att bikta dem for sina sockenpräster. Men till Vadstena
strömmade ångerfulla syndare i så stora skaror, att kloster-
broderna kunde ha svårt att mottaga allas bekannelser.
Här funnos biktfader, som de biktande visste ej skulle uppen-
bara, vad de anfortrott dem. Daremot kande de sig aldrig

säkra för att ej deras egna sockenpraster, vilka de ju ofta
traffade, skulle någon gång i drucket tillstånd driva gyckel
med de synder, som anfortrotts dem under biktens insegel.
Det talet hörde man av de biktande ifrån alla delar av lan-
det. »Men for Vadstenamunkarne», sade de, »bikta vi utan
fruktan för våra synder, emedan deras avskildhet från varlden
ger oss mod och vi draga bort tröstade av deras halsosamma
lara.» — En livlig skildring av brodernas predikoverksamhet
ger oss en deltagare i de hogtidligheter, varmed man firade
skrinlaggningen av den heliga Katarinas, Birgittas dotteis,
kvarlevor år 1489 (se sid. 419). Under de fyra dagar den
stora kyrkofesten pågick predikades idehgen ute på kyrko-
gården från trenne predikstolar, kring vilka allmogen stod
packad. Och — tillagger vår sagesman med en alskvärd
uppriktighet, som kastar en blixtlik belysning över livet på
den tiden — »folket forefoll ej så allmant drucket, som van-
ligt var på avlatsdagar».

Till Vadstena kommo också många sjuka for att undfå av
den helande kraft, som utgick från heliga Birgittas kvarlevor.
Så blev t. ex. år 1376 en kvinna, som sedan barndomen varit
besatt av djävulen, ford dit. Djävulen följde med på vägen,
»kladd som en herreman», d. v. s. efter de nya och alltså
syndiga moder, som inkommit från utlandet. Men endast
den besatta kunde se honom. Medan morkrets furste så
springer omkring bland sällskapet, råkar han halka på isen
och falla omkull. Kvinnan berattar detta for sina foljesla-
gare, som brista i gapskratt. Forgrymmad darover fattar
djävulen en man i fotterna och kastar honom handlöst på
isen. En annan slår han med ett tillhygge for munnen.

När vagnen, i vilken den sjuka var nedlagd, stannade
utanfor Vadstena klosterkyrka och folk strömmade till, grep
djavulen kvinnan vid fotterna och lyfte hela manniskan i
vädret, för att sedan låta henne falla tillbaka ned i vagnen.
Därefter bar man henne in i kapellet och lade henne på
golvet. Praster och lekman stodo runt omkring, och man
sjong over henne från och med sondagen till och med tors-
dagen. Detta irriterade djavulen till det yttersta. Han tog och
slog kvinnan mot vaggen, så att de kringstående, uppfyllda
av medlidande, fallde bittra tårar. Slutligen tog man på
tredagen upp den heliga Birgittas huvud ur skrinet, dar

hennes heliga kvarlevor forvarades, och lade det på den sjukas
huvud. Genast kande den besatta lisa. Men djavulen for-
sökte tubba henne att kasta från sig den heliga huvudskal-
len samt kyssa hans hand. Då det ej lyckades, markte han,
att hans tid var ute, och han rusade bort utropande: »Ve,
ve, jag kan ej mera göra dig något!» Kvinnan låg forlamad
på golvet, men redan dagen darpå var hon frisk, och djavu-
len kom ej åter.

*　　*　　*

Birgittas orden fick stor utbredning. Ett sjuttiotal Bir-
gittinerkloster uppväxte i nastan alla lander, och an i dag
finnas sådana kloster i England, Holland, Belgien, Bayern
och Spanien.

De första utlandska Birgittinerklostren upprattades på så
skilda ställen som i Danzig och Florens. Danzigklostrets upp-
rinnelse kan spåras till 1392, då några fallna kvinnor under
ånger over sitt forflutna sammansloto sig for att fora ett
nytt liv i bot- och andaktsovningar under några fromma
prasters ledning. Tvenne år senare fingo de påvens tillstånd
att grunda ett kloster till den botfardiga Magdalenas och
Birgittas ara, vilket ordnades i overensstammelse med nunne-
klostret i Vadstena. Men har mottogos endast fallna kvin-
nor, som ville lamna sitt gamla liv. Denna bestammelse
upphävdes dock 1409. Då hade klostret också blivit utvidgat
med ett brodrakonvent.

Orsakerna till den stora framgången for Birgittas idéer
lågo framfor allt i hennes egen maktiga personlighet, hennes
profetiska kraft, som vackte oerhort uppseende och beundran.
Men företeelsen sammanhanger också med sociala forhål-
landen, namligen medeltidens kvinnofråga. Birgittiner-
klostren blevo ej blott en ypperlig uppfostringsanstalt utan
även en forsorjningsinrattning for de hogre samhallsklas-
sernas ogifta kvinnor, och i den egenskapen ha de fortlevat
efter reformationen i form av adliga jungfrustift. När en
stolts jungfru eller formognare borgardotter ej langre gav
något hopp om sig att bli forsorjd genom aktenskap, åter-
stod alltid en lugn och tryggad ålderdom i klostrets hagn.

Bakslag skulle emellertid komma aven mot Birgittas ska-
pelse. Institutionen med dubbelkloster och den darav alst-

rade avundsjukan mellan brödra- och systrakonventen vållade
lätt inre slitningar; och faktiskt var under långa tider i Vad-
stena kloster missämjan mellan bröder och systrar kronisk.
Även i andra Birgittinerkloster kan man spåra detsamma.
Å andra sidan lurade faran att sämjan kunde bli alltför
intim. Det väckte många fromma mäns betänkligheter, att
bröderna skulle ha någon som helst känning av kvinnliga
väsens tillvaro. Några italienska munkar kände sitt kött
till den grad frestat blott av att höra systrarnas sång, att de,
som en Vadstenamunk skrev hem från Rom, »sade sig lika
gärna vilja höra en djävul som en syster sjunga». De till-
ställde formlig opposition, och genom vrängda framställ-
ningar av tillståndet inom ordens kloster förmådde de påven
att år 1422 utfärda en bulla, som för framtiden förbjöd an-
läggning av dubbelkloster. Ett årtionde senare utkom emel-
lertid en bulla, som — förbjöd enkelkloster och påbjöd
tillämpande av Birgittas ordensregler även i detta hän-
seende. Så hade hennes idé dock segrat till sist.

Emellertid hördes upprepade klagomål över det sedliga till-
ståndet i klostren. Om det förut nämnda Danzigklostret
berättades 1429, att lösaktiga kvinnor fingo inträde där och
tillätos ströva omkring efter rov i själva klostrets närhet.
Till följd av klagomålen synas dessa egendomliga ren-
levnadskvinnor ha blivit skilda från det egentliga klost-
ret och överflyttade till ett särskilt hus, dock fortfarande
inom klosterområdet, där de alltjämt stodo under abbe-
dissans uppsikt — en något märkvärdig reform av det sed-
liga tillståndet inom klostret! Resultatet blev också där-
efter: genom sitt oordnade levnadssätt väckte de alltjämt för-
argelse och inverkade störande på andakten och ordningen
inom klostret. En anhållan från klostret självt till påven att
uppdraga åt vederbörande biskop att överflytta de obehag-
liga gästerna till en plats utanför klostret synes ej ha lett
till något resultat.

Ett i någon mån liknande missförhållande vid Vadstena
kloster föranledde ett ingripande från ärkebiskopen år 1412,
då han förbjöd klostret att understödja de illa beryktade
kvinnor i nunnedräkt, vilka uppehöllo sig där i trakten och
levde av klostrets allmosor. I stället borde dessa kvinnor, som
voro unga och kraftiga, tillhållas att försörja sig genom arbete.

År 1419 horas emellertid nya klagomål over levnadssättet inom nunneklostret. Abbedissan och nunnorna beskylldes for att ha slappt in lekman i sitt helgade hus och mottagit skanker av varldsliga. Det blev varning av. Ännu allvarligare beskyllningar framställdes i ett brev, skrivet av en munk i samma kloster år 1506. Han påstår, att nunnorna på S:t Annæ afton gått in till munkarne, medforande tolv krus med vin. Så hade systrar och bröder hållit dryckeslag, ja en del hade sedan gått in till varandra i cellerna och druckit vin, kysst och omfamnat varandra. Hur pass mycket som ar overdrift i munkens påstående vet man dock ej.

Under reformationstiden, då det ansågs for en god gärning att misstankliggora munkar och nunnor, uppkom det ryktet, att man vid nedrivandet av klostren såval i Vadstena som i Alvastra och Nydala hittat lassvis med barnskelett nedsankta i brunnar och instoppade i murhål. Hertig Karl sages ha narvarit vid en upptackt av en ihålig apel i Vadstena klostertradgård, fullstoppad med barnhuvud, »som de lättfärdiga nunnor i londom fött och avfardat». Men något som helst verkligt bevis for dessa rykten finns icke, ehuru därmed naturligtvis icke ar sagt, att allt var som det borde vara. Faktiskt är, att en av klostrets abbedissor, Ingegård Knutsdotter, Birgittas egen dotterdotter, blev avsatt från sitt ambete på grund av nunnornas tillvitelser mot henne för att bl. a. ha ådagalagt »en alltfor stor fortrolighet och synnerlig karleks umgangelse med så väl lekman som klerker utanfor klostrets krets».

Om ett Birgittinerkloster vid Stralsund berattar en kronika från 1400-talet, att maten medels ett slags rullinrättning sköts in genom ett hål i muren från systrarnas till brodernas avdelning, men att man utvidgade inrattningen så, att till och med en hel nunna kunde folja med.

Litteratur: Schück, En dag i Vadstena kloster (Dagny 1901: haft kr. 4· 50).
O. Quensel, Några bilder från Vadstena klosterliv (i hans bok »Strodda drag av svenskt kyrkoliv»; haft kr. 2).
Torvald Hojer, Studier i Vadstena klosters och Birgittinordens historia
Torvald Hojer, Till kannedomen om Vadstena klosters ställning (Historiska studier tillagnade Harald Hjärne; häft. kr. 18).

Klosterläsning.

EN i Sverige mycket omtyckt medeltidslegend var följande berättelse.

Om Helga Katarina, Sancta Birgittas dotter.

Genast denna ädla frun född var, vart hon underligen utvald av Gud allsvåldig och ärad med underbara tilldragelser och järtecken. Forty hennes helga moder, Sancta Birgitta, hade for det myckna återhålls skull och den myckna fasta, som hon alltid idkade, ej tillräcklgt med mjolk i sina spenar och satte darfor barnet till en amma — ej for skorhets skull, som de flesta skora kvinnor plåga, utan for bristen på mjolk, såsom forut sades. Nu forty att den amman var en skor och oren kvinna, som de flesta plaga vara, ville det helga barnet aldrg suga eller i sin mun taga hennes spenar utan ropade och skriade var gång hon bars till hennes spenar. Men sin helga moders vördnadsvarda spenar sog hon gladliga. Och var detta ett stort och nytt jartecken i det helga barnet, att sin helga moders och flera hedervarda kvinnors spenar, deras som arbart levde, kunde hon sarskilja från andras och sog med karlek. Men skora kvinnors spenar flydde hon som etter eller beskaste malort. Stort helighets tecken var i Sankt Nicolaus, att då han forst logades och tvåddes på sin fodslodag, stod han upp kapprak själv i handfatet, och varje fredag och onsdag sog han aldrig sin moders spenar mer an en gång om dagen. Ej var detta mindre helighets tecken i denna helga frun, att hon genast av sin barndom så underliga kunde sarskilja och kande vederstyggelse vid all skörhet, hon som med tiden skulle varda sann renhets alskerska och dyrkerska intill doden.

Huru hon vederstyggdes alla fåfänga lekar i sin barndom.

När hon var 7 år gammal, hände sig en gång att hon, som barn pläga, lockad av sina leksystrar, roade sig och lustades i lekar med dockor. Men Gud allsmäktig, som hade utvalt henne alltifrån moderlivet sig till käresta, ville bortdraga henne från all flättja, att ingen ostadighet skulle sig infästa i hennes späda själ och lekamen. Därför tillstadde han, att natten därefter, när hon sov, otaliga djävlar kommo till henne i dockors liknelse, ryckte henne ut ur hennes säng och drogo, slängde och flängde henne så, att hon om morgonen fanns alldeles blodig över hela sin späda kropp och lekamen.

Från den dagen kom det helga barnet aldrig i några fåfänga lekar utan drog sig från alla barn och deras lösa åthävor, så att det för alla var ett under att se så mycken stadighet i ett så litet barn.

Ett barn lindas. Efter en altartavla från Lye kyrka på Gottland.

Huru hon gudligen lockade sin brudgum till att hålla evärdelig jungfrudoms renhet.

Då den ädla frun kom till giftermålsåldern, samtyckte hon efter sina föräldrars och flere herrars och furstars råd till hjonelag med den ärlige herren, riddar Eggert. Men alltjämt satte hon stadigt tro och fullt hopp till Jesum Kris-

tum, vilken hon alltifrån sin barndom hade i sitt hjärta in-
skriven, att Han ville och kunde bevara hennes jungfrudom
ospilld; och med Hans hjälp förmådde den rena jungfrun för-
sta natten de i brudsäng kommo omvända sin käraste brud-
gum med sina helga råd och gudliga samtal så, att han med
en ed förband sig att aldrig vilja bryta jungfrudomens ren-
het. Och från den stunden och natten älskades de inbördes
i ren, gudlig kärlek såsom syskon och ej som hjonelag. Han
kallade henne sin käraste syster och ej sin hustru, och hon
nämnde honom sin käraste broder och ej husbonde.

Nu på det de sin lekamen skulle dess bättre övervinna
och göra honom själen undergiven, började de båda genast
öva sig i största återhåll och kroppens tvingande, vetandes,
att renheten aldrig hålles i överflödigheten, och att buksens
fylla uppväcker lemmarnas olovliga rörelse. Ty varje natt,
efter kroppens måtteliga och skäliga ryktan, blevo de i sin
lönliga sängkammare länge i gudliga böner, suckan och
knäfall, till dess att längtan efter vila övervann deras trötta
lekamen.

Men hurudan var denna vila? Hon var för deras trötta
kroppar mer möda och oro än vila. Förty de tu konungsliga
barnen i sin främsta och blomstrande ålder lågo de allra
flesta nätter var och en för sig på golvet, intet havandes
eller tagandes till kläder utan ett enkelt kläde var och en under
sig och ett örngott under sitt huvud samt en enkel kappa
eller mantel över sig.

Huru hon levde hos sin moder i Rom.

På det hon skulle fullkomligen övervinna sig själv och i
den sanna ödmjukhetens och lydnadens djup sig innerligen
nedersänka, var hennes moder så hård mot henne som mot
sig själv, så att hon idkeligen och ofta lät grymliga flänga
henne med ris, jämväl för tanklösa ord och minsta förseelse,
som hända kunde. Vilket den ädla vinkvisten allt gladeliga
tålde utan genknorrande och vrede.

Det hände en gång, att hon, storligen ombedd av abbedis-
san i S:t Laurentii kloster, gick in i klostret utan sin moders
och skriftefaders orlov — ej för självsvålds skull utan för att
se och skåda deras helga seder och umgängelse — och dvaldes

dår något langre, dock ej så länge, som hon garna åstundade. For vilket hennes moder lat så omildeliga flånga henne, att allom var ynka att se en så spad och ådel person så omildeliga hanteras. Men då blodet på alla sidor nederrann om hennes lekamen, sade hon till skriftefadern, som henne flångde. »O kåre fader, slå batter till! Det gick ej an genom självsvåldets och ondskans hårda hud», som om hon ville saga: »Ej kan manniskan sig sjalv overvinna utan dartill tvingad och nödgad av Herren.»

Har mark, du högfardiga nunna, din brist, som ej vill lida ett hårt ord av din skriftefader för dina brott och synder!

Huru hedersamt hon jordades.

På den timmen och dagen, når den adla rosen hadan plantades och till det himmelska Jerusalem fördes och jordades, samlades dår den storsta skara folk från alla dessa tre riken Sverige, Norge och Danmark. Vad gråt och suckan dar var och vad allmogens trangande och buller, det kan ingen till fyllest säga. Klostrens jungfrur och andra gudliga personer gråto hogligen och ropade, att de så tidigt blivit moderlosa, och att med henne all deras hugnad och gladje var borttagen. Somliga herrar och prelater, som henne sett hade, klagade och jamrade sig hava mist sina ögons ljus och omkade sig över sig sjalva, att de ej längre kunde få se hennes hugneliga anlete och styrkas och hugsvalas av hennes helga ord och gudliga lardom. Men de som henne aldrig sett i lekamlig helighet, for dem var ingen lisa utan overmåttan sorg och bedrövelse, att dem ej den aran hånde, att de voro vårdige att se och umgås med en så helig Guds van.

Om järtecken efter hennes död.

Med otaliga jartecken årade henne allsvåldig Gud så val efter döden som levandes. Några år efter det hon jordad var och pelarna skulle muras om i Vadstena kloster, nodgades man röra hennes helga grav och den döda kroppen upptaga, vilken de sågo och funno så fager och skår, att ån tycktes livsens kraft i den vara. Men genast den helga kryddkistan[1] rördes, utspridde hon sin kostbara vällukt ej endast i lekamlig lukt över allt klostret utan jämväl i andelig, som är i underbara och helga järtecken.

På samma dag, som hennes grav rördes och benen upptogos, föll i Mjölby socken i Östergötland ett piltebarn, ett år gammalt, neder i en fors och söktes idkeliga av föräldrarne över tu dygn men kunde ej finnas. Tredje dagen om middagen funno de barnet levandes och helbrägda hålla sig fast vid en påle under en bro, där strömmen var som stridast. Då de glada togo upp honom och sporde, huru han där hade kunnat behålla sitt liv så länge, svarade pilten med rent och klart tal, efter att allt dittills ha talat läspande, såsom barn pläga, och sade: »Genast jag föll från bron i strömmen, kom en skön fru i vita kläder och tog mig under sin mantel, hållandes mig intill pålen, och skyddade mig, så att vattnet inte kunde skada mig, och sade, att hon het fru Karin av Vadstena. Men som I fingen se och togen mig upp ur vattnet, försvann den goda frun ur min åsyn.»

Detta kungjorde piltens föräldrar för alla sina grannar och kommo med honom till Sancta Karins grav i Vadstena och bekräftade detta järtecken med vittnen och eder, offrade sitt offer och foro glade hem, prisande Gud i hans helga brud och dotter.

---

[1] En för vår smak mindre tilltalande men äkta medeltida bild! Så kallades den döda kroppen, därför att den var balsamerad med välluktande kryddor.

DÅ ROVFÅGLARNA SLOGO SIG NED PÅ BERGENS TOPPAR.

Albrekt av Mecklenburg.

MED Albrekt, »ormungen», som Birgitta hade kallat honom, inkommo i Sverige en mängd tyskar, giriga efter byte. Tyskarnes antal i vårt land var redan förut ganska betydande, allt sedan Birger jarls och Magnus Ladulås' dagar. Enligt Magnus Erikssons stadslag skulle halva antalet av städernas borgmästare och råd bestå av tyskar. Nu kommo de även in i rikets råd och blevo befälhavare på slotten. Det heter om dem i en samtida visa:

> »Var de kommo i bondens hus,
> de lämnade varken mat eller ljus,
> de fördärvade både hö och korn,
> rövade bort sölv,[1] kläder och djurshorn,[2]
> [som] de läto till Stockholm med slädar köra,
> sedan till Tyskland med skeppen föra.
> Gud och Sankt Erik dem give en näpst,
> att de tarva icke läkare utan präst!»

Annat elände tillställde de tyska knekthopar, som Albrekt hade med sig. Den tyske knektens framfart skildras i samma visa:

> »Han rider i gård och går i stuga,
> vill den fattige bonden truga:
> 'Hustru, var är din unga höna?
> Den skall du ej längre för mig löna[3].
> Ligger hon gömd under bänk eller pall,
> bär henne fram och äggen all!
> Sitter hon än så högt å rång,[4]
> jag slår henne neder med min spjutstång.
> Har du ej mer än en enda gås,
> den ska vi ha i kväll till krås.'
> Han låter upptända väl femton ljus,
> dricker och skrålar i sus och dus.
> Det månde de ädla bönder sörja,
> att legodrängar skola slik lek påbörja.»

---

[1] Silver. — [2] Dryckeshorn. — [3] Dölja. — [4] Pinne.

I Vadstenaklostrets dagbok heter det om Albrekts tid: »Då slogo sig rovfåglar ned på bergstopparna, ty tyskar tyranniserade landet i många år.» Det såg en tid ut, som om Sverige skulle förvandlas till en tysk landsända.

Det var de svenska stormännen, som gjort Albrekt till konung. Den äran fick han köpa dyrt. Han måste avlägga en **konungaförsäkran** att alltid regera så, som rådet ville. Nu hade stormännen nått det mål de länge strävat till: en konung blott till namnet, makten hos dem själva! De gjorde precis vad de behagade. De stackars bönderna voro värnlösa.

Bo Jonssons vapen.
Från hans sigill.

Den mäktigaste mannen i landet var Bo Jonsson Grip, herre över två tredjedelar av Sverige och hela Finland. Det mesta hade han som **förläning**. För att vinna stormännen på sin sida måste nämligen konungen överlämna åt dem var sitt landområde, inom vilket förläningens innehavare fick uppbära kronans skatter och taga dem helt eller delvis för egen räkning. Men han var skyldig att där sköta regeringen och underhålla en viss krigsstyrka till konungens tjänst.

Fastän Bo Jonsson var Sveriges rikaste herre, blev han dock aldrig nöjd. Nästan den första gång han omtalas i historien är i samband med ett högst motbjudande bevis på hans gränslösa förvärvsbegär: När hans första maka under barnsnöd uppgivit andan, lät han öppna hennes kropp och tog intyg av de närvarande, att barnet ännu levde. Visserligen dog det strax därefter, men den korta stund dess livsgnista varat var nog för att arvet efter den döda skulle gå till barnet och från detta till den efterlevande fadern. — Mången gång tvingade Bo Jonsson en fattig man att avstå sin gård utan ett öres ersättning. Böner eller motspänstighet

tystade han genom hot med fångtornet. Och den mannen var
Svea rikes drots, d. v. s. rättvisans hogste vårdare! En
riddare, som han forfoljde, drapte han infor själva hogaltaret
i nuvarande Riddarholmskyrkan i Stockholm och tog alla hans
ägodelar. — Många andra hoga herrar foljde hans exempel,
så långt deras makt räckte Det var en tid, på vilken kunde
anvandas de gamla orden »Nu sitter lag i spjutstångs ande»;
och icke utan skäl kallades Sveriges rike en rovarkula.

Nar Bo Jonsson dog, passade konungen på och forsokte
bemäktiga sig hans besittningar Men då fick han de andra
stormännen mot sig. Liksom dessa en gång inkallat Albrekt
mot Magnus Eriksson, så bado de nu Margareta, har-
skarinnan over Danmark och Norge, om hjälp mot Sveriges
konung. Hon var dotter till Valdemar Atterdag och hade
vid sex års ålder blivit trolovad samt vid tio års ålder gift
med konung Håkan av Sverige och Norge (se sid. 375),
som då var 24 år gammal Tre år efter brollopet flyttade
hon over till Norge, dar »unga frun» fick en utmarkt hov-
mästarinna i den heliga Birgittas dotter Marta Ulvsdotter.
Hon uppfostrade den unga drottningen tillsammans med
sina egna barn, och det berattas, att Margareta och hennes
fostersyster Ingegard titt och ofta fingo smaka samma ris.
De samhörighetskanslor mellan de bagge barnen, som den
forståndiga fru Märta sålunda framlockade, lara småningom
ha genomtrangt aven ädlare delar och grundlagt en hjärtans
innerlig tillgivenhet, som varade hela livet ut [1]

Margareta visade sig snart så duktig och blev så ansedd,
att hon efter faderns och makens dod, fastan kvinna,
blev utsedd att regera over deras riken

Nu kom de svenska herrarnes anbud om en tredje krona.
Allt sedan dess Albrekt forsokte utvidga sin makt, hade Mar-
gareta vantat på detta och var genast redo, nar de erkande
henne som »Sveriges fullmäktiga fru och ratta husbonde»
Albrekt mötte henne nära Falköping med tyska trup-
per. Får man tro sagnen, skulle han ha ansett det nastan
under sin vardighet att slåss med »Kung byxlos», som han
kallade henne. Han sages ha skickat till henne en alnslång

---

[1] Det var denna Ingegard, som sedan blev abbedissa i Vadstena
kloster. Efter sin avsattning, år 1403 (se sid. 415), återtog hon
sin plats bland systrarna och dog som nunna 1412.

Albrekts av Mecklenburg och hans gemåls gravvård i Doberan

brynsten med hälsning, att hon borde vässa sina nålar och saxar i stället för att regera. Hur det nu var med den saken, så är det säkert, att tyskarne blevo grundligt besegrade och Albrekt själv tagen till fånga 1389. Faran för att vårt land skulle bli förtyskat var avvärjd.

Margareta säges nu ha givit Albrekt betalt för det hån han förut drev med henne. Hon skall ha låtit kläda honom i en narrkåpa, som var 15 alnar i vidd, samt pryda hans huvud med en hätta, försedd med ett 19 alnar långt släp. Och som påminnelse om att han en gång begärt henne till gemål lär hon ha lagt honom i sin säng — men bunden till händer och fötter.

*

I själva huvudstaden gjorde emellertid tyskarne ett envist motstånd, som blivit sorgligt ryktbart i våra hävder. De sågo nu ingen annan utväg att hålla sig kvar vid makten än genom att injaga skräck bland den svenska befolkningen. Därför slöto de sig tillsammans till ett sällskap, som kallade sig hättebröder, och ströko om nätterna beväpnade omkring på gatorna samt förolämpade de svenska borgarne på alla upptänkliga sätt. Till slut ingicks emellertid en högtidlig förlikning mellan tyskar och svenskar, och å ömse sidor svuros dyra eder, att man skulle förhålla sig mot varandra »som en broder mot sin broder».

Följande dag, som var en söndag, var allt stilla. Men genast nattsången sjungits i Gråbrödrakyrkan och stadsportarna blivit stängda, församlade sig hättebröderna i Sankt Gertruds gillestuga,[1] och samtidigt höllo de tyska medlemmarne av stadens råd överläggning på rådhuset. Tidigt påföljande morgon blevo även de svenska rådmännen ditkallade. De som ej kommo frivilligt fördes dit med våld. Här fingo de höra sig föreläsas en skrift, vari de förklarades vara förrädare, och på grund av denna anklagelse blevo de utan tillstymmelse till rannsakning dömda fredlösa, fängslades och fördes till slottet, vars hövitsman stod på tyskarnes sida. Där lades de på pinbänken och marterades med sågar, gjorda av ekbräder. Följande dag blevo tre av dem brända, och tvenne dagar senare fördes de övriga till Käpplingeholmen.[2]

---

[1] På dess plats står nu Tyska kyrkan — [2] Nuvarande Blasieholmen.

Där kastades de olyckliga, bundna till händer och fötter, in i ett skjul, som antändes och nedbrann över dem. Denna hemska tilldragelse har blivit kallad Kapplingemordet.

Det skulle dröja flera år, innan Margareta kom i besittning av Sveriges huvudstad.

Albrekts vänner bland furstarne och städerna i Mecklenburg hade också satt sig i sinnet att ej lämna hans otacksamma f. d. undersåtar någon ro, så länge han satt fången. De utrustade en mängd kapare, som undsatte deras landsmän i Stockholm med livsmedel, försökte befria Albrekt ur fångenskapen, hemsökte Nordens kuster med eld och svärd och drevo ett fruktansvärt sjöröveri.

En gång höll det emellertid på att gå sjorövarne illa. De hade utrustat åtta fartyg under befäl av en som benamndes mäster Hugo med livsmedel till Stockholms undsättning. Men som det var långt lidet på året, fröso fartygen fast i skärgården. För att försvara sig mot ett väntat anfall av svenskarne låter mäster Hugo fälla en ansenlig mängd timmer och bygger därav upp en hög vall runt omkring fartygen. Genom att ideligen övergjuta den med vatten förvandlar han den till ett väldigt isberg. Svenskarne se, att det är omöjligt att klättra uppför vallen, men de bygga i stället ett högt torn med plats för skyttar, en s. k. katt, som de på rullar skjuta fram mot flottan. Men under natten förut har emellertid mäster Hugo låtit i all hemlighet genomsåga isen utanför vallen. Men intet spår synes av hans nattliga förehavande, ty efter sågningen fros det något litet, och på morgonen föll snö.

När nu svenskarne med sin »katt» komma i närheten av vallen, höres plötsligt ett brakande, och i ett ögonblick går katten till botten med man och allt, allt under det tyskarne, utom sig av fröjd, ropa och skrika »kass, kass» åt den sjunkande katten. Efter den betan fingo de vara i fred, och mäster Hugo kunde efter islossningen undsätta Stockholm.

Först 1395 blev Stockholm överlåtet åt Margareta i och med det att hon frigav Albrekt ur fångenskapen. Några år därefter upphörde också de tyska sjörövarnes härjningar.

TIDER AV ENDRÄKT OCH SÖND-
RING I NORDEN.

Margareta och Erik av Pommern.

ÅTER hade en union uppstått mellan skandinaviska riken, denna gång mellan alla tre. Forst hade bygderna vaxt ihop till landskap, darefter hade landskapen förenats till tre nordiska riken (se s. 95 f.). Nu hade foreningstanken kommit ett steg längre: till att bilda ett enda skandinaviskt rike.

Det blev andra tider for de svenska stormannen, når Margareta tog tyglarna. Det märktes nog, att hon var den kloke och kraftige Valdemar Atterdags dotter. Han skall for övrigt ha yttrat om henne, att naturen tagit miste, då den gjort henne till kvinna; hon borde ha blivit karl i stället. De maktlystna herrarne kvaste hon genom att på en riksdag i Nykoping 1396 tvinga dem till att gå in på att återlamna alla kronogods, som de under Albrekts regering slagit under sig, och nedriva de fasten, vilka de uppfort under denna ofredens tid. Kronans vinst av denna reduktion, d. v. s. indragning av kronogods, gick inom Uppland ensamt till 1,200 gårdar. Med tungt hjälrta hade de svenska stormännen sökt hjälp mot Albrekt hos Margareta, ty av hennes upptradande i Danmark hade man sett tillrackligt for att inse, att hon aldrig skulle noja sig med den skugga av kungamakt, som man avspisat Albrekt med. Men de hade nog aldrig anat, dessa herrar, att de skulle bli tvungna att gå in på *så* hårda villkor.

Genom Margaretas reduktion starktes emellertid kungamakten, och det blev slut på den forfarliga laglösheten i Sveriges land. Men så fanns dar också numera ingen Bo Jonsson. Mången bonde, som av honom eller en annan rovlysten storman tvingats att överge gård och grund, fick nu återvanda till sitt hemman.

Det var ett stätligt valde Margareta sammanfogat. Tre lander, som vart for sig voro svaga, skulle med förenade

krafter kunna reda sig mot farliga medtavlare. De borde
t. ex. formå bryta Hansans handelsvalde i Norden. Och
ändå mera valsignelsebringande borde unionen bli darigenom,
att den kunde skapa fred inom Norden och gora slut på de
kraftodande fejderna mellan de skandinaviska folken.

Ett valdigt område upptog denna Nordiska enhetsstat, ja
den utgjorde Europas storsta rike. Det dåtida Tyskland var
blott halften så stort; Frankrike och England voro annu
mindre. Men i valdets storlek låg också dess svaghet.
Den enda sammanhållande kraften var regentens person
Endast dar han för tillfallet befann sig, kunde regerings-
makten med tillborlig kraft gora sig gallande, endast dår
kunde missförhållandena avhjalpas och fogdarnes förvalt-
ning kontrolleras.

Även for en regent, som besjalades av aldrig så stor sam-
vetsgrannhet, ja som hela sitt liv rest av och an, skulle det
emellertid varit omojligt att tillrackligt ofta besóka de olika
landsandarna i hans långstrackta rike. Den tidens sam-
fardsforhallanden gjorde det otánkbart. Valdiga ödemarker
skilde alltjämt bygderna åt, och riktiga landsvagar hade
man knappast. De vagar, som funnos, voro vid snösmalt-
ning och höstflöden till stor del obrukbara. De basta sam-
fáidsmedlen voro sjoar och floder, men de voro också ofar-
bara under en stor del av året.

Då nu ett dylikt ambulatoriskt regeringssatt var praktiskt
omöjligt, gavs ingen annan utvag for regenten an att soka
finna den basta möjliga fasta punkten för regeringsmaktens
utovning; och den blev Danmark. Denna stat var den tiden
rikast av de skandinaviska landerna. Dess folkmangd var
lika stor som Sveriges och Norges tillsammans, och denna
folkmangd var samlad på ett litet område. Utrikespolitiken
var lattare att leda från detta rike, som låg mellersta Europa
närmast Det var alltså naturligt, att konungen företrädesvis
skulle uppehålla sig i Danmark. Men så mycket styvmoder-
ligare blevo darfor de båda andra rikena behandlade.

Så blev målet for Margaretas statskonst att skapa en stark
konungamakt, stodd på Danmark. Sveriges motståndskraft
mot hennes planer försvagade hon genom att kväsa dess
stormän forst medels reduktionen och sedan genom att syste-
matiskt undantranga dem från alla viktigare ambetsposter.

Hon satte danska adelsmän till fogdar och befalhavare på de viktigaste svenska slotten; men aldrig fick en svensk någon sådan inkomstbringande och eftersökt post i Danmark. Blott i de avlagsnaste svenska landskapen, på de minst betydande och minst inkomstbringande posterna, voro infödda lantagare i majoriteten. Vad Margareta ville skapa var icke ett skandinaviskt rike utan ett Stordanmark.

Missnöjet med Danmarks overhöghet inom unionen märktes dock icke så mycket, så lange Margareta levde, ty hon var en så duktig regent och en god människa, som ingav aktning. »Sent fodes annan kvinna slik», heter det om henne i en gammal kronika. Och allmogen kande under hennes tid nästan blott de valgorande verkningarna av att hon holl efter stormännen i Sverige. De orden i Vadstenaklostrets dagbok, att hon »velat hjalpa alla och envar till lika rätt och lag, styrka rattfardighet och undertrycka all oratt, for vilket Gud henne lone» — de orden innebara det vackraste minnet av henne hos Nordens folk. Hon förstod också att skaffa sig en annan motvikt mot herrarnes missnöje genom att stalla sig val med kyrkan. Det var en av hornstenarna i hennes politik. Hennes valgorenhet mot kyrkor och kloster var storartad. Med rund hand skankte hon dem en hel del av de gods, hon fråntagit adeln Men så var också kyrkans makt over folket så stor, att dess gunst knappast kunde betalas för högt. Att bakom denna frikostighet mot de andliga också låg en verklig fromhet i den tidens anda kan dock icke förnekas. Vid ett besok i Vadstena kloster lat drottningen upptaga sig som klostersyster och kysste därvid odmjukt alla systrarna och bröderna på hand.

I syfte att for framtiden betrygga sitt varv genomdrev Margareta, att hennes systerdotterson Erik av Pommern valdes till hennes eftertradare i alla tre rikena. År 1397, nar Erik skulle krönas, sammankallade hon de tre rikenas storman till ett mote i Kalmar. Har blev Erik kront till konung over samtliga de nordiska rikena på en gång, och en formlig unionsakt uppsattes med bestammelser om de trenne landernas inbordes forhållande for framtiden. Den inneholl, att de tre rikena i alla tider skulle vara forenade under en gemensam konung. Ny konung skulle valjas gemen-

Drottning Margaretas hund å hennes gravvård i Roskilde domkyrka.

samt och därtill utses en av den senaste konungens soner,
om sådana funnes. I forhållande till frammande makter
skulle de tre staterna vara såsom ett rike och bistå varandra
i krig, men vart och ett land skulle styras efter sin lag och
ratt. Efter denna akt har Margaretas union fått namnet
Kalmarunionen, ehuru med oratt, eftersom den aldrig erholl
laga giltighet. Margareta lat nämligen unionsakten ligga utan
att någonsin uppsatta och utfarda den i laga ordning. Den
inneholl namligen punkter, vilka, efter vad man vet om hen-
nes politik for övrigt, icke kunna ha tilltalat henne. Säker-
ligen har hon önskat att få det förenade Norden förvandlat
till ett arvrike, men stormännen ha ej velat gå langre an
att låta binda sin valratt vid den senaste konungens soner
En annan bestammelse, som ej kunde falla henne i sma-
ken, var den, att varje rike skulle behållas vid sina lagar.
Det var ju ett försok att hindra henne från att styra Sve-
rige med danska fogdar och ståthållare, ty Sveriges landslag
innehóll uttryckligen, att konungen skulle styra riket med in-
födde man. Under sådana forhållanden har Margareta fore-
dragit att låta unionen sakna rattslig grundval framfor att få
en sådan i en form, som skulle hamma hennes rörelsefrihet.

*

Olika ha historieskrivarnes omdöme utfallit om de tan-
kar och planer, som lett drottning Margareta i hennes nor-
diska enhetsvarv. Entusiasterna for den skandinaviska
rorelsen från 1800-talets mitt sågo Margaretas union i ett
idealiserande skimmer och strávade efter bästa formåga att
i den finna ett under mansåldrar forberett narmande mellan
de tre folken. På denna grundval skulle Margareta sedan,
ledd av storslagna vyer, ha byggt upp ett valde, grundat på
inbórdes jamlikhet, och målet for alla hennes stravanden
skulle ha varit de nordiska folkens gemensamma val.

Denna skóna idealbild har obarmhártigt sonderbrutits av
den skarpsinnige danske kritikern Kristian Erslev. Hans un-
dersokningar av kallorna ha givit det resultatet, att det var
av rent nödtvång, som man i Sverige sökte Margaretas hjalp,
samt att det egentliga syftet for hennes politik var att skapa
en stark konungamakt, stödd på Danmarks overvikt inom
unionen.

Andra historieskrivare söka hålla en medelväg mellan dessa skilda uppfattningar och se i Margaretas livsverk en — om ock ej så klart medveten — strävan mot ett högre mål, nämligen att sammansmälta Nordens folk och därigenom ge dem kraft att frigöra sig från beroendet av tyskarne. Detta motsäges åtminstone icke vare sig av de faktiska förhållandena eller av hennes personlighet, vilken onekligen bär över sig något storslaget, vida över det vanliga måttet. En sådan uppfattning har emellertid Geijer på sin tid bestämt förnekat, då han karakteriserat unionen med de ryktbara orden »en händelse, som ser ut som en tanke».

Litteratur: Kr. Erslev, Dronning Margarethe og Kalmarunionens Grundlæggelse.

Erik av Pommern vansköter Sverige.

ERIK skildras, när han stod i sin bästa ålder, som en fager man med guldgult hår och stor förmåga att tjusa kvinnor. »Han drog alla kvinnor till sig med älskogs längtan», säger en som sett honom. Men som ofta är fallet med den som har mycken fägring att bevara, var han så rädd om denna, att han, trots en viss yttre käckhet, visade sig som en feg stackare, när det var fara på färde. Häftig var han till den grad, att han ibland icke visste till sig. Betecknande är berättelsen om hur han en gång gav utlopp åt sin vanmäktiga harm över ett ovälkommet brev från påven genom att befalla den stackars överbringaren därav, som ju icke kunde rå för innehållet, att äta upp pergamentet!

Hans drottning, Filippa av England, ägde de egenskaper, som Erik saknade. Hennes mildhet och godhet vunno allas hjärtan. Hon var också en klok och handlingskraftig kvinna, och hennes plötsliga död, år 1430, var en stor förlust både för konungen och för hennes undersåtar.

En av de första handlingar, varigenom Erik gjorde sig illa känd i Sverige, var hans åtgärd att besätta ärkebiskopsstolen med en i högsta grad ovärdig person. Hans namn var Jöns Gerekesson eller, som det på kyrkans latinska språk blev, Johannes Jerechini. Mannen var dansk och hade allt ifrån barndomen omhuldats av Erik, som gjort honom till

sin kansler. Rikt utrustad av naturen och hänsynslös, hade
han alla förutsättningar att komma fram här i världen, och
när ärkebiskopsstolen i Uppsala blev ledig år 1408, fann Erik
lämpligt att lyckliggöra svenska kyrkan med sin gunstling

Såsom man kunde vänta, märktes hos hans högvördighet
mycket litet av nit för kyrkan men däremot så mycket star-
kare intresse för denna världen och dess goda; och som sty-
resman över ärkebiskopsstolens gods och gårdar hade han
icke ens bland Eriks illa beryktade fogdar sin överman i
samvetslös hårdhet. För hans praktlystnad förslogo icke
hans stora inkomster som ärkebiskop, utan han lånade,
så länge han det fick, och sedan började han förskingra kyr-
kans gods och klenoder. Ja han föraktade icke ens att hjälpa
upp sin ekonomi genom mutor och rena våldsbragder.

Som exempel på hans grymhet och hänsynslöshet förtäljes,
hur han en gång med ett väpnat följe trängde in i ett kloster
i Stockholm och befallde sina män att slå en misshaglig
präst blodig, varpå han lät draga honom, sargad och sönder-
slagen, genom gator och gränder under ständiga slag och
stötar — På sina slott och gårdar levde ärkebiskopen som
en turkisk pascha i sitt harem, och hans förmåga som kvinno-
tjusare förnekade sig, säger Ericus Olai, ej ens på adliga
kvinnor, med vilka han hade »ett mäkta sällsamt omgänge».
Hans liv var för övrigt sådant, att medlemmarne av hans dom-
kapitel befarade, »att de hedningar, som bodde intill stiftets
gränser, skulle få avsky för kristendomen», när de finge vet-
skap om hans skamlösa gärningar.

Men till sist rågades måttet, när han lockade till sig en
förmögen borgares änka, som var förlovad med en annan
borgare i Stockholm, och tog henne till sin frilla. På liknande
sätt handlade han med en annan kvinna, som hans högvördig-
het fattat välbehag till. Hon var trolovad med en Jakob
Skomakare i Stockholm, med vilken hon för övrigt redan
sammanbodde. Men ärkebiskopen ställde om, att förlovningen
bröts och Margareta, som hon hette, sammanvigdes med en
av hans tjänare vid namn Jeppe. Därvid hade emellertid
denne andans man »så maklat dem emellan», att de vid
vigseln icke skulle svara ja på prästens fråga, om de ville
ha varandra till äkta, utan blott tyst mumla »mum, mum».
Jeppe fick också stränga order, vid äventyr att annars bli

hängd, att icke pläga något umgänge med sin s. k. hustru. Icke förty fick Margareta två barn — vem som var deras dagars upphov är ju icke svårt att fundera ut. Hon ansågs emellertid god nog att tjänstgöra som »värdinna» för vissa »stockholmska husfruar», vilka då och då hälsade på Jöns Gerekesson på hans ärkebiskopsgård.

Klagomålen mot den liderlige ärkebiskopen blevo slutligen så högljudda, att konungen själv måste gripa in och herr Jöns nödsakades att avstå från sitt ämbete.

Han blev sedan biskop i Skalholt på Island, men då han där fortsatte sitt tygellösa liv, omgiven av väpnade drabanter, vilka foro fram som rövare, förlorade isländningarne tålamodet, och en skara uppretade bönder ryckte fram mot Skalholt. Vid budskapet därom klädde sig Jöns Gerekesson i full biskoplig ornat och begav sig med sina präster och drabanter in i kyrkan, vars portar reglades. Här steg han fram för högaltaret med hostian och kalken i händerna och uppstämde mässan. Men fienderna läto icke hejda sig av dessa hädares gudstjänst utan sprängde kyrkportarna, och biskopens drabanter blevo skoningslöst nedhuggna till sista man. Biskopen själv blev avklädd sin skrud, insydd i en säck med en sten om halsen och dränkt som en hund.

Ett årtionde efter odjuret Jöns Gerekessons avgång från ärkebiskopsämbetet sökte Erik få utnämnd till hans efterträdare en annan dansk, en av sina hovpräster vid namn Arnold Klemitson. Då man i Sverige betackade sig, bröt sig mannen med våld in i ärkebiskopsgården och övertog så stiftets styrelse. Denne andans man får i den gamla Rimkrönikans fortsättning följande vitsord:

> »Argare bov var ej då en präst,
> som hans leverne beviste mest:
> skörlevnad han övde,
> dobbel och dryck han prövde,
> många vitalier[1] höll han på sjö:
> köpmän gjorde de mycken oro.
> De togo dem från vad de åtte[2]
> och kastade över bord vem de förmådde.
> Vad gods de förvärvde därmed
> lika halvt med dem behöll han det.
> Alltid svor han vid vår Herres död och blod:
> det vållde den stymparen var ej god.»

---

[1] Ett dåtida namn på sjörövare — [2] Ägde

I sin utrikespolitik var Erik allt annat an lycklig. Han kom i tvist med grevarne av Holstein, men fastan han var harskare över tre riken, kunde han ej rå på dem. I tjugufem år varade det omkliga kriget, som kostade Nordens folk dryga skatter.

Värst av allt var emellertid Eriks sätt att regera sitt svenska rike. Margareta hade visat, att hon kände sig som dansk; det var betänkligt nog. Men Erik var tysk och betraktade sig som sådan; det var farligare. Återigen trangde sig en mangd tyskar in i Sverige. De kommo hit som konungens fogdar for att styra Sveriges folk. Till slut rådde danskar och tyskar över nastan alla kronans storre slott. Då uppkom det talet, att unionskonungarne tagit till ordstäv: »Med Sverige skall du foda dig, med Norge skall du klada dig. med Danmark skall du forsvara dig.» Stormannen harmades. Men de som handlade, det var de svenska bönderna.

Litteratur: Kr. Erslev, Erik av Pommern
        G Djurklou, Jons Gerekesson, ärkebiskop i Uppsala 1408—1421 (Hist. tidskrift 1894).

Engelbrekt och dalkarlarne.

I VÄL tjugu år hade Erik styrt Sverige genom utländska fogdar. Svensken är tålig! Men nu var måttet rågat Den, som nu kom upp till Dalarnes bergslag, såg snart, att något ovanligt var på farde. På folkrikare platser äro bergslagsmän och bönder samlade till overlaggningar, kraftiga och hardade gestalter, vana att med svett och móda bryta bergens skatter eller odla sina tegar. Men de flesta ansiktena vittna om hård nod, alla om långvariga, tarande bekymmer. »Konungen», hor man yttras, »vad ha vi sett av honom? Jo, skatter och återigen skatter, så att många av oss nu måste ut med tjugu gånger så mycket, som gammal god sed varit. Och det bara for att han skall hålla på med ett krig, som inte angår oss har uppe i Sverige ett grand. Ha inte vi bönder måst låta allt, vad vi skórda, gå till skatterna, så att vi knappt haft föda for vintern! Och när vi andå inte förmått komma ut med den yttersta skarven, då

har fogden kommit som en rövare och tagit våra kor och
dragare. Vem vet inte, att han sålt dem för mycket mer än
skattens värde och lagt vinsten i sin egen rika kassakista! Vems
är skulden till att vi år efter år måste blanda bark i brödet?
Vems är skulden till att så mången redlig man fått gå från
gård och grund?» — Och hotfullt mumlas namnet Jösse
Eriksson — det är fogden över Västmanland och Da-
larne, dansk till börden.

En fortsättning av den förut omtalade Rimkrönikan för-
täljer än värre handlingar av honom, då han ej längre kunde
avpressa bönderna tillräckligt:

> De fattige bönder, i Dalarne bo,
> deras fogde gjorde dem så mycken oro;
> han lät dem så svåra plaga[1]
> och skattade dem av mest vad de äga.[2]
> Han lät de bönder i rök upphänga,
> så svåra lät han dem tränga.
> Deras kvinnor lät han därmed plaga:[1]
> de spändes för hölass; dem skulle de draga.
> Dem gjordes därmed så stor nöd,
> [att] de födde strax barn, som voro död'.
> Mycken mer orätt han dem gjorde,
> ho där granneliga efter sporde.

Dalkarlarnes lycka var, att de fingo en duktig ledare i
frälsemannen Engelbrekt Engelbrektsson, en bergsman
från trakten av Kopparberget av en burgen och ansedd släkt,
som härstammade från Tyskland. Till honom vände sig dala-
männen i sin nöd. Det harmade honom att se svenska män
och kvinnor så hanteras, och han åtog sig att fara till ko-
nungen i Danmark för att skaffa rättvisa. Oförfärad trädde
den rättframme bergsmannen inför härskaren över tre riken
och yttrade enligt Rimkrönikans berättelse:

> »De fattige bönder, i Dalarne bo,
> de bedja Eder för Guds vilja
> att Jösse Eriksson från dem skilja.
> Han haver dem mycket orätt gjort,
> som I haven ofta sport.
> De vilja nu hellre lida död
> än leva längre i sådan nöd.»

»Och herre», fortsatte Engelbrekt, »allmogens klagan är
sann; jag törs sätta min hals i pant därpå. Låt Jösse

[1] Plåga. — [2] Äga.

Eriksson fara hit, och förvara mig till dess i Ert fångtorn! Låt oss komma tillsammans inför rätta, och häng den av oss, som har orätt!»

Konungen gav Engelbrekt ett brev till de svenska rådsherrarne med befallning, att de skulle undersöka saken men likväl döma så, att de hjälpte Jösse Eriksson. Rådet red upp till Dalarne och fann, att allmogens klagan var rättmätig. Med rådets intyg härom skyndade Engelbrekt till Köpenhamn igen. Men för konungen voro Engelbrekts vältaliga skildringar av undersåtarnes lidanden, som om han hört sitt eget samvetes anklagelser, och till den rösten ville Erik icke lyssna. Han blev vred och bröt ut: »Du klagar då jämt! Gå din väg, och kom aldrig mer för mina ögon!» Engelbrekt gick —— men mumlade halvhögt: »Än en gång lär jag väl komma igen.»

Bild på en korstolsgavel i Västerås domkyrka av Jösse Eriksson, bedjande till den heliga Jungfrun. Han är klädd efter nyaste modet och prydd med bjällror, som hänga ned från bältet och från den gyllene halskedjan.

Dalkarlarne hade fått sitt svar från den, som var skyldig att skipa högsta rättvisa. Nu beslöto de att själva skaffa sig rätt. De gingo man ur huse med yxor och med pilbågar, varmed de så ofta nedlagt villebrådet i de stora skogarna. Som e n man reste de sig och valde Engelbrekt till sin hövding, fast beslutna att befria ej blott Dalarne utan hela riket från de främmande förtryckarne.

Ty Jösse Eriksson hade många likar. Eriks tyska fogdar hade i sitt hemland vant sig vid att anse bönderna som ett slags trälar. Där voro dessa nämligen livegna, d. v. s. att de måste hela sitt liv stanna och bruka jorden på den herres gods, där de voro födda. Genom denna lag fingo de

stora herrarne tillräcklig och billig arbetskraft. Företogo sig
de livegna något, som misshagade godsherren, var det denne,
som fick straffa dem. Att låta piska bönder och kasta dem
i slottstornet var ingenting ovanligt för dessa tyska adels-
män. När de nu sattes att härska över Sveriges allmoge med
dess urgamla frihet, kunde de icke förstå, varför bönderna
voro så styvsinta, och tyckte, att dessa hade det alldeles för bra.

Dalarnes sigill av år 1435.

Midsommardagen 1434 brände dalkarlarne i grund Borga-
näs fäste vid Dalälven, där en av Jösse Erikssons underfogdar
härskat. Hämndetåget gick från fogdeborg till fogdeborg,
vilka samtliga förstördes, och deras herrar fördrevos. Mången
fogde, som fordom i sitt befästa slott föraktat de fattiga, värn-
lösa bönderna, fick nu tigga sitt liv av dem. Var dalahären
tågade fram — i Västmanland, Uppland, Södermanland —
överallt slöt sig allmogen med hänförelse till den; och även
i trakter dit den ej kom, grep frihetsrörelsen omkring sig,

i Norrland och Finland under ledning av den ivrige, het-
levrade Erik Puke. Nu hade Engelbrekt stor nytta av
sin adliga uppfostran hos fornama man, varigenom han for-
varvat goda insikter i krigskonst och lart sig leda andra.

När Engelbrekt kom till Östergotland, voro rådsherrarne
samlade i Vadstena för att besluta, på vems sida de skulle
stalla sig. Bonderesningens snabba utbredning och hapnads-
väckande framgångar hade slagit dem med håpnad, ja med
skräck. Visst hade de många skäl till missnoje med den
tyske konungen; men att se bonderna taga makten var dock
allt annat an gladjande for de store.

Mitt under de myndiga herrarnes överläggningar tråder
Engelbrekt, bondehövdingen, in i salen. I kraftiga ordalag
uppmanar han dem att avsatta den konung, som brutit de
eder, han svurit folket. »att rattvisa och sanning styrka» och
»rike sitt styra med inländske män och ej utlåndske». Råds-
herrarne vagra Men Engelbrekt krusar icke. Han griper
Linköpingsbispen i kragen samt hotar att kasta ut både honom
och två av hans ambetsbröder till den förbittrade allmogen
där utanför. Nu bli herrarne spaka och gora, vad de som red-
liga svenskar bort gora strax: de skriva ett brev till Erik
med uppsagelse av tro och lydnad.

Engelbrekt fortsatte befrielsetåget genom Gotaland, och
inom fyra månader var hela riket rensat. Det är en sagen,
att under detta befrielsekrig hade ingen svensk förlorat så
mycket som en hönas våide. Så god hade ordningen varit
i de väldiga bondehärarna.

Ett underbart skådespel är denna allmogeresning. Under
ledning av en man, vars tidigare verksamhet är fullkomligt
okänd, och som nu med ett slag trader fram såsom statsman
och krigare, utbryter en folkrorelse, vilken »kryper liksom
skogselden i ljungfalten och flammar upp an här, an där».
En underbar lycka följde denne man overallt. Inga bakslag,
intet famlande efter målet! Och allt detta utföres på en
ytterligt kort tid» — det år Hans Hildebrand, en av vårt
lands främste medeltidskännare, vi citerat.

Nu måste riket ha en regering for fredens tid. Ty det
värv, som Engelbrekt åtagit sig, nämligen att befria landet,
det hade han fvllt. Sådana viktiga frågor som att bestamma

om regeringen hade forut brukat avgoras av de andliga och
adliga stormannen på herredagar (se sid. 353). Men all-
mogens rost, som i gamla tider gjort sig så kraftigt hörd
på tinget, den hade forstummats, efter hand som landskapen
vaxte ihop till ett svenskt rike. Ty dармed forloıade land-
skapstingen sin gamla politıska betydelse, och lagmännen,
som varit allmogens ledare, blevo i stallet konungens män.
Men nu hade befrıelsekriget åter gjort allmogen till en poli-
tisk makt att räkna med i gamla Sveıige Darfor fordrade
den att också få bestamma om Sveriges styrelse. Till det
rıksmóte i Aıboga, som skulle avgora darom, kommo ej
blott andliga och adlıga fralseman utan även borgare,
en eller flere från varje stad, och några bonder från vart
landskap, år 1435. Det var alltså vår forsta riksdag De,
som kommo till riksdag, kallades stander. Det var en
stor samling, som mottes i Arboga, och det såg ganska kri-
giskt ut i den lilla staden med fralsemannens beridna foljen.
Allmogen genomdrev här, att Engelbrekt skulle fortsatta
att styra Sveıige såsom rikshövıtsman.

Konung Erıks vanner arbetade emellertid av alla krafter
på att forsona honom med de svenska herrarne, vilket också
slutligen lyckades. Han kom till Stockholm och blev av rådet
åter erkänd som konung mot löfte att styra landet med in-
fodda svenske män. Men han hade ej val fått makten i sin
hand, förran han fann lämplıgt att bryta sına löften och in-
sätta framlingar som fogdar. Så avsatte han fogden på
Stockholms slott, den redlige Hans Kræpelın, den ende
av Eriks fogdar som gjort sig omtyckt och aktad av svenska
folket, och förordnade en dansk till hans efterträdare. Naı
svenska rıksrådet vågade komma med erinringar om den
ed konungen nyss svuıit, svarade han retlıgt. »Jag ar icke
sınnad att blıva eder jaherre.» Till befalhavaıe på Stege-
borgs slott i Ostergotland utsåg han en som var sjorovare,
tjuv och arelös kvınnoskändare.

> »Han var ärelos och slagen på sın mund,
> han hade tro ej mera an en hund»,

sıger Rımkrónıkan om mannen.

Efter att på dylikt sätt ha reformerat landets styıelse
plundrade Erık på hemvägen i svenska skärgården Det blev

hans sista meia betydande handling som svensk konung
Ty nu brast åter tålamodet i landet, och på en ny riksdag i
Aiboga uppsade svenska folket honom tro och lydnad år
1436. Herrarne, som voio avundsjuka på folkledaren Engel-
biekt, lyckades få styrelsen ordnad så, att denne fick
dela makten med en rik och fornam adling, den unge Karl
Knutsson Bonde.

Konung Erik blev snart avsatt även i Danmark och Noige
Han slog sig ned på Gottland, levde av sjoroveri och gjorde
sina forna undersåtar mycken skada. Till slut blev han
dock fördriven från sitt rovnaste av svenskar och danskar

*

Engelbrekts alla modor for Sveriges rike tarde på hans
krafter. Han var sjuk och svag, då han på Örebro slott fick
kallelse till en överlaggning med rådet i Stockholm. Men
ingenting fick hindra honom. I sällskap med sin hustru och
några tjanare skulle han färdas over Hjalmaren i båt, forbi
Göksholm. Ägaren till detta slott, riksrådet Benkt Stensson
Natt och Dag, hade varit i tvist med Engelbrekt men besokt
denne strax fore avresan samt lovat honom frid och sakerhet.
Vi låta nu Rimkrönikan fortalja.

>»Engelbrekt mente, de skildes såta,[1]
och tog sig ej till vara
utan tankte till Stockholm fara
och lät båtar redo gora
och sig sjalvan till stranden fora
Ej mer kraft hade han då.
han lat sig lyfta till hast och fiå'
I båten lat han lägga sig
och vaktade sig for intet svek.
Tatt vid Goksholm for han fram
till den narmsta holmen han dar fann
Dar lat han fora sig till landa
och fruktade foi ingahanda
utan trodde på den sakerhet,
herr Benkt hade honom tett
En liten eld han dar uppbotte,[2]

---

[1] Förlikta. — [2] Uppgjorde

litet värme han där nötte.[1]
Liten stund han där är,
Magnus Benktsson[2] kom strax efter där
till den holme, där Engelbrekt låg.
Genast Engelbrekt båten såg,
han sade: 'Nu mågen I alla se,
än vill herr Benkt mig vänskap te
och bjuda mig till sig in.
Jag gitter dock ej för sjukdom min.'

Engelbrekt sände bud till strand,
att visa, var bäst var komma i land.
De lade sin båt strax vid den strand;
Magnus Benktsson sprang strax i land.
Genast månde han dit gånga,
han såg Engelbrekt stånda
och stödde sig på sin krycka —
han fruktade för intet stycke.
Magnus Benktsson talar till honom så:
'När skall jag frid i Sverige få?'
Engelbrekt svarade, av sjukdom matt:
'Din fader har mig trygghet utsatt.
Jag hoppas, han har berättat dig
den stora frid, han lovat mig.'
Magnus Benktsson hade en yxa i händer,
därmed gjorde han Engelbrekt ände.
Han högg till honom och ej hötte;[3]
Engelbrekt då för sig bötte[4]
med den krycka, han hade i händer.
Tre finger högg han av honom i sänder.[5]
Engelbrekt sig då om vände;
Magnus följde efter med vreda händer.
Han högg honom annat sinn[6]
så djupt ett sår i halsen in:
det tredje hugg högg han då,
så det månde genom hjärnan gå.
Engelbrekt störte neder mot en sten:
sin panna slog han så klen,[7]
så månde han döden ljuta.
Sedan de mång' pilar uti honom skjuta.

Engelbrekt hade ofta för riket livet vågat,
för hans bästa och andra flera;
han fick det dock ej njuta dess mera.

---

[1] Njöt. — [2] Benkt Stenssons son. — [3] Hotade. — [4] Värjde. — [5] På en gång   [6] För andra gången   [7] Svag, senslös

Herren Gud, som i himmelrike bor,
låte honom njuta, att han var Sverige tro![1]
Jungfru Maria, med din helga bön
nu hjälp hans själ till himmelrikets lön!
Alla Guds helgon i himmelrik,
bedjen för honom evinnerlig!»

Mördaren förde Engelbrekts maka och tjänare fångna till Göksholm. När bönderna i trakten fingo höra om det dåd, som skett i den sena våraftonen där ute på holmen, rodde de dit och förde under tårar sin älskade hövdings lik till jordfästning i sin kyrka. I förtvivlans raseri stormade en allmogeskara Göksholms slott, men den förmådde intet mot det fasta tornet, blott mot gårdens träbyggnader, som stuckos i brand.

Hur litet de maktägande numera aktade folkets mening, sedan deras hövding var fallen, synes därav, att Karl Knutsson kunde företaga sig att utfärda skyddsbrev över hela riket för frihetshjältens mördare. Ingen skulle få ofreda eller ens så mycket som förebrå Måns Benktsson för mordet på Engelbrekt. Tydligtvis tänkte Karl Knutsson att därigenom vinna den mäktiga släkten Natt och Dag på sin sida — något som dock icke lyckades. Att av hans beteende sluta till att han skulle ha legat i maskopi med mördaren eller rentav ha begagnat Måns Benktsson som redskap för att göra sig av med en besvärlig medtävlare är dock säkerligen att gå för långt i misstankar. Mördaren vågade för övrigt icke lita på kraften av Karl Knutssons försvarsbrev utan gav sig ut på Östersjön, höll sig där bland skären och slog sig på samma snygga hantering som hans avsatte konung.

*   *

*

Kort blev Engelbrekts hjältebana men sällsport betydelsefull. Han har förenat alla stånd och alla landskap till att verka för det gemensamma fosterlandet. Alla, dalkarlar såväl som smålänningar, upplänningar som väst-

---

[1] Trogen

götar, hade de känt, att de ägde samma fädernesland att skydda. »Det är genom stora olyckor, som svenskarne lärt att känna sig som *ett* folk», säger vår störste hävdatecknare. Engelbrekts frihetskamp besparade vårt land det öde, som för århundraden framåt blev Norges: att sjunka ned till en vanskött provins under Danmark.

Genom sitt deltagande i frihetskampen räddade sig också de ofrälse stånden för all framtid från livegenskapens hotande fara. I Danmark dukade allmogen på Själland, Låland, Falster och Möen vid denna tid under därför, men tack vare Engelbrekt är svenska folket ett av de få, vilkas allmoge aldrig varit någons trälar. Vårt folk hade kraft att rädda den frihet, Sveriges urgamla lagar gåvo, att vräka bort det olagsvälde, med vilket besläktade folk i söder och sydväst läto sig nöja. Alltsedan Engelbrekts tid har också den svenska allmogen varit en makt vid avgörandet av rikets allmänna ärenden.

Ett ädlare minne än det av Engelbrekt, »den litsle man», ha våra hävder icke att uppvisa. »Icke av övermod eller härsklystnad hade han begynt fejden», säger en samtida lybsk krönikeskrivare, »utan av innerligt medlidande med det nödställda folket. Han satte det allmänna bästa framför sin egen fördel, när han kallade de tappra svenskarne till detta heliga krig mot dem, som hatade rättfärdigheten.»

En av de andliga stormännen på Engelbrekts tid, den ädle biskop Tomas i Strängnäs, som gripits av beundran för frihetshjälten, ägnade Engelbrekts minne följande dikt.

Det var en man, het Engelbrekt,
om honom nu börjas denna dikt,
i Sverige var han födder.
Han förde om landet klubba och
                             svärd,
han fäktade fast förutan flärd,
och därtill var han nödder.

Utländske rådde i Sverige då,
det kunde ej värre i riket stå;
de styrde land och fäste.

Svenske män hade sådan nöd,
de ville då hellre vara död'
än längre lida slika gäster.

Israels folk under Farao
kunde ej mera lida oro,
än svenske då försökte.
Ingen man kan vara så klok
att skriva det i brev eller bok,
vad armod dem då tröckte.[1]

---

[1] Tryckte

Mången man var då så arm,
att han forgicks av sorg och harm,
som honom kom till handa
Unger och gammal, eho det såg,
och än det barnet, i vaggone låg,
måtte väl gråta den vånda

Gud vackte upp Engelbrekt, den
        lille man,
som till det arendet litet kan:
han gav honom makt och snille.

Slott, stader, folk och län och
        land,
de gingo honom fullsnart i hand
Gud fogde't, som han ville.

Då han hade så manliga stritt
och ryktet gick över varlden vitt,
då fick han det till lona:
en tid han for av Örebro,
då vart han slagen i goda tro
Så plagar man troskap rona

Av samme forlattare är den präktiga Frihetssången

Frihet är det basta ting,
som sökas kan all varlden kring,
den som frihet kan bara
Vill du vara dig sjalver huld,
du alske frihet mer än guld,
ty frihet foljer ara

O, adle svensk, du statt nu fast
och battra det, som fordom brast'
Du låte dig ej forvanda!
Du våge din hals och så din hand
att fralsa ditt eget fadernesland'
Gud må dig trost val sånda

Frihet må liknas vid ett torn,
dar vaktarn blåser i sitt horn.
Du tage dig val till vara:
om från det tornet ut du går
och en annan det i hander får,
då taller du tårar striida.

En fågel han varjer sin egen bur,
så gora ock alla vilda djur.
Nu mark, vad dig bor gora:
Gud haver givit dig sinne och sjal,
var hellre fri an annans tral,
så länge du kan dig rora'

Litteratur Svensk historia enligt samtida skildringar, utgifven
        af Per Gustaf Berggren: serien II. haft. 75 ore
        Henrik Schuck, Minne af rikshofvitsmannen Engel-
        brekt Engelbrektsson (Svenska akademiens hand-
        lingar for år 1914)
        Axel Lundegård, Om Engelbrekt, Erik Puke och
        Karl Knutsson, som blef kung; haft kr. 6: —

Karl Knutssons skiftesrika saga.

Riksföreståndaren.

NÄR Engelbrekt fallit, var allmogen utan ledare. Åter togo sig stormännen för att bestämma om regeringen. Men de äro från denna tid söndrade i ett svenskt parti, som vill ha en infödd konung, och ett unionsparti. Hur kunde någon vilja bevara en union, som så missbrukats? Jo, det kändes så lugnt att ha en konung, som höll sig i Danmark; då kunde herrarne där hemma regera efter behag. Flere stormän hade för övrigt genom giftermål och släktförbindelser blivit lika mycket danska som svenska.

Det blev en lång tid av förbittrade inre och yttre strider. Den mest betydande mannen inom det svenska partiet var Karl Knutsson, som styrde en tid såsom riksföreståndare. Han var ståtlig och ridderlig, och många vänner vann han genom sin frikostighet. Men någon folkets man var han icke. Det var däremot Engelbrekts vän, den hetlevrade, ärelystne Erik Puke, som blev Karls farligaste medtävlare. Vid ett rådsmöte ställde Puke till honom den uppmaningen att kalla hem sina stövare, som sökte locka ifrån Erik alla hans vänner; annars skulle denne nog veta att slå dem över nosen. Karl svarade honom fogligt och hemställde till honom att på laglig väg skaffa sig rätt, om han hade något att beklaga sig över. Men då kokade Puken över och utmanade Karl till strid. Han fick det svaret, att än så länge hade Karl viktigare saker att tänka på, men när tiden vore inne, skulle han stå honom till svars.

Överallt gick Puke i vägen för Karl Knutsson. Men en vacker dag kastar han om och bjuder sin rival till sig i Stockholm. Dryckeslaget gör så småningom värden frispråkig, och han anförtror sin gäst: »Häremellan och Kalmar går ingen gädda, för vilken flere krokar blivit satta, än jag lagt försåt för dig, och likväl har det aldrig lyckats.» Harmsen utbrast då herr Karls syster: »Gud förlåte Eder sådant tal! Ofta har jag sett Eder äta och dricka vid min broders bord.

Han plägade Eder väl och kunde icke tanka, att I skullen ämna honom sådant svek» Nu ledde Karl Knutsson samtalet in på andra ämnen och lamnade snart laget.

Efter detta dröjde det ej lange, innan Erik Puke var i oppen fejd med sin medtavlare och uppviglade allmogen inom stora trakter av Svealand. Då ryckte Karl Knutsson mot honom med en vapnad styrka och lyckades gripa honom samt sände honom till Stockholm, där hans oroliga liv ändade med halshuggning.

Den nya allmogeresningen hade emellertid utbrett sig till Östergötland. En folkskara trängde in i Vadstena kloster, dar den hatade bondeplågaren Josse Eriksson sökt en fristad och redan fått namn om sig som en frikostig valgorare mot klostret. Med våld hamtade de forbittrade bonderna ut honom och släpade honom i benen utfor trapporna, »så att nacken raknade alla trappstegen». Rimkronikan berättar harom:

»Sedan bundo de honom vid sladan som ett svin —
de skankte honom varken mjod eller vin —
och forde honom så till Motala ting
och satte honom mitt i den ring
och domde dar strax domen så,
att han skulle ifrån huvudet gå.
Dar hoggo de det av utan flard
med en yxa, ty de skotte ej svard.
De lade hans halsben på en stock
och hoggo hans huvud från hans kropp

Gud unne honom dock sin nåde
och fralse hans sjal av allom våde!»

Kristofer av Bayern och Karl Knutsson.

Länge skulle det ej droja, innan unionspartiet åter fick övertaget i Sverige och efter Danmarks exempel genomdrev, att Eriks systerson, hertig Kristofer av Bayern, valdes till konung. Detta skedde år 1440, mot att han forband sig att i alla viktigare regeringsärenden inhamta riksrådets samtycke och styra riket med infodda svenske man. I spetsen for unionspartiet hade biskoparne gått, och i Vadstena klosters dagbok står det antecknat om valet: »Det ar gjort efter prelaternas — Gud give ock efter himlens —

vilja.» Tidigare på året hade man på en herredag i Arboga högtidligen kommit överens om att aldrig välja utländsk konung i Sverige!

De danska herrar, som erbjudit Sverige lyckan av att ävenledes få Kristofer till konung, hade skildrat honom med de fagraste färger,

>huru han var manlig, mild och vis,
och att skönare person kunde ej vara
bland alla herrar i världene äro.
Förutan svek är han, fulltro;[1]
han är ock alltid glad och fro.[2]»

Tyvärr synes den rosande skildringen icke riktigt svara mot den enda bild av Kristofer, som finns bevarad.

År 1442 valdes Kristofer till konung även i Norge, och så hade man återigen en union mellan de tre skandinaviska rikena. Karl Knutsson fick nedlägga riksföreståndarskapet och nöja sig med Finland och Öland som förläning. Den nye konungen lade an på att vinna sin mäktige medtävlares bevägenhet. Han överhopade herr Karl med vänskapsbetygelser och bad honom vara för sig en fader, så skulle konungen vara honom en trogen son. Men Karl Knutsson svarade blygsamt nog med att föreslå ett ombyte av dessa roller.

Allmogen hade emellertid svårt att förlika sig med den nye unionskonungen. När Kristofer arm i arm med Karl Knutsson höll sitt högtidliga intåg i huvudstaden, hörde man ett mummel från folkmassan, att det hade varit vida bättre, om man till konung fått den ståtlige herr Karl än den lille tjocke tysken. »Ve dem, som så ställt till!» knotades det.

Det första intrycket av den nye konungen förbättrades icke, då det under hans regering inträffade hungersnöd och dyr tid, så att folket måste blanda bark i brödet. Hur mycken skuld härför som rättvisligen bör läggas på konungen för de skatter han utkrävde, är svårt att bedöma. Men den fattiga allmogen kunde i alla händelser ha skäl att harmas, när den såg konungen draga fram genom landet med ett stort och lysande följe med så många hästar, att

---

[1] Trofast. — [2] Tyska froh = glad.

det för dem gick åt hela fem
läster korn om dagen. »Man
tänke sig», säger en historisk
skildrare, »konungen med sitt följe
rida in på den gård, där de be-
slutat taga kvarter över natten.
Bonden dukar upp, ölet flödar,
och skämt och glädje råder vid
den kungliga taffeln. När och
fjärran ifrån i trakten komma
vagnar med foder, som bönderna
få bestå de många hästarna, vilka
frustande under sitt glänsande
hull skrapa jorden med sina ho-
var. Men därutanför skynda mag-
ra, avtärda människohamnar som
skuggor förbi. Det är män och
kvinnor, som hungra till döds.»
Den bitterhet, som härav föddes
i folkets hjärta, gav sig luft i
öknamnet Barkekonung. Bland
herrarne gjorde sig konungen
emellertid omtyckt för sin syd-
tyska gemytlighet och sin med-
görlighet.

Kristofers namn kom att utan
hans förskyllan eller värdighet
länge leva i Konung Kristofers
landslag, sasom den nära hund-
raåriga landslagen kallades, se-
dan den år 1442 blivit i någon
mån omarbetad och försedd med
kunglig stadfästelse. Under detta
namn gällde den i väsentliga delar
ända tills 1734 års allmänna lag
utkom.

Konung Kristofer.
Efter en samtida målning, på
vilken dräkten är röd.

Karl Knutsson och Kristian I tävla om makten i Sverige.

> »Man kommer nu till en av de olycke-
> ligaste och ohyggeligaste tider och ställnin-
> gar, som Sverige någonsin genomgått, och
> sorgespelen under Magnus Eriksson upp-
> livas nu med dubbel styrka. Förraderi,
> skälmstycke, troloshet, utan ringaste kär-
> lek till fadernesland, under falsk och lömsk
> förtrolighet, gjorde landet till ett hiskeligt
> vilddjurs-ide, där dygd och ärlighet voro
> nastan ibland de obrukeliga ord.»
>
> *Sven Lagerbring i Svea rikes historia.*

Vid det oväntade budskapet om Kristofers dod kom Karl
Knutsson en dag i slutet av maj 1448 över från Finland
till Stockholm, beledsagad av 800 riddare. Staden hade
en festlig pragel, ty Helga lekamens gille[1] och andra religiosa
foreningar gingo i hogtidlig procession genom gatorna. Den
glada stamningen forhojdes av ett blitt vårregn, som veder-
kvickte efter en ihållande torka och bådade ett battre år
an de föregående barkåren. Herr Karls vanner forsummade
icke att fästa folkets uppmarksamhet harpå som ett lovande
forebud om en lycklig tid, ifall han bleve utsedd att bära
Sveriges krona, något som också skedde snart därefter.
Men hur det blev med lyckan skulle snart visa sig.

Danskarne valde vid samma tid återigen en tysk,
Kristian av Oldenburg. Han blev stamfader for den
oldenburgska atten, som ännu regerar i Danmark.

Nu blev frågan, vem Norge skulle tillfalla Ty detta
land hade blivit så svagt, att det icke kunde reda sig självt
utan måste sluta sig till Sverige eller Danmark.

Genom långvariga, forbittrade inbördes strider hade Norge
forlorat mera kraft an någonsin vare sig forr eller senare.
Digerdodens fruktansvarda harjningar hade ytterligare ut-
mattat landet. Och den kraft, som detta fattiga, glest be-
folkade land skulle kunnat vinna genom handel och sjofart,
den sog Hansan till sig. Tyskarne bildade i Bergen liksom
ett eget rike med sina lagar. Intet annat nordiskt land ha

---

[1] Se sid. 481.

de så haft i sina klor som Norge. Med unionen kommo en mängd danska adelsman in i landet. Alldeles som i Sverige. Men det var den stora skillnaden, att den norska allmogen blivit utmattad och likgiltig för hela rikets val och ve. Där satt var och en i sin avskilda bygd och brydde sig blott om den, och har fanns ingen Engelbrekt, som kunde rycka bonderna ur deras likgiltighet. Så var Norges kraft forlamad.

Karl Knutsson hade många anhängare i norra Norge. Han kom dit och krontes i Trondhjems domkyrka. I det norska folkets namn utfärdades ett tillkännagivande om valet. Dari hette det, att »om Norge och Sverige, dessa tu riken, som Gud så landfast sammanfogat, skulle åtskiljas med tvedräkt, då vore det otaliga människors fördarv till liv och gods i båda dessa länder, enkannerligen i vårt fattiga rike Norge. Därfor ar det ingen vån,[1] att dessa tu riken skola någonsin åtskiljas i tvedräkt med vår vilja.» — Inom mindre an ett år voro de skilda!

Även Kristian forsökte namligen vinna Norge. De båda konungarne beslöto att låta sina tvister avgöras på ett möte mellan svenska och danska rådsherrar, och dessa kommo överens om att Karl skulle avstå Norge åt Kristian, 1450. Från detta år var Norge förenat med Danmark ända till 1814. Så blev den svenske konungen skamligt sviken av sina män, ty de ville forstås ej, att hans makt skulle okas.

Efter detta kunde freden ej bestå mellan de båda furstarne, som bägge voro ärelystna. Ett vilt krig utbröt i granstrakterna. Både de svenska och de danska härskarorna foro fram som rovare. Utplundrade och brinnande gårdar betecknade deras väg. Karl infoll i Skåne, medförande tjugu »kärrebyssor med pulver och stenar», d. v. s. kanoner med krut och stenkulor — det ar första gången kanoner omtalas i ett svenskt fälttåg.[2] Den välmående staden Lund, som hade mer an tjugu kyrkor och kloster, brändes ned. Ur all krigets styggelse uppväxte i den utplundrade befolkningens sinnen en forbittring, som blev till nationalhat mellan de nordiska folken. Det hade icke funnits forut. När den svenska allmogen under Engelbrekts ledning reste sig, icke var det Danmarks folk, som den hatade, utan blott ko-

---

[1] Ingen anledning att vanta. — [2] Fastningskanoner namnas redan i slutet av 1300-talet.

nungen och hans fogdar. Det begynnande nationalhatet var
härjningstågens värsta förbannelse. Det födde nya förbitt-
rade strider, i vilka de nordiska folken försvagade varandra.

Nationalhatet tog sig uttryck bland annat i följande i
Sverige gängse visstrofer:

> »Vi klaga det alla
> för herrar och välde
> och för utländska städer,
> vad Sverige är skett
> med svek och falskhet,
> som danskar fara med.
> Svenske män,
> I akten det än,
> när I hören det kvädas!
>
> Skorpion plägar leka,
> med tungan smeka,
> med stjärten stinga.
> Så göra de danske —
> så Gud dem vanske[1] —,
> allt när de dagtinga.
> Svenske män,
> I vakten eder än!
> De vilja eder tvinga.»

Sveriges västra gräns värjdes manligen av Karls kusin,
den ädle riddaren Tord Bonde, som trots sin ungdom
blev utnämnd till riksmarsk, d. v. s. högste befälhavare för
krigshären. Från den heta dust, som slutade med att han
drev norrmännen ur Sverige, berättas, hur han först såg
sina män hurtigt an och sade: »Vi svenske skola i dag stå
en stöt, evad han är sur eller söt», varpå han satte sporrarna
i hästen och följd av hela sin skara störtade sig mitt in bland
fienderna, huggande och stickande omkring sig av alla
krafter. ·Två hästar fick han dödade under sig. — Men honom
själv skulle dödshugget drabba icke i stridens vimmel utan
i djupaste ro, från en bland hans egna män. Det fanns bland
dem en dansk, som åtnjöt hans obegränsade förtroende.
En afton, när marsken trött gått till vila, träder nidingen
in i hans rum och klyver den värnlöses huvud med en yxa.

> »Som Judas förrådde vår herre Krist,
> så förrådde Jöns Bosson marsken förvisst»,

---

[1] Fördärve.

heter det i Rimkrönikan. Så hemska uttryck tog sig striden
om makten over Sveriges land. Allt tyder namligen på att
mordaren handlat pa uppdrag av Kristians anhängare
Därmed forlorade kung Karl sitt bästa stod, och hans lyckas
tid var slut. Medan han var upptagen av kriget i sodra delen
av landet, upptradde en farlig fiende i hans rygg Det var
ärkebiskopen J o n s B e n k t s s o n O x e n s t i e r n a. Länge
hade det grämt denne att se sin egen att stå tillbaka for
Bondeätten. Nu var han besluten att rycka makten från
Karl. Ärkebiskopen var en farlig motståndare, ty med hans
ämbete förenades ej blott ett hogt anseende utan ock en
sådan mängd gods, att han var rikets mäktigaste jord-
agare. Han var dårtill en natur, om vilken det kunde
sägas, att »vem han blev vred uppå, honom ville han for-
darva i grund». Genom list och fortal drog han många av
Karls anhängare till sig. Men konungen trodde honom väl:
han markte ingenting. En dag år 1457 tråder ärkebiskopen
fram for högaltaret i Uppsala domkyrka, nedlägger sin
biskopshatt och svar att ej återtaga den, förran Karl blivit
fördriven En historieskrivare från 1700-talet[1] sager ganska
träffande om den maktsjuke prelaten, att det var den enda
ed Jöns Benktsson någonsin hållit, denna som han avlade
inför Sankt Eriks skrin, att vara förrådare mot sin konung
och sitt fädernesland. Darpå kladei sig denne andans man
i hjalm och harnesk och spänner svärd vid sidan.

Vid underrättelsen om resningen skyndade Karl genast
norrut, men en natt, nar han låg i Strangnas, blev han over-
raskad av fienden, som lyckades i tysthet overmanna ko-
nungens krigare. Blott några få man hollo stånd omkring
honom. Sjalv blev Karl i handgemanget sårad och fick en
häst skjuten under sig men lyckades undkomma till Stock-
holm. Har gjorde han sig redo att utharda en belagring,
men då borgerskapet icke visade sig fullt pålitligt, fann
han rådligast att sätta sig i sakerhet. Han gick ombord pa
ett fartyg, dar han lastat in det mesta av sina stora skattei,
och lyckades att osedd av fienden komma over till Danzig.
där han avvaktade battre tidei. Men i sju långa år skulle
han få vanta.

---

[1] Botin.

Ärkebiskopen och hans anhang inkallade Kristian. Men då nästan all dennes verksamhet gick ut på att utpressa skatter, fick han av den förbittrade allmogen öknamnet »bottenlös tom taska». Hans snikenhet hade inga gränser. Ryktet visste berätta, att konung Karl före sin avfärd hade gömt en del av sina skatter någonstädes i Stockholm. Kristian började leta, och till sist fann han dem i Svartbrödraklostret. Det var icke småsaker: mer än 7 000 mark myntat silver, 222 stora och små silverfat, två guldkronor med ädla stenar samt andra »kosteliga clenodia».

Med snikenheten tycks en ej ringa förmåga att skryta och skrävla ha varit förenad. Åtminstone tyder därpå en kuriös brevväxling, som Kristian förde med påven, då denne sände uppmaningar till de kristna folken att förena sig i ett korståg mot turkarne, vilka år 1453 intagit Konstantinopel och därmed fått fast fot i Europa. Konung Kristians svarsbrev överflöda av det innerligaste deltagande för kristenheten i dess nöd med beklaganden av att han icke kunde ingripa. Visserligen vore det för honom, med de väldiga områden han härskade över, en lätt sak att sätta upp en här på 200 000 man, men det vore så svårt att förflytta den till krigsskådeplatsen. För övrigt kunde han därhemma verka för den goda saken genom att bekriga sina hedniska eller irrläriga grannar: ryssar, »agarener, traker, kumaner, erpioner» m. fl. vildsinta folk — vilkas namn samtliga Hans Maj:t själv gjort sig besvär med att skapa.

Hans väldiga landområden skulle emellertid helt hastigt bli minskade. Han råkade nämligen i tvist med ärkebiskopen, och från den stunden voro hans dagar i Sverige räknade. Allmogen reste sig och gjorde sig av med »den bottenlösa taskan». Men innan Kristian lämnade sin svenska huvudstad, skall han ha hunnit med att plundra Stockholms slott på allt av värde från den förgyllda väderflöjeln och tornknappen, som han lät bryta sönder i hopp om att däri finna några gömda dyrbarheter, till grytor, kittlar och annat husgeråd. Till och med fönstren tog han med sig och ersatte dem med näver och säckar. Därtill skall han ha tillkallat »en dansk trollkona, att hon skulle med djävuls konst söka åt honom begravna skatter i jorden», och efter hennes anvisning säges han ha grävt i jorden, ja t. o. m. letat i sjön

Lyckans hjul. Valvmålning i Ösmo kyrka.
En man stiger uppåt, en sitter uppe på hjulet, den tredje
stupar utför. Nederst ligger en död i sin svepning.

efter dolda skatter. I ett samtida brev från »menigheten
över alla Dalar» till riksens råd och ständer om »danske
kong Christierns handel» klagas därför med förbittring, att
han rannsakat tre element, nämligen väder, vatten och jord,
efter penningar.

»Nu kom ett anskri över landet bland bönderna, att de
ville hava konung Karl igen.» Riksrådet måste ge efter, och
Karl Knutsson återkallades. Men Jöns Benktsson unnade
honom ingen ro. Partierna rasade i en förvirrad kamp,. som

skakade hela riket. Karl Knutsson blev efter blott ett halvt
års regering fördriven igen och levde en tid i djup fattigdom.
så att han enligt sägnen yttrade om sig själv:

> »När jag var herre till Fågelvik,[1]
> då var jag både mäktig och rik.
> Men när jag blev konung i Svea land,
> så vart jag en arm och olyckelig man.»

Än en gång, den tredje, gav lyckan Sveriges krona åt Karl.
Men inbördeskriget flammade våldsamt ännu, när han gick
ur tiden 1470 »efter att hava mer än nog försökt världens
ostadighet och lyckohjulet».

Hans skiftesrika saga ger en nästan profetisk klang åt de
kraftiga ord, varmed biskop Tomas i ett brev år 1436 som
en vän varnade honom för övermod. Han säger där: »Äst
du en dödelig människa, då tänk var dag, att världen är om-
bytelig: hon häver upp, och hon kastar neder vem hon vill.
Säll är den som väl gör!»

Djupast sett, låg anledningen till Karl Knutssons olycks-
öde, om icke direkt i övermod, så i hans utpräglat aristo-
kratiska läggning. Han förstod icke de känslor, som rörde
sig i folkets breda lager, och ägde därför icke Engelbrekts
förmåga att vinna allmogens tillgivenhet. Men till följd
därav gick han också miste om det enda stöd, som kunnat
hålla hans tron uppe. Av sina egna ståndsbröder blev han
sviken — flertalet av dem önskade minst av allt att se en
svensk man bära Sveriges krona. Blott av Sveriges allmoge
kunde en infödd konung tryggas i sin besittning av tronen.

---

[1] Hans gods i Tjust.

INOM STADSMURAR.

I småstäder och storstaden.

LÅT oss nu för en stund vända oss bort från krigsbullret
till den fredliga id inom stadernas murar, vilken gav
landet krafter!

De svenska staderna uppvaxte i de bördigaste landsändarna, på sådana platser, som lågo bra till for samfärdseln,
i synnerhet vid vattenlederna. Den aldsta kända var ju
Birka.[1] Sådana platser voro ofta från borjan offer- eller
tingsställen. Når menigheten nu talrikt strommade dit,
forde var och en med sig varor, som han ville salja eller byta
ut mot andra: marknader uppstodo. Kopmän och hantverkare funno fordelaktigt att slå sig ned dar: marknadsplatserna blevo städer. Av älder besökta samlingsplatser
voro Uppsala for Upplandsbygden, Kalmar for ostra och
Jonköping for det inre Småland, Skara for Vastgotabygden, Lódöse för västra Västergotland och for Bohuslan.

En liten glimt av livet i en svensk småstad redan på Olof
Skotkonungs tid ger oss den islandska sagan om Olof den
helige. Når den isländske skalden Sigvat och hans foljeslagare redo in i kopstaden Skara och färdades gatan fram till
Ragvald jarls gård, kvad Sigvat foljande visa·

> »Ut månde ankor titta,
> adla kvinnor, att skåda
> roken,[2] nar vi hastigt rida
> Ragvalds by igenom.
> Skyndom hårt, att i huset
> hugstor kvinna inne
> hästens lopp må hora;
> hastom fram mot gården!»

---

[1] Se sid. 232. — [2] Dammet.

Som synes, är det nedriga förtalet av småstadsborna för s. k. nyfikenhet icke en av sena tiders uppfinningar!

En annan småstadsbild från medeltiden — vi få vara tacksamma för litet, när det gäller dessa tider — ger oss Olavus Magni, när han beskriver sin födelsestad, Skenninge, sålunda: »Gatorna äro här från början så omsorgsfullt lagda, att de alla från stadens utkanter leda fram till torget och rådhuset såsom till stadens medelpunkt. På detta torg stod en jättelik bildstod, som kallades Turelang och var klädd och smyckad alldeles såsom en Roland. Vid hans fötter avstraffades missdadare, framför allt äktenskapsbrytare, vilka med kedjor fästes vid bilden och utsattes för mängdens begabberi.»

När författaren talar om en Roland, syftar han på den kolossalbild av en riddare med draget svärd, som i flere tyska städer fanns uppställd på torget framför rådhuset. Bilden kallades Roland och anses ha varit en symbol för den kejserliga överhögheten och domsrätten.

Rolandsstoden i Bremen.

På eländiga vägar, genom djupa skogar och över ödsliga bergstrakter fick den resande under medeltiden färdas fram på hästryggen. Ofta måste han rida med svärdet vid sadelknappen, ty det fanns gott om rovare. Usel var förplägnaden på de smutsiga vardshusen, dar han fick trängas med landstrykare av alla möjliga slag. Dit kom den vandrande gesällen, som drog fram under sång med ränseln på ryggen. Dar var den aventyrslystne riddaren, som strövade omkring for att roa sig och njuta gastfrihet på rika riddares borgar. Det vimlade av tiggarmunkar och pilgrimer, som berättade, att de kommo ända från Rom. Gott var där om tiggare, som vid tillfälle kunde förvandla sig till stråtrovare, gott om lekare och spelmän, som drogo omkring från borg till borg, från marknad till marknad.

En lättnadens suck drog resenaren, då han såg murar och torn, som visade, att han kom till en stor stad, en sådan som Stockholm var med sina kanske 10 000 invånare!

Den resande, som denna tid söderifrån nalkades Sveriges huvudstad, hade från Södra bergen for sig en brant väg, som ledde ned till staden. Uppfor den vandrade flitigt fromma botgörare, ty den skulle erinra om den väg Kristus vandrade från Jerusalem ut till huvudskalleplatsen. De olika avdelningarna av denna vandring i åtanke av Kristi sista lidande voro utmärkta genom minnesstenar, vid vilka man böjde knä under bon och botloften. Två sådana stenar betecknade de platser, dar Kristus dignade till jorden under korsets börda. Vid vägens slut högst uppe på åsen fanns ett kapell, vilket låg lika långt från Stortorget, dar botvandringen tog sin början, som Golgata ansågs ligga från Pilati palats i Jerusalem. Har stod slutstenen med en bild av korsfästelsen. Den är bevarad till våra dagar, ehuru illa medfaren.

Uppifrån bergen hade resenären utsikt över de tre holmar, på vilka staden låg, nämligen den nuvarande Stadsholmen, dar det fasta slottet med tornet Tre kronor höjde sig i nordost, Helgeandsholmen, så benämnd efter ett helgeandshus, d. v. s. en vårdanstalt for sjuka och ålderssvaga, samt den nuvarande Riddarholmen, då kallad Gråmunkeholmen efter ett kloster, vars munkar hade grå kåpor.[1] Alla tre holmarna aro befästa med starka

---

[1] Jfr sid. 290.

ringmurar och torn. Det är »låset för Mälaren». Norrut, på andra sidan Norrström, sträcker sig Brunkebergs ås. Nedanför dess sluttningar är marken liksom rutad av fyrsidiga jordlotter med stängsel mellan. Somliga äro kål-, örta- eller äppelgårdar, andra bära grönskande gräs, där borgarnes boskap går på bet. Nordligaste delen av Brunkebergsåsen är skogbeväxt. Där bo fromma eremiter i åsens sandhålor, men tidvis hålla rövare till där. Därbredvid finns också en »boning skön» för de stackars spetälska.

Nu dåna hovslagen av resenärens häst mot vindbryggan, som leder över till Stadsholmen. Den ligger nedfälld för fredliga besökande men vindas upp, när fiender hota. Det brusar från kvarnhjulen, som drivas av strömmens vatten. Genom ett fast torn går vägen här liksom över Norrbro in till staden. Stadsportarna stängas vid ett bestämt klockslag på aftonen, varefter inga resande få slippa in. Svårt är ock att överrumpla staden från sjösidan, där den omges av en dubbel rad med pålar, nedslagna i vattnet och förenade med starka bjälkar. Vissa bommar kunna öppnas och släppa fartyg ut och in. Men nattetid och vid fara hållas även de stängda.

Vilken hopgyttrad massa av hus! Och sådant virrvarr av slingrande, trånga gränder och brinkar! Varför ha människor trängt ihop sig som i en bikupa? Jo det känns så tryggt att bo i hägnet av murar och torn — borgare betyder ju de som bo i en borg. Här inne är det så lätt att få, vad man behöver. Här knyter man så många bekantskaper och finner fler förströelser än på landet.

En känsla av lugnt välbefinnande och förnöjd hemtrevnad inge också inskrifterna över husen, sådana som denna:

> »Tryggt vilar huset i Herrens famn.
> *Den gyllne hjorten* är dess namn.»

Även flere hantverkare ha roat sig med att anbringa inskrifter ovanför sina salubodar.

> »Ett lås till dörr och kista
> kan fås här varje stund,
> men vad jag ej kan smida,
> det lås är till din mund»,

Stockholms stad år 1524.

skriver låssmeden. Andra ha roat sig med att på husvaggen
låta hugga ut en so, som spinner, eller en katt, som fiskar,
eller apor, som åka i vagn, o. s. v. Harbärget inbjuder med
en väldig forgylld druvklase, eftei vilken huset har sitt namn.
Ovanfor dòrren lockar foljande inskrift:

> >Nar du skådat herrehus och bondestuva,
> unna kroppen ro i *Den gyllne druva!*
> Haver du penning i din pung,
> får du mat och dryck i din mun.>

Och dar borta inbjuder badstugan den dammige och trötte
resenaren att taga ett uppfriskande bad.

Det ar trångt om utrymmet innanfor stadsmurarna
Allteftersom befolkningen vaxer, måste varenda bit utnytt-
jas. Husen få plats blott att vanda de smala gavlarna åt
gatan. Ja, man låter ofta de övre våningarna skjuta utanfor
undervåningen, så att personer, som bo mitt emot varandra,
nástan kunna taga varandra i hand tvárs över gatan. Har
och dår leder till och med en täckt gång från ett hus till ett
motliggande som ett tak óver gatan Hur mycket forlorar
ej borgaren på det viset av ljus och luft! Och hur ljuvligt
det án på det hela taget kanns att ty sig ihop så dar, så blir
det dock bra prövande for grannsamjan. Den rikedom på
öknamn, som vi spåra i handlingar från denna tid, ar inget
gott tecken. Som betecknande for tiden må foljande blom-
stersamling ur Stockholms stads skattebocker från medel-
tiden fortjana en plats. En del öknamn syfta tydligen på
vederborandes utseende eller saiskilda svagheter, en del på
någon betänklig handling, som han eller hon begått.

Anna med inga handei	Skitna Gertrud syltakona
Skitna Anna	Ingrid tjuvafinger
Påfogels-Anna	Jon småpenning
Birgitta rodnacken	Karin hoknippan
Birgitta smorpundet	Lars porsol
Birgitta gammal ortug	Margit munkarackja[1]
Elin håll i hand	Matts fjaderhatt
Erik nasabit	Nils klunkofot
Gertrud vita katten	Raval med roda håret
Hans krokfot	Skitet smor

---

[1] Munkbädd.

Det var ofta fallet, såsom i det sista exemplet, att man kastade bort det verkliga namnet och begagnade uteslutande öknamnet, vilket således måste ha varit mycket bekant. Samtliga här ovan intagna kvinnor äro upptagna som skattebetalande. De ha således haft någon näring, vars art icke är angiven, men om vilken man kanske kan våga en gissning!

Det inre av en badstuga.

Ur Olavus Magnis historiska arbete. Ångan framkallas genom att slå vatten på de upphettade kullerstenarna i ugnen. Den ene av de badande dricker öl för att läska sig och pådriva svettningen. Han har även »öppnat åder» genom att förse sig med s. k. kopphorn, en åtgärd som under medeltiden och på sina håll ända in i vår tid ansågs vara hälsosam att företaga åtminstone en gång om året för att befria kroppen från »skämt blod».

Voro de nu verkligen s. k. beryktade kvinnor, så var det förbjudet för dem »att bära gull, silver, hermelin, gråskinn eller koralleband, fruedräkt eller stärkta dok, att köpa malt och utmångla öl, att locka till sig andras hjon m. m.» Överträdelser straffades med ris vid stupan och förvisning ur staden.

På tal om öknamn bör det dock observeras, att själva namnförhållandena under medeltiden verkligen inbjödo till anbringande av förtydligande binamn på nästan. Släktnamn voro nämligen sällsyntheter och förekommo så gott som uteslu-

tande bland frälsemännen. Och man måtte for övrigt icke
ha varit så värst finkänslig av sig, att döma av att
man kan få se personer i brev och offentliga handlingar från
medeltiden själva benämna sig Johan Langanesa, Magnus
Getaskalle, Petter Rumpa, Petter Skägglös, Sven Surubeen,
Odbjörn Odskalle o. s. v. Ännu betänkligare förefaller det,
när en vapnare på 1400-talet skriver sig Nils Roffuare, en
häradshövding Jöns Mutare, eller när en länsman av sin
egen dotter i hennes köpebrev upprepade gånger kallas
Bengt Horekarl.

Mest berodde väl öknamnets klang på vem som sade det
och hur det sades I goda och glada vänners lag gällde nog
då som nu om vad som annars var skällsord, att »genom
gåvor och gengåvor varar vänskapen längst».

Seden att bilda öknamn är nog ungefär jämngammal med
mänskosläktets talförmåga — och sinne for humor. Inom
litteraturen möta vi den redan i de isländska sagorna bland
namn sådana som Tord Istermage och Torolv Lusaskägg,
andra ännu mindre välklingande att förtiga. På 1600-talet
tycks man ha gripits av någon särskild iver att på rättslig
väg utrota den fula vanan, ty man finner, att häradsrätterna
ofta äro upptagna med rannsakningar om »de hiskeliga ve-
dernamn, som nu gångse äro», och att kvinnor, som ej kunnat
»styra sin dravelsmun» utan bevisligen — månne oftare än
mannen? — givit upphov till öknamn, förvisats ur häradet,
därest icke deras man utfäst ett vite av 2 eller 3 par oxar
att de ej vidare »slikt munbråk öva skulle»

De medeltida rättshandlingarna vittna emellertid om att
man den tiden alltför ofta icke stannade vid att »bullra myc-
ket med munnen», utan att ordväxlingen lätt övergick till
hugg och slag. Den äkta tidsfärgen bära följande exem-
pel ur Arboga stads tänkeböcker från 1400-talet:

Sven bältare i Arboga passerar under vägen till sin gård
Olof guldsmeds hus, utanför vilket en känd bråkmakare vid
namn Ravid står. Mellan dem börjar då följande samtal.
Sven: »Det är tid att du lade din yxa hemma.» — Ravid.
»Hon gör dig intet.» — Sven: »Skulle vi flere bära yxor, då
skulle vi icke alla vara helbrägda.» — Ravid: »Jag vill
bära min yxa, och fanden vare i dig!» Med orden »Fanden
vare i dig!» gick Sven hem men kom åter med sitt basse-

spjut.[1] Ravid steg då med ena benet in genom »luckan», d. v. s. fönstret, till guldsmedens bod, och de »hade många dravelsord å färde». Både yxa och spjut voro i hotande närhet av vederdelomannen, men i sista ögonblicket hejdade de sig dock från att ryka ihop.

Till en man vid namn Peder, i hans egen gård, kommer en natt en, som hette Anders, och bultar på. Peder, som redan ligger i sin säng, svarar: »Jag låter ingen in i natt.» Då blir Anders ovettig och ropar: »Låt upp, din fallandövil!» men får till svar: »Du kan stå ute, din fallandövil.» Då lovar Anders: »Minns det, att det första jag möter dig, skall jag lägga min yxhammare på din skalle!» — Han dröjde ej länge med att sätta sin hotelse i verket. Redan följande dag kom han in i Peders gård och »satt där till öls». Då husbonden om aftonen kom hem, hälsades han av den objudne gästen: »Välkommen, horeson!» Peder genmälte: »Vi måtte väl vara bröder, efter som du kallar mig horeson.» Anders rusade då genast upp och slog yxhammaren i Peders huvud.

En dag gingo två män, av vilka den ene var en »hovman», d. v. s. herretjänare, gatan upp förbi ett lass, med vilket en bergsman höll utanför en gård. Den ene halkade med ena foten i rännstenen och tog, för att hålla sig uppe, ett tag i bergsmannens korgar, varvid ett på korgarna liggande svärd föll i gatan. Då ropade bergsmannen efter honom: »Det var ingen mandomsgärning att kasta mitt svärd i skarnet.» Herretjänaren vände sig om och genmälte: »Bannas, du horansson?» och slog bergsmannen tre gånger med svärdet. Gårdens ägare skyndade då ut och förebrådde angriparen, att han slog »en fattig man, som aldrig hade gjort honom något», men fick till gengäld för sin inblandning ett yxslag på kindbenet, dock ej värre än att han kunde springa in efter sin pålyxa för att hämnas. Under det att han med yxan i högsta hugg satte efter herretjänaren, upphanns han av dennes kamrat, som bakifrån klöv hans huvud med en lång kniv.

Men vi återtaga den avbrutna vandringen genom staden och blanda oss i det brokiga folklivet på de trånga, krokiga

---

[1] Björnspjut.

gatorna. Människorna äro klädda
olika alltefter sin olika verksamhet.
Där se vi stadens rådmän i sina långa
rockar med vida ärmar och med brunt
pälsverk kring både rocken och mös-
san. Där komma husfruar med sina
huvor och den stora nyckelknippan
skramlande vid bältet till tecken på
deras värdighet. Se där är stadens
skrivare i sin svarta rock och med
skrivdon vid sidan! Barberaren, som
på samma gång är fältskär, skrider
fram med viktig min. Man känner igen
honom på den väldiga hatten, de stora
runda brillorna på näsan och sax och
kniv, som han bär i bältet.

Skrik och larm är det, så att man
knappast kan göra sig hörd, där ba-
gare, slaktare och fiskare draga fram
och ropa ut sina varor. Här kommer
en utropare med trumma och kungör
å stadens. borgmästares och råds väg-
nar, att en avrättning skall äga rum.
Där leder en kvinna vid en snara en
man under hånfulla tillmälen av mäng-
den. Själv bär hon kring halsen sta-

*Borgardräkt från
slutet av medeltiden.*

dens stenar. Till straff för att de begått äktenskapsbrott
skola de bägge för alltid drivas ut ur staden, enär de ej
kunna betala böterna.

En tandläkare går omkring, åtföljd av sin utropare, som
stannar vid varje gathörn och skriker:

>»Kom an, envar, kom an,
> som har en dålig tand!
> Sitter i gommen den än så fast,
> halar min tång den ut i en hast.»

Där står smeden och skor hästar mitt på gatan. Längre
bort spärrar en timmerman vägen med sitt byggnadsvirke.
I eftermiddagssvalkan flytta hela familjer ut framför sina
hus. Man ställer ett bord ute på gatan, och där sitter hus-

fadern och tömmer sitt glas med sina vänner, och de forbigående blanda sig i deras samtal om dagens frågor.

Mindre hemtrevligt verkar en annan sida av familjernas sätt att använda gatan. De betrakta den nämligen som den plats, där man kan vraka ut allt som man vill bli av med i hushållet. Där kommer en rykande spann med aska från eldstaden, där ett fång smutsig halm Dar dansar en kattkropp ut genom en port, genom sin doft röjande att den är betänkligt »mogen». Ja, man kan aldrig gå riktigt säker for ännu värre saker.

I regnväder blev det emellertid stor rengöring for de grander, som sluttade ned mot stadens lägre delar. Dit flot då allt som man ej längre ville ha uppe på höjderna och forvandlade gatorna där nere till smutsbruna trask med flytande öar av mer eller mindre onämnbara ingredienser. Stundom fingo myndigheterna ett ryck och utfärdade påbud om allmän rengöring av gatorna en gång i veckan eller så — men med utförandet var det en annan sak. Det stämde nog bättre med tidens smak, när magistraten i Helsingör bestämde, att en avskrädeshög, som låg på ens egen tomt, »ingen till fortret», nog kunde få ligga dar i 14 dagar. I Köpenhamn, som ägde en gata med det klingande namnet »Skidenstræde», körde man år 1678 bort »en Modding, som i nogle Aar var bleven samlet» och som utgjorde en bagatell på 214 lass.

Men intet ont, som ej har något gott med sig! Det goda är i detta fall svinen — de fyrbenta —, som ge liv åt avskrädeshögarnas enahanda. Att överheten med sneda blickar såg ned på den grymtande idyllen betydde intet, förordningar och förbud intet. Det oskyldiga djuret, i förbund med själsfränder bland stadens tvåbenta befolkning, gick segrande ur kraftmätningen med myndigheterna. Ännu på 1600-talet fick man se de trevsamma djuren gå och rota på Stockholms gator. Det är för resten mindre att förvåna sig över, när man får höra, att i själva Paris dylika djur under hela medeltiden promenerade omkring i sådan mängd, att de hindrade trafiken. Ja, en av konung Ludvig den tjockes söner tog rent av en sorglig ändalykt genom en intresserad suggas ingripande i hans öde. När han kom ridande in i staden, kom hon löpande till, trasslade in sig mellan hästens

En kåk.

ben och ställde till så, att Hans kungl. Höghet föll till marken utan att någonsin stå upp igen.

Stockholms borgare fingo under medeltiden ha svinstior i gränderna över vintern. Men vid påsktiden skulle »var man köra sina svin på malmarne» och stiorna rengöras. Ungefär detsamma gällde nötkreatur. Över vintern intill påska fick en gårdsägare ha en ko i staden, »dock att hon icke ligger ute nattetid på gatorna».

Men vad voro väl alla dagens vedervärdigheter på en medeltida stadsgata mot vad en nattlig färd i gatsmutsen kunde bjuda på! Gatubelysning var okänd, och träluckor utestängde sorgfälligt ljuset från fönstren. Ville man ej riskera ett ödesdigert felsteg, som kunde försätta en huvudstupa i en sophög, ned i en dypöl eller en källaröppning, så måste man förse sig med en hornlykta efter tidens sed. Dess matta sken var en ovärderlig hjälp, även om risken fanns kvar att utanför värdshusen stöta ihop med hemvändande överförfriskade gäster, som kryssade fram, kännande sig för med ett fällt spjut eller i översvallande livsmod vårdslöst svängande omkring sig med ett draget svärd.

Stadens viktigaste plats var Stortorget, där rådhuset låg. Där stod också kåken, å vilken missdådare utställdes till beskådande eller »miste huden», d. v. s. avbasades med ris, eller jämte huden även miste öronen eller brändes med stadens märke. Ibland hände det, att någon blev på sjalva torget »rättad» med svärd. Detta ansågs vara ett jämförelsevis ärofullt satt att sluta sina dagar — åtminstone för en tjuv, vilken enligt lagens bud borde dingla i galgen. Jönköpings stadsböcker berätta t ex om en brottsling av detta slag, som år 1461 skulle ledas till galgen med bakbundna händer, att han »på flere dannemans bön» benådades till halshuggning med svärd. Några år förut hade två man och en kvinna i samma stad domts till döden for tjuveri. Mannen blevo hängda, men kvinnan »loste sitt liv därmed att hon de två andra hängde».

Sällan påträffar man i den tidens domstolshandlingar en sådan lindring i straffet for tjuveri som den, vilken år 1504 vederfors en yngling i Stockholm. »For hans ungdoms skull och ansikte, att Gud honom väl skapt hade, uppå det han måtte komma till bättring», blev han benådad med stupan och förvisning ur staden. Men samma dag gick dödsstraffet obarmhärtigt över en tornvaktare, som insomnat under sin vakt och sålunda försummat att klämta, när eldsvåda brot ut. Rådstuvurätten var ense om »att han döden förtjänt med ett hjul». Men de 48 man av menigheten, som blivit inkallade, voro mera barmhärtiga och bådo borgmästare och råd, »att de ville för deras bons skull och for hans långa tjänsts och ålderdoms skull unna honom svärdet». Och det beviljades.

Ett rattsligt skådespel av mera roande art var det, nar höga vederbörande läto å stadens torg branna eller på annat satt oskadliggöra sådana varor, som befunnits falska, mjödet, som det välvisa rådet avsmakat och funnit underhaltigt, den sill, som rådet fått lukta på och förklarat skämd, ja även det smör, som ej varit på annat satt förfalskat, an genom att däri insmugglats en sten, som å viktskålen fällt utslag till säljarens förmån.[1]

Till de mera ovanliga förströelser i vardagslivet, som denna tid bereddes stockholmarne, var det besok deras stad på hösten 1512 erhöll av »de tattare, vilka sades vara av Egiffti land. Deras hövitsman het herr Antonius, en greve med sin

---

[1] De tre här anförda exemplen äro hämtade ur Jönköpings stadsbocker

grevinna». Staden mottog det grevliga följet, män och hustrur
med spenabarn och telningar i alla åldrar, i S:t Laurentii
gillestuga och skänkte dem den ansenliga summan av 20 mark.

Men man fick anledning att ångra sig.

Litteratur: Sam. Clason, Stockholms återfunna stadsböcker från
medeltiden (Historisk tidskrift för år 1903).

I borgarens verkstad och på gillestugan.

SKOLA vi gå in i en handelsbod? Nej, det brukas icke.
Köparen står ute på gatan, och handeln sker genom en
fönsteröppning, på en utåt gatan nedfälld disk med tak
över. Salubodarna likna alltså marknadsstånd. De flesta
bodarna äro på samma gång verkstäder. Handeln är den
ena källan till stadens förmögenhet, hantverket den andra.

Alla, som denna tid drevo samma yrke, voro förenade
till ett s. k. skrå[1] med noggranna bestämmelser, som måste
lydas. Ingen fick driva ett hantverk utan att ha genomgått
sin bestämda utbildningskurs och blivit mästare. Först
skulle han som lärgosse arbeta hos en mästare. Denne
borde uppfostra honom, som om gossen vore hans egen son,
i tukt och Herrans förmaning. Mästaren bar inte bara för syns
skull mästerkäppen som tecken på sin värdighet. Till lär-
pojkarnes skydd intogs emellertid i skråordningarna 1669 och
1720 bestämmelsen: »Ingen mästare, mindre hans gesäller,
må uti dryckenskap eller eljest av blotta ondska slå eller
oskäligen hantera någon lärpojke.» Straffet därför var böter.

När lärgossen blev tillräckligt duktig för att göra det prov,
som fordrades för att bli mästersven eller — som det senare
kallades — gesäll, borde han ut i främmande land och lära
det nya, man där hittat på. En dag sade han hembygden
farväl. De glada hantverkarvisorna följde honom på vägen:

>Gott folk, jag vill sjunga min visa igen.
Den bästa på jorden är skomakaren!

---

[1] Skrå betyder egentligen garvat skinn och var först namnet på
det pergament — ett genom särskild garvning berett skinn —, varpå
hantverkets stadgar voro skrivna. Sedan blev det namn på alla
män av det yrke, för vilket stadgarna gällde.

Rådhusgränd i Visby.
Teckning av John Österlund.

Ty fanns ej hans prylar, hans läster och sylar,
hur gick det i världen med den och med den?»

Många av folkets populäraste visor ha helt säkert burits
kring landet av vandrande gesäller. Och diktats av gesäller
ha väl också några, att döma av strofer, sådana som denna:

»Om någon önskar veta, vem visan diktat har,
så är det tre gesäller ifrån Stockholms stora stad.»

Med ränseln på ryggen och stav i hand vandrade gesällen från stad till stad, tog tjanst, dar han kunde, drog vidare, nar han fick lust. Svalta och frysa fick han, men han levde ett sorglost ungdomsliv och gjorde nyttiga erfarenheter.

En stark stämning av vandrarglädje slår en till motes, nár man får lasa foljande medeltida ceremoniell for en gesalls beteende på vandring. Det ar en aldre gesall som tankes ge en yngre dessa reglei

»Ung-gesåll, jag vill såga dig hantverksvanan, når det är gott att vandra. mellan påsk och pingst, då det ar gott och varmt och träden giva skugga, då ar det bra att vandra. Så tag då ärligt avsked av din mästare, en sondagsmiddag efter måltiden — ty det ar icke hantverksbruk att bryta upp under veckan — och sag till din larmåstare. 'Larmastare, jag tackar Er, att I hulpit mig till ett arligt handverk! I dag eller i morgon skall jag vedergalla det Eder och de edra.' Och såg till måstarens hustru: 'Lärmåsterska, jag tackar, att I hållit mig fritt med tvatt! Kommer jag åter i dag eller i morgon, skall jag vedergålla Er det.' Gå darefter till dina vänner och brödraskapet, tacka dem och sag· 'Gud bevare eder, sägen intet ont på min rygg!' Har du då penningar, dilck avsked med dem och vandra så med friskt mod ut genom stadens port!

Kommer du till en vacker äng med ett päronträd på med sköna, gula päron,[1] skall du icke klättra upp, utan skaka som en stark gesäll trädet och plocka icke upp alla paron, som falla ned, ty efter dig kan komma en annan god gesäll, som icke är så stark som du, och for vilken det dårföre ar gott att finna ett foriåd. Och kommer du till en brunn och kånner dig torstig, så drick! Men lagg forst av din rinsel, ty har du den på ryggen, kan den, då du bojei dig ned att dricka, taga övervikten och draga dig med sig. Men lägg den icke långt från dig, ty då kan någon komma och taga den ifrån dig och då har du mist din ränsel. Håll dig snygg når du dricker och håll brunnen ren, ty efter dig kan komma en annan god gesall, som också vill dricka.

Tag åter din ränsel och gå vidare. Kommer du då till en galge, så skall du icke vara glad eller ledsen darfore, att

---

[1] Man kunde således vandra aven om hosten.

någon hänger i galgen, utan du skall fröjda dig däröver, att
nu kommer du snart till en stad eller by. När du är nästan
framme, sätt dig ned, tag på dig ett par goda skor och vandra
så in i staden! Då ropar portvaktaren till dig: 'Varifrån, gesäll?'
Då skall du icke nämna någon avlägsen ort, utan uppgiv den
närmaste byn, så kommer du bäst fram.

När du kommer till härbärget, så säg: 'God dag, lycka till!
Gud äre hantverket, mästarne och gesällerna! Viljen I här-
bärga mig i dag, mig på bänken och ränseln under bänken?
Jag beder er, herr fader, visa mig icke på dörren! Jag vill
förhålla mig efter hantverksbruk, såsom det höves en ärlig
gesäll.'

Då svarar dig herr fadern: 'Vill du vara en from son efter
hantverksbruk, så gå in i stugan och lägg av dig din ränsel
i Guds namn!' Om du kommer in och där finner fru modern,
skall du säga: 'God afton, fru moder!' Häng icke upp din
ränsel på väggen, utan lägg den under hammarbänken!
Förlorar herr fadern icke sin hammare, så förlorar du icke
heller din ränsel. Har du lagt den från dig och en broder
arbetar, så giv du också ett slag eller ett par och fråga så,
om det är sed där på orten att gå ut och begära gåvor.

Går du ut för att få gåva och dryck, så skall du icke gå
först i den närmaste verkstaden, utan genast till den bortersta,
så att du sedan kommer allt närmare härbärget. När du
sedan kommer åter till härbärget, så säger brodern till dig:
'Nå, broder, hava gesällerna också skänkt dig något?' Och
då skall du alltid säga ja, även om du ingenting fått.

Om aftonen, när de gå till bordet, skall du sätta dig vid
dörren. Om då herr fadern säger: 'Smed, kom fram och ät
med!', så får du icke rusa fram, utan du kan svara: 'Herr
fader, nej, jag tackar så mycket.' Säger han till dig ännu
en gång, så skall du stiga fram och äta med. När du är mätt,
skall du icke genast sticka in din kniv i bältet utan vänta,
tills de andra äro mätta, ty annars kunna de bliva missnöjda.
Om herr fadern dricker dig till, så kan du också dricka, men
har du penningar, så kan du fråga, om det finnes något bud,
ty du ville också gärna bjuda på en kanna öl.

När det då är kväll, låter herr fadern visa dig till din bädd.
När då systern lyser dig upp och du får se bädden, så önska
henne en god natt och säg henne: 'Gå ned i Guds namn;

jag hittar nog till sängen.' Stig tidigt upp om morgonen, och
när du kommer i stugan, så önska alla en god morgon, och
om de kanske fråga dig, hur du har sovit, så säg dem även
vad du drömt.

När du sedan går vidare, så säg: 'Herr fader, jag tackar
Er, att I härbärgat mig och min ränsel! I dag eller i morgon
vill jag vedergälla det Er och de edra.' Gå så, och när du
kommer till stadsporten och man frågar dig, 'varthän', så
skall du svara, att det vet du icke själv. Och fortsätt så din
väg!»

Icke alltid blev dock besöket i en stad så kort. Det hände,
att gesällen stannade i hopp att finna arbete. Lyckades detta,
hälsades den nykomne i ett festligt lag, vid vilket han fick
göra bekantskap med alla kamraterna.

Kunde gesällen efter sin återkomst till hembygden göra
mästerprovet och komma ut med den summa, som
behövdes först till ett grundligt granskningskalas för skråets
ordförande, åldermannen, med biträden samt sedan till red-
skap och råämnen, så fick han utöva sitt yrke och ha under
sig ett bestämt antal gesäller och lärgossar. Arbetet över-
vakades av åldermannen med biträden, för att intet fusk
måtte bedrivas. Av skrået bestämdes till och med varornas
försäljningspris, så att den ene mästaren icke kunde bjuda
under den andre. Det fanns ej på den tiden, vad vi kalla
konkurrens. Därför gick det långsamt med nyheter och för-
bättringar, men den köpande allmänheten var säker på att
få ett hederligt arbete.

I stadgan för skomakarskrået föreskrives t. ex.:

»Om någon säljer fårskinn eller sälskinn eller hästläder
som nötskinn, så tage den, som köpte det, igen betalningen,
och den, som sålde falsk vara, böte en tunna öl till skrået.

Vilken som sätter fårskinns- eller sälskinns- eller häst-
läderstycken i nötskinnsskor nere vid sömmen på sulan, böte
en tunna öl.

Om någon gör råbarkat läder eller bränt eller ruttet eller
på annat sätt fördärvar det och det finnes till salu i bod eller
sålt, så tage den, som köpte, igen betalningen, och den, som
sålde falsk vara, böte en tunna öl.»

Mästarne inom samma skrå voro förenade till ett gille för inbördes bistånd och kallades »bröder». Mästarnes hustrur benämndes i enlighet därmed »systrar». I stadgarna för skomakarskråct hette det: »Nu kunna bröder kivas sinsemellan. Då skall åldermannen kalla stämma samman och göra dem förlikta, om de gitta. Gitta de ej, skall den, som vållande är och ej vill göra efter brödernas råd, böta ett pund vax, om han varder dömd på rådstugan.» En vanlig föreskrift för skråna var denna: »Nu kan någon broder krank ligga. Då skola bröderna honom besöka och hjälpa honom till hans bästa. Den det ej gör blive ej längre ansedd som hederlig karl.» Den döde mästaren följdes hedersamt till graven av alla bröderna med skråets fana i spetsen, och gillet lät läsa mässor för hans själ.

Gillet var även en religiös förening med sitt skyddshelgon: timmermännens var Josef,

Skräddarnes skyddshelgon, ärkeängeln Mikael, vägande. I den ena vågskålen en sten, föreställande syndernas börda, i den andra en kalk, symboliserande försoningens nåd. En smådjävul gör vanmäktiga försök att göra synden tyngre än nåden.

Marias man, nyckelsmedernas Petrus med himmelrikets nycklar, tunnbindarnes Noak, som man menade ha snickrat tunnor för sin berömda vinodling, o. s. v. Varje gille hade sin stora årliga gudstjänst, som kunde vara förenad med högtidliga processioner genom gatorna. Den mest imponerande av alla var den procession, som hölls av Helga lekamens gille på Helga lekamens dag, torsdagen efter trefaldighetssöndag, till åminnelse av brödets förvandling i nattvarden. Gillesbröderna utgjordes här egentligen av präster, men varje man och kvinna, som fört en oförvitlig

vandel, kunde vinna inträde mot erläggande av en mindre
avgift. Ståtlig var denna procession, där den, företrädd
av djäknar med facklor och fanor, skred fram under sång
genom de trånga gatorna mellan skaror, som andäktigt knä-
böjde, när åldermannen upplyfte monstransen med den
invigda hostian och visade det heliga kärlet för menigheten.

Efter gudstjänsten samlades bröder och systrar i gille-
stugan, som var smyckad med blommor och grönt och upp-
lyst av vaxljus. Här bänkade man sig kring långa bord
framför ölstånkor och krus. Så äskade åldermannen ljud
och föreslog helgonens skålar i tur och ordning, och för varje
skål sjöngo bröderna en sång, beledsagad av pukor, trummor
och allehanda blåsinstrument. Därefter åt man och drack
och gjorde sig än gladare genom dans till pipor och trummor.
Nu slapptes livsandarna lösa. Det var folk som *kunde* njuta
av Guds gåvor, dessa hantverkare och krämare, som hela
dagen måst spara och slita för brödfödan. När de nu på
kvällen slå sig lösa, är det icke för att som riddarne göra sig
»höviska» och föra damerna i en sirlig dans utan för att

> »må så kannibaliskt gott
> som fem hundra feta suggor blott».

Mellan de rågade köttfaten, de feta skinkorna och de väl-
diga ölstånkorna får »djuret i människan» liksom ökad aptit
hos dessa grobianer, som komma från arbetet med att slå
oxar för pannan, flå av djurhudar, timra hus eller svänga
släggan. De skråla sina sånger, de förlusta sig mellan rätterna
med saftigt skämt, som mottages med dundrande skratt,
så att det rungar genom salen. Man drar sina »ramsor», som
äro så omtyckta under denna barnsligt glada tid, och som
ofta bestå blott i uppräkningar av saker som äro mot na-
turens ordning, t. ex.

> »En piga utan fästman,
> en marknad utan tjuv,
> en lada utan mus,
> en päls utan lus».

God aptit hade man denna tid — god törst också, och den
hjälptes ytterligare upp av den starkt kryddade maten
Räkenskaperna för Helga lekamens gille utvisa, att gillets
revisorer under två dagars samvaro år 1515 förtärde bland
annat smått och gott följande· stek och saltvattenskött,

en gås, en lammstek, en hare, åtta höns, en skinka, nyrökt kött och tungor, allt kryddat med ansenliga kvantiteter ingefära, saffran och peppar.

Med spel och dobbel fördrevs också tiden, ja det kunde enligt en gammal uppgift hända, att gillebröderna »spelte kort och tärning och höga spel och ofta spelade kläderna av sig, så att det lände de närvarande unga flickor till förargelse att se en ungersven kläda av sig det ena plagget efter den andra».

Skräddarämbetets vapen.
Teckning från 1501.

*

Hantverkaren betraktade sitt yrke som »ett heligt ämbete», instiftat av Gud. Den stolthet, varmed han såg på sitt skrå, uttalas öppenhjärtigast i Ystadssmedernas skrå av år 1496: »Smedernas lag är ett ämbete, som världen icke kan undvara. Det är det värdigaste ämbetet av lekmän i världen, ett stöd och en hjälp för alla andra ämbeten, ty utan smed kan ingen bärga sig. Såsom grammatikan visar väg till andra andliga konster, så visar smideskonsten väg till de andra världsliga konsterna. Ur smedernas led äro utgångne påve, kardinaler, biskopar och de helige kyrkans förmän; av smeder äro vordne kejsare och konungar.»

Hos hantverkaren fanns intet av riddarens otamda stridsoch äventyrslust; här kom i stället det plikttrogna, ihärdiga arbetet till heders. »Arbetarens svett är Gudi välbehagligare än böner», sade man också. Det var hantverkarens stolthet att göra ett vackert arbete, »som förökar Guds ära och gör människorna glädje, så att de andäktigt se på allt handaslöjdens verk som en Guds gåva». Så blev hantverket en verklig konst. Fusk och humbug voro en skam. »Ser ingen annan det, så ser den käre Guden i himmelen det», sade man.

Skråväsendet bestod i vårt land ända till 1846, och mästerprovet fordrades till 1864.

Så levde hantverkaren ett liv, helt olika riddarens eller bondens, ett stillasittande liv inom fyra väggar med samma arbete dag ut och dag in, hur årstiderna än växlade. Om arbetstidens längd kan man döma av följande bestämmelse från 1400-talets början angående sadelmakargesällerna: »Vilken sven som för lön tjänar, han är pliktig att arbeta till IX slår om kvällen och uppstå, då III slår om morgonen.

Skepp. Efter en målning från 1480-talet i Herkeberga kyrka i Uppland, föreställande, hur profeten Jonas kastas i havet.

Vilken sven som försummar sig, så att han ej kommer i tid till arbetet. såsom sagt är, have försummat den dagen» och fick alltså ingen dagslön.

Genom skråets lagar var hantverkarens liv noga reglerat, men det var också genom dessa lagar skyddat och tryggat mot fattigdom. Hans lilla värld blir begränsad av stadsmuren, ja av de fyra väggar, som omsluta hans hem och hans arbete. Hans själ krymper ihop i detta nötskal men växer så mycket trofastare samman med hustru och barn. Ordentliga, regelbundna vanemänniskor blir det av dessa borgare; snusförnuftig, kälkborgerlig blir lätt deras hela uppfattning av livet.

*

Ett mera omväxlande och spännande liv hade de, som drevo storhandel med andra trakter eller främmande länder, de som skaffade hantverkarne råvaror och stadsborna allehanda förnödenheter. De hade mödosamma färder både till sjös på den tidens korta, runda, i sjögång rullande fartyg och till lands på eländiga vägar mellan de smutsiga värdshusen med långa rader av klövjade hästar och packvagnar att övervaka. Ofta måste de rida med svärdet vid sadelknappen, ty överfall voro ej sällsynta. Det är dessa män, som skaffa in frisk luft i stadslivet. Utan dem skulle stadsborna inom sina murar sitta avstängda från stora världen därute.

För handeln stiftades lika stränga lagar som för hantverket. I Magnus Erikssons stadslag stadgas, »att alla köp skola i staden göras, både lantmän och köpstadsmän emellan, och ej på landet eller annorstädes. Ingen lantman må köpa något slags vara i staden för att det åter utsälja i staden och mångla.» Handeln var en företrädesrätt, ett s. k. privilegium, för städerna och köpstadsmännen. Den som bröt emot de anförda lagbuden straffades med varans förlust och ej mindre än 40 marks böter.[1]

Litteratur: Emil Sommarin, Skråtvånget (Verdandis småskrifter n:r 124; häft. 25 öre).
Gunnar Hazelius, Om handtverksämbetena under medeltiden: häft. kr. 3: —.
Valdemar Vedel, By og Borger i Middelalderen; häft. kr. 7:50.

Stadgar för murarnes skrå från år 1487.

ÅR efter Guds börd MCDLXXX uppå det sjunde, måndagen näst efter Vårfrudag vart detta skrå[2] murarmästarnes kompani[3] och sällskap givet och stadfäst av ärlige borgmästare och rådmän i Stockholm.

Gud vare med alla bröder och systrar, och styrke Gud allsmäktig vårt samkväm med kärlek och alla goda dygder, så att vi måtte komma till det kompanit, som evärdeligt är i himmelrikets glädje alltid förutan ända! Amen.

---

[1] En mark silver motsvarade ungefär 300 kronor i vårt mynt. Den indelades i 8 öre, och varje öre i 3 örtugar. — [2] Skrå har här den mera ursprungliga betydelsen av stadgar för yrket. — [3] Det vanliga namnet den tiden på skrå.

Vilken lärjunge som i murarmästarämbetet kommer, han skall tjäna fyra år som läroår och hava sin nödtorft av vadmalskläder. Det femte året tjäne för lön efter som hans lärdom är till och efter två goda bröders bestämmelse i kompanit.

Vilken man som här i staden kommer och sin egen man vill varda i detta murarmästarnes kompani, han skall äska ämbetet i tre samfällte söndagar. Då skall åldermannen kompanits bröder samman kalla och honom svar giva den tredje söndagen och bröderna pröva hans gärning, om han fullgöra kan av sitt ämbete det som honom vederbör. Då detta försökt och beprövat är, då skall åldermannen med honom gå in uppå rådstugan för fogden, borgmästarne och rådet och låta honom burskap vinna, förr än han något murar i staden, och sedan lägge åldermannen honom ett fjärdedels år före, inom vilket han sin mästerkost göra skall i kompanit.

Från murareskråets fana. 1487.

Vilken som sin egen man vill varda i murarmästarnes kompani, han skall sin mästarfrukost hålla för alla ämbetsbröderna: först med två tunnor öl och två skinkor, två tungor, två metvurstar, tre fat grytastek, tre fat stek, för ett öre vetebröd och ett halvt pund[1] smör, för två öre rågbröd och bägare för ett öre. Den detta ej gör, då åldermannen honom skälig tid förelägger, böte en mark[2] vax, såvida han ej uppgiver laga förfall.

______
[1] Ett pund ung. = ett kg. — [2] Ung. = 200 gr.

Vilken man som i staden kommer och äskar ämbetet och ej haver tjänt sina läroår här eller annorstäds och ej sitt ämbete kan, han tjäne på nytt här eller annorstäds så länge, att han fullgör sin lärotid.

Om en murarmästare sitt arbete försummar förfallolös, så gånge husbonden, som mura låter, inför ämbetet och underrätte om hans försummelse. Då skola murarmästarne honom av ämbetet skicka andre, som arbetet ut till ända göra. Och var och en uppbäre lön efter förtjänst.

Ingen murarmästare må djärvas mera taga för sitt arbete än sex öre för vart tusen tegel vid böter av fem mark vax till kompanit, stadens rätt oförsummad.[1]

Varder någon murarmästare anmodad om någon lagning, då skall murarmästaren hava två öre om dagen med mat och öl intill Mickelsmässan[2] och sedan över hösten dessutom fyra örtugar med mat och öl.

*

Varda bröder osams, skola alle bröder kallas samman och försöka, om de kunna göra dem förlikta. Förmå de det ej, skall den, som vållande är därtill och som försmår alla brödernas lag och dom, böta ett halvt pund vax, om han ej kan hänskjuta saken till rådstugan.

Vilken broder som falskt vittne bär mot någon sin ämbetsbroder, böte fem mark vax till kompaniet utan nåd, stadens rätt oförsummad.

*

Nu vill åldermannen stämma hålla. Då skall det alla bröderna tillsägas. Vilken som ej kommer, böte en mark vax, såvida han ej kan bevisa, att han hade laga förfall.

Vilken syster som hemma sitter med tredska förfallolös, för henne give hennes husbonde fullt gillesbidrag och en mark vax för tredskan.

Nu äro bröder till stämma komna och vilja sina ärenden avgöra, då skola alla bröderna tyste och spake vara och på bänk sitta med fagra seder och fridsamme vara uti stämman. Vilken som häremot gör, böte en mark vax.

---

[1] Staden hade också rätt att utkräva böter. — [2] D. 29 sept.

Vilken som oljud gör, medan åldermannen talar och ljud äskar, böte för var gång han oljud gör en örtug.

Vilken broder som så dricker och tager Guds lån till sig, att han uppkastar, böte en mark vax och en halv tunna öl utan nåd.

Vilken broder som bägare sönder slår med högmod eller i dryckenskap, böte en örtug för vardera.

Ingen broder må kalla en annan broder lögnare eller något annat okvädinsord vid böter av fem mark vax, stadens rätt oförsummad.

Vilken broder som tvistar med sin broder i kompanit med opassande och skändeliga ord, böte två mark vax utan nåd.

Vilken broder som kallar någon sin broder tjuv, skalk eller skökoson och kan det ej bevisa, böte ett halvt pund vax, stadens rätt oförsummad.

Vilken som bär med sig banevapen i kompanit, böte två mark vax till kompanit.

Vilken broder som slår någon sin broder blå eller blodig, böte ett pund vax, stadens rätt oförsummad.

Vilken broder som sin kniv drager mot någon sin ämbetsbroder i dryckeslag eller stämma, böte ett halvt pund vax utan nåd. Gör han skada, böte allt efter som åkomman är, stadens rätt oförsummad.

*

Vilken broder som så gammal varder, att han ej förmår att betala sin dryck, då bröderna samman dricka, haver han för sig skäl och rätt gjort i kompanit, då skall honom sändas en kanna öl var afton till Guds ära.

Då en broder av kompanit är döder, så skola alla bröderna samman komma och följa honom till kyrkan och låta för honom en själamässa sjunga; och var broder och var syster skall offra en penning[1] för hans själ vid mässan, och ingen broder eller syster gånge bort, förrän liket jordat är. Vilken detta ej håller, böte en mark vax.

Litteratur: Skråordningar utg. av Svenska fornskriftssällskapet; häft. kr. 6: —

---

[1] En penning = 1/8 öre.

Ur stadgarna för Sankt Eriks-gillet vid Uppsala.

Såramålsbalken.

NU bjuder broder gäst, och han bär till gillestugan kniv, svärd, bredyxa, vedyxa eller vad helst för vapen det vara kan; bote broder, som bjod honom, tre öre åt gillet och 1/2 pund malt samt åt åldermannen 1/2 öre

Nu befinnes, att gäst slår broder vid öga eller giver broder okvädinsord eller i varjehanda måtto han mot broder bryta kan; bote broder, som bjod honom, ett pund malt åt gillet och 3 mark åt bröderna, om så är att det blodvite vart, och åt åldermannen ett öre.

Nu om broder tranger eller drager broder av säte sitt med vredan hug, böte 1/2 pund malt åt gillet.

Vilken broder som kindhäst[1] giver en broder eller blodvite gör, bote till gillet 1/2 pund vax och till den broder, som kindhästen fick, 3 mark penningar[2] och åt åldermannen 3 öre.

Nu sitter broder i forsåt for broder sin och vill broders liv taga; bote broder, som i torsåt satt, ett pund vax och till bröderna 3 mark penningar samt till åldermannen 3 öre och gånge ur gillet och sone meneden, änskönt han ingen skada gjorde.

Nu om så händer, att broder dräper broder, icke med berått mod utan med våda, bote till gillet 9 mark och till åldermannen 9 öre och gånge ur gillet och sone meneden.

Nu händer, att broder mandråp gör med våda på en annan, som icke är gillesbroder. Då skola bröderna broder hjälpa med hast, med skepp eller följa med broder en mils väg honom att fortskaffa och framja. Om broder flyr till kloster, kyrka eller kyrkogård, då skola broder broder hjälpa till liv eller gods och vad honom mera rörer. Och vilken

---

[1] Örfil. — [2] En mark penningar denna tid = ung. 1/10 lodig mark.

broder som ej hjälpa vill böte till gillet 3 mark och till ålder-
mannen 3 öre.

Här börjas Spyabalken.

Vilken broder, som vid bord sitter och sover, böte en örtug.
Broder, som med fötterna på bänk ligger och sover, böte till
gillet 1/2 pund malt.

Nu varder broder drucken och dricker mera än honom gott
göra kan, så att han spyr på gillestugans golv; böte till
gillet ett pund malt och till åldermannen ett öre penningar.
Om broder spyr ute på gården, böte en tunna öl till gillet.

Nu kan så hända, att broder sig drucken dricker, så att
han på gillesgolv faller; böte broder, som föll, ett pund malt
till gillet.

Nu faller broder på förstugugolv; böte till gillet 1/2 pund
malt.

Nu faller broder på gångvägssten i gillesgården; böte broder,
som föll, en tunna öl. Därav versen:

> Nu faller broder på gångvägssten,
> så han stötte sitt skenoben:
> böte broder åter igen
> ½ tunna öl, så han blive ej men.

DE TRE STURARNE.

Slaget på Brunkeberg.

DANSKE konungen Kristian I hade provat all upptänklig list och svek för att återfå makten i Sverige, när han till sist beslot göra en riktig kraftansträngning för att bli landets herre. Med en präktig här seglade han år 1471 till Stockholm och förskansade sig på Brunkebergs ås Men nu hade en kraftig hövding för det svensksinnade partiet vaxt upp. Det var Karl Knutssons släkting och trogna stöd Sten Sture. Han hade av rådet blivit utsedd till riksföreståndare. Den doende konungen skall ha givit honom det rådet att aldrig trakta efter kronan i Sveriges land, och herr Sten var klok nog att taga varning av Karl Knutssons levnadsöden, som tydligt visat, »att man denna tiden kunde vara allt i Sverige utom konung», såsom Geijer säger.

Sten Sture hade samlat allmogen från de kringliggande landskapen mot Kristians här och stod nu väster om Brunkeberg. Inför det viktiga avgörandet talade han manliga ord till sitt folk. »Viljen I», sade han, »någonsin njuta fred och frihet i Sverige, så stån i dag fasta med mig och viken ej! Jag skall gladeligen våga liv och blod och allt vad jag har. Viljen I göra på samma sätt, så räcken upp edra händer!» — »Det vilja vi med Guds hjälp!» ropade alla och räckte upp händerna samt slogo tillsammans sina sköldar. Fulla av hopp tågade de mot åsen, sjungande:

> »I Guds namn farom vi,
> hans nåd begära vi.
> Nu dragom vi till Stockholms by,
> Gud give, Kristian ej ville bortfly.«

Nu börja de klättra uppför åsens västra sida. Med klappande hjärtan åse herr Stens maka och Stockholms invånare

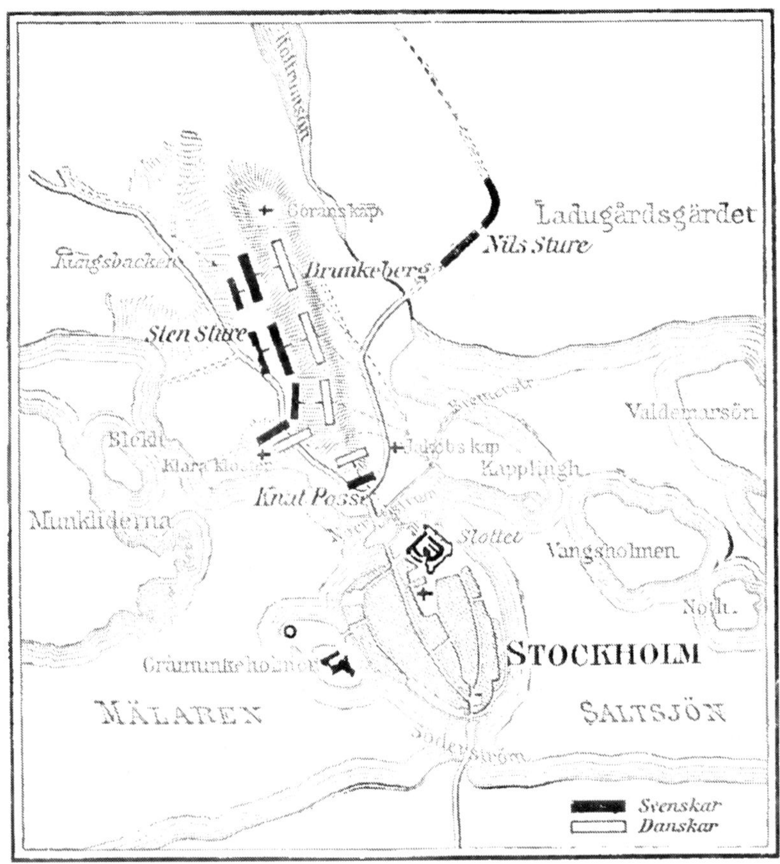

Slaget vid Brunkeberg d. 10 okt. 1471.
Kartan anger svenskarnes sista anfall och Nils Stures
kringgående rörelse.

från stadsmuren, hur den svenska fanan föres högre och högre
och slutligen svajar på åsens krön — men blott för ett ögon-
blick. Danskarnes ställning är för stark, angriparne kastas
tillbaka nedför branten. Men hoppet tändes åter hos åskå-
darne, då svenskarne för andra gången rycka upp och plan-
tera sin fana på höjden — men för andra gången bli de till-

bakaslagna. Sten Sture faller dock ej modet. Än en gång lyckas han ordna sina män till anfall. Nu vill han dock prova ett annat satt att fordriva fienden från hojden· han vänder sig mot den danska styrka, som står nedanfor åsens västra sida, vid Sancta Klaras kloster Den sviktar vid svenskarnes anfall. Kristian ser det och ilar med huvudstyrkan ned till hjälp Har nere på jamn mark rasar nu en långvarig, blodig kamp, ty varken svensk eller dansk vill vika En fattig bonde, kallad Starke Björn, går framfor riksforeståndarens hast och rojer väg med ett väldigt slagsvärd. Till slut måste danskarne draga sig tillbaka uppfor hojden Svenskarne storma den for tredje gången. Stockholms borgerskap, som aven forut käckt tagit del i striden under anforande av befälhavaren på slottet, den tappre Knut Posse, gor samtidigt ett utfall och stormar uppfor åsens sodra sluttning Österifrån kommer riksföreståndarens vän Nils Sture anryckande med dalkarlarne. Han blev i borjan av slaget sänd en nordlig omvag for att kunna oformodat falla danskarne i sidan. Infor detta tredubbla anfall är danskarnes tapperhet fåfäng. Fem hundra av deras riddare ligga fallna kring dannebrogen, deras roda fana med det vita korset. Den faller i svenskarnes hand. Kung Kristian har kampat som en riddare anstår och är sårad. Danska hären upploses i vild flykt.

Kristian, som skrutit, att han skulle »låta sin småsven herr Sten smaka riset», lyckades knappt radda spillrorna av hären ombord på flottan och undkomma till Danmark. Men Sveriges folk jublade, ty dess frihet var raddad. Det hade givit en minnesbeta, efter vilken landet i nara 30 år fick vara i fred for danska angrepp.

En lyckosam fredens tid.

EN FÖLJD av slaget på Brunkeberg blev en viktig forandring i de svenska städernas styrelse, dar tyskarne alldeles tagit overhanden (jf sid. 423 och 427). I den forut anforda skrivelsen om »Danske kong Christierns handel»[1]

---

[1] Se sid. 459.

heter det om ämbetena i Stockholm: »Myntemästaredömet haver en tysk, och store tulledömet haver en tysk, lilla tullen haver en tysk, vårdskrivaredömet haver en tysk, tomtöre en

Riddaren S:t Görans strid med draken.

Snideri, uppställt i Stockholms Storkyrka till minne av segern på Brunkeberg, vilken svenskarne ansågo sig ha vunnit genom S:t Görans beskydd.

tysk, så att svenske män fingo och måtte intet annat ämbete hava än vara bödel och dödgrävare.» Tre dagar efter segern på Brunkeberg »kom» — heter det i en berättelse av svenska riksrådet — »menigheten här i Stockholm och från flere andra städer och allmoge av alla landskap här i riket för oss och beklagade sig över det stora förfång och försmädelse, som meniga Sveriges rike haver långliga haft av det, att alle köpstäderne i Sverige skulle vara förpliktige till att hava halvdelen i stadens råd tyska borgmästare och rådmän, av vilket stor tvedräkt, ovilja och fördärv långliga och ofta uppkommit. Därför ville de ingalunda tillstädja, att där skulle någon utländsk vara i stadens råd över allt Sverige. Eljest sade de sig aldrig vilja komma Sveriges herrar och råd till hjälp och undsättning, om dem någon tid till trängde.[1] Och sade de sedermera, att ville vi icke strax sätta

Sten Sture d. ä:s vapen.

de tyske rådmännen av, då ville de våga däröver liv och gods, att de ville det själve rätta.»

Riksrådet gjorde allmogen till viljes och lät stryka den förhatliga bestämmelsen i stadslagen. I stället föreskrevs: »Ej må eller skall någonsin någon utländsk man borgmästare eller rådman vara.» Denna åtgärd var liksom signalen till att nu skulle Sverige vara svenskt och varken danskt eller tyskt.

Nu gällde det att använda landets krafter på bästa sätt. Sten Sture strävade att bota allt det onda, som de många fejderna vållat. I fredens hägn kunde alla samhällsklasser

---

[1] Om dessa någon gång behövde hjälp.

bättre sköta sina värv. Lag och rätt rådde, ty det var ej värt att trotsa riksföreståndaren. Hans rättrådighet levde i tacksamt minne bland Sveriges folk, och ett ordspråk blev gängse, att herr Sten hellre ville våga sitt liv än låta ett får avhändas bonden med orätt. Herr Sten var, liksom Engelbrekt, en man efter allmogens sinne. Ofta besökte han bönderna i deras hem, språkade muntert med dem och vann deras hjärtan genom sitt okonstlade, rättframma sätt. Hade han lovat något vid de tre sjöblad han bar i sitt sköldemärke, så visste man, att det var lika säkert som den dyraste ed.

Tack vare freden kunde regeringen också sörja för bildningen i landet. Ärkebiskopen, den rikt begåvade och lärde Jakob Ulvsson, ville grunda en svensk högskola. I klostren och vid domkyrkorna funnos skolor, avsedda egentligen för blivande präster och munkar. Men i dem hann man ej längre än till att nödtorftigt lära sig kristendom, läsning, skrivning, räkning och något latin, vilket var de bildades språk i alla länder.

Ärkebiskop Jakob Ulvssons bild och vapen, broderade på en mässhake, som han skänkte till Uppsala domkyrka år 1482.

Hur pass spridd konsten att läsa var på Sten Stures tid kan man rätt bra tänka sig, när man i en medeltidsurkund får se berättas om att en offentlig handling från denna tid, som skulle förses med rådets underskrift, förelades rådsherrarne, och att de av rådets medlemmar, »som läsa kunde», funno den vara riktigt uppsatt. De av riksens råd, som läsa kunde! Man kunde alltså höra till dem, som jämte regenten hade att avgöra över rikets väl och ve, utan att ha lärt sig läsa. Naturligtvis hindrade denna brist ej, att vederbörande kunde ge kloka och förståndiga råd — men ändå!

De svenska ynglingar, som ville förvärva större kunskaper än de kunde få i kloster- och domkyrkoskolor, måste göra dyrbara och besvärliga resor till Paris' eller någon annan främmande stads universitet, såsom högskolorna även kallades. För att ge mindre bemedlade ynglingar tillfälle att här hemma fortsätta sina studier utverkade ärkebiskopen, understödd av riksföreståndaren, påvens stadfästelsebrev

Skola.
Ur Olavus Magnis historiska verk om Norden.

på Uppsala universitet år 1477. Två år senare grundlades Köpenhamns universitet. Det dröjde emellertid mer än ett århundrade, innan högskolan i Uppsala blev, vad den skulle vara. Ont var det om dugliga lärare, ont om pengar och därför också om böcker. Ty dessa voro ännu dyra, fastän boktryckerier nu började anläggas i Sverige. När sedan oroliga tider kommo och Jakob Ulvssons efterträdare försummade högskolan, blev dess verksamhet nedlagd tills vidare.

*   *

*

tatus· Jtē quidā dixerunt ad quendā magnū· qd̄
cōtentus ea hic et suthneo trū laborem: Qui rn̄dit·
Totum tempuo mei laboris quē hic sustuneo nō est
pdoneū compart ad vnā diē tormentorū que peccatoribus in futuro sunt ŷpata ·:·

¶ De Leone qui pugnauit cū Aquila· Dial. lxxv

Eo rex ferax acriter cū aquila rege auiū di-
micabat habens secū cuncta animalia super
hunū castrametat°̄ stabat· Aquila vero cū
auib°̄ sup arborib°̄ cū iaculi et sagittis cū betlys pli-
abat· Grifes inox transībs et vidēs h°̄ ubi disputuit
miꝛabilitevū collocauit se sup collē prei croꝛuolauit

---

*En sida ur »Dialogus Creaturarum moraliza-
tus» (Djursamtal med moraliska utlägg-
ningar).*

Denna bok, tryckt i Stockholm år 1483, är vårt äldsta tryckalster. Vid 1400-talets mitt hade Johan Gutenberg från Mainz uppfunnit boktryckarkonsten. Förut hade man hittat på att i träskivor skära ut bilder med förklaringar och så trycka av boksida efter boksida medelst var sin skiva. Men detta blev ej mycket billigare än att skriva böcker, ty de dyrbara trätavlorna kunde ejanvändas till andra slags böcker. Gutenbergs uppfinning bestod i att han skar ut de särskilda bokstäverna ur träskivan, så att han kunde sätta dem tillsammans hur som helst och använda dem till olika slags böcker. Snart förbättrade han uppfinningen: bokstäverna götos av metall och sattes i en tryckpress. Redan på 1500-talet kunde böcker göras så billiga, att även andra än de rika kunde skaffa sig kunskaper ur dem.

Sten Stures regering var den lyckligaste tid Sverige haft på mycket länge.

Ett gott stöd i sitt ofta bekymmerfulla arbete för Sveriges bästa hade han i sin duktiga maka, Ingeborg Tott. Följande brev, som han skrev till henne från Svartsjö i april 1503, må anföras som bevis: »Hjärtans kärliga hälsning nu och alltid sänd med Gud. Kära stallbroder,[1] som du skrev mig i afton om det skepp, som där[2] kom in från Lybeck, och de hava sagt, att ett möte skall stånda 14 dagar härefter med

---

[1] Vän och medhjälpare — [2] I Stockholm.

kungen (Hans) och dem av Lybeck, ty beder jag dig, att du vill förhöra med dem, var det mötet skall stånda, och om de skepp voro fram komne, som hädan lupo, och desslikes om de hörde några kungens skepp [vara] i sjön; och berätta mig oförtövat! . . .

Jag fick nu i natt, som denna storm kom uppå, någon liten värk i mitt vänstra öga, dock icke så, Gud dess lov have, att det något drager; och hoppas mig till Gud, att det varder snart gott med den Helige andes hjälp. Vill det något bättre varda, då vill jag strax skynda mig in till dig (i Stockholm), om jag någorlunda kan i morgon åt aftonen. Beder jag dig, att du ville låta sjunga en mässa för Sankt Göran och en annan för den heliga försoningen, och beställ därom det bästa du kan! Den [kloster-]broder, [som] hit kom, haver hållit här i dag predikan som en danneman,[1] och tackar jag dig, det du sände honom hit.

Härmed, kära hjärtans stallbroder, befaller jag dig Gud och Sankt Erik med liv och själ till evig tid.»

Ryska kriget vållar Sten Stures fall.

KRISTIAN I:s son och efterträdare i Danmark och Norge, konung Hans, utfärdade en konungaförsäkran, som ansenligt ökade rådets och adelns makt i dessa riken. Då var det många av de svenska herrarne, som började-längtansfullt snegla efter dylika förmåner. Konung Hans hade gott väderkorn och skyndade sig erbjuda Sveriges råd och adel samma fördelar i utbyte mot Sveriges krona. Detta anbud var mer än vad herrarne kunde motstå, och på ett möte i Kalmar 1483 blev Hans vald till Sveriges konung. I sin konungaförsäkran, som kallades Kalmar recess, lovade han att rätta sig efter rådets vilja i alla ärenden av vikt. Adeln fick rätt att befästa sina gårdar och kunde där vägra själve konungen tillträde. Till sist bestämdes, att om konungen bröte sin ed, ägde undersåtarne rätt att göra uppror. Så lågt hade kungamakten aldrig förr stått i Sveriges rike.

----

[1] »En hel karl».

Men fjorton långa år skulle det ändå dröja, innan konung
Hans fick i Sveriges land smaka maktens sötma — om man
nu kan tala om vare sig det ena eller det andra i detta fall.
Det var Sten Stures seghet och kloka sätt att sköta sin
politik, som så länge korsade konungens och de unions-
vänliga herrarnes planer. Men dessa å sin sida lurade på
ett gynnsamt tillfälle — och äntligen kom det under ett krig
med Ryssland.

Gränsfejder med ryssarne var något som de svenska inbyg-
garne i Finland alltemellanåt måste vara med om. Vilka
ohyggligheter de därvid fingo genomgå kan man finna, om
man läser det brev till de svenska herrarne i Viborg, vilket
år 1490 uppsattes i deras namn, som bodde i nordligaste Fin-
land. Det heter där: »För alle de gode och värduge herrar,
som detta brev kan komma för, bekänna vi fattige män, som
bygga och bo i Kemi, Jo och Limingo, och klaga inför Gud
och eder de olyckor, som oss de ryssar gjort hava i åtiio år
och ännu göra mitt under freden.» Därefter följer en beskriv-
ning på hur dessa härjat och plundrat. »Manfolket», heter
det vidare, »taga de och hänga upp med fötterna och somliga
vid armarna och bära fram hö och göra därmed upp eld under
dem och sveda håret och skägget av dem.» Vad som där-
efter berättas om odjurens uppfinningsförmåga i att ytter-
ligare plåga män, kvinnor och barn är alldeles för ohyggligt
att återge.

År 1495 ryckte en stor rysk här över Finlands gräns, här-
jande, brännande och mördande. Men vid Viborg möttes den
av ett manligt motstånd under ledning av Knut Posse,
som blivit befälhavare på fästningen. Den ena stormningen
efter den andra blev avslagen, men fästningsverken ledo myc-
ket av ryssarnes beskjutning. Vid en sådan stormning hände
det, enligt en sägen, att ryssarne i massor störtade in i ett
av fästningstornen utan att möta en enda försvarare. De
hunno emellertid ej att länge undra däröver, ty plötsligt hörs
en fruktansvärd skräll, och tornet med alla ryssarne spränges i
luften. Det var Knut Posse, som hade fört en mängd krut
under detsamma och antänt detta, när han fann tiden vara
inne. De andra deltagarne i stormningen blevo alldeles
vettskrämda och flydde, förföljda av svenskarne, som ned-
höggo tusenden av dem

Minnet av Knut Posses krigslist har fortlevat under namn av **Viborgska smällen**. De vidskepliga ryssarne trodde från den stunden, att Posse stod i förbund med den onde. En så farlig karl var det bäst att akta sig för, menade de och vände hals över huvud hem till sitt land igen.

På nyåret 1496 kom Sten Sture själv över med en svensk hjälphär men återvände snart efter att ha förordnat **Svante Sture**, son till hans gamle vän och stridskamrat Nils Sture, som hövitsman i Finland. Herr Svante företog tillsammans med Knut Posse ett lyckat infall i Ryssland. När Sten Sture på hösten återkom till Finland med friska trupper, förklarade emellertid herr Svante, att han och hans folk nu voro uttröttade av kriget, och anhöll att få resa hem. Men harover vredgades herr Sten och svarade, att om herr Svante nu lämnade Finland, vore han en »fältflykting, som rymde undan rikets banér». I vredesmod över denna skymf reste Svante Sture hem, och riksföreståndaren, som nu fruktade, att rådsherrarnes dittills undertryckta missnöje mot honom skulle av herr Svante blåsas upp till full låga, följde snart efter. Dessförinnan hade han dock med ryssarne inlett underhandlingar, som följande år ledde till fred.

När riksföreståndaren kom hem, voro emellertid hans fiender redan herrar på täppan, och Sten Sture blev av rådsherrarne avsatt från sitt ämbete. Kort därefter kom krigsförklaring från konung Hans. Men herr Sten gav sig upp till Dalarne och fick allmogens trohetsförsäkran till tack för att de under herr Stens tid »hade njutit lag och rätt och varit i frid och rolighet». Mot konung Hans och alla dem som ville indraga honom i landet sade de »ett kort nej».

Men Hans kom över till Sverige i spetsen för en överlägsen krigsmakt och belägrade Sten Sture i Stockholm. Riksföreståndaren väntade blott på att dalkarlarne skulle komma honom till undsättning. En dag ser han också från Stockholms slott svenska banér svaja på Norrmalm. Det måste vara de trogna dalkarlarne, som rycka till anfall mot belägringshären, tänker han. I glädjen och ivern gör Sten Sture ett utfall för att hjälpa de sina men upptäcker nu, att de svenska banéren föras av danskar och tyska legoknektar. Fienden hade dagen förut anfallit och besegrat dalkarlarne, innan dessa hunnit längre än till **Rotebro**, ett par mil norr om Stockholm, och fråntagit dem deras banér. Samma öde drabbar nu Sten Stures män. Under stor manspillan drivas de tillbaka av den fientliga övermakten. Nere vid bron till Helgeandsholmen blir sådan trängsel, att många kasta sig i Norrström för att ej bli ihjälklämda. Sten Sture själv svävade i största livsfara. För att ej bli nedhuggen sporrade han sin springare ut i Norrström, och simmande bar honom det kraftiga djuret genom strömmen till en av slottets vattenportar.

Nu måste herr Sten nedlägga riksföreståndarskapet och erkänna Hans som konung men erhöll i stället ansenliga förläningar, bestående bl. a. av Finland samt stora delar av Södermanland.

Äntligen en konung i Sverige igen!

NÄR konung Hans vid Sten Stures sida red in i Sveriges huvudstad, svallde hans hjärta av stolthet och förhoppningar om den lyckliga framtid, som nu skulle upprinna efter alla strider och all oro. Skämtande frågade han herr Sten, om denne också sörjt för en god anrättning på slottet till sin konungs mottagande. Då pekade den avsatte riksföreståndaren på de svenska herrar, som följde efter, och svarade: »Det må desse bäst veta; de hava själve både bryggt och bakat.» Under festligheterna skall konungen vid ett tillfälle ha yttrat till Sten Sture: »Herr Sten, I haven lämnat mig ett ont testamente i Sverige· bönderna, som Gud skapat till trälar, haven I gjort till herrar, och de som herrar skulle vara viljen I göra till trälar.»

En tid därefter kröntes Hans i Stockholms Storkyrka av arkebiskopen till Sveriges konung. Då var det månget svenskt hjärta, som svallde av stolthet, och ännu fler voro för en kort stund fyllda av ljuva förhoppningar. Ty mer än en frälseman hade länge brunnit av längtan att bli slagen till riddare och sålunda bli berättigad till tilltalsordet »herr»; men blott en konung kunde utdela denna värdighet. Och som Sverige under nästan en hel mansålder icke haft någon konung, var

där nu en sådan brist på ädla riddare, att Sten Sture var
den ende. Och — vad som än oefterrättligare var — hans
maka var den enda i hela landet, som fick tituleras »fru». Då
kan man förstå, hur de andra frälsekvinnorna måste ha känt
det! Hur måste ej de ha längtat och trängtat efter att Sve-
riges rike skulle få en riktig konung med åtminstone den
kungliga befogenheten att tillskapa herrar och fruar! Rim-
krönikan finner rent av häri en av de mera tungt vägande
skälen till att Hans togs till Sveriges konung. Den säger:

> »Var frälsekvinna ville heta fruga,
> på det andra skulle sig för henne buga:
> så framfuse voro de hustrur då,
> att de hade gärna låtit sig till riddare slå,
> om de hade piltebarn i buken haft.»

Hur många av dem fingo sin längtan stillad? Här blir
hävdatecknaren stående undrande och spörjande. Men han
kan ej värja sig för en ängslande tanke, att många förhopp-
ningar blivit gäckade, fastän den nye konungen utdelade rid-
darslaget till ej mindre än ett halvt hundratal frälsemän.

Hans var nog en
av de bästa unions-
konungarne. Vis-
serligen hade han
tider av svårt tung-
sinne, då han an-
sattes av misstänk-
samhet och kunde
begå våldshand-
lingar, som han
 sedan ångrade,
men under vanliga
förhållanden var
han gladlynt och
välmenande. Det
hjälpte dock ej, ty
det hade nu gått
så långt, att själva
unionen var för-
hatlig för den

Tronföljarens, prins Kristians, sigill.

*Linköpings stifts biskops-
mössa på 1400-talet.*

svenska allmogen, och det behövdes blott, att en olycka tillstötte för konungen, för att missnöjet i Sverige skulle bryta ut. Och olyckan kom i form av ett svårt nederlag, som konungen led vid ett försök att kuva den trotsiga bondebefolkningen i Ditmarsken, det låglänta kustlandet på Holsteins västkust, där bönderna värnade sin frihet bakom vallar och vattenfyllda gravar.

Men upprorsstämningen i Sverige skulle nog icke ha slagit ut i full låga, om här icke funnits en så farlig brandstiftare som doktor Hemming Gadh, utvald biskop i Linköping — en värdighet på vilken han dock aldrig fick påvens bekräftelse.

Det var en kunskapsrik och ovanligt begåvad man, doktor Hemming, minst dock i prästerlig riktning. Ty en egendomlig andans man var det, en som oftare syntes iförd ryttarkappa och stövlar med sporrar än sin prästerliga skrud. Nej, hans begåvning låg på helt andra verksamhetsfält än dem som hörde till hans ämbete. Statsman var han, och krigare var han, men först och sist folkledare. I den egenskapen var han fruktansvärd. Folkets fördomar och känslor, dem kände han, och som ingen annan kunde han spela på de strängarna. Hela hans varelse andades ett lågande hat mot Danmark, och detta hat förstod han också att ingjuta i sina åhörare. Han hade själv insupit det med modersmjölken. Hans barndomsår inföllo under de hätska unionsstriderna på Karl Knutssons tid, och ytterligare näring fick nationalhatet av hans ungdomsminnen, till vilka slaget på Brunkeberg hörde. Allt vad danskt hette blev för honom det onda förkroppsligat.

Nar han fick höra rykten om att någon olycka hant i Danmark, lär han sällan ha underlåtit att tillfoga en from suck. »Give Gud, att det så i sanning måtte vara!»

Hemming Gadh var således just ingen natur, som alskade lugnet. Livskraftig och temperamentsfull som han var, ägnade han både Backus och Venus sin tjanst, och starka effekter tyckte han om på alla livets områden, denne stridens man. Hans smak därför kan också spåras i något så genomallvarligt som det ceremoniel, han utarbetade för den hogtidliga skrinläggningen av den finske medeltidsbiskopen Hemmings kvarlevor i Åbo domkyrka, en akt, vartill Gadh förut under en tjuguårig vistelse i Rom utverkat påvens tillstånd.

Enligt doktor Hemmings program skulle forst den heliges ben uppgravas och laggas i ett forgyllt skrin, som skulle i högtidlig procession baras runt kyrkogården och slutligen ställas på hogaltaret, där menige man kunde få tillfälle att »offra och kyssa och gora sin gudlighet». Sedan skulle ärkebiskopen forrätta högtidlig gudstjanst; och darvid borde man upptända rokelse och myrra, samtidigt som man strödde ned oblater och blommor genom ett par hål i kyrkovalvet. Effekten därav borde ytterligare forstarkas genom att man kastade ned brinnande bollar av linblånor, innehållande krut — det skulle ge intryck av ljungeld. Till förhojande av den festliga stamningen skulle också bidraga, att levande fåglar, såsom duvor, hjarpar, steglitsor och finkar, slapptes ned under valvet och finge fritt flyga omkring.

Men i sin iver att gora de religiosa festligheterna riktigt levande glomde doktor Hemming icke att tanka på deltagarnes lekamliga behov. Han insåg, att efter så många timmars andakt skulle de vara glada att få »snacka i skinkan» och dricka gott finskt öl. Också agnar han sarskild omsorg åt den måltid, varmed hedersgasterna borde undfägnas.

När Hans lidit olyckan i Ditmarsken, var doktor Hemming den, som ivrigast arbetade på att få bort honom från Sveriges tron. Men det visste han, att konungens makt aldrig skulle kunna rubbas, så länge rikets fornamsta män förlamade sina krafter genom inbördes oenighet. Darfor satte han in all sin formåga på att förlika Sten och Svante Sture.

Han for som Svantes sändebud till herr Sten, som då vistades på Gripsholm. Vid budskapet om att doktor Hemming var i annalkande gick den gamle riddersmannen honom till mötes ett långt stycke väg. »mig fattig man undfångandes», berättar Gadh själv, »som om jag hade varit en stor landets herra». De hälsade varandra »med gråtande tårar», och under stor rörelse togo de varandra i famn. Sedan hade de viktiga överläggningar om Sveriges framtid. Man planlade ett uppror, som kort därefter bröt ut. Nu blev Sten Sture för andra gången riksföreståndare år 1501, och danskarne fördrevos ur landet. Men blott två år därefter gick »gamle herr Sten» ur tiden, i tacksamt minne bevarad.

Svante Sture och Hemming Gadh.

I JÖNKÖPING hade Sten Sture utandats sin sista suck. Hemming Gadh hade varit hos honom vid dödslägret, och efter vännens bortgång blev doktor Hemmings första uppgift att vidtaga mått och steg för dödsfallets hemlighållande, tills man kunde vara säker på att Svante Sture skulle bli vald till hans efterträdare. Det gällde nämligen att hindra Hans från att begagna sig av tronledigheten för att med våld söka göra sig till Sveriges konung igen.

Men det fanns även andra skäl att hemlighålla dödsfallet. Bland herr Stens anhöriga och vänner funnos flera, som voro avogt stämda mot Svante Sture. Ej minst hade han att vänta motstånd från den avlidnes maka, en förmodan som ock senare besannade sig. Ty innan hon kunde förmås att åt herr Svante överlämna de befästa slott i Finland, som hon i sin makes namn innehade, sökte hon att för sin egen räkning undantaga så mycket som möjligt av både livsförnödenheter och krigsmateriel. Men ändå betänkligare var det med rikets två viktigaste fasta platser, Stockholm och Kalmar. Dem var det fara värt att fru Ingeborg och hennes vänner skulle försöka behålla för egen räkning, om de finge veta, att herr Sten fallit ifrån. I fråga om dessa fästen gallde det också att av Sten Stures medel få utbetalt sold för den senaste tiden till de frammande legoknektar, som behovdes for deras forsvar. Ty finge soldaterna ej ut sin lon, kunde både Stockholm och Kalmar gå forlorade.

I det brev, vari Gadh dagen efter Stens död underrättar Svante darom, berattar han också, att en utskickad från fru Ingeborg kommit i hans våg, medforande en stoire penningsumma, som var avsedd just for knektarne i Kalmar; men når mannen fått hora, att herr Sten var sjuk, hade han stuckit sig undan. Doktor Hemming tillrådde nu herr Svante, som for tillfallet vistades på Stegeborgs slott, att genskjuta mannen, så att han ej med innehavda medel återvande till riksforeståndarens anka. Och om fru Ingeborg själv skulle komma resande den vågen for att mota sin make, borde herr Svante med tjanliga medel hindra henne från att fortsatta farden; ty ej ens den, som stått den dode narmast, ja hon allra minst, borde få veta något om vad som hant.

Dårfor hittade Gadh på att lagga den dodes kropp, insvept i djuihudar, i en kopmansslade och sålunda låta den obemarkt foras från Jonkopmg till Stockholm. En av den dodes tjanare, som var ovanligt lik sin herre, fick taga på sig dennes klader och rida hans häst men låtsades ha en svår ogonsjukdom, som herr Sten ofta brukat lida av. Darfor hade han bundit for ansiktet, och så snart man kom fram till ett rasteställe, stängde man genast for fonsterluckorna till hans rum for att, som det hette, spara den sjuke riksforeståndarens ogon. Var det då någon, som begarde att få tala med herr Sten, hanvisades han till doktor Hemming.

Men på Stockholms slott satt fru Ingeborg och vantade sin herre hem till julen. Han kom, men ej som fordom. Ej mera fylldes slottsgemaken av riddare och svenner, som skulle dricka julen hos Sveriges riksforeståndare. Allvarligare och hogtidligare an vanligt voio hans foljesman, och julen vart en sorgehogtid.

I januari 1504 valdes Svante Sture till Sveriges riksforeståndare. Men nu kom danskarnes hamnd för att svenskarne fordrivit Hans. Svantes regering blev krig, forbitt-

rade gränsfejder; och i fejdernas spår gingo nöd och för-
tvivlan.

I den märkliga historia om de nordiska folken, som den
landsflyktige svenske ärkebiskopen Olavus Magni, broder
till Johannes Magni,[1] efter egna iakttagelser och hörsägner
skrev på 1500-talet, ger han livliga skildringar av hur det
gick till vid ett dylikt folkkrig. Han berättar:

»Om vårdkasar på bergen i krigstider.

I krigstider giver befolkningen på de klippiga stränderna
tecken åt sina landsmän med vårdkasar. När deras gran-
nar varsebliva dessa på höjderna, tända de likaledes flam-
mande bål och tillkännagiva därigenom för dem, som bo
ännu längre bort, att alla vapenföra män skola enligt lan-
dets lag oförtövat begiva sig från det inre landet till kusten
för att deltaga i dess bevakning.

---

[1] Se Bd II: sid. 79.

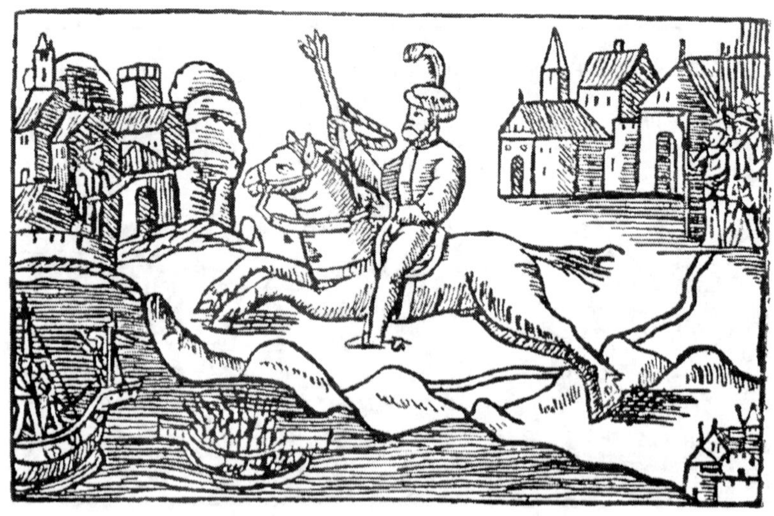

Om vapenuppbåd.

Man ser på denna bild en ryttare ila fram i sporrsträck.
Han håller i handen en stav eller käpp, som i ena ändan är
svedd och i den andra omvirad med ett rep. Denna bild
förklaras helt enkelt sålunda. När helst fienden hotar vid
de nordiska rikenas kuster eller landgränser, håller fogden
genast rådplägning med ortens äldste. I deras närvaro
överlämnas sedan en käpp av tre handsbredders längd till
någon rask yngling för att av honom i hast överbringas
till den eller den byn eller gården. Invånarne därstädes
åläggas att inom tre till åtta dagar med vapen och kost
för tio till tjugu dygn skyndsamt inställa sig på en viss
plats på kusten, öppna fältet eller i en dal. Annars bliva
de straffade med att deras hem brännas — vilket anty-
des av den svedda käppen — eller att husfadern, ja allt
gårdens folk blir hängt — vilket betecknas med det vid-
fästa repet.

På detta sätt hopsamlas inom en vecka en otalig mängd
vapenrustade män, som antingen genom sin resliga växt

eller sin ungdomskraft synas lämpliga för krigets värv. Ja
även till åren komna bönder, som vunnit erfarenheter i
forna fejder, draga ut i fält för att giva goda råd. Till och
med kvinnorna samlas på städernas murar eller de fasta
slottens tinnar för att vräka ned stenar och murbruk över
angriparne.

Om armborst och andra vapen.

Det är allmänt bekant, att götarne överträffa andra folk
i fråga om styrkan av sina armborst, pilar, pikar och
svärd. Knappt någonstädes i världen tillverkas väldigare
svärd. Vare sig dessa gå i arv eller skänkas bort, äro de
synnerligen begärliga och räknas som ett kostligare bohag
än silver.

Ej mindre värde sätter man på starka armborst jämte
tillhörande hjulverk, medelst vilka man förvånande snabbt
spänner dem, i det man hukar sig ned. En pil, som avskjutes
med detta redskap, får vanligen en sådan fart, att den genomborrar en man iklädd pansarskjorta och dubbelt harnesk,
liksom vore det mjukt vax.»

*   *

*

Svante Sture var en tapper man men alltför häftig och
uppbrusande för att vara en god statsman. Han hade emellertid en outtröttlig hjälpare i Hemming Gadh.

När bönderna voro utledsna vid de evinnerliga fejderna,
som drogo dem ifrån deras arbete, när de klagade, att kriget
vållade brist på salt och humle och kläde, när hungersnöd
och pest hemsökte landet, då förstod han att tala till dem så
eldande, att de med uppräckta händer lovade att leva och
dö med sin käre herr Svante. Vad Hans beträffar, »befallde
de den konungen fänen», och den, som ville draga honom
in i landet, den ville de strax »slå uppå pannan och fördärva,
evar han är». Komme konungen själv, så skulle de icke ge
honom annan skatt än skarpa vapen.

Allmogen såg också, att »doktor Hemming» ej var den, som sparade sin gamla »krokiga rygg». Han kladde sig i brynja och förde bönderna an, han stormade befästningar i spetsen för sina svenner, han härjade Danmarks kuster som en gammal viking, och hans andliga värdighet hindrade honom icke från att där plundra och brandskatta även kloster.

Aldrig stod han rådlös. Led krigsfolket brist på pilar, nog kunde doktor Hemming få ihop järn att smida spetsar av. Och klagades det över att man inget krut hade, så var det en enkel sak för denne andans man att bygga en krutstamp, där han »bakade polver» av hjärtans lust. Det blev doktor Hemmings lott att leva, där »dagligen lod och pil vankade»; och mer än en gång var han hotad till livet av sina ovänner, vilka sökte efter tillfälle att »slå honom på nacken» och förföljde honom »med en skårig kniv», såsom han uttrycker sig.

Ville rådet, att det utarmade landet skulle underkasta sig Danmark för att få ro, då var det Hemming Gadh, som spjärnade emot av alla krafter. Då skrev han till sin gode van herr Svante· »Varer vid god tröst, och gorer icke Eder till fotgångare! I ären så ädel och stolt en herre i sinn' och haven ett helt kront rike i Edra händer; spelen därför visligen! Att stiga av hästen och låta en annan rida tyckes mig rimma sig illa. Borgarne i Stockholm skriva», heter det vidare, »att fientligt krigsfolk till häst är att vänta; låt dem komma i Gottes donners namn! Den milda moder Maria mö, som halp sju kyrkosocknar i Ditmarsken,[1] kan väl med Guds bistånd hjälpa ett helt konungarike. Varer vid ett fritt mod! I skolen se, att allt går väl.»

Till herr Svantes maka, fru Matta, skrev han: »Det går ett rykte här nere, att ärkebiskopen vill bannlysa oss för konung Hans' och hans kardinals skull. Vill han komma hit och hava sin konung och kardinal med sig och bannlysa oss här i lägret vid blockhusen, så kunde det bita något; men vilja de bannlysa oss för konungens skull, så vilja vi slå dem för ärans skull, så de skola få ett tusen djävlar, med förlov sagt, var-

---

[1] Se sid 506

diga fru moder. Förlåt mig, att jag talar så grovt; jag har icke nyligen varit i frustugan »

Upprepade gånger lovade doktor Hemming att ej förtröttas i sitt arbete. »Jag skall», skrev han till herr Svante, »fullgöra Eder min trogna tjanst, vem än det lett eller ljuvt ar. Den tid jag annat tänker, låte Gud mig aldrig leva helbragda! Hals och liv skall vara ospart och allt det jag äger, så harefter som harintill; det liten fullkomligen till!» — En annan gång skrev han till riksföreståndaren: »Låter mig sörja, som alla hata; men jag tager det icke så mycket vid mig. Gud give mig sin huldhet och Eder och alla dannemäns, vilka Sveriges rike val vilja! Jag vill dö som konung Hans' och hela hans partis ovän.»

Betecknande for unionshatet är ett tal, som han skall ha hållit år 1510 infor svenska rådet för att hindra detta från att sluta fred med danskarne, »desse grymme djur och omilde danske troll», som han kallar dem. Han finner hos dem alla möjliga onda egenskaper.

Forst predikar han med fortjusning over den texten, att »ljuga och bedraga hålla de for ingen skam». For att dölja »sin infödda lögnart» brukade danskarne gripa till stora och gruveliga eder att bekräfta sitt tal med. »Ty», heter det, »vem man där (i Danmark) om det allra ringaste frågar, vare sig bonde, borgare, adelsman, prast eller biskop, så svarar han straxt därtill med en graseligan ed och Guds namns forsmädelse »

»Dartill med», fortsätter han, »så värdas de intet att tala som annat folk utan tryckia orden fram, lika som de ville hosta, och synas endels med flit forvända orden i strupan, forr än de komma fram. Sammaledes vanskapa de munnen, då de tala: vrida'n och vrangia'n så, att de draga den övra läppen till den vanstra sidon och den nedra till den högra sidon, menandes det vara sig en besynnerlig[1] prydning och välstånd.

Det tyska tungomål, i vilket de intet hava någon kunskap, vilja de alltid och gärna tala, ändock de kunna näppeligen stambra det fram. Men vårt tungomål, det svenska mål, hålla de forakteligt, och av stor överdådighet[2] forvända de

---

[1] Synnerlig. — [2] Hogfard.

all ord ifrån sin rätta naturliga art och ljud: den som vi
efter rätt skick kallom Jakob, den göra de till Jeppe, och
den som vi namne Johan, honom förvända de uti en Josse.
Den hos oss heter Klas eller Nils, den göra de till en Nisse; och
bruka de sådana förfalskning i mång annor ord sammaledes.»

I sin ängslan att ej kunna nog nattsvart utmåla föremålen
för sitt innerliga hat hittar han också på att tala om att han
på en resa genom Danmark själv sett, hur folket måste »äta
så moglot och svart bröd och dricka så tunt och duvet öl,
att den spisning, som den obarmhärtige konung Pharao lät
giva de israeliter, måtte räknas mot denna för en stor kräs-
lighet och läckeri». Men ändå är det ingen måtta på danskar-
nes skrytsamhet.

Till deras långa syndaregister hör också det nedrigaste miss-
bruk av den svenska gästfriheten, ty, säger han, med fyra
slags folk plåga de sina svenska grannar, nämligen för det
första med djäknar, som komma hit under föregivande av
att vilja studera men i själva verket för att bespeja landet
och »lära alla stigar och vägar», så att de sedan kunna åter-
komma som vägvisare åt fienderna, för det andra med hov-
män[1] och skrivare, som av svenska herrar bli »betrodde till
stora befallningar och fogderier», änskönt de äro stora blod-
hundar, de där skava de fattige svenskar in på köttet och
benen, för det tredje med skadeliga munkar samt till sist med
»de månge danske lösa kvinnor, vilka ifrån de danske öar hit
inkomma i store hopar som en slem ohyra och giva sig ingen
lisa, förrän de vår unge adel och andre flere med deras söte
tal, smickeri och skökoseder till all otukt och lösaktighet be-
dragit hava».

Slutligen varnar vår sagesman för sin tids »skandinavism»,
vilken han påstår från danskt håll yttra sig i de sötaste ord
av ungefär följande innebörd: »O I värdige herrar, o ljuvaste
broder, o älskelige vänner, o käraste grannar, nabor och
fränder, som stå oss närmare än alla andra dödlige, vi äro ju
alla *en* slakt, *ett* folk och i *ett* stallbroderskap. Om vi
hålla tillsammans, så skall ingen fiende kunna bli oss över-
mäktig.» Men sedan hånskratta de i mjugg och säga emellan
sig: »Så snart oss något lägligit tillfälle givas kan, vilja vi

---

[1] Krigare till häst

låta hugga deras huvud av och dräpa dem med den skam-
ligaste död vi upptänka kunna och kasta dem sedan på elden.
Deras hustrur och barn vilja vi driva ifrån arv och eget och
förstöta dem sedan intill en hop lose och slemme skokor och
därefter draga till vårt fädernesland Danmark igen, riktade
med de svenskes gods och ägodelar»

En annan yttring av danskarnes inneboende grymhet och
troloshet äro deras strandrov och överfall på skeppsbrutna,
varigenom vid Danmarks kuster »flere manniskor kommit om
halsen, an de som på denna tid finnas levande vara i hela
Europa».

Mycket har skrivits angående dessa av nationalhatets gift
drypande utgjutelser. Det har nämligen lange och på goda
grunder betvivlats, att talet åtminstone i sitt nuvarande skick
verkligen kan ha hållits av Hemming Gadh. Det ar Sveriges
siste katolske ärkebiskop, danskhataren Johannes Magni,[1] som
i sin år 1553 tryckta skildring av Sveriges historia lägger de
ovan citerade orden och mycket annat därtill i doktor
Hemmings mun. Redan forfattarens kända formåga att efter
tycke och smak dikta historia gor talets akthet misstänkt.
Emil Hildebrands skarpsinniga detaljundersokningar ådaga-
lägga också, att det i sin nuvarande form icke kan ha hållits
av Hemming Gadh. Dels ar nämligen svenskan i talet fylld
av språkliga vändningar, som skulle varit otänkbara på Hem-
ming Gadhs tid men däremot tillhöra Gustav Vasas, dels
forekommer däri, såsom lasaren kanske observerat, en tydlig
hänsyftning på en långt senare tilldragelse, namligen Stock-
holms blodbad år 1520.

Andra forskare ha genom ytterligare detaljundersökningar
bekraftat Hildebrands slutsats, att talet ar »gjort» av Johannes
Magni själv. Till grund for en del partier darav ligga namligen
alldeles tydligt arbeten, som utkommo forst efter Hemming
Gadhs dod. Och så ännu ett markligt faktum: det finns i talet
ingenting om de politiska forhållandena vid den tidpunkt då
det skulle ha hållits, ehuru man då hade flere speciella anled-
ningar till klagomål mot Danmark. Det ar fullkomligt orim-
ligt, att en realpolitiker som Hemming Gadh ej skulle forst
och framst ha hållit sig till dessa aktuella tvisteamnen.

----

[1] Se sid 199.

Detta omdome om talet i dess helhet utesluter dock ej, att det kan innehålla vissa vändningar, som Hemming Gadh brukade använda om grannfolket. Sarskilt kan man tanka sig, att de kraftiga orden om danskarnes förfårliga kotleder, om deras sått att tala och om deras lomska förförelser av de låttrogna svenskarne en gång ha legat i munnen på doktor Hemming.

*

En god hjalp synes Svante Sture ha haft aven av sin gemål, den danskfodda fru Mätta Ivarsdotter, som forut varit gift med en dansk storman. Foljande brev, som hon skrev från Örebro midsommardagen 1504, under vantan på brollopet, låter oss blicka in i forhållandet mellan henne och hennes trolovade. Man marke de två P. S., som så älskligt skvallra om brevskrivarens kön!

»Kare, gode vän, jag har fått Edra fyra skrivelser sedan vi skildes, lydande så, att jag skulle giva mig till vågs till Arboga och sedan till Stockholm, vilket jag också har gjort och rättat mig efter Er skrivelse och efter våra ord, som vi hade tillhopa, då vi åtskildes. Kåre, gode vån, nu kan jag det väl märka, att I haven fått annat råd till, att den kost,[1] som I haven aktat att gora, ej blir på den dag som sagt var, vilket jag ger mig tillfreds med och satter det till Er sjalv att gora det, nar Er tyckes. . . .

Kare, gode vån, tagen Er ock till vara för den onyttiga kost I hållen med de ryttare, då I kunnen val sjålv tänka, att det år intet som snarare kan fordärva en herre och ett helt konungarike än att hålla onyttig kost och taring. Käre, gode van, tagen mig icke till misstyckes, att jag skriver hår så djärvt om detta; Gud skall kanna, att jag gör det i en god akt. Käre, gode vän, jag såge det nödigt,[2] att det skulle gå efter våra ovänners ord och spådom.

P. S Allra käraste, gode vän, som I mig ock tillskriven, att det är kommet i dag[3] och frid, Gud allsmaktig have lov, att det så år! Dar aro så många, som skada hava fått i denna ofrid; Gud give, att vi måtte få något gagn igen! Allra käraste, gode van, bad ock jungfru Katarina[4] mig, att jag skulle

---

[1] Gästabudet vid brollopet. — [2] Ogårna. — [3] Dagtingan. — [4] Fru Mattas dotter i ett foregående gifte

bjuda Er till, att hon måtte komma hem till sitt igen, vad
råd där kunde finnas till. Käre, gode vän, vore det så, att
I icke kunnen göra Ert bröllop i sommar, då både jag gärna
om lov, att jag måtte följa henne dit och se, om den del jag
och mitt barn äro till akters.[1] Som jag har ock hört, att I
viljen till Finland, därföre är mig litet gagn eller glädje att
vara här efter Er. Är det så att så sker, då vännar jag ej
vart jag far, men Gud unne mig alltid att spörja goda tiden-
der om Er!

Allra käraste, gode vän, från det första jag kände Er och
intill nu, då visste jag aldrig mindre stad eller stund, var
jag skulle finna Er. Käraste, gode vän, vad tiden har varit
mig ganska lång, sedan jag skildes från Er i Arboga, och huru
svårliga I låter Er längta till Stockholm ifrån mig, och huru
lång den herredag haver varit!

Vi hava fått tidender om den herredag i Danmark har
stått och i Tyskland, men inga vissa tidender hava vi fått
om den herredag i Stockholm har stått. Gud give, käre, gode
vän, att de råda så, att det går väl på Er sida, så att detta
hövitsmannadöme måtte varda Er utan all skada! Allra kä-
raste, gode vän, låten mig snarligen få vissa tidender och
skrivelser av Er, varefter jag skall rätta mig, och om jag icke
skall finna Er i denna sommar — förty han är alldeles för-
liden den fagraste tid av honom. Evem han har varit till
glädje, det känner Gud, att han har icke varit mig till glädje.
Allra käraste, gode vän, haven då ömkan över mitt fattiga
hjärta, som icke kan hugslas i ro utan där I ären; och aldrig
hade jag trott, att min eländighet och bedrövelse skulle varit
så stor, som han nu är. Gud tröste mig i mitt elände!

P. S. Allra käraste, gode vän, jag ber Er värdighet vilja
veta min pärlstickares bästa om de penningar, som fru Inge-
borg skall giva till de ryttare, att han icke blir till akters för
den skull, att han är hos mig.»

Bröllopet stod emellertid sommaren 1504. I ett brev, som
fru Mätta skrev några år därefter med utanskriften »Ärlig
och välbördig man, stränge riddare herr Svante Nilsson, ri-
kets föreståndare och min allra käraste gode vän», heter det:

----

[1] = se, om det som jag och mitt barn »kommit på efterkälken
med».

»Allra karaste hjärtans van, skynden Er hit upp igen det snaraste I kunnen! Jag vet icke, vad de stampla haruppe, medan Ert herradome ar dar nere . . .

P. S. Allra karaste hjarta, hade jag haft så stor längtan efter vår Herre, som jag haft efter Er i denna fasta, då hade jag antingen varit hos honom eller han hos mig. Men Gud förbjude, att I skolen dväljas dar lange nere efter påsken!»

I december 1511 for herr Svante till Vasterås for att dar dricka jul med de sina. På nyåret hade han överlaggningar med sina vanner bergsmannen angående den nyligen upptäckta, mycket lovande silvergruvan vid Sala. Under samtalet blev han plotsligt dödsblek och fick ett anfall av svindel. Han gick ut, men strax utanför doiren foll han död ned.

Det var en man med gott hjarta, som så gick ur tiden. Visserligen var han haftig och hans hand snar att slå till, men lika snar var han att räcka den till forsoning igen. Gladlynt var han, modig och frikostig mot sina vanner — med ett ord sådan som hjalten i de fornnordiska sagorna. Kart var for allmogen minnet av hur riksforeståndaren brukade stiga in i bondens stuga, hur han med trofast handslag hälsade både man, hustru och barn, åt vid samma bord som de och under muntert samsprak tog reda på hur de hade det och vad de onskade. En sådan natur blir älskad lika mycket for sina fel som for sina förtjanster.

Litteratur: C. F Allen, De tre nordiske Rigers Historie 1497
—1536: del I
Gottfrid Carlsson, Hemming Gadh, en statsman
och prelat från Sturetiden: häft. kr 5:50.
Emil Hildebrand, Hemming Gadhs oration mot
danskarne (Historisk tidskrift 1886).
Verner Soderberg, Det Hemming Gadh tillskrifna
talet mot danskarne (Historiska studier tillagnade
Harald Hjärne 1908, haft kr. 18: —)

Kristian II.

EJ LÅNGT efter Svante Sture gick hans främste motstån-
dare, konung Hans, också till en annan värld. Han efter-
träddes i Danmark och Norge av sin son Kristian II.
Sägnen förtäljer om onda förebud vid Kristians födelse,
varslande om stora olyckor. Han hördes gråta högljutt i
moderlivet. Då han kom till världen, var hans högra hand
hårt knuten, och när man öppnade den, befanns den vara
full av blod.

Kristian hade fått en uppfostran, ovanlig för en blivande
konung. Han hade icke någon högförnäm hovmästare, inga
adliga lekkamrater. Fadern anförtrodde honom åt en ansedd
och rik borgare i Köpenhamn, på vilken han satte stort
värde. I det borgerliga hemmet hade så kommit en liten
prins med röda kinder och ostyriga lockar och ögon, som spe-
lade av pojkaktig odygd. Det var ingenting ovanligt, att
hans lärare vid lästid fann honom sittande grensle högt
uppe på en husgavel eller kravlande uppför takbranter eller
ock ute på upptåg med stadens pojkar.

Men om aftnarna kunde han sitta så stilla och timtals
lyssna, när husfadern berättade. Denne visste så mycket om
främmande länder, ty han drev en stor handel med dyrbara
utländska varor. När då talet föll på Danmarks frälse-
män, blev hans ton bitter: dessa övermodiga herrar, som
sågo föraktfullt ned på köpmannen och hantverkaren, de
hade trängt både borgare och bönder från deras urgamla rätt
att deltaga i landets styrelse! Blott adelsmän och biskopar
fingo ju komma till herredagarna, blott de sutto i riksrådet!
Liksom en borgare inte skulle kunna älska sitt fosterland
lika högt som de! Liksom han inte kunde ha lika goda råd
att ge sin konung, fast han inte var adelsman! Och den for-

dom frie bonden, i vilket elände hade icke adelsväldet sänkt honom! — Nämndes hanseaterna, då blev fosterfadern eld och lågor. Han kunde tala om, hur de under tidernas lopp tvingat och lockat sig till handelsförmåner framför Danmarks egna borgare, och hur de sögo till sig landets must och märg. Han kunde göra det klart som dagen, att Danmark aldrig kunde bli starkt och lyckligt, förrän både frälsemännens och hansans övermakt brutits. Det var ord, som Kristian aldrig glömde.

Det var ock annat tal, som ständigt ljöd i barnets öron. Överallt i Danmark hörde han med förbittring talas om Sverige, det hårdnackade, oregerliga Sverige, som kostade Danmark så mycket blod och pengar. Det fanns mer än en gammal hovman från hans farfars dagar, som kunde förtälja om dennes mannaödande nederlag på Brunkeberg. Och talade Kristian med sin fader om Sturarne, så kom en ström av vreda ord över konungens läppar.

Kristian växte upp till en kraftig, rikt utrustad yngling. Han väckte allas beundran, när han vid torneringar tumlade sin stridshingst och med lansen stötte den ene motståndaren efter den andre ur sadeln.

Något vilt och obändigt var det med denna ynglinganatur. Det förtäljes, att han mutade väktarne vid slottsporten att hålla denna öppen för honom nätterna igenom; och så gav han sig ut i staden, förde ett stojande nattliv och »syntes helst där vinet smakade bäst och de vackraste kvinnorna funnos». Men när hans fader fick veta det, vankades det både straffpredikan och prygel, tills prinsen föll på knä och lovade att aldrig göra så mera.

Som regent visade sig Kristian genast från början vara allmogens vän och beskyddare. Ideligen reste han omkring i landet för att skipa rättvisa och tillse, att styrelsen sköttes till folkets fromma. Gärna lät han den som hade något på hjärtat komma till tals med sig. En märkvärdig förmåga hade han att vinna människor. Men ve den som här litade på kungsord! Hans misstänksamhet och hans obändiga lynne kunde bryta ut i vilt raseri och gjorde honom snart lika mycket fruktad som älskad. Det frö till själssjukdom, som fanns nedlagt hos fadern, var hos Kristian utvecklat på ett förfärande sätt.

Ett ödesdigert inflytande på hans liv skulle en kvinna få. En dag under Kristians vistelse i Norge hände det, att hans kansler gick omkring på torget i Bergen och fägnade sig åt det rörliga skådespel, som utvecklades här kring de uppstaplade handelsvarorna från främmande länder. Därvid fängslades hans blick av två kvinnor, som stodo i en bod och sålde bakverk. Den äldre var ett kraftigt byggt fruntimmer med högröd ansiktsfärg och väl utvecklat hull. Men ett par livligt spelande ögon vittnade om att en klok och eldig själ bodde i den grovt tillyxade gestalten. Vid hennes sida stod en underbart skön flicka, smärt och välväxt med fina anletsdrag. Godhet och blidhet lyste ur hennes ögon, och en förtjusande blyghet gjorde henne blott så mycket mer tilldragande.

Kanslern slog sig i språk med den äldre kvinnan och fick veta, att hon var holländska och hette mor Sigbrit. Hon hade haft det smått i sitt hemland och därför kommit över till Bergen för att tjäna litet på småhandel. Flickan, som stod hos henne, var hennes dotter och hette Dyveke, »Den lilla duvan».

Och nu gick det ungefär som i sagan om Ragnar Lodbrok och Kraka: kanslern kunde inför konungen icke nog prisa den skönhet som Bergen ägde. Kristian skaffade sig tillfälle att med egna ögon övertyga sig genom att ställa till så, att Mor Sigbrit och hennes dotter blevo inbjudna till en fest, som staden ställde till för konungen på rådhuset. Vid första ögonkastet blev Kristian alldeles betagen i Dyveke och sannade kanslerns ord, att hennes like i skönhet ej fanns. Han dansade den ena dansen efter den andra med henne, de samspråkade länge med varandra, och det syntes, att den unge fursten var över öronen förälskad i den fattiga borgarflickan.

Efter festen följde underhandlingar med mor Sigbrit. Hon gjorde inga stora svårigheter, och så blev lilla Dyveke prinsens älskarinna.

Från den stunden fick emellertid också mor Sigbrit en märkvärdig makt över kungen. Den kloka och djärva kvinnan, som hade en del nyttiga erfarenheter med sig från sitt hemland, gällde snart hos kungen lika mycket som alla hans rådsherrar tillsammans. Ofta hände det, att hon kullkastade de beslut, som kungen fattat i rådet, eller hittade på nyheter, som man aldrig forr hört talas om i Danmarks rike. De hogfornama herrarne fnyste av harm vid tanken på, att denna »gamla holländska trollpacka», denna torgmadam, skulle regera Danmarks rike och tränga undan ättlingarne av gamla beromda slakter. Och hatet mot Sigbrit överflyttades på den oskyldiga Dyveke, som ju blivit anledningen till moderns stora inflytande. Hon skulle också bli ett oskyldigt offer for hatet.

Den danske adelsmannen Torben Oxe, en rå och samvetslös natur, greps av en haftig åtrå att aga den sköna Dyveke. En dag förgrep han sig på henne i konungens egen sångkammare. Både Dyveke och Sigbrit hollo emellertid tyst med händelsen. Men Torben Oxe hade en fiende i en slottsskrivare, och denne hade spionerat på honom. Nu berättade skrivaren for konungen, vad han visste och kanske mer till. Sigbrit och Dyveke forklarade emellertid infor Kristian, att angivaren for med osanning. Från den stunden sökte konungen efter en forevåndning att göra sig av med skrivaren, och en sådan var ej svår att finna Han blev beslagen med forsnillning och straffades med galgen, ett slut som den i alla avseenden föraktliga varelsen gjort sig val fortjänt av.

Men blott några månader darefter inträffade det forfärligaste: Dyveke rycktes bort i sin blomstrande ålder — död av gift, sade folket och utpekade Torben Oxe som garningsmannen.

En dag, då det år fest på slottet, kallar konungen honom till sig och sporjer i en fortroligt skamtsam ton, om han verkligen haft något förhållande till Dyveke. De närstående giva herr Torben tecken att tänka sig val for, innan han svarar; men helt bekymmerslöst och med bibehållande av den skamtsamma tonen låter denne kungen veta, att han nog hade traktat efter Dyvekes gunst, men påstår, att han aldrig uppnått något ynnestbevis Då kungen får hora detta, forandras med ett hans ansiktsuttryck, han blir mållos och ser fruktansvärd ut. En av de närstående hovmannen sager då till Torben: »Stora summor skall du en gång vilja betala om du kunde gora det osagt, som du så dåraktigt talat. Det var en ond ande, som ingav dig dessa ord.»

Kristian anklagade nu Torben Oxe infor riksrådet for att

ha vållat Dyvekes död. Men bevisen voro svaga, och han blev
frikänd. Konungen rasade över domen och lät rådsherrarne
få hora, att de höllo ihop mot sin konung. »Hade jag», sade
han, »haft så många fränder och vänner i rådet som Torben,
så hade jag nog fått en annan dom fälld. Men om Torben Oxe
också hade en hals så tjock som en tjurs, så skall han dock
mista den.»

Den gången höll Kristian ord. Han tillsatte en domstol, be-
stående av tolv bönder. Det var en grov kränkning från
konungens sida av adelns privilegier, men han vann sitt mål.
Bönderna fällde det utslaget, att icke de utan Torben Oxes
egna gärningar dömde honom. Den domen var för Kristian
nog, och han lät avrätta den anklagade, ehuru dennes skuld
ingalunda var bevisad.

Hade verkligen Sigbrits fiender, såsom det också påstods,
brakt Dyveke om livet, så vunno de ingenting därmed, ty
mor Sigbrits inflytande blott tilltog. Den forna månglerskan
blev konungens högra hand. Hon skötte hela rikets finans-
väsen. Nästan alla Danmarks inkomster och utgifter gingo
genom hennes händer. Otaliga räkenskaper och kvittenser
bära ännu i dag vittnesbörd om hennes verksamhet. Men
även i så gott som alla andra regeringsärenden ingrep denna
energiska kvinna, om vars föregående ingen egentligen visste
något. Kristian kunde icke företaga sig någonting av vikt
utan att först ha rådfört sig med henne. Till och med krigs-
hövitsmän skrevo till henne i sådana frågor som om örlogs-
skeppens utrustning, när kungen icke själv var tillstädes.
Andra höga ämbetsmän från alla tre rikena vände sig till
henne för att vinna kungens gunst och överöste henne med
smicker och skänker. Främmande regeringar följde exemplet,
och deras sändebud skulle aldrig ha vågat underlåta att göra
mor Sigbrit sin vördnadsfulla uppvaktning.

Mor Sigbrit var icke heller den, som vek tillbaka för vem
det vara månde. Hjälpte ej annat, så hade hon en ström av
grova ord och smädelser till hands. Talade hon om adeln,
som hon hatade av hjärtans grund, hade hon alltid munnen
full av tal om stegel och hjul, tjuvar och förrädare. Ja själv-
vaste kungen var rädd för Sigbrits vassa tunga och fick finna
sig i att bli kallad både »dumbom» och annat.

Sten Sture den yngre.

KRISTIANS ungdomsdröm var att underlägga sig Sverige, det rike som trotsat både hans far och farfar. Där styrde alltsedan Svante Stures bortgång dennes son, Sten Sture den yngre, som riksföreståndare. Det var en ädel och ridderlig yngling, fri från faderns häftiga och uppbrusande lynne. Allmogen hade genast givit honom sitt stöd. Den svenske bonden blev varm om hjärtat vid tanken på de många kära minnen, som voro förknippade med Sturenamnet, på de frihetsstrider, vari han själv eller hans far och farfar fäktat under Sturarnes banér. Stödd på allmogen, tilltvang sig herr Sten även rådets hyllning som riksföreståndare.

Men därmed hade han också fått en fiende för livet i ärkebiskop Gustav Trolle, »en styv och ensinnad man», som icke kunde smälta, att hans egen mäktiga släkt fått stå tillbaka för Stureätten vid riksföreståndarvalet. Och dock hade Sten Sture hjälpt honom till hans rika och ansedda ämbete och gjorde flera försök att stifta sämja. Till slut kom herr Sten till Uppsala och hade ett samtal med ärkebiskopen i domkyrkans sakristia, vilket slutade med att han räckte Trolle handen till försoning. Men denne svarade med »spotskt spefulla ord, vilket de ärlige herrar och gode män väl hörde, som där när stodo».

Då sökte Sten Sture stöd hos en riksdag, som samlades i Stockholm 1517, och omtalade inför ständerna ärkebiskopens förräderi. Fyllda av harm fällde dessa den domen, att ärkebiskopen skulle avsättas och hans fasta slott, Stäket vid Mälaren, från vilket han trotsat riksföreståndaren, jämnas med jorden. De närvarande ständerna förbundo sig att en för alla och alla för en ansvara för det fattade beslutet, varefter de satte sina sigill under dokumentet. Ingen anade nog då, vilken ödesdiger verkan detta skulle få. Domen sattes emellertid genast i verkställighet, och Gustav Trolle, som förklarat, att han aldrig skulle uppgiva Stäket, »så länge hjärtat var helt i buken på honom», måste trots de stora orden till sist ge sig fången.

Det farligaste var, att Kristian inblandade sig i dessa inre strider. Han kom seglande med trupper till Stockholm. Men riksföreståndarens allmogehär besegrade konungens legoknektar efter en kort strid vid Brännkyrka, söder om staden, 1518. Snart blev det därtill sådan brist i den danska hären, att »krigsfolket nödgades förtära hästar, hundar, kattor och desslikes andra obekväma ting», såsom det heter i svenska riksrådets senare redogörelse för händelserna. Kristians tyska legoknektar gjorde hoptals myteri och gingo över till fienden. Då Kristian således ingenting kunde uträtta med svärdet, inskeppade han sig åter. Nu sade han sig vilja underhandla med Sten Sture om fred och förlikning och bad denne komma ombord. Herr Sten, som själv aldrig tänkte på svek, anade ingen ond avsikt. Men hans vänner förespådde honom, att han aldrig skulle komma levande från mötet med Kristian. Då lät han varna sig — till Kristians stora förargelse.

Men konungen dolde skickligt sin missräkning, och för att liksom komma Sten Sture att blygas genom att visa denne ett förtroende, som riksföreståndaren vägrat visa konungen, förklarade Kristian, att han i stället skulle själv komma till Stockholm för att underhandla. Men då ville han ha sex förnäma svenskar till danska flottan som gisslan. Därmed menades, att dessa herrar under Kristians besök i Stockholm skulle stanna hos danskarne som säkerhet för att intet ont tillfogades konungen. Svenskarne gingo in på Kristians begäran, ty detta var ett vanligt bruk vid underhandlingar. Men när konungen fått de sex herrarne ombord, begick han ett skamligt svek: han gjorde dem till fångar och avseglade till Danmark. En av dem var den gamle Hemming Gadh. En annan var en ung ädling, som fört det svenska huvudbaneret i slaget vid Brännkyrka och i sinom tid skulle låta mycket tala om sig. Hans namn var Gustav Eriksson Vasa.

Kristian var besluten att återkomma med en väldig härsmakt. Sverige *skulle* och *måste* kuvas, kosta vad det ville. — Det skulle kosta honom mer, än han någonsin kunde ana.

Nu gjorde han väldiga rustningar och samlade pengar från alla me⋯ håll. Han ⋯ Danmarks krafter till det

Kristian II.
Målning av Jan Gossart.

yttersta. Men till gengäld fick han ihop en så stor och väl-
övad här, att segern måste vara viss. Där syntes krigare
från nästan alla Europas länder, men mest skräckinjagande
var en skara fredlösa illgärningsmän från Skottland, vilka
av sin regering fått löfte om nåd, ifall de ginge i danske
konungens tjänst. Till på köpet utverkade Kristian hos på-
ven en bannlysning över Sverige, för att Trolle blivit avsatt.
Påven uppdrog åt Kristian att verkställa straffet härför.
På nyåret 1520, när vinterkölden gjort vattendrag och

kärr farbara, bröto danskarne in i Västergötland. I det minnesrika landskap, där Sveriges öde två gånger förut avgjorts, genom slagen vid Lena år 1208 och vid Falköping år 1389, skulle nu åter ett avgörande stå.

Åter var den svenska allmogen genast beredvillig att möta till fosterlandets försvar. Mitt ibland alla de härsklystnadens och avundsjukans onda lidelser, varav denna tid är fylld, är det upplyftande att låta blicken stanna inför Sveriges bondestånd. Rika inkomster, makt och anseende vinkade herrarne, när de ställde sig i spetsen för en resning, men den fattige man utöver Sveriges landsbygd hade ingen belöning att vänta för egen del, när han spände slagsvärdet vid sidan. Fattig som han kommit vände han tillbaka till hustru och barn och sitt dagliga arbete efter att ha vågat livet och utgjutit sitt blod för fäderneslandet. Det var en livskraftig självständighetskänsla och en sann, oegennyttig fosterlandskärlek, som drev Sveriges allmoge till kamp. Och lönen uteblev ej heller för denna samhällsklass. Den bestod i räddning undan livegenskapens tunga ok.

Nära staden Bogesund,[1] på den tillfrusna sjön Åsunden, uppställde Sten Sture de sina till strid. Till skydd hade svenskarne framför sig bröstvärn av timmer, och framför dessa voro dessutom vakar upphuggna. Full av segerhopp tumlade den unge hövdingen sin isgrå stridshingst, som var övad i att hjälpa sin herre i kampen genom att bita och slå omkring sig. Från avdelning till avdelning red han och uppmuntrade sitt folk samt utdelade befallningar. Så började striden.

Olyckligtvis blev riksföreståndaren genast i början svårt sårad i benet av en kanonkula. Utan anförare råkade bönderna i förvirring och veko. Väl samlade de sig åter i Tivedens djupa skogar och försvarade sig bakom väldiga bråtar, ett slags vallar av stora träd. Men fienden trängde fram även här. Och från Tiveden låg vägen öppen till Stockholm genom de fruktbara slättbygderna, där danskarne lätt fingo livsmedel.

Tungt hade olyckan drabbat den unge Sten Sture. Nyss stod han full av hopp och ungdomsmod i spetsen för en präktig här. Nu voro hans krigare skingrade eller nedhuggna,

[1] Nuvarande Ulricehamn.

och själv låg han svag och hjälplös på sitt plågoläger. Med
bitter sorg tänkte han på sin unga maka, fru Kristina, och
sina små barn, som han lämnat i Stockholm. Men först och
sist kretsade hans tankar kring detta: Vad månde Sveriges
framtid varda? Trots plågorna ville han ej stanna, blott
skynda till Stockholm och ordna dess försvar.

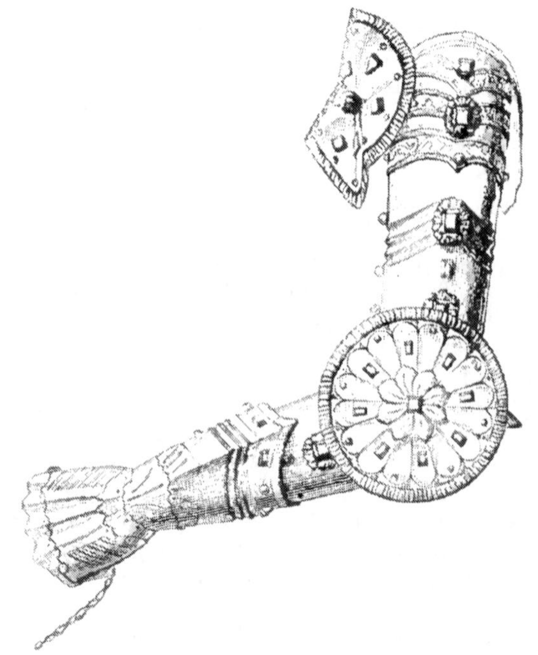

Armskenor från en riddarrustning mot medeltidens slut.
Från Sankt Göransbilden i Stockholm.

Men han skulle aldrig komma fram. I en släde på Mälarens
is gav han upp andan. Hans bästa eftermäle är, att han
under dessa hatfulla tider aldrig fläckat sitt minne med en
dålig handling.

I tacksam hågkomst leva de tre Sturarne hos Sveriges folk
såsom den svenska folkfrihetens försvarare. Aldrig missbru-
kade de sin ställning till att slå under sig en enväldsmakt,

som så ofta i historien visat sig bli **följden** av omstörtningar i samhället. För **dem** var makten mera ett medel än ett mål. Den ära, som eftervärlden ägnar dem, är icke de lysande segrarnes, icke de särskilda bragdernas, **om** man undantager slagen på Brunkeberg och vid Brännkyrka, utan framför allt det mödosamma arbetets till Sveriges räddning och förkovran.

*   *

*

Nu visade det sig, vad Sten Sture varit för landet. Almogen samlade sig i skaror och begärde att få slåss men skingrades igen, då ingen av herrarne hade vilja eller mod nog att föra dem an. Om Gustav Trolle och hans anhang kunde den danske överbefälhavaren skriva till Kristian tre veckor efter Sten Stures död: »Nu i dag var den unge ärkebiskop hos oss och delade råd och dåd med oss; och brukar han sig flitigt natt och dag i Eder Nådes tjänst. Hans hals och välfärd är ospard för Eder Nåde med alla de vänner han kan därtill draga.» — Följaktligen avföll den ene efter den andre från den svenska saken.

Men det fanns några, som ej förlorade modet. De slöto sig till Sten Stures unga änka, Kristina Gyllenstierna. I sin bittra sorg, omgiven av fyra små barn, svek hon ej den höga plikten att fortsätta sin makes värv. Hon tog befälet på Stockholms slott, hon undertryckte sina tårar och uppmuntrade borgerskapet till modigt försvar. Hon lät också utgå brev till allmogen med bevekande maningar att fördriva inkräktarne. »Kära vänner», hette det i en skrivelse till menige allmogen i Södermanland och Rekarne, »varen välvillige och vid god tröst, och stån fasta med edert fädernes rike, som fäder och föräldrar före eder och I alltid härtills gjort haval»

Förgäves hade Kristina vänt sig till rikets främste män och bett dem sätta sig i spetsen för allmogen. Förgäves hade hon sänt bud på bud till den myndige herren, riksrådet Ture Jönsson Tre rosor,[1] Västergötlands lagman, och lovat ställa Stockholms slott samt all sin egendom till hans

---

[1] Se Bd II: 67.

En strid under senare medeltiden. Efter en målning i Kumla kyrka i Västmanland.

förfogande, blott han ville åtaga sig hövitsmanskapet. Men hos Sveriges bönder vunno hennes manande ord genklang. De reste sig, och en vild kamp började mot danskarne och deras anhang. Bönderna samlade sig i stora hopar och slogo spridda avdelningar av Kristians folk. Långfredagen 1520 gjorde en stor bondehär med förtvivlans raseri ett angrepp på själva den danska huvudhären. I stora massor stormade bönderna fram under höga stridsrop med bågar och pilar, med yxor och spjut. Vinden piskade danskarne i ögonen med snö och isbark, som också gjorde deras krut vått, så att de icke kunde begagna sina gevär. Och snön, som var kram, klibbade fast sig i tjocka klumpar under hästarnas hovar, så att karl och häst tumlade överända. Svenskarne, som hade vinden på ryggen, anställde därför stor manspillan bland fienderna, drevo dem på flykten och skulle ha förstört hela deras här, om de haft någon duglig anförare. Men de förstodo sig icke på att fullfölja framgången, utan så snart danskarne voro tillbakaslagna, skingrade sig bönderna för att plundra, och endast en mindre hop förföljde fienden.

Därav begagnade sig danskarne och samlade sig igen. Gustav Trolle var med och eggade dem till ny kamp. Och nu vände sig bladet. När de svenska bönderna fingo se de fiender, som de trodde vara slagna, rycka mot dem i ordnade avdelningar, förlorade de alldeles besinningen och blevo i tusental nedhuggna eller jagade i Fyrisån, där de ömkligen drunknade. Så »stänkte Gustav Trolle de svenske med vigvatten vid Uppsala på långfredagen».

Kristian begagnade emellertid även andra medel för att nå sitt mål. Han hade med sig Hemming Gadh från Danmark. Den gamle unionsfienden, som vigt alla sina krafter till kamp mot det hatade Danmark, han som med osviklig påpasslighet alltid eldat modet hos dem som tröttnade i denna kamp, han hade nu — hur skall man förklara det? — förvandlats till Kristians rådgivare och medhjälpare. Så blev det hans tragiska lott att i sitt livs afton utplåna sin egen bild, sådan han själv tecknat den i hävdeböckerna.

Till en del kan den egendomliga omsvängningen förklaras av underrattelser, som Hemming Gadh erholl av ett påvligt sändebud i Sverige, en man som stod Gadh nara. Sandebudet berattade, att man i Sverige beskyllde doktor Hemming for att ha legat i forrådiska underhandlingar med Kristian och svekfullt överlamnat sig och de andra svenska herrarne i konungens våld. På grund darav skulle Sten Sture ha indragit hans förläning och kastat hans trogna svenner och tjanare i fangelse. Doktor Hemming ansåg sig ingen anledning ha att betvivla mannens uppgifter. Eftervarlden är ej lika benagen att lita på sanningen av dennes ord, men i saknad av andra kallor stå vi alltjamt undrande och sporjande till frågan, hur mycket som ar sant av vad han berattat om Sten Stures gåtfulla beteende.

Som en stingande tagg satt emellertid vissheten om riksforeståndarens och faderneslandets otacksamhet i den gamle patriotens hjarta. Men steget från en sådan bitter kansla till att svika sin livsuppgift ar dock for stoit för att kunna enbart darav forklaras. Andra orsaker måste ha tillkommit. Gadh såg med egna ögon de valdiga tillrustningar, som Kristian gjorde till 1520 års falttåg, och efter olycksbudet om Sten Stures död var han blott en av de många, som förlorade hoppet om svenska folkets formåga att varna sig mot inkraktarne

Tungt vägde ock i vågskålen den vanlighet, som Kristian — med klok beräkning — visade sin gamle fiende i fångenskapen. Kristian var en man, som kunde vinna på narmare bekantskap, når han satte den sidan till. Hemming Gadh fick alltmer ogonen öppna for konungens goda egenskaper Kristians rika begåvning väckte hans beundran, och konungens sympatier för allmogen slogo an på den gamle folkledaren. Han rentav började tro på Kristian som framtidsmannen för Norden.

På alla dem, som stodo vacklande och obeslutsamma, måste det göra ett maktigt intryck att hora denne man, som grånat i kamp mot unionen och Danmark, nu fora Kristians sak och tala för fred och underkastelse. Battre tjanst kunde ingen gora konungen an den forne bondehövdingen nar han underhandlade med bönderna. Även Kristian sjalv talade med mera betydande allmogemän, och hans kända förmåga att vinna folk, när han så ville, förnekade sig ej heller nu. Men kanske minst lika vältalig som hans ord var hans åtgärd att vid skilsmässan skänka dem, som han talat vid, en kagge salt. Ty det var en nödvändighetsvara, på vilken allmogen led brist under krigen, och som därför fick stor betydelse såsom politiskt lockbete. Salt eller löfte om salt hade på bonden samma verkan som förläning eller löfte om län på adelsmannen. Kristian förstod detta och hade därför försett sig med ett ansenligt förråd av detta undergörande ämne.

Viktigast var det emellertid för konungen att få Stockholm i sitt våld, ty annars betydde det icke mycket, om han var herre över riket i övrigt. Han började en häftig beskjutning med kanoner från alla sidor, men elden besvarades kraftigt och ihärdigt från besättningen på den starkt befästa staden. Det var Kristina Gyllenstiernas mod, som besjälade stadens försvarare. »När nödens natt låg som svartast över Sverige, när folket glömt löjet för gråten, glömt visan för gravsången, stod den unga och hänförda Kristina Gyllenstierna där på vallen utanför Stockholms slott som en morgonstjärna för sitt lidande folk, bådande den svenske solljuse ynglingen med segrarblicken i ögonen och riksens krona strålande över huvudet!»

Därför förmådde Kristian ej heller denna gången med vapenmakt taga Sveriges huvudstad. Han begynte då att med vackra löften locka stadens försvarare att giva sig: han lovade att förlåta allt motstånd han rönt och hålla alla rikets inbyggare vid deras lag och rätt. Även nu skulle Hemming Gadh gå konungens ärenden. Han kände som ingen annan till förhållandena i staden, han var personligen bekant med både fru Kristina och stadens främsta män, och han visste hur man skulle taga dem var och en, hade reda på deras svaga sidor. Därför kröntes hans olycksbringande värv med framgång.

»Då rikets herrar ej voro män utan började köpslå med fienden, glesnade skaran kring den unga hjältinnan, och snart stod hon där ensam, och portarna öppnades till den stad, där det fanns mycket stortaligt herrfolk, men blott en enda man — och det var en kvinna.»

Det var på hösten 1520, som Sveriges huvudstad gav sig till Kristian II.

Litteratur till detta och nästa kapitel: C. F. Allen, De tre nordiske Rigers historie 1497—1536: Bd II—III: 1.
K. Ahlenius, Sten Sture d. y. och Gustaf Trolle 1514—1517 (Historisk tidskrift 1897).
Samuel E. Bring, Kristina Nilsdotter Gyllenstiernas insats i vår historia (Meddelande 15 från Föreningen för Stockholms fasta försvar; häft. kr. 2: —).
Sanfrid Welin, Slagen vid Bogesund och på Tiveden 1520. (Västergötlands fornminnesförenings tidskrift för år 1915; häft. kr. 5: —).

Stockholms blodbad.

KRISTIAN var Sveriges herre. Under klockringning höll han sitt högtidliga intåg i Stockholm, ridande på en präktigt smyckad stridshingst och ledsagad av en lysande skara. Vänligt hälsade han åt de folkmassor, som strömmat honom till mötes. Vid kröningen förnyade han med ed sitt löfte att hålla Sveriges lag och rätt, »och förpliktade han sig så högt, att en hedning måtte skämmas bryta en sådan förpliktelse», heter det i svenska riksrådets senare redogörelse för händelserna.

Men i sitt inre ruvade han på mörka tankar. För hans minne stego fram bilder av huru hans far och farfar en gång suttit som herrar på samma Stockholms slott — för att några år senare bliva störtade från tronen, när de minst anade det. Och av vem? Jo av dessa trotsiga, högmodiga svenska stormän, som ingen vördnad hyste för konungens person men tyckte sig själva vara skapade att härska i stället för att lyda. Skulle det en gång gå honom själv på samma sätt? Skulle han efter all denna blodiga kamp, som kostat så många av hans bästa män livet på valplatsen, efter att ha uttömt det yttersta av sina andra rikens krafter kanske om ett par år få uppleva, att vinsten av alla dessa offer ginge honom ur händerna genom ett nytt uppror? Ja, hela Sveriges senare historia visade, att så skulle komma att ske, så snart tillfället bleve gynnsamt för upprorsmakarne — såframt han icke i tid vidtoge kraftiga säkerhetsåtgärder. Kanske dolde sig bland några av dessa stormän, vilka nu så ödmjukt böjde sitt huvud för honom, en blivande riksföreståndare, som en vacker dag skulle kalla Sveriges folk i vapen mot dess konung. Det måste förebyggas. Svenskarne måste dock en gång få lära sig, vad det ville säga att trotsa sin krönte härskare. Med lämpor kom man ju ingen väg med dem. Nej, ormynglet måste krossas, trampas ned i sitt eget blod. »Jag måste», tänkte han, »kväsa den styvsinta svenska adeln, kväsa den så, att den aldrig kan ställa till något uppror.» Först därefter skulle Sverige bli lydigt och konungadömet tryggat.

I dessa mörka tankar stärktes han av andra hämndgiriga män, med vilka han ideligen samtalade, män sådana som den av maktlystnad förgiftade Gustav Trolle och den lågsinnade Didrik Slagheck, en oäkta son till en tysk präst, som kommit sig upp tack vare mor Sigbrits gunst.

Men under de festligheter, som efter kröningen höllos på Stockholms slott för de förnämsta av ständerna samt borgmästare och råd, »syntes konungen själv allom vänlig och lät sig med sitt ansikte svåra lustig och glad förnimma, undfångandes en part med skrymptaktigt kyssande, somblige med vänligit fampntagande, slog händerne samman, log och lät allahanda vänlighets tecken uppåskina» heter det i svenska rådets redogörelse. »De svenske som in på slottet budne voro gjorde sig glade, dantzade, lekte och drevo allahanda kortvill.»[1]

Men en och annan, som var mera skarpsynt, tyckte sig stundom för ett ögonblick spåra ett dystert och hotfullt uttryck i konungens blick, lade märke till ett och annat skarpt ord, som liksom ofrivilligt undföll honom. Så fanns det nog de, som mitt i festjublet fylldes av dystra aningar. Och när dessa fester voro väl över, var det mer än en, som drog en lättnadens suck.

Men dagen efter kallades kröningsgästerna åter upp på Stockholms slott. Där samlades i stora salen vid middags-

---

[1] Förlustelser.

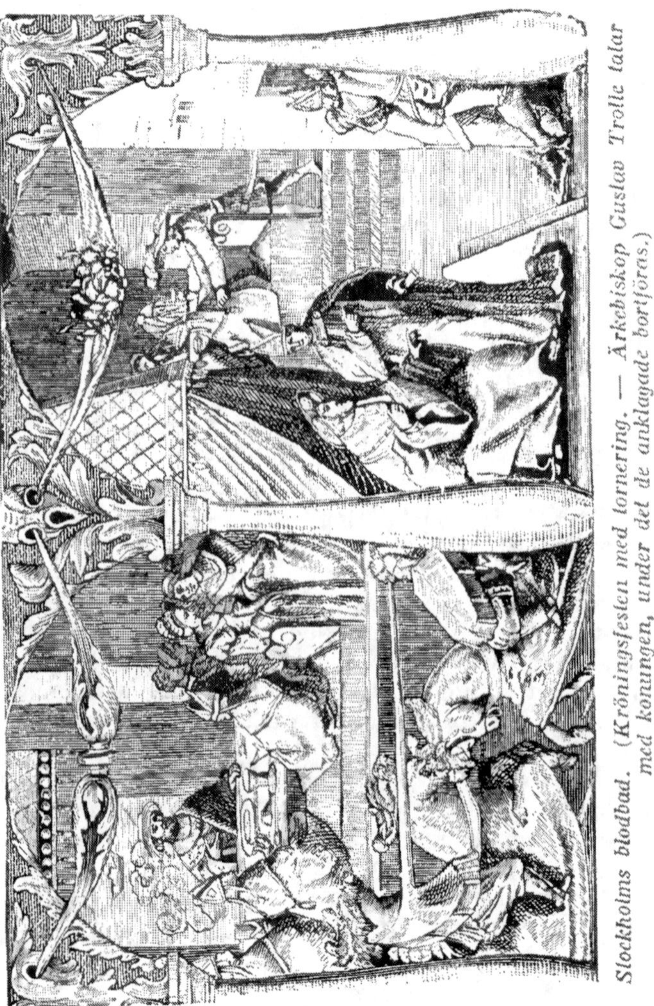

Stockholms blodbad. (*Kröningsfesten med tornering. — Ärkebiskop Gustav Trolle talar med konungen, under det de anklagade bortföras.*)

tiden den 7 november de förnämsta adelsmännen med sina fruar samt högre prästerskap och förnäma borgare. Så stängdes slottsportarna, och ingen fick komma ut. Konungen trädde in i salen och intog sin tron. Han hade kommit överens med Gustav Trolle, att denne skulle träda fram inför honom och fordra straff på dem, som förorättat honom. Nu var den hatfulle Trolles stund kommen att utkräva den hämnd, varefter han så länge törstat. Han fordrade lagens strängaste straff på aderton särskilt namngivna personer, däribland främst den avlidne riksföreståndaren, dennes svärmor och änka samt dessutom på borgmästare och råd och hela borgerskapet i Stockholm, vilka alla tillhörde Sturepartiet. Då bleknade mer än en, och en rysning gick genom salen.

Ärkebiskop Gustav Trolles sigill.

Den som först bröt den hemska tystnaden var fru Kristina Gyllenstierna. Hon trädde fram för konungen och förklarade, att Gustav Trolles anklagelse icke kunde drabba någon enskild, ty vad som övergått honom hade skett i kraft av ett riksdagsbeslut av samtliga riksens råd och ständer. Skulle straff följa därpå, så måste detta gå ut över hela riket. Till bevis lämnade fru Kristina fram 1517 års riksdagsbeslut.[1] Säkert trodde hon sig genom detta sitt ingripande ha räddat de anklagade. Men ett olycksbådande leende överfor Didrik Slaghecks tarvliga och listiga fysionomi, och kungen grep med begärlighet dokumentet, vilket innehöll namnen på alla dem, som deltagit i beslutet, jämte deras vidhängande sigill i kapslar av trä.

Först upplästes nu riksdagens avsättningsdom över ärkebiskopen, och därpå började konungen förhöra de undertecknare av brevet, som voro närvarande. Då biskop Hans Brask ställdes till ansvar för att han underskrivit domen, öppnade emellertid den sluge prelaten sin sigillkapsel och tog

---

[1] Se sid. 520.

fram en liten lapp, som han smugit in, med påskrift: »Till denna besegling ar jag nödd och tvungen.» När han skrev under, hade han forutsett faran och räddade sig på detta satt — eller kanske rattare sagt: man fick en forevandning att rädda honom. Det ar ganska troligt, att Hans Brask haft Gustav Trolles hjälp att påräkna, ty de bägge kyrkofurstarne stodo varandra rätt nära i åsikter.

Men med de andra ständerna hölls rannsakning. Morkret foll på, men förhöret fortsattes vid eldsljus. Kristian hade avlägsnat sig. Kande han sig hemsk till mods vid att vara ansikte mot ansikte med sina offer?

När rannsakningen var slut, öppnades salens dorrar, och våpnade män visade sig. De gingo omkring med bloss och facklor, letande i det halvskumma rummet efter dem som de skulle gripa. De gingo och kommo igen, alltjämt hamtande nya offer. Där blevo präster, adelsman och borgare, ja även kvinnor »forde av en hop skalmiske bodler uti svåra otillbörliga fängelser och forsmädelige rövares förvaring». Till slut kom vakten icke mer tillbaka. Men de som lämnats kvar hade även de en hemsk natt att genomleva. Vad skulle deras öde bli nasta dag?

På morgonen den 8 november tillsattes en domstol, som bestod av präster, bland dem Trolle. Ordförande var en dansk biskop. Domstolen forklarade de anklagade for uppenbara kättare, d. v. s. avfällingar från den heliga kyrkan, darfor att de vågat döma en biskop. Det hade endast påven ratt till (se sid. 316). Konungen bestämde själv straffet. Det vart doden. Domen falldes på befallning av samme Kristian, som lovat, att det förflutna skulle vara glomt och förlåtet.

Om vad som sedan foljde berättar ett trovärdigt ögonvittne, Sveriges förste verklige historieskrivare, den store folkpredikanten Olavus Petri [1] i sin Svenska krönika: »Därefter lat konungen blåsa med trumpeter och utropa, att ingen skulle gå ut av sitt hus utan alle skulle bliva dar inne, dar de voro. Och vid middagstid lat han leda bispen i Skara och bispen i Strängnäs med de riddare och riddersmäns män

---

[1] Se avd II: sid 316

och borgare, som han hade fånga låtit, ut på stora torget till att där avliva dem.»

I svenska riksrådets redogörelse skildras — nog icke utan en viss färgläggning —, huru dessa biskopar blevo »utförde av blodhundar utur konungens åsyn till krigsfolket, som dem hädde och försmädde. Men de gingo och tego stilla, lika såsom fåren för deras klippare. och med stor hövlighet lyfte sine ögon och händer frimodeligen upp till himmelen. Och när de voro kompne till rättarplatsen, vilken var för rådhuset, till att bliva av bödelen nederstörte och mista livet, då upplyfte de sine ögon till de blodhundar, som där omkring stodo, ödmjukeligen begärandes för Guds skull, att dem måtte bliva någon präst tillåten, för vilken de sine synder bekänna kunde, det dem strax, efter den tyrannens befallning, som både efter livet och själen stod, blev förvägrat och nekat. Ty så strängeligen blev den tyranniske konungens befallning efterkommen, att om möjeligit hade varit, då hade de gärna dräpet själen tillika med kroppen.»

I Olavus Petris berättelse heter det om de dödsdömda biskoparne och deras olycksbröder: »Och då de så voro komne på torget och stodo i ringen, stodo någre av konungens råd uppe i burspråket.[1] En av dem hade ordet till folket, som då på torget stod, och bad, att de icke skulle förfäras över det straff, som där skedde, ty det vore blott missdådare, som hade förtjänat sitt straff. Då ropade biskop Vincentius (från Skara) honom under ögonen och sade, att han icke sade sanningen utan hans konung handlade med lögn och förräderi emot de svenske män; och begärade han, att de andre måtte få en dom över sig och veta, för vad de skola dö; och talade han mäktigt hårda ord emot konungen och sade, att Gud skulle hämnas över sådant övervåld och orätt. Desslikes ropade ock två av Stockholms rådmän, där de stodo i ringen. och bådo, att svenske män skulle lägga på hjärtat deras skada och ej låta så skamliga förråda sig med falska brev och dagtingan,[2] som nu skett var, och att de skulle sådant tyranni vedergälla, om de det kunde; och ropades där hämnd i himmelen.

---

[1] En utbyggnad på rådhuset, liknande en balkong. — [2] Avtal.

Stockholms blodbad. (Biskop Vincentius halshugges. — Kropparna köras till Södermalm; i bakgrunden synes, hur herr Sten Stures graf öppnas. Efter samtida träsnitt.

Och så blev då biskop Mattias i Strängnäs rätt utanför rådstugan först halshuggen. Hade dock ingen av de svenske, sedan det kom till daglingan, så mycket lagt sig ut för konung Kristian som biskop Mattias; och det hade varit omöjeligt, att konungen skulle hava fått sin vilja fram här i riket, hade icke biskop Mattias varit. Men det blev han lönter för. Därnäst blev biskop Vincentius halshuggen.»

Sedan avrättades flere rådsherrar och andra stormän och slutligen Stockholms tre borgmästare, nästan alla rådmännen och en mängd förnäma borgare, tillsammans över 80 personer. Flera borgare rycktes från sitt arbete till Stortorget och »vordo dräpne lika som får, som tagas utur fårahagen och föras in på slaktebänken till att avlivas». — »Överallt var suckan, mord och död», skriver ett annat ögonvittne. »Ingen tillflykt fanns undan dragna svärd och grymma män.»

Olavus Petri fortsätter: »Och blevo de döda kropparna liggande på torget ifrån torsdagen (den 8 november) intill lördagen. Och var det en ynkelig och jämmerlig syn, huru blodet med vatten och orenlighet, som den årstiden vara plägar, lopp i rännstenarna ned av torget. Ja, det var ett gräsligt och obarmhärtigt mord.

Om lördagen lät konungen upptända en stor eld på Södermalm och lät så släpa de döda kropparna därut och bränna dem upp; lät så uppgräva herr Stens döda lekamen, som mer än ett halvt år hade legat i jorden, med ett spätt barn och lät dem med de andra uppbrännas.

Då nu borgarena halshuggne voro, vordo alla deras nycklar tagne ifrån deras hustrur; och blevo där guld, silver, penningar och alla deras bästa varor uttagna såsom förbrutet gods, änskönt ingen dom var därom gången.»

Denna hemska händelse har blivit kallad Stockholms blodbad. Kristian gjorde ett försök att vältra ansvaret över på andra. I en proklamation, som han utfärdade dagen efter det stora blodbadet, skyllde han på Sveriges ärkebiskop och den domstol, som fällde domen den 8 november. »Den hade», säger han, »bestått av de visaste män i Sveriges rike», och Kristian hade endast uppfyllt sina plikter som svensk konung, när han verkställt domen och i kraft därav låtit

Liken efter de i Stockholms blodbad halshuggna brännas på Södermalm. — Abboten och munkarne i Nydala dränkas.

avrätta en samling förbrytare mot svenska kyrkan. Han underlåter emellertid att namna, att den som bestamt straffets art var icke domstolen, icke svensk lag utan Kristian sjalv. Vad han också förbigår med tystnad var, att de domde utgjort blott en ringa del av dem, vilkas huvud fallit for bödelns yxa.

Då detta Kiistians satt att forsvara sig icke gick i någon, hittade han på andra lögner. Till sist skot han skulden på Didrik Slaghecks »onda råd» och lat slå huvudet av honom

Stockholms blodbad har forskaffat Kristian tillnamnet Tyrann. Det hat, varmed hans namn blivit for alla tider omgivet i Sveriges hävder, har drivit senare historieskrivare att utmåla de i och for sig tillracklgt fasavackande scenerna vid Stockholms blodbad an ohyggligare. Så återfinnes annu hos Fryxell den på 1600-talet tilldiktade episoden, att Kristian, når Sten Stures lik blivit uppgravt, skulle ha »i sitt raseri bitit i den avlidnes halvmultnade lamningar». På 1700-talet utbioderades den osmakliga berattelsen av Dalin och Celsius sålunda· »Når Kristiern fick se liket, skall han som ett vildjur dåruti av arghet hava bitit. Han låt en del darav sönderstycka och skicka kring alla landsorter, en del efter kättarebalken i elden förtåras tillika med den.spåde Sturen, som kort före fadren avlidit.»

Fru Kristina och andra fornama kvinnor, som på ett så hemskt satt blivit ånkor, blevo kastade i fangelse.

Blodsutgjutelsen fortsattes i andra delar av landet. Den gamle Hemming Gadh, som blivit sand till Finland for att vinna befolkningen dar for Kristian, blev efter fullbordat varv lont icke med den »goda forlåning» i Finland, som Kristian forespeglat honom, utan med bodelsyxan Men sagnen lade i den doendes mun en profetisk förbannelse av innebord, att kung Kiistian en gång skulle till straff for sina ogärningar mista land och rike och sluta sitt liv i fattigdom och elande.

Det basta eftermalet efter den man, som nu fick dela samma öde som så mången annan svensk fosterlandsvan, år, att han, liksom Engelbrekt och Sturarne, genom sitt outtrottliga arbete vackt och eldat Sveriges allmoge till ansvarsmedvetet deltagande i statslivet.

Den sjuttioårige mannens livsverk var nu avslutat. Hans nye herre behövde honom icke långre, ja han hade nog gripits av fruktan, att Gadh i grund och botten var samme svenske patriot som förr, och att hans gamla sinnelag skulle bryta fram vid underrättelsen om Kristians våldsgärningar i Stockholm. Bäst därför att göra även honom oskadlig.

Så drog det ena blodsdådet det andra med sig. Galgar och avrättningar kännetecknade Kristians eriksgata, då han återvände till Danmark för att en tid ägna sig åt dess styrelse.

*   *   *

Gripande är den dock ej alldeles pålitliga berättelsen om hur de små Ribbingarne i Jönköping, två bröder om åtta och fem år, trots sin späda ålder halshöggos för att ej bli farliga i framtiden. Enligt sägnen skall den lille femåringen, som såg sin brors kläder fläckas av det rinnande blodet men icke förstod, vad det betydde, ha sagt till bödeln: »Käre man, bloda inte ned min skjorta som min broders, ty då får jag ris av mamma.» Dessa ord av det menlösa barnet sägas ha så gripit den förhärdade skarprättaren, att han kastade svärdet ifrån sig och utropade: »Nej, förr skall min egen skjorta blodas, än jag skulle bloda din!» Men då säges Kristian, som själv skulle ha åsett det hjärtskärande uppträdet, ha kallat fram en mera hårdhjärtad tjänare, som först slog av det oskyldiga barnets huvud och sedan den medlidsamme bödelns.

Klosterbröderna i Nydala straffades på ett fruktansvärt sätt, för att de under de föregående striderna förenat sig med allmogen mot Kristian. Abboten och fem munkar blevo nämligen gripna och dränkta i en förbiflytande å.

När Kristian lämnade Sverige, anförtrodde han dess styrelse åt några svenska, danska och tyska herrar, bland dem Gustav Trolle och Didrik Slagheck. Till befälhavare på slotten satte han danskar och tyskar.

*   *   *

Sveriges folk var slaget med skräck, bedövat. Nu, tänkte Kristian, kunde ej mer något uppror ske — ty vem skulle väl bli anförare?

SVENSKT ALLMOGELIV MOT MEDELTIDENS SLUT

Den svenska ungdomen.

Om barnens uppfostran

har Olavus Magni åtskilligt att berätta: »För att göternas barn och ynglingar icke måtte uppväxa i slö lättja eller använda sina första ungdomsår till dåliga sysselsättningar, har det alltid varit sed, att de i späd ålder övats i åtskilliga idrotter. Detta gäller i synnerhet krigiska lekar och skjutning. De gå därvid till väga så, att de ej giva sina barn något bröd, förrän dessa med en pil träffat målet, som är uppsatt för dem av deras uppfostrare. Därför finnas också gossar på knappt tretton år, som äro så skickliga i att skjuta, att när de befallas att på långt avstånd träffa huvudet, bröstet eller fötterna på de minsta fåglar med pilen, göra de det ofelbart.

Å föregående bild ser man simredskap och deras bruk. De bestå av säckar eller blåsor, fyllda med luft, eller av knippen av säv. Deras ändamål är att särskilt för barn och ungdom öka nöjet av att bada och hjälpa dem att lära sig simkonsten, på det att de ej en gång, när det gäller, må vara oförmögna att rädda sig själva eller andra ur överhängande livsfara. De gamla nordborna plägade lika ivrigt tillhålla sin ungdom att dyka upp och ned i brusande floder och djupa sjöar som att på ystra hästar jaga backe upp och backe ned samt väja undan för rysliga bråddjup. De ansågo nämligen, att den icke var någon riktigt duktig krigare, som icke förmådde att även genom simning rädda sig undan fienden. Det händer ju ofta, att en drabbning till fots på fältet förbytes i strid till sjöss eller i träskmark.

Om ungdomens snöfästningar.

De nordiska folken ha för sed att öva sina ynglingar i åtskilliga krigiska idrotter, såsom att belägra och intaga fästningar. Och särskilt finna de unga stort nöje i dessa krigiska lärospån. Därför plägar ungdomen årligen, medan det är snö på marken, på de äldres uppmaning samlas på någon höjd. Här hjälpas de endräktigt åt att hopa väldiga massor av snö och uppföra därav fästningsmurar, som de förse med gluggar. Sedan övergjuta de murarna upprepade gånger med vatten, för att fästningen skall bli stark och fast. Genom detta omsorgsfulla arbete bliva sådana fästningar så kraftiga, att de skulle kunna uthärda ej blott lättare anlopp utan till och med metallkulor och stötar av murbräckor. Då allt är ordnat, fördela sig ynglingarne i skaror. En del tager plats i fästningen för att försvara denna, en del stannar utanför för att angripa den. Inom den vitskimrande förskansningen äro mörka fanor eller gröna enruskor uppsatta. Under hägn av dessa fälttecken störta sig ynglingarne i en nöjsam strid, vilken på båda sidor icke föres med andra vapen än snöbollen, som kastas med händerna. Därest någon skulle i sitt kastvapen lägga in sten, järn, trä eller is, straffas han med att naken nedsänkas i iskallt vatten. Några av de belägrande anlägga även minor och undergräva snövallarna, så att de kunna tränga in och utdriva fästets försvarare från deras post. Och det dröjer ej länge, förrän man kommer i handgemäng och knytnävarna anlitas, tills fanan ryckes ned och det ena partiet blir besegrat. Men en annan gång, när striden förnyas i samma fästningar, kan det hända, att de besegrade triumfera över de forna segrarne.

Men om några giva sig på flykten och fegt draga sig ur striden, då stoppar man snö på ryggen på dem mellan huden och kläderna, ifall man lyckats infånga dem. Och de avfärdas undfägnade med mustiga ord och tillmälen, för att de en annan gång må bättre hålla stånd och modigare försvara sin fästning.»

Det dagliga arbetet på åker och äng, i skog och mark.

På åkern.

AV ÅLDER var odalmannens idoga arbete med jorden högt aktat i Norden och sidoordnat med sjöfärder och vikingatåg såsom idrotter, värdiga den frie mannen. Redan under hednatiden var mark bruten till de flesta av våra nuvarande gårdar och byar. I allmänhet lågo gårdarna under medeltiden samlade till byar. Närmast kring den täta klungan av åbyggnader på hustomterna utbredde sig åkrarna och de s. k. åkerfasta ängarna, fördelade på

Bonde och bondkvinna.
Medeltidsmålning i Härkeberga kyrka i Uppland.

byns åbor.   Därutanför lågo betesmarker och skog, vilka brukades gemensamt av alla i byn.

Varje gårdsägare hade sin andel av såväl den bättre som den sämre åkerjorden, överallt i förhållande till sin andel i byn. Låg då byns åkerjord, såsom mest var fallet, spridd på olika platser, skilda av berg och grusbackar, vattensamlingar eller sankmarker, så blev byns åkerjord till den grad sönderstyckad, att den påminde om »ett lapptäcke».

Lätt är det att inse, hur hindersam denna stränga rättvisa i fråga om byjordens uppdelning skulle bli för jordens skötsel.

Hökörning.　　　　　Gärdesgård.

Ur en handskrift av Magnus Erikssons landslag.

Var och en måste rätta sig efter sina grannar. Man kunde ju t. ex. icke köra hem sin skörd, ifall grannen, över vars åker man måste köra, ej hade mejat sin säd. Det kunde vara ren lättja och slöhet, som lade dylika hinder i vägen för den idoge, ty de egenskaperna förekommo då som nu. Och grannsämjan kunde vara så beskaffad, att en bonde fann nöje i att tredskas bara för att ställa till obehag för grannen. Lagarna försökte råda bot därpå genom det påbudet, att om någon bonde på detta sätt alltför länge stängde grannarnes väg till deras lador, så ägde dessa rätt att skära så mycken gröda, att de kunde komma fram med sina lass. Men att en sådan åtgärd icke skulle förbättra grannsämjan, är tydligt. Berodde däremot hindret på att i den brådskande andtiden allt folket

på en gård insjuknade, så voro grannarna forpliktade —
såval av grannkärlek som i eget intresse — att bistå honom
med ett dagsverke var, innan de togo itu med arbetet på sin
egen jord.

Lagarna hade för övrigt åtskilliga föreskrifter om åkerns
skötsel De påbjodo, att rätt stora diken skulle grävas om-
kring den, samt att den skulle inhägnas. Ve den, genom vars
forvållande i inhägnaden fanns ett litet hål, genom vilket
svinen kunde smyga sig in, eller ett storre gap, som beredde
tilltrade åt betande djur, vilka voro ivriga att få frossa på
den uppväxande såden!

Ganska mycket arbete nedlades redan nu på åkerns gods-
ling. Fram mot våren kördes godseln å slådar ut på gardena.
Ju djupare snon låg, desto bättre verkan väntade man sig
av gödningen. Den myndige biskop Hans Brask, som var
en av våra största jordbrukare mot medeltidens slut, har i
sin almanacka antecknat vid den 16 maj: »God leran tjockt
och sanden tunt!» och vid den 6 september: »Vand om
stubben, då skuret är, då fetmar jorden.» Man sokte även
forbättra jordmånen genom att påfora åkern torv från ut-
markerna.

Det sädesslag, som av ålder odlades mest, var korn. Sedan
kom vetet in i landet, men det synes ännu mot medeltidens
slut ha varit ganska sallsynt. Allmant odlades däremot råg
och rätt mycket havre. Kornet var sexradigt. Till stor
del forvandlades det till malt för olbrygd.

For detta andamål var även humlen av stor betydelse.
Denna växt, som finns vild anda uppe i nordligaste Sverige,
måste for att ge någon nämnvård avkastning odlas i s. k.
humlegårdar, dar den får slingra sig utefter stanger. I Kris-
tofers landslag påbjudes, att var bonde skall anlagga en hum-
legård på 40 stänger. De tredskande voro forfallna till boter.
Genom ett senare rådsbeslut, av år 1474, ökades antalet fore-
skrivna stänger till 200, en åtgärd vari en historisk forfattare
ser ett utslag av de stora herrarnes begär att på sina resor få
hos allmogen dricka ol i stället for vatten. Saken kan emel-
lertid helt enkelt forklaras så, att man ville befria landet från
utgifterna till hansestaderna for en vara, som med fordel
kunde odlas inom dess gränser, sårskilt i Malarlandskapen.

En nodvandighetsvara, som i äldre tider odlades jämförelsevis mycket mera än i våra dagar, var rovor, vilka användes på liknande satt som potatisen nu. Gottlandslagen stadgar till och med boter for den husagare, som uraktlat att odla rovor, även om han eljest icke drev jordbruk.

Olika brukningssatt användes i olika trakter. I vissa delar av Skåne, dar jordbruket stod hogt, hade man hunnit till treskiftesbruk: vart år var ett garde besått med hostsåd, ett annat med vårsad, arter, rovor m.m., och det tredje låg i träde, for att jorden skulle få vila. På trädan fick boskapen gå och beta. På det viset låg alltid 1/3 av åkerjorden i vila På de andra stora slåttbygderna i södra Sverige, Västergotland, Östergötland och Uppland hade man ej hunnit längre än till tvåskiftesbruk, vadan här alltså blott halva åkerarealen på en gång odlades. Av Ostgotalagen se vi, att detta brukningssatt dock ännu omkring år 1300 ej fullt trangt igenom i landskapet. Det heter namligen: »Träta bonder om sattet att bruka jorden, då ager den vitsord, som vill låta halften av jorden ligga i trade.» Men i andra trakter, såsom Halland, Bleking och skogsbygderna i Småland, stod jordbruket ännu lagre, ty dar var tradan okand, och avkastningen blev naturligtvis i langden därefter. Visserligen odlade man där all sin jord samtidigt, men man godslade den blott vart tredje eller vart femte år.

»Med glädje hälsade man axen vid tiden for helge konung Eriks fest, ty då hade man hopp om mogen och skuren sad vid den tid, då man firade den helge konung Olofs minne. »När Erik ger ax, ger Olof kaka.»

När skordeanden kom, var årets bråaste tid. Då var det att gå man ur huse, och även kvinnor och barn måste med for att hjälpa till. De små barnen lade man i korgar, som hängdes upp i traden, for att markens skadedjur ej skulle kunna gora dem något ont. Särskilt var man rädd for att ormar skulle krypa in genom munnen på dem Många historier darom voro i svang bland det okunniga folket och äro så än i dag.

Det var ej att undra på att man efter det ansträngande skördearbetet sokte vederkvickelse i festlig gladje. Olavus Magni berättar, att man vid skordefesterna även brukade avtala om stundande giftermål

Strängt straff stadgade lagarna för den som tog gröda från annans åker, »stal under Guds lås», såsom det heter i Östgötalagen. »För åker är gärdsgården vägg och himlen tak», säger Västmannalagen. Den som grep en dylik tjuv på bar gärning ägde lägga ett rep om hans hals och föra honom till domaren. Straffet bestod i ej mindre än 40 marks böter. Den som icke ägde medel att gälda denna stora summa skulle föras till närmaste strand och stenas.

Eldsvåda. Ur Olavus Magnis bok om de nordiska folken.

På andtiden följde hösten med kulna dagar. När arbetet ute på åkern var lyktat, vidtog tröskning med slagor på logen vid skenet av en eld, som måste noga vaktas.[1]

* * *

Allteftersom folkmängden ökades, behövdes mera åkerjord för att föda den. Redan under hednatiden hade de öppna slätterna och dalgångarna blivit otillräckliga för den växande befolkningen. Då tog man till att bryta mark i skogarna.

[1] Se band II: illustr sid 167

Dylika forna nyodlingar i skogen visa sig sådana gårdar vara, där gravhögar än i dag vittna om att de en gång varit bebodda av hedningar, och i vilkas namn ingår ordet **skog**, **ved** eller **hult**. I Uppland ha vi t. o. m. ett helt härad, som uppstått på dylik mark. **Ved-bo** härad betyder just **skogsbornas** bygd. Om gammal skogsröjning vittnar också den massa ortsnamn på **ryd**, **rud**, **röd** eller **red**, som finns i vårt land.

En man som plöjer med årder. Ur en handskrift av Magnus Erikssons landslag.

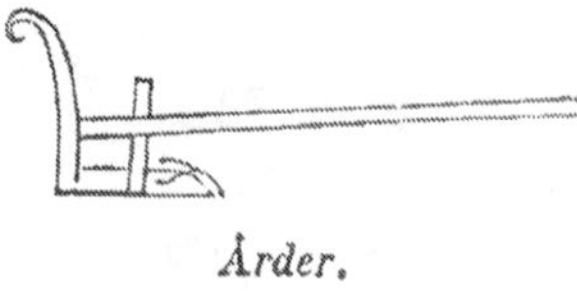

Årder.

Arbetssättet vid anläggande av nyodlingar i skogarna var följande. Först fällde man träden och tände eld på dem. Fem nätter föreskriver Hälsingelagen att man skall vakta elden. Men ändå kunde förhärjande skogseldar uppstå och sträcka sina verkningar även till människoboningarna.

Sedan man efter branden mer eller mindre sorgfälligt plockat bort hinderliga stenar, »ärjades» marken, d. v. s. uppristades med årder eller krok, ett uråldrigt redskap, som användes redan under stenålderns sista tid. Det var naturligtvis inget lätt göra att föra fram detta redskap mellan trädrötter och stenar, men man fick i den askblandade myllan en jordmån, över vars godhet Olavus Magni ej kan nog utgjuta sig i lovord. Första året sådde man vanligen råg eller satte man rovor. Följande år tillfördes jorden ny kraft genom askan efter grenar och ris, som man förde dit och antände, och så kunde flera skördar tagas utan någon mera djupgående skötsel av jorden.

Vem helst som ville hade rätt att taga upp sådant svedjebruk i byns utmarker. Särskilt berättas, att frigivna trälar ofta sökte livnära sig genom att ge sig ut i skogarna och på egen hand odla små jordlappar. Men odlaren fick behålla dem blott några få år, olika i olika landskap. Sedan tillföllo de delägarne i byns skogsmark.

Oftast fick väl odlingen på den avlägsna och grundligt utsugna jordbiten nu förfalla, och när några år gått, vittnade blott några hopplockade stenrösen på en jämnad yta om att människor där en gång arbetat i sitt anletes svett.

Ej sällan hände det, att tvister uppstodo om sådana nyodlingar därigenom att den, som röjt marken, i förtid övergav sin jordlapp men sedan helt oväntat återvände dit och fann en annan på platsen. »Far någon i öken eller allmänning», heter det i Upplandslagen, »rödjer och rymmer, bort far han, till kommer en annan när hans ruda,[1] bryter [upp stubbar och sten] på hans bröta, barkar och bleker,[2] kommer om med [gärdes]gård och värn; upp kommer den, som förut rödde, och säger: 'Vi kom du i ruda min?' — 'Nej', säger han, 'det är ruda min och ej din. Jag har barkat och blekat!' Då har den vitsord, som omgivit marken med gärdesgård och bor därpå, och den have förverkat arbete sitt, som först röjde.»

Nyodlingarna voro dock ingalunda alltid av denna tillfälliga beskaffenhet. De kunde också växa ut till verkliga utgårdar till den huvudgård, dit marken hörde. Den vanliga benämningen på en sådan utgård var torp. Det förekommer i namn på en mängd gårdar och socknar och visar, att dessa ursprungligen varit utgårdar, som sedan blivit självständiga gårdar och ibland i sin tur givit upphov åt nya utgårdar. Socknar med namnet Torp eller Torpa förekomma flerstädes i skogstrakter eller eljes där bygden är av jämförelsevis sent ursprung. I Bohuslän finns t. o. m. ett Torpa härad. Det ligger, som man kunde vänta, i en ganska oländig trakt, som jämförelsevis sent blivit odlad.

Samma betydelse som »torp» ha i gårdsnamn sammansättningar med orden boda,[3] bråten,[4] böle, säter och sel.

I stall och ladugård.

Bland husdjuren var särskilt den svenska hästen av ålder frejdad. Redan den gotiske historieskrivaren Jordanes, som levde på 500-talet e. Kr., berättar, att hästar utfördes

---

[1] Röjning. — [2] D. v. s. märker träden kring nyodlingen med hugg i barken. [3] Av »bodar» = skjul. Därmed menades ursprungligen vad vi kalla fäbodar. — [4] T. ex. Slätbråten: av bryta [upp mark].

fian Sverige till andra länder. Att denna export sedan fortfor, framgår av kopehandlingar från både 1300- och 1400-talen samt av Olavus Magnis berattelser om de nordiska folken. Han diojer med välbehag vid de svenska hastarnas förträffliga egenskaper. »De norska hastarna äro» — säger han — »av medelmåttig storlek och underbar styrka och snabbhet, når det galler att fardas över berg och stemga vagar. Men de svenska hastarna passera med storre ihårdighet och med stor snabbhet utan åtskillnad kärr och hojder och djupa skogar. De små öländska hastarna äro mera angenåma att se på än starka. Även de finska hastarna áro goda. De vastgotska äro de största och starkaste. Vart år fullastas faityg i Svea- och Gotaland med hastar, som skola saljas i Tyskland. Dessa djur aro dock endast av medelmåttig storlçk De stora hastarna, som aro lampliga till kiigstjanst, få namligen icke loras ur landet.

Av många skäl aro dessa hastar bättre och hårdigare an andra. Till dess de hava fyllt tre år, vistas de med sina modrar på skogsängar både sommar och vinter, även under den strängaste vinter, och de bliva darigenom hårdade, raska och outtrottliga. De forsmå ej att ata tradens kvistar, löv, örter samt foda av simplaste slag. De äro ej svåra attsko. Deras färg år av olika slag, huden fast. De åro goda travare, kunna i morkret se vågen, bara ryttaren val under simning, hejdas aldrig av is eller drivor. I stiid bistå de sin ryttaie genom att bita hans fiende. De springa med ledighet over gravar, sky inga vagar, aven om dessa aro dyiga eller ojamna, undvika med omsorg bråddjup, aro staika och bliva sallan sjuka.

Ölandshästarna kunna inovas i varjehanda konster, ty de aro i hog grad laraktiga. De uppkopas av inhemska och frammande kopman att användas for nojes skull och medföras till avlägsna orter for att avyttras såsom ett slags underdjur. De kunna inlaras att hoppa och dansa vid ljudet av horn och trummor av personer som hava till fodkrok att giva dylika förevisningar. Därjamte undervisas de i konsten att hoppa genom tämligen trånga jarn- eller traband liksom hundar avensom att slå voltei, vilket de gora med utomordentlig vighet. De kallas vid namn och befallas så att gora mer eller mindre inveck-

lade rörelser, allt efter sin herres vilja. Detta slags hästar
kunna, om så påfordras, leva av soltorkad fisk och gran-
trä. Öl och vin förtära de, tills de bliva berusade, alldeles
som fallet är med älgar.» Vår sagesman omtalar nämligen
tamda älgar, som troget följde sina herrar och fingo vara
med vid deras dryckeslag.

»Läraktighet finner man dock icke allenast hos ölänningarna.
Hästar, som äro avsedda att bära damer av förnämt stånd,
läras att falla på knä, så att ägarinnorna kunna från mar-
ken stiga upp i sadeln. De vänjas därtill på följande sätt.
Först få de fasta en dag. Därefter föras de ut på slät mark,
och mat lägges för dem i en så pass djup grop, att de icke
kunna nå den utan att falla på knä. När de äro på detta
sätt dresserade, behöver man blott vidröra frambenen med
ett spö — och de knäböja genast. Även brudhästar övas
härtill, för att begagnas av brudarna, när dessa följas av
en beriden frändeskara.» De små Hallandshästarna voro
särskilt omtyckta som damhästar och såldes därför mycket
till utlandet.

Olavus Magnis förmaningar och råd rörande det ädla
djurets behandling visa också, vilket värde man satte på
hästen. Han påminner om vikten av att genom noggrann
renlighet sörja för hans trevnad men framför allt av att
bemöta det trogna djuret med den största vänlighet.
Om hur högt man under medeltiden kunde värdera en
god häst vittnar ock det faktum, att för en sådan betalts
ända till en summa motsvarande ungefär 25,000 kronor i
vårt mynt.

Sådana flockar av hästar, som året om gingo ute, blevo
naturligtvis halvt förvildade. Också talar Skånelagen om
»vildhors», och Gustav Vasa talar i ett av sina brev rörande
förhållandena på Öland om »de månge vildmärrer, som de
där på landet så överflödeligen hava».

I detta sammanhang kan förtjäna omnämnas, att man
under medeltiden icke synes ha haft för sed att skära ut
hingstarna, alldeles som förhållandet ännu är hos t. ex.
araberna. Detta sammanhänger med hästens myckna an-
vändning för krigsbruk. Endast hingsten ansågs det en
riddare värdigt att rida.

Riddarväsendet och stormannaväldet voro naturligtvis till gagn för hästaveln men inverkade menligt på husdjursaveln i allmänhet, därigenom att allmogen förtrycktes genom våldgästning och utpressningar av olika slag.

Byns nötboskap stod under vård av en herde, som med »fähundens» hjälp vallade kreaturen på byns gemensamma betesmark. Ett av djuren skulle alltid ha en skälla vid halsen. Herden hade en ganska ansvarsfull post. Han fick böta, om boskapen ej hade tillräckligt med föda, om den tog skada, när den gick över broar eller berg, om den gick för långt ut

En kvinna kärnande smör. Valvmålning från slutet av 1400-talet i Ösmo kyrka i Södermanland.

i vatten eller dy. Kreaturen tyckas därtill ha varit mer ostyriga och ondsinta än i vår tid — att döma av de många bestämmelserna i landslagarna angående husdjur, som skadat eller dödat varandra. Herden ansågs vara skyldig att reda sig mot en tjuv men icke mot det våld, som en rånare utövade; han var pliktig att hålla vargen på avstånd, men för boskap, som björn rev, var han icke ansvarig.

Fähusen voro trånga och mörka, och det måste ha varit en välgärning för kreaturen, när de tidigt om våren släpptes ut på bete. Fodret var vintertiden ofta både knappt och klent. Till god del bestod det av hö från kärrängar, torkat löv och halm, ja under nödår, vilka ej sällan inträffade, fingo de stackars djuren nöja sig med gran- och tallris, renlav, vitmossa, barkmjöl och till sist, när nöden var störst, torkad gödsel. Såväl djurens vikt som mjölkavkastningen blev naturligtvis därefter.[1] Men under sommaren blev det vida bättre med avkastningen. Låt oss höra Olavus Magni berätta!

»I alla Sveriges landskap finnes», säger han, »till följd av de ymniga betena och de talrika boskapshjordarna en ansenlig tillgång på smör. Men det är icke överallt lika gott. Där betet är grovt, är smöret ej så kraftigt, som där betet är finare. Men beredningssättet är detsamma överallt, och

---

[1] Se härom ytterligare band II: sid. 170

många tusen äro de tunnor smör, som säljas till köpmännen på andra sidan havet, såvida icke regeringen med anledning av krigsfara forbjuder all utforsel. Öland, som har en hälsosam luft och en bordig, fet jordmån, frambringar örter av den ljuvligaste smak. Och nar korna fetma darav, giva de en mjolk så halsosam, att personer, vilka många läkare och mycken medicin ej kunnat hjalpa, bliva friska blott genom att dricka den mjölk, ur vilken smoret blivit uttaget.[1] Även smoret har så fin smak och är så halsobringande, att det skattas mycket hogt.

Vastgotarne fortjäna framfor alla andra folk i Norden mycket lovord for sin skicklighet att gora ost. De ymniga betena där åstadkomma ej blott ypperliga stridshastar utan även stora och talrika kor. Också góra västgotarne så stora ostar, att två duktiga karlar knappt orka bara en sådan ett litet stycke. Likval arbetas dessa ostar ej av män utan av kvinnor, som om sommaren samlas från granngårdarna hos den, som vill gora ost. De varma upp mjölken i stora kittlar, i vilka de lägga ned löpet jämte stycken av soltorkad ost, och sedan halla de massan i trakarl

Ingen man får komma med, hur angelägen han än år, ty dessa duktiga kvinnor hava sina goromål skilda från männens De spinna, vava, baka brod, brygga ol, laga maten, klada och pryda barnen, badda, hålla kläderna i ordning, skóta lammen, kalvarna och andra mindre djur. Under tiden skóta mannen de tyngre góromålen: arbeta i jorden, tröska säden, tamja hastarna, skota åkerbruksredskapen och vapnen samt uppsätta gardesgårdar.

Ostgótarnes ostar, som också äro gjorda av komjolk, i en mångfald av former, aro avenledes beromda for sin underbara godhet, liksom ostarna från övre Sverige utom halsingarnes och norrlänningarnes, vilka aro liksom ruttna. Nar inbyggarne se dem fulla av maskar, så anse de dem vara bäst.»

Får och getter forekommo i stor myckenhet under medeltiden. De gottländska fåren beskrivas av Olavus Magni såsom mycket storvuxna, och han påstår, att de kunde ha 2—4 par horn, medan fåren längst i norr alldeles saknade

---

[1] S. F kärnmjolk.

dessa vapen. Förutom ull och kött avkastade fåren även mjölk. Svarta får liksom svarta getter ansågos lämna den bästa mjölken.

Seden att mjölka fåren höll flerstädes i sig länge. Ännu så sent som år 1759 meddelar provinsialschäfern i Malmöhus län, att fåren där »mjölkas två gånger om dagen om sommaren, och hållas fyra får på slätten så goda till mjölken som en brav ko».

Av fårens och getternas mjölk gjordes ost. I synnerhet prisades finnarnes getost, vilken plägade rökas med enris, för att den ej skulle angripas av mask.

Både får och getter ansågos tycka mycket om musik, varför herden brukade fägna dem med att blåsa på säckpipa.

Även svin höllos i stora mängder, framför allt vid klostren. I de trakter, där ek- och bokskogar funnos, skickades svinen att äta sig feta av ollonen. Varje gårdsägare fick släppa ut ett visst antal svin i ollonskogen alltefter storleken av hans andel i byn.

Höns och gäss hörde också till de vanliga husdjuren. De göddes och ansågos som stora läckerheter. Åtminstone »en hane och två hönor» skulle var bonde ha. Hönsen ansågos skydda mot onda andar och föra lycka med sig.

Till husdjuren få även räknas bina, vilkas idoga surr den tiden spridde hemtrevnad kring vida fler gårdar än i våra dagar. De voro mycket omtyckta framför allt för den läckra och hälsosamma honungen, viken skattades som ett ypperligt hälsomedel och ansågs tilltaga i värde, ju längre den förvarades — ända till tolv år. Den mesta honungen användes dock alltsedan hednatiden till brygd av mjöd. Vax behövdes också i stora mängder till ljus, mindre dock i hemmet än i kyrkor och gillestugor. Därför höll en biodlare den tiden ofta så mycket bin, att han icke kunde ha alla kuporna hemma vid stugan, utan för att de små djuren ej skulle behöva flyga för långt efter sin föda, blev det nödvändigt att sätta ut en del kupor ute i markerna.

Bina förvarades antingen i halmkupor eller i avsågade stycken av ihåliga stockar, där de små flygfäna gärna slå sig ned i vilt tillstånd. Om höstarna skattades kuporna, och man kvarlämnade blott det behövliga vinterförrådet av honung.

Vildsvinsjakt. Skulptur från Väte kyrka på Gottland.

Det dagliga arbetet i skog och mark.

Verklig skogsskötsel kan man ej tala om förrän i vår tid. Under medeltiden ansågs det tvärtom som en berömlig gärning att »utrota barrskogen» och förvandla den till åker. Men med tanke på alla de värdefulla produkter, som skogen avkastar, var det dock givet, att den enskildes rättighet att åtnjuta dessa blev kringgärdad med lagstadganden. Något skydd för själva skogväxten gåvo dessa dock knappast annat än i fråga om s. k. bärande träd, varmed denna tid menades ek, bok, apel och på sina ställen även hassel. Det var framför allt med hänsyn till frukternas värde för villebrådet, som dessa träd voro skyddade. Hasselnötterna voro dock även värderade som människoföda. Den som vandrade genom en hasselskog fick av de lockande nötklasarna taga blott så mycket, att han därmed kunde fylla sin hatt upp till hattbandet eller vanten upp till öppningen för tummen. Hasseln hade för övrigt av gammalt en helig betydelse. Det var hasselstänger, som uppburo de heliga band, vilka hägnade tingsplatserna och gjorde dem okränkbara, och med hasselkäppar omgavs även platsen för enviget.

Att skogen ej behövde någon särskild vård, är uppenbart för den som läser t. ex. sagan om den norske kung Sverre, där man får ett mäktigt intryck av ödsligheten i de väldiga skogar, som skilde de svenska bygderna från varandra. När Sverre i sin kamp om Norges krona år 1177 måste söka sig en fristad i främmande land, gav han sig in i Värmlands obygder. Från norska gränsen färdades han genom en skog 12 mil fram till Ekshärad i Klarälvens dal och vidare över en annan skog, som var lika lång, till Malung i västra Dalarne.

På andra sidan Malung mötte han åter skogar, 15 mil breda, ur vilka han kom till det s. k. Järnbäraland vid nedre Dalalven, vilket i följd av sina malmtillgångar var bebott. »I alla dessa skogar», heter det i sagan, »kunde hans män ingen annan föda få an kött av fågel och alg. Mycket var under denna färd tungt och besvärligt, ty de foro länge genom obygder, ledo hunger, köld och trotthet. Hastar kunde de ej få, ej heller andra fortkomstmedel. Det var nämligen den värsta tiden. snön smalte i skogarna och isen på sjöarna. Ibland färdades de över stora mossar och myrar och over stora bråtar.

Jarnbaraland var då annu hedet, och man hade dar aldrig sett en konung i landet. Där fanns icke den man, som kunde saga, antingen konungsmän voro manniskor eller djur.»

Från Jarnbäraland fortsatte Sverre och hans man norrut, vandrade genom en skog på 18 mil, kommo så till Harjedalen och hade sedan 38 mil att fardas, tills de i Jamtland omsider nådde en storre bygd. »När de», heter det i sagan, »skulle fara over en större sjö i skogen, gjorde de sig flottar av tre eller fyra tradstammar. Konungen med tre män befann sig på en flotte så liten, att vattnet steg dem mitt på vaden. Just som de skulle lagga ut, kom en man löpande ned till strandbrädden, uttröttad av att vandra genom den djupa skogen. Han ropade till dem och bönfoll om hjälp; han var alldeles forbi av mattighet. Konungen befarade visserligen, att flotten icke skulle bära mera, men som han såg, att mannen icke kunde leva länge, om han lämnades utan hjalp, lade han åter i land Nar främlingen kommit ned på flotten, sjonk denna, så att de stodo i vatten till knäna. De kommo dock över, men knappast stodo de på land, förrän flotten sjonk som en sten. Två dygn strövade de dårefter omkring i odemarkerna och hade ingen annan föda än att de sogo på björkkvistar samt åto save och bår, som hade overvintrat under snön.» Slutligen kommo de till en åstrand, på vilken männen kastade sig ned med förklaring att längre orkade de ej gå. Sverres energi bragte dem dock fram till bygden och honom själv till Norges krona.

*   *
*

Det bästa skogen denna tid gav var villebrådet. Jakten ansågs under medeltiden som en både manlig och lönande idrott. Den utövades därför av var man, och så betydelsefull fann man den, att lagstiftarne redan tidigt arbetade på att skydda det värdefulla villebrådet mot utrotning.

Älgjakt med hund och falk (eller hök).
Teckning på en runsten i Balingsta socken i Uppland.

Jaktscener förekomma ofta avbildade denna tid. Å bilden här ovan, som är hämtad från en runsten, se vi en jägare till häst med spjut i handen förfölja en älg, som har två hundar hack i häl efter sig, och på vars huvud en jaktfalk eller hök slagit ner. I bakgrunden ses en skidlöpare med pilen på bågsträngen.

Jakten med falk hörde till de ädlaste arterna av denna idrott och övades med passion av adliga herrar och damer. En klippa, där vildfalkar häckade, kallades falkaläge och

Ekorrjakt.
Jämtlands sigill från början av 1300-talet.
Av ekorrarna fick man s. k. gråverk.

ansågs vara kronans egendom. De falkar, som skulle tämjas för jakt, fingo åtnjuta en mycket omsorgsfull uppfostran, som dock var förenad med åtskilligt djurplågeri. Först drog man en tråd genom fågelns undre ögonlock, vilka med trådens hjälp bundos upp så, att falken ingenting kunde se. Man ville härmed göra honom lugnare och lättare att tämja. Sedan band man vid hans fötter läderremmar, medels vilka man kunde hålla honom fast eller kasta honom upp i luften, när jakten skulle börja. För att skydda sig mot falkens klor bar falkeneraren en stark läderhandske, och för att vänja honom av med att bitas lät man honom hugga näbbet i en sten, så länge han hade lust. Första dygnet dressyren pågick fick fågeln ingen föda. Efter hand som han spaknade till, erhöll han mat och fick bruka ögonen mer och mer.

Men så länge dressyren pågick, fick fågeln aldrig äta sig riktigt mätt, förrän han utfört, vad han för tillfället skulle lära sig. Först övades han att gripa en levande duva, som han fick äta upp. Sedan fick han ge sig på en höna och slutligen en tupp, som skrek och försvarade sig; men nu kunde det dröja veckor, ja månader, innan han hade kurage nog att våga sig på jaktbytet. Därifrån övergick falkeneraren till att öva sin fågel på jakt efter andra vilda fåglar och till sist på harjakt. För varje gång han lyckats gripa sitt byte, fick han en levande duva som belöning.

När falken fördes med på jakt, hölls hans huvud täckt av

en huva, till dess jakten började. Det spännande ögonblicket kom med villebrådets förtvivlade ansträngningar att undfly sin snabbvingade förföljare. För att följa det hetsande skådespelet krävdes ofta den vildaste ritt över stock och

Jaktfalkens uppfostran. Ur Olavus Magnis arbete om de nordiska folken.

sten, ty det gällde att vara framme i det ögonblick, då falken grep sitt offer. Annars var det fara värt, att rovfågeln ej lydde det rop, som återkallade honom till falkenären, utan gav sig av med sitt byte. Mest användes falken för jakt på andra fåglar samt på hare. Större villebråd kunde jaktfalken icke döda, men han hade i stället att uppehålla rovet, till dess jägaren och hans hundar hunno fram. För det ändamålet var han inövad till den ohyggliga uppgiften att hugga ut ögonen på offret.

Falkjakt omtalas mycket tidigt i Sveriges historia. Bland annat berättas om Olof Skötkonung, att han var en passionerad falkjägare. Dock torde i vårt land höken ha använts väl så mycket, dels emedan den var vanligare, dels därför att den hade lättare att bland träd och buskar fånga sitt rov.

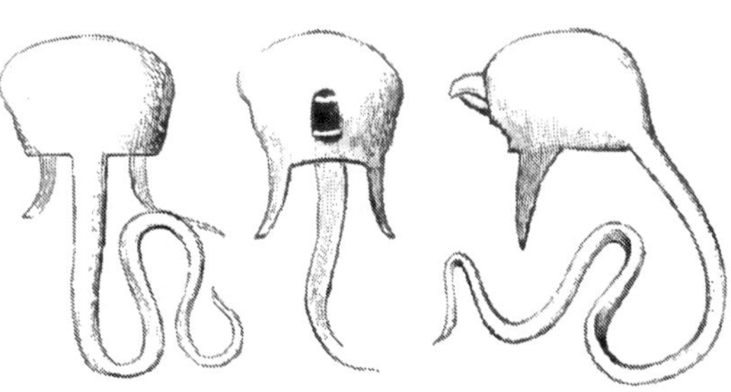

»Jaktfalkens huva».

Det vanligaste jaktvapnet var pilbågen. Mot större djur användes spjut och klubba. Man sökte dock även fånga eller döda villebrådet med list. Man byggde

Fågelskytte.   *Björnjakt.*
Valvmålning i Härkeberga kyrka i Uppland.

varggårdar, man anlade gropar för älg och räv, man satte
ut snaror samt giller av olika slag. I allmänhet voro dessa
så anordnade, att en tung stock föll ned över djuret och be-
dövade det eller höll det fast, tills jägaren kom tillstädes.
För älg och björn användes även självskjutande giller: över
en skogsstig, där djuret hade sin väg, spändes en tråd, så
anordnad, att den vid beröringen av villebrådet åstadkom,
att en pil avsköts och trängde in i detsamma.

Bland villebrådet voro särskilt björn och varg un-
der medeltiden ofantligt mycket talrikare och förekommo
mycket längre söderut än nu. Under stränga vintrar, då
vargen hade ont om föda, blev det djärva och grymma rov-
djuret en verklig landsplåga. Han hemsökte ladugårdarna,

och man vågade ej företaga en vinterresa annat än väl beväpnad. Välbehövliga voro därför lagarnas föreskrifter om utrotande av varg och björn liksom av räv. Varje bonde skulle vara försedd med vargnät, mot vilka djuren drevos genom skallgång, vari alla som underrättades måste taga del.

För övrigt vimlade skogarna av mindre pälsbärande djur, såsom hermelin, mård, ekorre och vildkatt. Bävern, som man nu genom hänsynslöst jagande lyckats utrota i vårt land, var enligt Olavus Magni allmän där under medeltiden. Och länge var det ordstäv i Jämtland, att »om också allt annat tar slut, så tar aldrig haren i skogen och bävern i ängen slut». Han var mycket eftersökt både för den värdefulla pälsens skull och för bävergället, ett ämne som avsöndrades av några körtlar nära svansen och ansågs som en ypperlig medicin. Djuret fångades med giller och nät. Ett villebråd, som också gav rik avkastning, var sälen, vilken man jagade med spjut. Man åt köttet, beredde tran av späcket och fick varma pälsar av skinnet. En hel rad s. k. själabodar, där tran kokades, låg utanför det medeltida Stockholm på Södermalms strand, så långt utåt saltsjösidan, att lukten ej skulle kunna besvära stadsborna. Dessa trankokerier, som voro mycket inkomstbringande, tillhörde en andlig stiftelse.

Med fiskedon.

Fisket hade under medeltiden samma stora betydelse som jakten. Både floder, sjöar och havsvikar voro då betydligt rikare än nu på matnyttig fisk.

Fiskredskapen voro ungefär desamma som nu. Vintertiden fiskades flitigt med krok och nät genom hål i isen. När isen ej var för tjock, plägade man klubba lake, d. v. s. slå en yxhammare i isen på de ställen, där fisken stod tätt under densamma, så att den blev bedövad och kunde tagas med händerna.

För Skåne hade sillfisket en ofantlig betydelse ända från slutet av 1100-talet in på 1500-talet.

»Om vi kunde ha kommit till Falsterbo och Skanör en höstdag på 1300-talet», säger en skildrare, »skulle vi ha fått se en helt annan syn, än den städerna nu erbjuda. I hamnen trängas tusentals fiskarbåtar, och längre ut, **där vattnet är djupare, ligga en mängd stora handelsfartyg förankrade.** Fälten omkring de båda städerna äro alldeles översållade av små trähus eller bodar, och ibland dem höja sig flera kyrkor och ett och annat större stenhus.» Här röra sig en mängd främmande köpmän, som tyckas ha ofantligt mycket att styra med. Överallt luktar det fisk, långa rader av garn äro upphängda till torkning, och i bodarna stå kvinnor och rensa nyfångad sill eller salta in den i tunnor. Från somliga bodar höres ett vilt skrål. Det är krogar, där köpmän och fiskare sitta och dricka öl och vin.

Fiske med pulsnot.   Fiske med mjärde.
Ur en handskrift av Magnus Erikssons landslag.

Det är både danskar, svenskar, tyskar, holländare och engelsmän, som mötas på denna plats, och här är ett sorl av flera olika språk; många gånger måste man göra sig förstådd med åtbörder. Ibland kan det vara ända till 20,000 människor samlade på dessa strandfält.

Alla skepp, som ämnade sig antingen från Nordsjön till Östersjön eller tvärtom, måste ju fara förbi Skanörhalvön, och det blev så småningom sed, att de stannade här och bytte ut sina varor. De flesta skeppen lämnade nog Skanör och Falsterbo med last av saltad sill. I gamla berättelser talas det om att på den tiden kunde sillen på sina ställen stå utanför Skånes kuster i så tjocka stim, att man knappt kunde ro genom dem, och att man med blotta händerna kunde ösa fisken upp i båtarna.

Att det skånska sillfisket blev så berömt berodde nog mycket därpå, att vid denna tid hade varken det holländska eller det norska sillfisket kommit riktigt i gång, och fiskarne vågade icke som nu för tiden ge sig långt ut på havet. Skåne ligger så nära Tyskland, och de mäktiga hansestäderna passade på att göra goda affärer med den skånska sillen. Ensamt från Lybeck avseglade ett år 160 skepp till Skåne.

Fisket bedrevs med garn och pågick under sensommaren och hösten. Då samlades köpmän och fiskare och skyndade att inrätta sig i sina bodar. Man fick inte slå sig ned var som helst, utan var främmande stad hade sitt bestämda område. Ville köpmän från en stad tillägna sig, om det också bara vore ett par fot, av en annan stads område, blev det tvist och slagsmål utav. För att dessa ej skulle bli alltför våldsamma, var det i lag förbjudet för köpmännen att bära vapen. Om någon bröt mot lagen, skulle man »stinga genom hans hand med samma vapen». Köpmännen och fiskarne fingo icke heller bo om varandra, utan de hade sina kvarter strängt åtskilda, fiskarne närmare stranden, köpmännen högre upp, närmare själva städerna.

När fiskarne på morgonen kommo hem med sillen, var det ett viktigt ögonblick för köpmännen; det gällde nämligen att passa på och göra ett gott köp. Ibland kommo de ridande ut i det grunda vattnet och kappades om att göra sina anbud till fiskarne, och så blev det livliga scener med tillrop och köpebud, prutande och mäklande. Stundom rörde det sig om fångster på mer än tjugu tusen tunnor sill.

Sedan köpmännen hade tillhandlat sig sillen, kördes den på kärror i land för att saltas och impackas. Silltunnorna forslades sedan i vagnar ut till pråmar och därifrån på fartyg, som förde dem vida omkring i Europa: till Tyskland, England, Frankrike, Ryssland, Polen. Den skånska sillen ansågs som den bästa av all sill och var mycket efterfrågad. Under den långa fastetiden var fisk ett viktigt födoämne, ty då var det inom den romersk-katolska kristenheten förbjudet att äta kött.

På hösten, när fisketiden var slut, återvände fiskarne hem. De städer, som i tre månader varit Nordens folkrikaste, skulle nu i hela nio månader vara nästan öde.

Allt detta rörliga liv upphörde emellertid under 1500- och 1600-talen i och med det att hansestädernas handel gick tillbaka, och i stället blevo dels Bohuslän, dels Holland nya medelpunkter för sillhandeln. Men ännu från början av 1500-talet har man uppgifter om att under ett år ej mindre än 37,000 män, fördelade på 7,500 båtar, voro utanför Falsterbo och Skanör sysselsatta med att hämta upp havets skatter.

*　　*
*

Lax fiskades i mängd i vattenfallen över nästan hela Sverige men framför allt vid Trollhättan. Vid Älvkarleby fanns också av ålder ett rikt och väl ordnat laxfiske. För att den läckra fisken ej skulle hindras i sina vandringar mellan havet och insjöarna, påbjöds, att alla kvarndammar skulle hållas öppna tre veckor om våren och tre om hösten.

För det medeltida Sverige, vilket ju hade blott en liten kuststräcka vid Västerhavet — om man frånser den korta tid, då Skåne var svenskt —, var det fiske, som bedrevs i Östersjön, det betydelsefullaste. Angående detta funnos utförliga bestämmelser i det »hamneskrå på Svenska Högarne[1] och alla hamnar där fiskeriet brukas», vilket år 1450 utfärdades á Karl Knutssons vägnar av en riddare, som det året på Sankt Bartolomei dag[2] »var stadder på Huvudskär ibland den allmoge som på den tid låg i fiskeriet». Det heter i inledningen vidare om »skråets» tillkomst: »Då voro vi alle endräktelig så överens att dikta och skriva ett skrå, spake och gode män till hugnad och styrelse, ospake och dårar till näpst, rädsla och vedersyn.» Med tillhjälp av denna stadga kunna vi bilda oss en föreställning om det liv, som fördes på ett sådant fiskeläge långt ute i havet, fjärran från bygden.

Fiskeskäret hörde kronan till, och var och en som där

---

[1] En samling skär ute i Östersjön, nordost från Värmdön. —
[2] Den 24 augusti

ville fiska, skulle erlägga skatt. Varje välfrejdad man var
välkommen att taga del i fisket. Men, heter det, »ej
skola några drevekarlar[1], löpare eller någon som i uppen-
bart rykte kommen är, fredlösa eller någon som uppenbara
gärningar gjort haver lidas på skäret eller fiskeläget. Den
skall hamnfogden taga och sända till näste länsman och
väl förvaras.»

Varje fiskare var skyldig att anmäla sig hos kronans hamn-
fogde och rätta sig efter dennes ordningsföreskrifter. Han
fick sig tilldelad en hamnplats för sin båt, en plats, å vilken
han fick uppsätta en fiskbod, ett bredslerum, å vilket fisken
utbreddes eller hängdes till torkning, samt ett ställe, å vilket
han kunde uppsätta sina stänger för torkning av näten.

Man erlade skattfisk till kronan för vart garn. Friborna
frälsemän och präster fingo dock fiska utan erläggande av
skatt, men de fingo ej driva handel med vad de erhållit.

Här fiskades strömming och torsk under tvenne termi-
ner, från pingst till Olofsmässan[2] och från denna till Mi-
kaelsmässan.[3] Man arbetade med not och nät och skötar
förutom andra fiskredskap, som kunde användas i havet.
Var morgon gav hamnfogden genom att ringa i en klocka,
blåsa i ett horn eller slå på en tunna, till känna, att tiden för
arbetet var inne. Dessförinnan hade ingen rätt att giva sig
ut på sjön, för att genom överarbete skaffa sig större fördelar
än kamraterna.

Under arbetet måste en viss ordning iakttagas. På en be-
stämd morgon samlades hela fiskelaget på ett grund, där man
hade hopp om riklig torskfångst, och man satte sina nät
på grundet. Först lade hamnfogden ut var det honom lyste
och sedan de övriga. På det noggrannaste måste man här-
vid respektera andras rätt. Den som satte sitt nät så, att
han skadade sin grannes fiske, måste taga bort det och er-
lägga böter. Man var mån om att bevara fisket, och det var
därför strängeligen förbjudet att rensa fisk ute på sjön eller
på fiskgrundet så, att avskrädet kom i vattnet. I hamnen
fick man däremot kasta ut det.

I land hade man sysselsättning med att torka och laga
näten, torka fisk på bredslet eller salta den, göra tunnor o. s. v.

---

[1] Kringdrivande karlar. — [2] Den 29 juli. — [3] Den 29 september.

Mot aftonen gingo båtarna ånyo ut, sedan hamnfogden hade förnyat den övliga signalen. Lördags- och helgdagsaftnar fick man icke ligga för länge ute. »Vilken som torskar om lördagen eller helgedagar och icke kommer i land förrän solen bärgas, då have hamnfogden makt att taga både fisk och snöret till de fattiga, om så icke är, att storm och oväder haver det förhindrat», heter det.

En viss gemensam ansvarighet förenade alla där ute i havsbandet. Stack storm upp och någon hade svårt att åter komma in under läget, voro de övriga skyldiga att på hamnfogdens bud skynda ut till hans hjälp, »om någon råd är till att hjälpa», heter det, »ty Gud kräver en broderlig kärlek av oss». Miste någon båt eller redskap, skulle de andre lämna honom bidrag till att förvärva en ny uppsättning. Samhörighetskänsla framträder också på ett annat sätt i följande påbud: »Var och en salte och förvare sin fisk så, att hela sällskapet därav icke föraktat bliver.» Man litade dock icke härvid på vars och ens hederskänsla. Ingen tunna fick nämligen slås igen, utan att hamnfogden hade sett, att godset var gott och väl packat. Stöld eller olovligt lån av annans båt, öskar, åror eller fiskredskap straffades strängt, särskilt stöld av öskar, varom det stadgas: »Vilken som stjäl bort annans öskar, böte 10 mark; men kommer där skada av och folket råkar bliva borta, därför att de ej kunna ösa vattnet ifrån sig, svare för deras liv.»

Mycket angelägen var man att icke begå något helgdagsbrott. Gudstjänst hölls på skäret, och ingen fick undandraga sig att deltaga däri. »Vilken som av försummelse icke kommer till predikan, när det haves för händer, böte 2 öre, andra gången ½ mark. Försummar han oftare, sättes i stocken och böte som föreskrivet står», stadgas det. Svordomar, över vilka mycket klagas under medeltidens senare del, voro ej tillåtna, allraminst ute på fiskvattnet, där de lätt kunde borttaga lyckan. »Vilken som svär eller bannar på sättningen[1] böte för var gång intill tre 3 mark, när han det gör, till de fattiga.»

Man var skyldig vördnad åt laget och dess bud, åt arbetet, ja till och med åt fisken: »Ho som vanvördar någon fisk och

---

[1] När näten sättas ut.

den med orätt namn förakteligen nämner, böte sex mark.» Spel med kort eller tärning var också förbjudet: »Om någon förer kort eller tärning på fiskeläget till att dobbla med, dobblar han till en mark, böte tre mark till konungen och hamnen, såväl den, som tappade dobblet, som den som vann. Orkar någon ej böta, sättes i stocken först en natt och slås tio vattenämbar på honom. Sker det omigen, sättes han i stocken för två nätter och man slår över honom tjugu ämbar orent vatten. Hjälper det ej, sättes i stocken för tre nätter och slås trettio ämbar över honom och vises sedan från hamnen.»

Eftersom man vistades länge därute på skäret, måste man ha ett ansenligt förråd av mat och dryck. Fattades något, kunde hamnfogden sända vem han ville efter nytt. Att öl skulle vara begärligt för dem, som lågo därute i solhettan, kunde var man begripa, och öl fördes ock dit av många spekulanter. Var och en sådan måste bjuda hamnfogden på en kanna och förbinda sig att sälja ölet till det pris, som denne ansåg motsvara dess godhet.

Helt visst var ölet gott — därför borgade ju fogdens smakkanna. Men njutet i övermått, kunde det vålla obehag. »Ho som går om kvälletider på klippor och gör någon omak uti sin dryckenskap och överdådighet med okristeligit rop, skjutande eller bullrande eller kastar på en annan stock eller sten eller kastar sönder någons båt eller rycker upp annan mans nätstång, böte 3 mark var gång», stadgas det. Likaså den, »som kallar annan okvädinsord, nämligen skalk, horunge etc.».

Litteratur: Rudolf Lundberg, Det stora sillfisket i Skåne under medeltiden och nyare tidens början (Antiqvarisk tidskrift för Sverige för år 1905).

Årets lopp.

MED jubel och festligheter hälsades det nya året. På Heliga tre konungars dag firade man utklädd och sjungande minnet av de tre österländska konungarnes ankomst till Betlehems krubba. Festandet fortsattes till »tjugondedag Knut, då julen dansas ut».

Söndagen Septuagesima, nionde söndagen före påsk, inträdde man i fastan, den ena av årets båda stora helger. Den varade ända till söndagen efter påsk. Det var en sorgens tid, då man beredde sig att fira håkomsten av Herrens lidande. Man sjöng ej mera halleluja under mässan, utan tempelvalven genljödo av sorgmodiga sånger i dämpade toner. Man späkte sin kropp med sträng fasta, man avhöll sig så mycket som möjligt från världsliga bestyr, man trädde icke i äktenskap, man gick icke ed, man förde inga rättegångar. Tungt, stilla allvar bredde sig över livet utanför kyrkans murar.

Det dagliga arbetet fick dock icke hindras. Inpå tredje veckan av fastan arbetade man i skogarna, ty timmer, som fälldes denna tid, ansågs skola bliva synnerligen varaktigt. På den is- och snötäckta marken var samfärdseln nu lättare än under sommaren. Därför färdades man flitigt omkring Nu höllos flerstädes marknader, och man gjorde sina inköp för att fylla förråden. Man skötte vinterfisket och såg om sina åkerbruksredskap. Olavus Magni har åtskilligt att förtälja om färderna på isen. Han säger:

»I allmänhet börja sjöar och stillastående vatten tillfrysa 1 oktober. I början och mitten av vintern är isen så stark och hållbar, att den vid en tjocklek av två tum kan bära en människa. Håller den tre tum, kan den bära en väpnad ryttare. Med en tjocklek av en och en halv tvärhand bär den skaror av ryttare eller hela härar. Men ehuru isen kan se stark och pålitlig ut, händer det, att den icke dess mindre undergräves av naturliga källådror och utdunstningar, som underifrån sjuda upp på många ställen. Därigenom uppstå ramnor eller råkar, så att isen på långa sträckor blir genomskuren av sprickor, liknande landsvägar. En klok resande kommer dock fram bland dessa ramnor genom att kringgå dem, så att han ej behöver övergo den väg han tagit.

För att utmärka vintervägarna använda nordborna enbuskar eller granar, vilka sättas ned i hål, som man borrat i isen, och där få frysa fast i upprätt ställning. Om dylika vägmärken ej funnes, skulle en lika förskräcklig livsfara möta de resande mellan ramnorna i isen, som den, vilken på öppna havet hotar obevapnade sjöfarande bland grymma sjö-

Arbetet under de olika månaderna.

Efter en å pergament skriven almanacka från år 1399.

rövare, eller den, som lurar i ödemarkerna bland blodtörstiga vilddjur. Genom de strängaste påbud är det ock förbjudet att flytta eller bortföra sådana märken utom under krigstider, då sådant sker för att ej spejare och förrädare skola vägledas.»

Den 2 februari firades en stor fest till minne av jungfru Marias rening. De ljus, som skulle användas till heliga ändamål, blevo nu vigda, och med ljus i händerna gingo prästerna och menigheten genom kyrkan och omkring kyrkogården. Denna ljusvigning fick för folket

Medeltida processionsfana.

så stor betydelse, att dagen fick namn därefter, och kallades kyndelsmässodagen.[1]

I fastans tredje vecka inföll askonsdagen, så kallad därför att man strödde aska i sitt hår. Nu började den strängaste fastan, då man, till tecken av sorg, icke fick bada, och då mässa lästes var dag i kyrkan. När 8 veckor av fastan gått, inföll palmsöndagen, då salt, vigvatten, rökelse m. m. vigdes. Då började dymmelveckan.[2] På dymmelonsdagen fastbundos kläpparna å kyrkornas ringklockor. Så kom skärtorsdagen, då man fick rengöra sitt huvud från resterna av askan. Å långfredagens morgon piskades barnen med ris, och sedan nedtog man det stora krucifixet i kyrkan. Därpå vandrade man kring templet i pro-

---

[1] Av det fornnordiska ordet kyndill = ljus (latinska candēla = ljus, varav ordet kandelaber kommer). — [2] Dymmel, ursprungligen dymbel, anses härleda sig från det engelska uttrycket dumb-bell: stum klocka, och torde vara besläktat med det gamla svenska ordet dumbe: en som är stum.

cession med fanor och kors och ställde till sist mitt på kyrkogolvet en kista av trä, i vilken bilden av den gravlagde Frälsaren vilade. Om påskaftonen tände man på berg och kullar väldiga bål för att driva bort de onda andarna, som nu troddes sväva omkring i rymden. Om påskdagen smordes på morgonen den i kistan liggande Kristusbilden och upprestes till minne av uppståndelsen. Menigheten gick åter i stor procession och anammade nattvardsbrödet.

Kristi heliga grav.
Har stått i Väster-Lövsta kyrka i Uppland.

Måndagen efter påsk inträdde åter vardagsordningen. I mitten av april släpptes kreaturen, väl märkta, på bete. Natten till den 1 maj, den heliga Valborgs afton, firades vårfest, och man dansade under jubel kring bål, som upptänts på höjderna; husen kläddes med löv, och majstänger upprestes.

Man gav också uttryck åt sin vårglädje genom ett folkskådespel, som kallades att »driva bort Vintern och taga emot Sommaren». Därom berättar Olavus Magni:

»Den första maj, när solen befinner sig i Tjurens stjärnbild, utses två beridna skaror av unga och kraftiga män, som om de skulle utkämpa en hård strid. Den ena skarans anförare har namn och dräkt som Vintern. Han är klädd i skinn och väpnad med en lans samt kastar ut snöbollar och isstycken liksom för att få kölden att fortfara. Sålunda rider han upp och ned i triumf och visar sig allt strängare, ju flera istappar som hänga ned från taken. Å andra sidan kämpar ledaren av den andra truppen för Sommaren och kallas Majgreven. Han är utstyrd med gröna grenar och löv — ty det finns då knappast några blommor — samt sommarkläder. Och båda, Vintern och Sommaren, rida bort från fältet in till staden. Där fäkta de med sina lansar och uppträda i ett allmänt skådespel, som föreställer att Sommaren har besegrat Vintern. Båda partierna anstränga sig för att vinna seger. Om vintern ännu är så skarp, att det är frost, lägga Sommarens anhängare bort sina spjut, rida upp och ned och kasta på åskådarne aska blandad med gnis-

Gammal Blekingsstuga.

tor, som de föra med sig i krukor och påsar. Den man, som föreställer Sommaren, för med sig och visar små grenar av björk eller lind, vilka man långt i förväg med konst gjort gröna genom att sätta dem i vatten i ett varmt rum. De tagas nu i hemlighet fram, som om de nyss kommit från skogen.

Slutligen tilldöma åskådarne segern åt Sommaren, ty de vilja icke längre utstå vinterns skarpa köld. Så vinner Sommaren seger under allmänt bifall, och han tillställer ett ståtligt gästabud för sina kämpar och dricker skålar för segern.»

Fem veckor efter påsk inföllo de tre gångdagarna, då man fastade och bad och gick i procession kring åkrar och ängar med kors, helgonbilder och vigvatten och under klockringning läsande böner till Gud och helgonen, att de måtte

Dans. Efter en målning från slutet av 1400-talet i Husby Sjutolfts kyrka i Uppland.

avvärja landsplågor samt välsigna land och rike. Man beredde sig då ock till helgetorsdag, då minnet av Kristi himmelsfärd firades. Vid denna tid trodde man att alla underjordiska skatter stego upp mot jordytan. Den som hade lycka med sig kunde nu finna dem. På pingstaftonen vigdes dopfunten, och om kvällen, efter den övliga helgringningen till jungfru Marias lov, ingick pingstfriden, som varade en vecka. Den 18 maj firades den helge konung Eriks minne med fasta. Torsdagen efter trefaldighetssöndagen inföll en ny högtid, helga lekamens dag.

då man i procession bar hostian innesluten i den heliga monstransen kring vägar och stigar.

Årets ljusaste tid var kommen. Den 23 juni, midsommaraftonen, fastade man på vatten och bröd, vandrade omkring fälten bedjande och satte här och där upp lövklädda kors, som skulle skydda mot blixt och oväder. Åter tändes eldar, kring vilka man dansade. Därom berättar Olavus Magni följande:

»När slutligen alla skogar, ängar och fält bliva gröna och börja blomma, under det solen står i Kräftans stjärnbild, d. v. s. den helige Johannes Döparens afton, mötas skaror av båda könen och av alla åldrar på gatorna i sina städer eller ute på de öppna fälten. Överallt uppgöra de väldiga eldar, dansa och springa omkring dem, och under dansen sjunga de sånger om de ädla handlingar, som ryktbara män i forna tider uträttat såväl hemma som över hela världen. Även besjunga de, vad ryktbara kvinnor gjort för att vinna evig berömmelse genom att bevara sin kyskhet. Så sjunga de fädernas sånger till sina harpor och pipor om vad vansläktade och usla ädlingar, grymma tyranner och lågsinnade kvinnor, som icke levat hederligt, hava begått. Dessutom omtala flickorna efter sina mödrars anvisning i en sång, huru många och stora fel männen göra sig skyldiga till: de spela tärning, gräla i värdshusen, äro slösaktiga i sin klädsel, söka dåligt sällskap samt dricka och överlasta sig. Men de mera begåvade ynglingarne sjunga om huru lata, bedräg-

I ett medeltida bondehem på aftonen. Kvinnan spinner på slända med ullen bunden vid huvudet. Både hon och mannen lysa sig med brinnande torrvedsstickor, som de bära i munnen. Ur Olavus Magnis arbete om Norden.

Säng i ett medeltida hem.

Målning från slutet av 1400-talet på ett altarskåp, visande hur
Maria Magd[illegible] [illegible] [illegible] få en [illegible]. Man
och hust[illegible] [illegible] [illegible] tidens sed nakna under täcket.

liga, obandiga, tratgiriga, pratsjuka, onyttiga och otrogna kvin-
norna äro, på det att mannen ensamma ej måtte bli skym-
fade. Därefter framstalla de i olika sånger med ackompanje-
mang av musikinstrument, vad trolosa medborgare, illsluga
skälmar, gårdfarihandlare och falska bonder, sluga förrädare,
krypande smickrare samt giriga och grymma fogdar göra
Detta gora de mest darfor, att den oerfarna ungdomen må
lära kanna, huru lysande och lovvärd dygden är, och att
samma ungdom må folja goda mans fotspår och fly dåliga
exempel.»

Den 29 juli högtidlighölls den helge konung Olofs dods-
dag. Då borjades skordetiden i mellersta och sodra Sve-
rige. Den raknades i allmanhet till Mikaelsmassan, den 29
september. Den 9 augusti, dagen före den helige Lau-
rentii dag, fastades med brod och vatten, likaså den 14,
dagen fore den stora Vårfrudagen, som firades till minne
av jungfru Marias upptagande i himmelen. Då valsignades
saden, som var inford i ladorna, for att befrias från all den-
samma vidlådande orenlighet, och vid denna tid såddes vin-
terrågen. An i dag talas om Larsmasseråg.

Under september månad tog man bort stangslen kring ång
och åker utom kring de fält där vinterråg var sådd. I början
av månaden vande man stubben på åkrarna, for att jorden
skulle fetma. Man såg om de kärl, i vilka man skulle salta ned
kött, flask och fisk för vintern.

I november drogos båtar och ökstockar på land, svinen
slaktades och röktes, och jakten efter ekorre, lekatt och
mård började.

Med den mörka årstiden foljde åter ett flertal festdagar till
helgonens ära. Den 1 november firades Allhelgonadag; den
2 november var alla dödas dag. Då gick man i proces-
sion kring kyrkogårdarna, tände ljus på gravarna, knäbojde
vid dem och bad for alla kristna sjalar. Den helge
Martins dag firades med att äta gås Söndagen darpå
samlades menigheterna till mungåttsstammor,[1] då man åt och
drack under åkallan av de himmelska makterna samt av-
handlade bygdens angelägenheter.

Med adventsondagen borjade årets andra stora fridstid.

---

[1] Mur[illegible]

Yttersta domen.
Träsnitt från slutet av 1400-talet.

då man var skyldig att fasta, då man icke fick ingå äktenskap, då alla rättegångshandlingar vilade och edgång var forbjuden, då alla fromma beredde sig till julens vårdiga firande, och då man varje söndag efter gudstjänstens slut påmindes om skyldigheten att i rätt tid avlamna sin tionde. Adventsfastan hölls dock icke så strangt som den stora vårfastan. Och den 13 december, den heliga Lucias dag, gjordes i vissa trakter ett stort avbrott, då man plagade sig vida utöver det nodvandiga. Denna fest synes vara av hedniskt ursprung, framkallad av striden mellan ljuset och morkret vid den tid då mörkret är som starkast. För denna uppfattning talar seden att den kvinna, som föreställer »Lussi», bär ljus på huvudet.

Julen var inne, den gamla hedniska midvintersfesten, med vilken man, när mörkret var som djupast, hälsade det återkommande ljuset. Den hade smält samman med den fest, som kyrkan firade till minne darav att, såsom profeten säger, »det folket, som i mörkret vandrar, ser ett stort ljus, och över dem, som bo i mörko lande, skiner det klarliga». Under Tomasnatten svavade andar omkring de levandes boningar och kunde gora mycket ont. Och under julnatten möttes gengångarne i kyrkan for att fira mässa, omedelbart innan det levande slaktet samlades där i samma syfte.

Stora forberedelser gjordes i hemmen till julen. I synnerhet var man flitig att baka; också se vi i den gamla almanackan sid 575, att bakning är framställd som en utmarkande sysselsättning for december månad En viktig forberedelse var brygden av julolet. som kravde sarskild omsorg. Även hos dem, som i vardagslag fingo nöja sig med svagt och tunt ol, skulle jultunnan innehålla riktigt stark och god vara. Nu breddes också julhalmen på golvet, dynor lades på bänkarna, bonader hångdes kring väggarna, och på bordet framsattes husets kostbarheter. Om aftonen gingo alla till badstugan for att inviga sig till festen med ett grundligt bad. Ikladd högtidsdrakt vakade man sedan i den rikt upplysta stugan, till dess det blev tid att färdas till julottan. Till julsederna horde att äta brod, bakat i form av en gumse eller galt — ett minne av Frejs galt. For de fattigas räkning bakades till julen stora brod, »tjocka och långa som barn på fem år».

Kom så annandagen, den helige Staffans dag, på vilken man nedkallade Guds valsignelse över jordens sad och husdjuren. I övrigt är det företrädesvis ett hedniskt minne, som fäst sig vid S:t Staffans dag. Hästarna skulle denna dag svettridas och därefter vattnas eller åderlåtas. Hästen var nämligen en av solens sinnebilder — det var hästar, som drogo solgudens vagn. Man sjöng ock denna dag en visa om Staffan stalledrang, i vilken intet förmärkes av den vördnad, med vilken kyrkan betraktade sin förste martyr.[1]

Staffan var en stalledrang —
  vi tackom nu så gärna —
han vattna' sina fålar fem
  allt för den ljusa stjärna.
  Ingen dager synes än,
  stjärnorna på himmelen, de blänka.

Två de voro röda —
  vi tackom nu så gärna —
de tjänte väl sin föda,
  allt för den ljusa stjärna.
  Ingen dager synes än,
  stjärnorna på himmelen, de blänka.

Två de voro vita —
  vi tackom nu så gärna —
de va' de andra lika,
  allt för den ljusa stjärna.
  Ingen dager synes än,
  stjärnorna på himmelen, de blänka.

Den femte han var apelgrå —
  vi tackom nu så gärna —
den rider själve Staffan på,
  allt för den ljusa stjärna.
  Ingen dager synes än,
  stjärnorna på himmelen, de blänka

Innan hanen galit har —
  vi tackom nu så gärna —
Staffan uti stallet var,
  allt för den ljusa stjärna.
  Ingen dager synes än,
  stjärnorna på himmelen, de blänka.

---

[1] Hästjagandet å Stefansdagen var brukligt inom vidsträckta områden, så både i Tyskland och England.

> Innan solen månd' uppgå —
>   vi tackom nu så gärna —
> betsel och gullsadel på,
>   allt för den ljusa stjärna.
>   Ingen dager synes än,
>   stjärnorna på himmelen, de blänka.
>
> Staffan rider till källan —
>   vi tackom nu så gärna —
> han öser upp vatten med skällan
>   allt för den ljusa stjärna.
>   Ingen dager synes än,
>   stjärnorna på himmelen, de blänka.

Hästarna spelade även en annan viktig roll. Olavus Magni berättar därom:

»Fordom var det sed hos de gamla göterna, att under vintersolståndet, då sjöar och träsk överdragits med ett tjockt ishölje, sammanföra alla de bästa och vackraste hästarna inom de särskilda landskapen för att med dem anställa offentliga tävlingar.

Ännu i dag är det brukligt inom de olika landskapen, att stora människomassor samla sig den 26 december på frusna träsk och älvar, där isen ligger spegelblank, för att

rida i kapp antingen om segerpris eller om blotta äran. Målet för sådana kapplöpningar ligger 4—6 italienska mil[1] bort. Segerpriset utgör några skäppor utsäde eller en uppsättning nya kläder, eller ock består det däri, att den häst, som ej nått målet, tillfaller segraren.

Ingenstädes i hela Norden är man så ivrig med dessa tävlingar på isen som hos östgötar och västgötar. Ty deras landamären ha en rikedom på sattiga betesmarker, vilka lämna näring åt hjordar av många tusen hästar.»

*   *
*

Så voro folkets dagliga liv och det kyrkliga livet under den katolska tiden mycket innerligare förknippade med varandra än i den protestantiska. Kyrkan bredde ut sina vingar över hela livet, både det offentliga och det enskilda, och gav det en säregen prägel. De många helgdagarna och festerna till olika helgons ära fyllde luften med klockklang och psalmsång, och ute på vägar och gator såg man än från den ena, än från den andra kyrkan en procession draga ut med kors och fana. Och det var i allmänhet icke något strängt och dystert med dessa högtidliga skaror. Var och en tog med lust och glädje del i tåget, och de som voro åskådare funno däri en välkommen förströelse i vardagslivets enformighet.

Ur medeltida »läke- och örteböcker».

Läkemedel.

»FÖR huvudvärk skall man åbrodd taga och malört och sjuda tillsammans i stark ättika, och där skall man två huvudet med både om kväll och morgon.»

Ett annat medel: »För huvudvärk blandar man två delar av purjolök och en av honung och låter det allt in i näsa eller öron. Det duger för huvudvärk.»

---

[1] 6—9 km.

»För öronvärk skall man taga varm kvinnomjölk och låta in i örat och smörja omkring örat med lagerbärsolja. Det är gott för dövhet.

Om man får galenskap och tappar sitt vett, då skall man först raka håret av huvudet och gnida huvudet med salt och ättika, så ock händer och fötter. Sedan tage man en valp eller en ung katt eller en hane och klyve mitt itu utefter ryggen och kaste bort inälvorna och lägge kroppen allt om huvudet så varm [som den är] samt binde den fast till, eller ock tage man en varm lunga av en vädur och lämne mannen sedan i ett mörkt och lyckt hus, till dess han får sova.

För tandvärk skall man taga bjuggmjöl[1] och salt, lägga det in i en linneklut samt bränna och krossa det till pulver och gnide därmed tänderna kraftigt samt skölje sedan munnen med vatten.»

Ett annat medel mot tandvärk: »Smörj dina tänder med morot! Då lenas den värken.»

»För sjuk mage och vämjelse[2] skall man taga anis, kummin, ingefära, muskot, fänkålsfrö samt torr mynta och stöta det allt till pulver, och det skall man äta.

Tecken till att magen är sjuker: då magen är sjuker, då är kroppen tunger, later, väderfuller och utblåster, och munnen vill alltid gäspa och gapa och vara öppen, och där går ut full och ond rapan. Och till att människan varder utpost och väderfull, därtill hjälper mycket att människan efter mat får icke det hon skulle efter mat hava, som är vila och sömn i rätt tid. Och av det att magen är kranker och haver ej makt att smälta maten, därav varder människan först väderfull, därnäst poses hon ut, därnäst tager hon till att rapa och krakas och bete sig på björnavis: och så det tager till att brumma och ryta[3] i tarmarna innantill.

Om man haver gamla bölder, som alltid rinna och kunna ej läkas, dem kallar man fistel. Då må man taga ett hundhuvud och bränna det till aska och strö den askan i såret. Hon biter det onda ut och läker såret.

För ländvärk skall man slå ena ådern nere på ankeln utanpå foten eller innanpå i varmt vatten.

För benbrott lägger man krossad purjolök i benbrottet. Då hjälper det snart.

---

[1] Kornmjöl. — [2] Matleda. — [3] »Kurra».

Petersilium[1] är god för etter,[2] och hennes frö löser ont
väder och ond blod; och det duger för vattusot och for bukrev
och for vark i njurar och i blåsa och rensar lever och sår.

Peppar duger för hosta och för den, som haver sjukdom
lever och i mage och bold, och den minskar värk i sidor
och rensar bröst. Item:[3] peppar gör mörka ögon ljusa, om
han blandas med ögonsmörjelse, och han duger ock for skal-
vande sot, om han mildras med olja och smörjes om lekamen.

Peppar haver den dygden, att varder han äten, då torkar
han for mycken vätska och drager från hjartat allt etter och
starker väl magen.

Plantago är groblad på svenska och heter for den skull
plantago, att hon plantar och gör stadigt det som är sönder
brutet. Hon torkar sår, som mycken väta hava, och rensar
den röta, som i sår ar vuxen, om hon blandas med honung
och lägges därpå. Item: krossar man henne och lägger vid
blodflöde, så stammes det. En mästare, som kallas Avicenna,[4]
nötte en gång en rad köpmansvagnar, och sedan de voro
från honom farne, så fann han en orm, som var krossad av
hjulen och av hästfötterna. Och då ormen krop sargader,
fann han ett groblad, och dar åt han av; och nar han hade
det val tuggat, så lat han det i sina sår med munnen och skred
så i gråset hit och dit och vart så hel. Detta såg mäster
Avicenna och vart mycket undrande och sade: 'Du må val
leta groblad, forty att det som är sönder blivet och dött,
det gor du friskt och levande med din makt.'

För allehanda hetta i sår stöt huslök väl små och vät linne-
klade i laken och lägg uppå! Probatum est.[5]

Tag tjuraskarn och det vita av gåsaskarn, lika mycket av
vartdera, stort som en nöt, och blanda det med god ättika
och drick det! Probatum est.

For gikt tag farskt kattskinn och bind om och låt så vara,
till dess det varder kallt och drager ut all värken!

Kanelbark haver denna dygd: om han varder aten om mor-
gonen, då lenar han all hosta och starker brost och huvud
och hjarna och utdrager all heshet med sin makt av halsen

Senap haver den makt, att varder han åten med attika,
då rensar han huvudet och gör det lätt. Item: den som varder

---

[1] Persilja. — [2] Som motgift. — [3] Likaledes, vidare. — [4] En be-
omd arabisk lakare. † 1037. — [5] Det ar beprovat.

freneticus, det är galen, och spyr av för mycken huvudvärk, då skall han taga senap och honung och det gula av ägget och fröet av gråbo, som heter Artemisia, och det stöta med lagerbär och göra därav ett plåster och taga böna och malört och blindnässla samt sjuda det och två huvudet däri samt sedan lägga plåstret uppå. Därpå lägge man honom i säng; och detta skall göras i tre dagar, så hjälper Gud.

Salvia är en ädel ört. Tag tre blad eller fyra och ät dem med salt; då tager det bort de styng, som komma av överflödigt blod och andra hårda värkar och skott, som ofta komma flygande både i sidor och annorstädes. Det betvingar salvia med sin stora makt. Item: varder han sjuden i vin och dricker man det om morgonen, det kommer mannens inälvor att grönskas och driver bort av inälvorna all orenlighet. Item: gör man salvia våt med vin och äter henne, då förhindrar hon, att skadliga bölder växa inom människan. Detta säger mäster Galenus:[1] 'Vi bliver mannen döder, medan salvia växer i örtagården?'

Att låta åder rensar hugen och giver minnet kraft och tempererar hjärnan och värmer märgen i benen och giver matlust, binder vatten i ögonen, rensar magen och hjälper att smälta och borttager leda och rensar blåsan och gör lätt röst och stärker mans syn, förtvingar skörlevnad och minskar sömn och tager bort ängslan och föder gott blod, men ont blod tager det bort samt sjukdom och giver kroppen hälsa.

Du må märka, att badstun haver tolv dygder. Den första är, att hon stärker den naturliga värmen

Döden spelar med människan om hennes liv. Väggmålning i Täby kyrka i Uppland.

---

[1] Berömd grekisk läkare, † 201 e. Kr.

Träsnitt från medeltidens slut ur boken Ars moriendi (Konsten att dö). Två djävlar tillviska den döende: »Tänk på din skatt» och »Dela ut den bland dina vänner'

i kroppen. Den andra är, att hon hjälper till att magen blir stark och mäktig att smälta vad som i honom kommer; den tredje att hon ger den trötta människan vila. Den fjärde är, att svettbrunnarna öppnas och utvidgas; den femte att hon tager bort lättja. Den sjätte är, att värk lindras; den sjunde att hon löser inbundet väder. Den åttonde är, att kalla lemmar varda varme; den nionde att heta lemmar varda kalle. Den tionde är, att det som är torrt, det gör hon vått; den elfte att hon gör av våta ting torra; den tolfte att hon stärker och sammanbinder och torkar vattenfulla senor.

Om man tager igelkott och flår honom och sjuder honom sedan i rent vatten och äter honom så och dricker det spadet, så duger han för spetälska och vattensot. Item: sjudes köttet med vatten och drickes och ätes, så duger det för den som modstulen är. Item kan man bränna hans skinn i aska och stöta väl smått och blanda med tjära och smörja, där man vill att hår skall växa.»

Döden avsågar livsträdet.
Väggmålning i Kungshusby kyrka
i Uppland.

Spetälska och "pockor".

Näst de pestsjukdomar, som härjade under medeltiden, var spetälskan en av mänsklighetens fruktansvärdaste hemsökelser. Den bestod i att bölder slogo ut och öppnade sig till frätande sår, som förstörde delar av kroppen, så att den sjuke formligen ruttnade bort. Stundom lossnade fingrar och tår, ja till och med armar och ben från kroppen. Både huvudhår, ögonbryn och ögonhår föllo bort, och rösten blev

Spetälsk, föregången av en man med harskramla.

Sista smörjelsen.

hes och pipande. Den olycklige blev en plåga för både sig själv och sin omgivning.

De stackars spetälska vårdades i sjukhus, vilka voro helgade åt Sankt Göran och därför kallades Sankt Görans hus. Det vanliga namnet på sjukhus denna tid var hospital, och spetälska betyder egentligen [ho]spitalsjuka. Här levde sjukdomens offer avspärrade från världen, liksom levande begravda, tills döden kom och befriade dem från deras hemska öde. En av dem fick dock lov att gå ut och tigga för hospitalets räkning, men han var skyldig att varna mötande genom att slå på ett trästycke, skramla med en harskramla eller ringa med en klocka, för att de skulle akta sig för smitta.

Sjukdomen hade, liksom så många andra av mänsklighetens värsta plågoris, sitt urhem i Österlandet, och genom korstågsrörelsen utbreddes den snabbt i Europa. Under loppet av 1500-talet avtog den emellertid nästan lika hastigt och upphörde på flera ställen alldeles. Numera förekomma i vårt land endast några få fall om året.

En sjukdom, som under medeltiden ej sällan förväxlades med spetälskan, var den veneriska smitta, som kallades »pockor» eller »frantzoser». Det senare namnet fick sjukdomen antagligen därav, att den så fruktansvärt allmänt utbredde sig efter fransmännens krigståg till Neapel år 1494. Allt tyder på att de tygellösa landsknektarne fört smittan med sig från Italien till mellersta Europa och där spritt den vidare genom sitt liderliga leverne.

Alla underrättelser från 1500-talet angående sjukdomens utbredning tyda på att den var ytterligt smittsam. Icke nog med att de som begagnade samma dryckeskärl eller kläder som den sjuke blevo smittade, utan det påstods, att dennes andedräkt var tillräcklig för att överföra sjukdomen på en annan. Särskilt blevo de offentliga badstugorna så farliga smittohärdar, att man till sist nödgades stänga dem.

Huruledes man skall hålla sig, när pestilentzien regerar.

Man skall hava sin boning och vist[1] uti en kammar eller stuva, vilken är val högt emellan golvet och loftet, och samma boning skall vara väl torr och icke sank heller dambaktig. Ty det är ingen värre och skadeligare ting till, när pestilentie regerar, än att hava sin vist uti sanke och dambaktige hus, uti vilka lukten icke kan förvandlas och rensas. Och vindughen[2] av samma hus skola vara emot nordan, och om det haver någre emot sunnan, de skola väl tätt tillyckas; och de vindugh, som äro mot nordan, på ett av dem skall göras ett hål så stort som en ruta, på det att det onde damb må fara ut. I samme hus skall göras tre eller fyra gånger om dagen en god rok av valluktande ting, som är av kanelbark, muskotblomma, rökelse, mirrham, enebär, enebarträ. Detta skall man sårdeles göra, när regnväder är.

När som någon dör av pestilentzie, skall det huset och vaggarna väl rensas och allt annat vad där inne är skuras och tvås, vare sig bord, bankar, fotapall, sängar etc. Ty den onde förgift kan giva sig på en vägg eller uti ena revo och sitter där inne en lång tid. Och när då någon inkommer i samma hus, som av naturen tillböjelig är till pestilentz, han befänges[3] strax, vilket med förfarenheten genom månge historier bevisas kan.

På det att den flygande förgiftige pestilentz skall icke giva sig in uti någon reva eller vägg, skall man hava ståendes i det hus den sjuke uti ligger någre ämbar eller byttor med lunket[4] vatten. Då giver sig den flygande förgift neder på vattnet, och vattnet bliver [till] påseende likasom där vore en tåga[5] uppå eller där vore fallet stoft uti.

Om man vill göra, att förenämnde vatten skall väldeliga draga ettret till sig, då skall man kasta en hand heller två fulle med kopparrok[6] däruti efter karets storlek. Man skall ock kasta en glödandes tegelsten eller glödandes järn eller stål i samma vatten. Då drager samma vatten ettret desto

---

[1] Vistelse. — [2] Vindögon: fönstren. — [3] Angripes, smittas. — [4] Ljumt. — [5] Tjocka dimma rök. — [6] Vitriol.

bättre till sig. Detta skall icke göras en gång men ofta. Om man lägger utsläckter kalk uti det hus, han drager ock ettret till sig.

Efter middagsmåltid skall man icke nederlägga sig till sömns, ty därav bliva alla lemmar tunge. Man får ock därav huvudvärk, kollesjuka,[1] och matens lust förgås. Men vill man då sova, må man sitta rätt rätter och en liten stund sova. Om aftonen efter aftonsmåltid skall man icke för tidigt lägga sig till sömns, förrän en 2 eller 3 timmar förlupne äro. 7 timmar är en rätt naturlig sömn. Vad däröver går, kommer det människorna till skada.

Strax efter måltid skall man icke arbeta, ty härav förhindras concoctio cibi in stomacho,[2] och födan får icke sin naturlige rätte gång i de ådror, som hon skulle, levern, mjälten och njurarna förstoppas, av vilket svåra sjukdomar komma. Men de, som äro av barndom uppvande till arbete, de undantagas av denne reglo.

Att bada i denna tid förbjudes av läkarne, ty av svettebad göres hjärtat sjukt och man bliver maktlös och törstar efter badet. Och badar man länge, då beredes vätskan till att skada. Men ho som van är att bada, han må bada en liten stund och icke i stor hetta, att svettehålen icke skola förstoppas, utav vilket mycket ont kommer.

Man skall ock väl akta sig för hastighet, vrede, förtörnelse, sorg, ångest, bedrövelse, fruktan, förfärelse. Man skall vara lättsinnig[3] och glädja sig med sine vänner och bruka sång, harpolek, trompepipa och andra sådana spel och lustigheter.

Läkarne förbjuda, att man icke skall bruka månge åtskillige rätter, medan pestilentzien regerar, ty mångahanda slag av rätterne kunde icke förtäras i enom maga utan förruttna och fördärvas, av vilket åtskilliga sjukdomar komma, och särdeles om man äter kött och fisk tillsammans över en måltid.

Man skall ock dricka gott gammalt öl, som icke är för starkt. Man må ock däruti mänga[4] hållsrot[5] eller ock stötta lagerbär.

Det är ock nyttigt och gott, att man brukar ättika uti alla rätter som kokas.

---

[1] Yrsel. — [2] Matsmältningen. — [3] Här motsatsen till tungsint. — [4] Blanda. — [5] Aristolochia.

Gravsten från Vrigstads kyrkogård i Småland.

Det vatten man skall koka maten uti, skall vara färskt källovatten, som utspringer under den klare himmel.

»Att utdriva djävlar och trolldom.

Tag livsens vatten och i det låt quintam essentiam av gull och pärlor och örten perforata eller fröet av henne, och giv honom dricka, som är befängder![1] Item: tag gallan av en fisk, som heter saringina, och gjut i en bössa, som gjorts av eneträ, och då du går i säng, lägg på glöderna av den gallan, och den röken fördriver allan trolldom och djävulskap

---

[1] Besatt

av det huset Item: gallan av en svart hund luktar så mycket
illa, att han fördriver djävulen bort av huset; och var den
stänkes om huset, kan ingen trolldom hava makt; och desslikes
om hundens blod stankes på vaggarna.

Att göra djärva i strid.

Tag livsens vatten och lagg örterna paeonam, angelica och
saffran och quintam essentiam av gull och pärlor i det, och
den som dricker därav bliver djärver och tröster och forsmår
doden och allan våda. Och förty skulle konungen hava ett
bryggekar fullt av brant vin och de foreskrivna tingen dari
gjutna, givandes varje stridsman en godan dryck därav, då
striden skulle stånda, och de skulle då strida mycket tröste-
ligare och finge seger; och det är sannerligen prövat vara
visst.»

Besvärjelseformler mot möss, råttor och ormar.

»Jag manar eder, moss, råttor och ormar, med Jungfru
Mariæ bedrovelse, som hon hade for sin käre son och den
glädje hon hade sedan. Jag manar eder, moss, råttor och
ormar, av min gård for Sancta Cecilias bons skull, som hon
bad till Gud i himmelen. Jag manar eder, moss, råttor och
ormar, för alla Guds helgons skull, att I skolen ej vara i denna
gård I skolen till det berg, som jag stammer eder till. Jag
stämmer eder åstad i namn Faders och Sons och den Helge
andes, möss, råttor och ormar, och att aldrig igen komma.
Jag manar eder, möss, råttor och ormar, dit som eder foda
ar lagd for eder. Dit skolen I gånga och stånda så länge, till
dess jag kommer till eder igen; och forbjuder jag eder att
igen komma vid den sorg Jungfru Maria hade för sin välsig-
nade son Jesum Christum, den tid han led döden på korsets
galge. Jag manar eder for den gladje, som Jungfru Maria
fick den tid Vår Herre Jesus Christus stod upp från doden.»

Litteratur Hans Hildebrand, Sveriges medeltid; Bok 1; inb
          kr. 9: 50.
          Olaus Magnus' Historia om de nordiska folken
          I—II; haft kr. 37 50.

Tobias Norlind, Svenska allmogens liv. Häft. kr.
9: —; inb. kr. 10: —.
Allen, De tre nordiske Rigers Historie; del III: 1.
Anna Sandström, Skanör och Falsterbo (i »Natur
och arbetsliv i svenska bygder»; del I; inb. kr. 2: —).

Svenska folket i sina ordspråk.

ALLVAR och gamman falla väl samman.
Två hund och kamma honom — han är alltid
hund densamme.

Den pung är tom, som annans pengar äro i.

Evart hägern flyger, så följer honom stjärten.

Själve rivas ulvarna, då de ej hava kalvar.

Den som länge sover på sin bädd, han får litet för sitt näbb.

Det är en ond fågel, som orent gör i sitt rede.

Rutet är lätt brutet.

Den är mycket rädder, som ej törs skälva.

Man skall ej klå där som det ej kliar.

Lat mans bön blir sällan hörd.

Östanväder och kvinnoträta börja med storm och sluta
med väta.

Det hushåll är ej utan kval, där hanen kacklar och hönan
gal.

Fägring utan tukt är som ros utan lukt.

Alltid drömmer so om drav.

Den varder två gånger glader, som på stenen sitter.[1]

Den blåser ej väl upp eld, som mjöl haver i munnen.

Av ett hår och ett varder man skallot.

Villiga oxar skall man ej jäkta.

De äro ej alla vänner, som le mot en.

Eget ros är elakt os.

Vargen tager ock räknade får.

Det är lätt att skära breda remmar av andras läder.

Den är lätt att locka, som själv vill med hoppa.

Bättre skelögd än blind.

[1] Först blir han glad över att få sätta sig och sedan över att
få stiga upp från den hårda sittplatsen.

Släpp hund till honungskruka — han springer i med båda fötterna.

Slå sten mot uggla, slå uggla mot sten, det gäller alltid ugglans ben.

Döden blåser ej i lur för sig.

Den kommer ock fram, som med oxar åker.

Jorden är alltid frusen för lata svin.

Ont är ej gott, förrän värre kommer.

Han är ej bättre, som gömmer, än den, som stjäl.

Där skall starka ben till att bära goda dagar.

Ofta ligger ormen under rosenbusken.

Det är ej allt gott i magen, som i munnen är sött.

Munvig är bättre än snutfager.

Där det är hjärterum, är rum nog.

Den sig i leken ger, han måste leken tåla.

Att giva dårar råd är som slå vatten på gåsen.

Det är svårt lära gammal hund sitta.

Guldprov i glöd, vänprov i nöd.

Medeltida folkvisor.

AV medeltidens världsliga litteratur höra folkvisorna till det värdefullaste. De äro alla av berättande innehåll och behandla de mest olikartade ämnen. Somliga besjunga gamla germanska hjältar, sådana som vi känna från isländningarnes fornsånger. Andra handla om näcken, om älvor, troll och andra hemlighetsfulla naturväsen, vilka levde i dåtida folktro. Men de flesta ha till ämne riddarlivet och skildra riddarnes äventyr och bedrifter samt i synnerhet ädla jungfrurs och herrars kärlek.

Havsfrun och herr Olof.

Herr Olof han sadlar sin gångare grå,
så rider han sig till havsfruens gård.
Men linden gror väl, men linden gror väl.

Herr Olof han red, men gullsadelen flot,
herr Olof han sjunker till havsfruens skot.

Och nar som han kom på havsfruens gård,
darute mot honom havsfruen står.

»Valkommen, valkommen, ung Olof till mig!
I femton år haver jag vantat på dig.

Men var ar du fodd, och var ar du buren,
och var haver du dina hovklader skuren?» —

»På kejsarens gård är jag födder och buren,
och dar haver jag mina hovklader skuren.

Och dar haver jag min fader och mor,
och dar har jag syster, och dar har jag bror.

Och dar har jag åkrar, och dar har jag ang,
och dår står uppbäddad min bruaresang.

Och dar haver jag min fastemo tro,
med henne mig lyster att leva och do.» —

»Och hor, ridder Olof, kom folj nu med mig,
drick ur min solvkanna det klaraste vin!

Var ar du nu fodd, och var år du buren,
och var har du nu dina hovklader skuren?» —

»Jo, hår ar jag fodd, och hår år jag buren,
och har haver jag mina hovkläder skuren.» —

»Var har du nu fader, och var har du mor,
och var har du syster, och var har du bror?» —

»Jo, hår har jag fader, och har har jag mor,
och har har jag syster, och har har jag bror.» —

»Var har du nu åkrar, och var har du nu ang,
och var står nu bäddad din brudesäng?

Och var har du nu din fästemö tro,
med den du vill leva, med den du vill dö?» —

»Här har jag min åker, här har jag min äng,
här haver jag bäddad min brudesäng.

Och här haver jag min fästemö tro,
med dig vill jag leva, med dig vill jag dö.»
    Den linden gror väl, den linden gror väl.

Duvans sång på liljekvist.

Det sitter en duva på liljekvist —
    i midsommarstider —
hon sjunger så fagert om Jesus Krist.
    I himmelen är en stor glädje.

Hon sjunger, hon sjunger och sjunger alltså:
»Det väntas en jungfru till himmelen i år.»

»Och inte så kommer jag till himmelen i år,
jag känner mig varken sjuk eller sår.»

Och jungfrun hon går på sin faders gård,
ett styng i sin vänstra sida hon får.

»Och kära min moder, I bädda min säng!
I år kommer jag varken på åker eller äng.»

»Och kära min dotter, du tala inte så!
I år är dig ärnat en konung att få.»

»Och bättre är vara i himmelen brud
än bära på jorden en konungaskrud.

Och kära min fader, I skaffen mig präst!
Jag känner, att döden snart bliver min gäst.

Och kära min broder, du gör mig en bår,
och kära min syster, du krusa mitt hår!»

Och jungfrun vart döder och lades på bår,
och jungfrur och tärnor de krusa' hennes hår.

De buro den jungfrun ut av det hus,
Guds änglar de gingo fore med ljus.

De buro det lik över kyrkovall,
och alla Guds änglar gick fore och sang.

De lade den jungfrun i svartan mull —
    i midsommarstider —
och själve Gud Fader han var henne huld.
    I himmelen är en stor gladje.

Herr Karl och klosterrovet.

   Herr Karl han gick for sin fostermoder in,
han frågade henne om råd:
»Hur skall jag skona jungfrun
med mig ur klostret få?»
    Men herr Karl sover allena.

»Du lägg dig sjuk, du lägg dig dod,
du lägg dig uppå bår,
så kan du skona jungfrun
med dig ur klostret få.»

In kommo de småsvennerne,
voro klädde i kladerna blå:
»Och lyster skön jungfrun i vakstugan gå
och se herr Karl på bår?»

Och in kommo de småsvennerne,
voro kladde i kläderna rod:
»Behagar skön jungfrun i vakstugan gå
och se herr Karl ar dod?»

Och in kommo de småsvennerne,
voro kladde i kladerna vit·
»Behagar skon jungfrun i vakstugan gå
och se herr Karl stå lik?»

Och jungfrun gick for sin fostermoder in
och frågade henne om råd:
»Ack, kan jag i vakstugan få gå
och se herr Karl på bår?» —

»Och inte vill jag giva dig råd,
ej heller så nekar jag dig;
men om du i afton i vakstugan går,
herr Karl han sviker dig.»

Och jungfrun inför dörren gick,
hon glimmade som en sol;
men herr Karls falska hjärta,
det låg på bår och log.

Och jungfrun till hans huvud gick,
hon såg på hans krusade hår:
»Ack, medan du här levde,
du höll mig ganska kär!»

Och jungfrun hon till fötterna gick,
hon lyfter på vitan linn':
»Ack, medan du här levde,
du var allrakärasten min!»

Och jungfrun hon till dörren gick,
hon bjöd sina systrar god natt;
herr Karl, som uppå båren låg.
sprang upp, tog henne fatt.

»I bären ut min bår igen,
I skänken mjöd och vin;
i morgon skall mitt bröllop stå
med allrakärasten min!»

Det var de klosternunnor,
de läste uti bok:
»Visst var det en Guds ängel,
som bort vår syster tog.»

Och alla klosternunnor
de sjöngo för sig:
»Krist, giv en sådan ängel
kom' tog båd mig och dig!»
    Men herr Karl sover allena.

Liten Karin.

Och liten Karin tjänte
på unga kungens gård.
Hon lyste som en stjärna
bland alla tärnor små.

Hon lyste som en stjarna
allt bland de tarnor små.
Och unga kungen talte
till liten Karin så:

»Och hor du, liten Karin,
sag, vill du bliva min?
Grå hasten och gullsadelen,
dem vill jag giva dig.»

»Grå hasten och gullsadelen,
dem passar jag ej på.
Giv dem din unga drottning.
låt mig med aran gå'»

»Och hor du, liten Karin,
sag, vill du bliva min?
Min rodaste gullkrona,
den vill jag giva dig.»

»Din rodaste gullkrona,
den passar jag ej på.
Giv den din unga drottning;
låt mig med aran gå!»

»Och hor du, liten Karin,
såg, vill du bliva min?
Mitt halva kungarike,
det vill jag giva dig.»

»Ditt halva kungarike,
det passar jag ej på.
Giv det din unga drottning,
låt mig med aran gå!»

»Och hor du, liten Karin,
vill du ej bliva min,
så skall jag låta satta dig
i spiketunnan in.»

»Och vill du låta satta mig
i spiketunnan in,
Guds änglar små, de se, att jag
oskyldig ar dartill.»

De satte liten Karin
i spiketunnan in,
och konungens små svenner,
de rullade henne kring.

Så kom det ifrån himmelen
tva vita duvor ner;
de togo liten Karin,
och strax så blev det tre.

Litteratur: Svenska folkvisor, utgivna (1814—1817) av E. G.
Geijer och A. A. Afzelius. Ny tillökad upplaga
utg. (1880) av R. Bergström och L. Höijer. Kart.
kr. 19: 50.
Svenska fornsånger, utgivna (1834—1842) av A.
I. Arwidsson.
Richard Steffen, Isländsk och fornsvensk litteratur
i urval; inb. kr. 3: 25.
Från Berg och Dal, samling av svenska folkvisor
och folklekar (med musik), utg. av A. E. Inb. kr.
2: 75, kart. 2: —.
Svenska folkvisor i urval utgivna av Richard
Steffen. Häft. kr. 0: 35.

Venetianare på besök i Östergötland för nära femhundra år sedan.

TIDIGT på våren 1431 utrustade en venetiansk adelsman vid namn Pietro Quirini ett fartyg med vin och allehanda österländska kryddor för att i Flandern vinna »ära och vinning» därmed. Men i stället blev färden en enda kedja av motigheter. En rytande storm slet seglen från masten, och brottsjöar vräkte loss rodret. Så drev fartyget redlöst omkring i Nordsjön och Atlanten månad efter månad. Hösten kom, och dagarna blevo mörkare och kallare, men ingenstädes syntes land. Till slut nödgades Quirini med sitt folk gå ombord i livbåtarna, och äntligen, efter namnlösa lidanden, som krävde det ena offret efter det andra, nådde

de overlevande land den 5 januari 1432. Efter nya vedèr-
modor blevo de slutligen omhandertagna av en fiskare,
som forde dem till sin stuga på en liten o i Lofoten — det
var namligen till nordliga Norge, som italienarna kommit.

Har blevo de val mottagna och gastfritt undfagnade.
Fram på våren fingo de segla med fiskarne ned till Trondhjem.
Dárifrån beslöto de att taga hemvägen genom Sverige, dar
de hade hjalp att vanta av en landsman, venetianaren Juan
Franco, som var hövitsman på Stegeborg. Mannen ar kånd
från Engelbrekts frihetskrig under namnet Johan Franke
eller Vale· den valske, d v. s italienaren. Han stod högt i
gunst hos Erik av Pommern men blev fordriven av Engel-
brekt.

Tolv man, vagvisaren inberäknad, utgjorde resenarerna.
I femtiotre dagar fardades de, innan de kommo fram till sin
landsmans slott. I sin reseskildring klagar Quirini over de
dåliga harbargena, dar de stundom fingo äta brod av malen
bark. »Men», sager han, »ett funno vi dock overallt· ett
vänligt bemötande.» Kommo de fram till ett harbarge, me-
dan folket dar sov, var det bara att öppna dörren och stiga
på. »Allting stod öppet», berättar italienaren, »så att vi
kunde taga den mat, som fanns, och sedan lade vi oss att
sova.»

Når folket fick höra om sydlänningarnes underbara fard,
»häpnade de», fortsatter han, »och ynkade sig over oss, gåvo
oss mat men ville ingen betalning ha Så att vi, tolv perso-
ner och tre hastar, under 53 dygn ej behovde mer än de 4
floriner, som vi fått i Trondhjem.

På denna resa sågo vi ofruktbara och forskrackliga berg
och dalar samt en mangd djur, som liknade rådjur,[1] och
snovita fåglar, ripor, rapphons och fasaner så stora som gäss[2].»

I Vadstena kloster, vilket Quirini beskriver som rikt och
vålgorande, blevo resenarerna »val och rikligt undfagnade».
Stor blev den ömsesidiga glädjen, nar de antligen traffade
herr Johan, vilken skildras såsom »en hövisk och givmild
man». I hans sallskap besökte de efter en tid återigen Vad-
stena kloster, där det då var stor fest och valdig tillstromning

---

[1] Renar — [2] Tjädrar.

av folk även från främmande länder i anledning av den årliga avlatsförsäljningen, som då pågick.

Sedan främlingarne ävenledes erhållit avlat, fortsatte de resan till Lödöse och därifrån till sitt hemland.

Litteratur: Carl Magnus Stenbock, Venetianare på besök i Östergötland för snart 500 år sedan (En bok om Östergötland, under redaktion af Birger Mörner utgifven af Alice Trolle).

I HÖGA NORDEN

I »skridfinnarnes» land.

DET gamla antagandet, att lapparne skulle vara undan-
trängda rester av Nordens urinvånare, det s. k. aldre
stenåldersfolket, har vederlagts av den vetenskapliga
forskningen De ha tvartom kommit vandrande österifrån år-
tusenden efter våra germanska stamfaders bosättning i Sverige.
Man vet, att lappar ha funnits i vårt lands nordligaste delar
sedan de forsta århundradena av vår tideraknimg, men först
mycket senare uppenbarade de sig i mellersta Sverige. I
Jämtland fingo de fast fot på 1500-talet, och två århundraden
senare upptradde de så långt soderut som i Hälsingland och
Dalarne

Låt oss forst hora, vad Olavus Magni har att förtälja om
»skridfinnarne», som han kallar Lapplands inbyggare!

»Skridfinnarnes land har», säger han, »fått sitt namn därav,
att invånarne for att komma hastigt fram begagna sig av ett
slags långa och flata träspjälor, så kallade skidor, vilka fram-
till äro svangda uppåt i en båge. Dessa skidor binda de vid
fotterna och taga i handen en stav till att styra med, och så
ränna de ledigt uppfor och utfor och snett över de snöiga
bergen, alltfrom som de själva vilja. Den ena skidan är en
fot längre an den andra, och den korta skidan bor hålla
samma langd som skidloparen.

Tack vare sin skicklighet i att begagna slika redskap kunna
dessa manniskor bestiga fjäll, som eljes skulle vara fullstan-
digt otillgangliga, och rusa ned i de brantaste dalar, sarskilt
vintertiden Om somrarna går det ej lika lätt, ty ehuruvål
snön ej forsvinner, blir den dock alltfor lös och viker undan
for skidornas tryck. I alla handelser är intet fjall så brant,
att dessa skridfinnar ej lyckas bestiga det på någon skickligt
vald omvag Nar de lamnat dalarnas djup taga de sig fram

i slingrande bukter över de nedersta klippavsatserna och styra kosan i sicksack uppför sluttningarna, tills de slutligen över höjder och klyftor uppnå toppen. Sådana bedrifter utföra de stundom i jaktiverns hetta, stundom för att tävla med varandra, ty envar vill anses såsom den ypperste.

Skridfinnarne livnära sig ej av säd utan endast av villebråd och fåglar, varpå det är rik tillgång i kärrmarkerna. De förtära rått kött av vilda djur, vilkas raggiga skinn de sätta ihop till kläder åt sig. Hos dem finnes ett hjortliknande djur, som kallas ren. Av dess hud med stritt utstående hår har jag sett en klädnad förfärdigad, som räckte till knäna.

Renarna användas ej blott för åkning utan brukas även till att draga lastslädar över de höga snödrivorna. De utmärka sig i likhet med vildåsnorna för utomordentlig snabbhet, så att de kunna på kort tid tillryggalägga en lång och besvärlig väg. De slädar, som dragas av renar, skilja sig till formen från andra, ty de äro spetsiga framtill liksom skor för att kunna tränga fram genom snödrivorna, alldeles som skepp äro så formade för att kunna klyva havets vågor.»

I likhet med senare kännare av lapparnes levnadsvanor prisar Olavus Magni dem såsom godhjärtade, hederliga och fria från vinningslystnad. Deras starka hälsa och hårdighet har i alla tider väckt kulturmänniskornas beundran. Så skriver på 1670-talet kyrkoherden i Kemi lappmark, att de »äro mycket starka till att tåla köld, ävensä deras späda barn, dem mödrarna uti den allra skarpaste köld på sina händer uti en kall vattukittel ståndande tvätta». De små blevo ju också hårdade alltifrån födelsestunden, som ofta inträffade då kölden var så sträng, att kåtan icke kunde ge mycken värme. Ja ibland kom stunden för lappkvinnan, när hon befann sig ensam uppe på vilda fjället i snö och köld, men ändå kunde hon bärga både sig och sin livsfrukt till närmaste kåta.

Var lappen ute på jakt och ej hann hem till kåtan på natten, »gräver han sig själv i snödrivan lika såsom en mullvada», berättar samme sagesman och fortsätter: »Där är han uti sin päls så varm lika såsom uti det varmesta hus.»

En olägenhet led dock lapparnes kroppsliga välbefinnande av röken i kåtorna, som gjorde dem »rödögde, blötögde och omsider i ålderdomen blinde», för att tala med en annan prästman från samma tid. Men eljes äro de, tillägger han, »av naturen ett hälsosampt folk, som med kroppsens bräckeligheter icke gemenligen bekajade äro såsom annat folk av andre nationer».

Vid sidan av vad Olavus Magni förtäljer står såsom den bästa av de äldsta skildringarna från Lappmarken ett kapitel i tysken Zieglers år 1532 tryckta beskrivning av Skandinavien. Ziegler hade fått sina upplysningar av Olavus Magnis broder, den mångkunnige Johannes Magni, samt den lärde Västeråsbispen Peder Månsson. Ur Zieglers arbete kunna vi inhämta följande upplysningar »Lapparne kämpa beväpnade med bågar. Från gossåren öva de sig i skjutning med båge. De ge icke mat åt en gosse, förran hans pil träffat målet. Deras kläder äro åtsittande och avpassade efter hela kroppen, så att de icke hindra deras rörelser. Vintertiden bära de hela hudar av sälar eller björnar, konstfärdigt beredda Hudarna äro tillknutna över huvudet, så att endast ögonen synas. Sålunda är hela kroppen skyld eller liksom insydd i en säck.

Hus hava de icke, utan ett slags tält, och de byta ofta om bostäder. De sysselsätta sig mycket med jakt. och villebråd

finns i myckenhet överallt. En kvinna får ej gå ut ur tältet
genom samma dörr, genom vilken mannen den dagen gått
på jakt, ej heller får hon med handen vidröra jaktbytet, utan
mannen räcker henne på ett spett hennes andel av köttet.
Åkerbruk idka de icke. Ormar finnas icke i deras land, däre-
mot stora och stickande myggor. Fisk fångas i stor ymnighet.
De hava båtar, som äro hopfogade icke med spikar utan med
senor och vidjor. På dessa färdas de utför de strida älvarna
i Lapplands bergstrakter, om sommaren nakna, för att i hän-
delse av fara kunna rädda sig och sina varor genom simning.

Under resor gå de aldrig in i ett härbärge eller under tak
utan tillbringa nätterna i det fria. Hästar hava de icke, men
i stället tämja de ett vilddjur, som de kalla ren, stort som
en mulåsna, med en hårbeklädnad, som liknar åsnans, två
klövar och horn, greniga som hjortens men längre och med
färre grenar. Renen bär icke en ryttare på ryggen, men spän-
nes för ett åkdon och kan på 24 timmar tillryggalägga en
väglängd av 150,000 steg. Detta kallas på deras språk att tre
gånger skifta horisont, d. v. s. tre gånger nå det mål, som de
på långt håll sett stå ytterst, vilket är ett säkert vittnesbörd
såväl om stor snabbhet som om styrkan hos djuret.

Lappen är genom arv från förfäderna avgudadyrkare.
Stenstoder, uppresta på bergen, hava de ock till gudar. Vid
ingåendet av äktenskap söka de järtecken med eld och flinta.
De äro mycket verksamma besvärjare. De knyta på en rem
tre knutar; när de lösa en, framkalla de dräglig vind, lösa de
den andra, blir vinden häftigare; löses även den tredje, fram-
kalla de en verklig storm. Denna konst använda de efter
behag mot sjömännen. Allteftersom de vilja gynna dem eller
icke, hejda eller uppröra de flod och hav. De göra ock av bly
fingerlånga trollskott, vilka de avskjuta på huru långt håll
som helst mot dem, på vilka de vilja hämnas. Den träffade
får en svår bulnad på benet eller armen och dör, inom tre
dagar av häftig värk.

Nästan tre vintermånader igenom råder i deras trakter
en oavbruten natt, under vilken de icke hava något annat
ljus än skymning, som väl är klar, ungefär som månsken,
men varar blott helt få timmar. Den dag, då solen återvänder
på himlen, fira de en stor glädjefest.»

Med de på bergen uppresta stenstoderna, som Ziegler talar

om, menas tydligen de s. k. seitar eller storjunkare, som
ända in i senaste tid varit föremål för vidskeplig dyrkan. De
utgöras av egendomligt formade trästycken eller stenar, vilka
enligt somliga sägner en gång skulle ha varit levande varelser.
Enligt en uppgift av en lapplandspräst från 1600-talet skulle
namnet storjunkare vara av norskt ursprung och ha upp-
kommit därav att norrmännen kallade sina landshövdingar
junkare (junker). »Alltså», skriver vår sagesman, »kalla lap-
parne sina avgudar storjunkare, efter de hålla dem som Guds
junkare eller ståthållare.»

Lapparne visade stor vördnad för seitarna, togo av sig
mössan för dem, bugade sig och nalkades dem krypande på
händer och fötter. De offrade renar åt dem och smorde dem
alltemellanåt med blod eller fett, allt för »att renboskapen
måtte väl trivas, fiskeri och fågelfångst väl lyckas» —
enligt vad en gammal lapp på 1600-talet upplyste sin själa-
sörjare om. Ännu på 1870-talet smordes enligt trovärdiga
personers uppgift stenseitar i Arjeploug av lappar efter
rikligt fiskafänge, och vid samma tid fanns i Gellivare soc-
ken en lapp, som när fiskelyckan varit god, brukade avtacka
sin storjunkare med att sticka en tobaksbuss i munnen på
honom.

Men var seiten icke givmild, fast han fått både offer och
tillbedjan, kunde det mycket väl hända, att lappen tog till-
baka vad han givit
honom, i synnerhet de
ståtliga renhornen, och
vände sig till en fri-
kostigare storjunkare.
Ja lapparne kunde
bete sig som riktiga
tyranner mot snåla
seitar. De foro ut i
hotelser och smäde-
sånger mot dem, miss-
handlade dem med
hugg och slag eller till
och med slogo sönder
belätena. Från 1700-
talets början berättas

Lapsk seite.

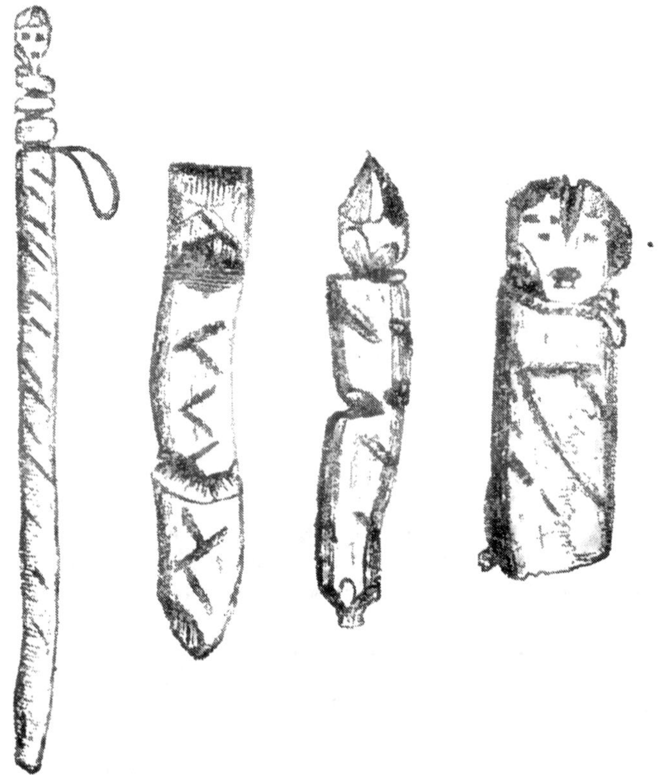

Lapska avgudabilder av trä. Efter en teckning från 1600-talet.

om en lappman i Lule lappmark, som flitigt offrade
och bad till en seite i skogen, för att denne skulle
göra slut på den då gängse renpesten. »Men», säger den
som en mansålder senare nedskrivit tilldragelsen, »enär in-
gen bot därå följde, förelade denne lappman sin avgud
en viss tid, med utlåtande att om han ville bliva ärad och
dyrkad för en gud, så skulle han åtminstone inom samma tid
stilla sjukdomen men i annor händelse bliva förbränd och
alldeles utrotad såsom en bedragare. Den förelagda tiden
gick till ända, och rendjursstörtning påstod lika fullt. Lapp-

mannen lät fördenskull sitt gjorda slut gå i verkställighet medelst en stor stockeld görande ikring och ovanpå avguden, vilken så mycket förr blev fördärvad, som hela byalaget i många tider densamma med åtskilliga feta saker smort.»

På somliga berg funnos två, tre eller flera seitar, vilka då kallades »den förste storjunkare, den andre hans Acke eller gumma, den tredje son eller dotter och sedan de övriga stenarna tjänare eller tjänarinna», berättar en prästman från 1600-talet.

Ännu vid medeltidens slut voro lapparne allmänt hedningar. Dock hade enstaka försök gjorts från svenska kyrkans sida att omvända dem. Vid 1300-talets mitt skall dåvarande ärkebiskopen ha företagit en visitationsresa till Lappmarkerna och vid Torne ha invigt ett kapell, där han döpte ett tjugutal lappar och finnar i ett stort kar med vatten, som bars in i kyrkan.

Att omvändelseförsöken icke blivit alldeles utan frukt visar den märkliga berättelsen från 1300-talets slut om lappkvinnan Margareta, som blivit döpt och uppfyllts av en brinnande nitälskan för sina landsmäns omvändelse. Men hur skulle hon, en kvinna, kunna vinna kyrkans godkännande av hennes missionsverk? För det ändamålet begav hon sig ut på en långfärd: hon ville skaffa sig stöd hos en annan kvinna, sin namne drottningen.

De sammanträffade i Malmö, drottningen och lappkvinnan, vardera stor i sitt slag, och det lyckades denna att vinna såväl drottningens som ärkebiskopens i Lund bevågenhet. Tillsammans med ärkebiskopen i Lund utfärdade drottning Margareta ett upprop på latin(!) till Lapplands befolkning att övergiva sin avgudadyrkan, vars lön vore evinnerliga plågor i avgrunden med djävulen och hans änglar, och i stället omfatta den kristna läran, så skulle detta folk genom tron på den sanne guden och goda gärningar förvärva himmelens salighet som lön. Skrivelsen slutar med en maning till ärkebiskop Henrik i Uppsala att lägga sig vinn om lapparnes omvändelse, och glad vände lappkvinnan tillbaka till sitt folk och sin livsuppgift. På hemvägen har hon vål besökt arkebiskopen i Uppsala, men om dennes intresse for lappmissionen känner man intet.

Ett fjardedels sekel forgick — och lappkvinnan måste åter antrada en resa for att få yttre stöd. Vem taljer de mödor hon under dessa många och långa år haft, den sorg, med vilken hon såg sina käraste forhoppningar svikas! Som naturligt var, vande hon sig i forsta hand till Lapplands dåvarande stiftsstad, Uppsala, men dar rönte hon ett tamligen kyligt mottagande. I en skrivelse till några »hogvordige fäder», som icke vidare namnas i brevet, säger sig domkapitlet vara foga forfaret i andliga ting (!) och dessutom uttröttat av omsorgen om timliga angelagenheter. Därför sande kapitlet från sig denna kvinna, som föregav sig hava syner och uppenbarelser, och anhöll om ett utlåtande, huruvida hennes syner skulle anses vara ingivelser av en god ande eller bedrågliga foster av en annan ande. Därpå berodde ju huruvida hon vore värd någon uppmärksamhet, eller om man borde ålagga henne tystnad.

Margareta begav sig då till Stockholm, dar hon fann en klok och varm forespråkare i en klosterbroder, vilken gav henne foljande rekommendationsbrev till en norsk abbot, som hon skulle traffa i Vadstena· »Då Gud även hos det svagare könet verkar sina under, såsom vi sett hos den heliga Birgitta och andra heliga kvinnor, bor Margareta, som under många svårigheter i lång tid modat sig med lapparnes omvändelse, icke foraktas. Hon har väl ej kunnat uträtta mycket, men det är möjligt, att Gud anvander henne som redskap, på det de, som kunna gagna sjalarna och icke vårda sig dårom, må komma på skam. Darfore beder jag Ers kärlighet, att I med tålamod hören henne och, om I så finnen skåligt, given henne en skrivelse till herr arkebiskopen.»

Foljden blev, att den norske abboten på det varmaste lade hennes sak i arkebiskopens händer, under framhållande av hennes fromhet, hennes ihärdighet och hennes svårigheter samt det gagn, Guds rike skulle vinna genom lapparnes omvandelse.

Vilket svar hon fick av ärkebiskopen, och vilka öden hon sedan gick till motes, känna vi icke. Men det veta vi, att något senare fanns i Sverige ett verksamt intresse for lapparnes omvandelse. Helt visst är det en frukt av Margaretas

Lapp med trolltrumma.

varma nit, att Lappland vid denna tid får sin förste namngivne missionär i en herr Toste, som Erik av Pommern i
ett brev till domkapitlet i Uppsala år 1419 rekommenderar
till erhållande av understöd och uppmuntran. Missionären
säges i brevet ha i några år »predikat kristendom bland lapparne och nu ämna uppbygga kapell för dem».

Men den, som först med planmässighet bedrev omvändelseverket i Lappland, var Gustav Vasa, som menade, att klosterbröderna där kunde få ett lämpligt verksamhetsfält. Han

motarbetades dock av den maktlystne biskop Brask, som
skrev till bröderna i Vadstena, att de icke behövde lyssna
till talet om den fara lapparne lupo. Det vore bättre att
tänka på de faror, som hotade på närmare håll, »ty den ord-
nade kärleken begynner med sig själv». Det oaktat finns i
klostrets minnesbok antecknat för år 1525: »Den 10 oktober
utgick på konung Gustavs befallning broder Benkt Petersson

Ur Olavus Magnis arbete om de nordiska folken.

för att värva lapparne för kristendomen.» Han fick konungens
pass för att i Norrbotten »undervisa de fattige lappar och
andre den landsändans inbyggare i Guds tro och vad deras
själs salighet tillhörer och där upprätta en skola för förbe-
mälda lappars skull och andra flere gode barns i den lands-
ändan.» Missionären var, säger klostrets dagbok, »en lärd,
mogen och from man.»

Men kristendomen hade för sig en långvarig och seg kamp
att utkämpa med seitar och trolltrummor,[1] och långt efter

---

[1] Se sid. 31.

det man i vårt lands huvudbygder invaggat sig i den tron,
att hedendomen inom Sveriges gränser var ett minne blott,
skulle man uppe i Lappmarkerna göra häpnadsväckande
upptäckter.[1]

»Av barndop bland skogsbygdens folk» ger oss Olavus
Magni följande skildring i ord och bild: »De katolska präster-
nas fromma förmaningar ha bland den yttersta Nordens
avgudadyrkare uträttat så mycket, att en stor del av skogs-
bygdens människor blivit förda i kyrkans sköte och allt
större anledning finnes till förhoppningen, att de en gång
samt och synnerligen skola låta omvända sig. Att det dröjer
så länge härmed, har ögonskenligen sin orsak däri, att de
befinna sig på så långt avstånd — 200 italienska mil och
därutöver — från de kristna församlingarna, att de blott
mera sällan kunna komma i beröring med dessa. Emellertid
pläga de, som underkastat sig kristen sed och ordning, visa
sig mycket lydiga, fastän de blott en eller två gånger om
året kunna besöka sina dopkyrkor. Vid dessa tillfällen föra
de med sig sina dibarn att döpas. De bära dem i kor-
gar, som de bundit bakpå ryggen tillika med andra bördor,
däribland gåvor, bestående av särskilt dyrbara pälsverk,
avsedda att överlämnas åt prästen i stället för tionde.»

* *

*

Lapparnes näringsfång voro under medeltiden desamma
som nu: renskötsel, jakt och fiske. Vargjakt ha de i alla tider
bedrivit med verklig lidelse. Vargen är deras och renarnas
dödsfiende, och lappen ger ej gärna upp förföljandet, förrän
blodet står honom ur näsa och mun. Lyckas han hinna upp
vilddjuret, ger han det ett kraftigt slag med skidstaven över
korsryggen, så att det förlamas i bakbenen, och sedan går
han med raseri och under utstötande av förbannelser mot
den lömske renplågaren till det kära värvet att utsläcka livs-
lågan hos denna varelse, som han hatar innerligast av alla.

För björnen hyser lappen däremot känslor av oskrymtad
vördnad och högaktning, allra minst sagt. Lapparne påstodo

---

[1] Se härom bd IV: 393.

enligt en gammal uppgift, »att aldrig någon björn skadat antingen dem eller deras renar men däremot slagit ofta ihjäl hästar, kor, oxar och människor för svenska folket». Vilket dock ej hindrade lappen att löna björnens ädelmod genom att, då tillfälle gavs, bringa denna om livet. Kanske ville man till en del överskyla sitt brott mot vänskapens regler genom den tredagarsfest med många ceremonier, varmed man hedrade den döda björnen.

Rikt givande var i äldre tider jakten på vildren, särskilt under brunsttiden, då djuren fångades på olika sätt. Ett sådant var att binda en tam renko som lockbete vid ett träd. När då den vilda rentjuren i sin brånad kom löpande dit, passade lapparne på att skjuta honom. Eller också satte de en snara i hornen på den tama tjur, som följde renkorna. När en brunstig vildtjur kom in bland hondjuren, blev det slagsmål mellan honom och hans tama rival. De »stångas och slåss, så att de som två karlar stå på två fötter och bulta varandra med klövarna». Men därvid trasslar sig vildrenen in i snaran mellan vederdelomannens horn, »tills lappen kommer och skiljer trätan».

Lapp i vinterdräkt.

Avkomman av vild rentjur och tam renko blev »de ypperste körrenar som i Lappland finnas», men bångstyriga och hårda att tas med voro de. Förr eller senare kom alltid det ögonblick, då en sådan dragoxe i ilskan över att ej få springa så vilt eller så långsamt han ville framför ackjan »kastade om och med klövarna klappade den åkande all omkring». Denne hade då ingen annan råd än att fortast möjligt stjälpa omkull ackjan, kasta sig under den och låta det uppretade djuret trumma med klövarna på åkdonets botten. Men i denna situation passade lappen på, så ofta han kom åt, att slå renen, tills blodet stod ur munnen på det envisa djuret. Då först blev renen spak och erkände människans överlägsenhet.

*   *
*

Enligt en uppgift från 1600-talet av Gustav Adolfs lärare, riksantikvarien Bureus, skall det ha varit Magnus Ladulås, som utsträckt det svenska väldet över höga Norden genom att lägga Lappland under sin spira. Han skulle nämligen ha utlovat, att de som kunde bringa lapparne under Sveriges krona, skulle »få dem till egendom». Detta skulle ha lyckats för de s. k. lappefararne eller birkarlarne, storbönder från Norrbotten, vilka av ålder drivit handel med lapparne. Deras namn har antagligen uppkommit av Birkö-karlar, d. v. s. män som plägade köpslå i Birkö, nuvarande Torneå gamla hamn och handelsplats, vilken låg på Björkön i Torne älv och alltså fått namn efter samma grunder som den urgamla handelsplatsen Birka på Björkön i Mälaren.[1]

Emellertid var det naturligtvis svårt att från det svenska rikets huvudbygder övervaka de kringströvande nomaderna där långt uppe i Norden. Därför hittade regeringen på att lägga den skatt, som skulle utgå från Lappmarken, icke på lapparne själva direkt utan på birkarlarne, samtidigt som den begränsade rätten att driva handel med lapparne till ett visst mindre antal sådana »kristna karla lappafara». Skatten utgick i en viss mängd »gråverk» eller, som det också kallades, »klockverk», d. v. s. ekorrskinn, samt mårdskinn.

---

[1] Se sid 232

men växte under tidernas lopp i storlek och ökades med skinn av hermelin och ren, renkött, »benlösa gäddor», »bärenfisk», d. v. s. egentligen »fisk från Bergen» eller m. a. o. stockfisk, silver m. m.

Birkarlarne sades »äga» var och en sina lappar och kunde genom gifte eller på annat sätt överlåta de »lotter» de ägde i lapparne på andra. Gustav Vasa höll strängt efter birkarlarne, och under hans och hans söners tid gjordes den ena inskränkningen efter den andra i deras privilegier. Därtill bidrogo de klagomål, som alltemellanåt framställdes mot dem för övervåld mot lapparne samt för deras »vederstyggliga leverne» bland dessa. Många äro särskilt exemplen på att birkarlar lagförts för »hor med deras egne lappekoner». Men å andra sidan må ej förgätas, att birkarlarne ofta uppträtt som de stackars lapparnes försvarare och hjälpare både i hungersnöd och vid andra tillfällen. Och liksom de lagt Lappland under Sverige, ha de också kraftigt bidragit att värna det svenska väldet i denna landsända mot intrång från såväl norrmän i väster som ryssar i öster.

I början av 1600-talet avskaffades fullständigt birkarlarnes gamla ensamrätt till lappskatten och handeln i Lappmarken.

Det har »om birkarlarne sagts mera ont, än de förtjänat». Detta omdöme har den grundligaste forskaren i deras historia funnit sig äga fullt skäl att ändra därhän, att »om dem är vida mera gott att säga än ont».

Litteratur: Edgar Reuterskiöld, De nordiska lapparnas religion; häft. kr. 2: 50 (med utförlig litteraturhänvisning).

Johan Nordlander, Om Birkarlarne (Historisk tidskrift 1906 och 1907).

Gustaf B. Lundgren, Lappkvinnan Margareta (Småskrifter utg. af Norrländska studenters folkbildningsförening, n:r 7; häft. 50 öre).

K. B. Wiklund, Om lapparna i Sverige (Studentföreningen Verdandis småskrifter; häft. 25 öre).

Innehållsförteckning till band I.

Foråldrarna.

Sid.

Tolv tusen års hemligheter uppdagas 5
De första människorna i vårt land 9
Träskfolket 12
Bronsåldern 29
Järnåldern 39
Hur är det möjligt att bedöma fornsakernas ålder? 47
Den stora folkvandringens tid 51
Vad främlingar berätta om Skandinaviens järnålders-
    folk 57
Runorna 58
Ett besök på en svensk storbondes gård på 800-talet 65
Nordmannaliv 68
Två fornnordiska kvinnogestalter 79
Trälen 85
Sveriges rike bildas 93
En sagoö 95

Eddasånger.

Världens skapelse 101
Gudar och gudinnor 102
Sagan om Tors färd till jättarnes värld 104
Tors hammare stulen 110
Sagan om Balder och Loke 116
Världens undergång 119
Blot 121
En krigisk religion 123
Sagan om Volund 125
Sigurd Fafnesbane 130

Sid.

Vikingasagor.

Sagan om Hjalmar den hugstore och Ingeborg . . 145
Ragnar Lodbroks saga 149

Isländska ättsagor.

Ur Egil Skalle-Grimssons saga 157
Ur Nials saga 165
Sagoöns människonaturer 198

På vikingatåg.

Vikingatågen, en stor folkvandring 205
I Österväg! 210
I Västerväg! 223

Fridens budbärare i vikingarnes land.

Nordens apostel 229

Vapendån i Nordanlanden.

Erik Segersäll och Styrbjörn Starke 241
Striden mellan Nordens tre konungar vid Svolder . 245

Urgammal lag och rätt.

Torgny lagman på tinget 253
Våra landskapslagar 258

Vite Krist segrar över Tor.

Livet i Sverige på 1000-talet 275
Kristendomen tränger in 277
Inbördes strider 283
Inom klostermurar 287
En svärmisk munks kärlek till ett helgon 296
I Guds hus 304
Helige mäns och kvinnors kvarlevor 311
Sverige inlemmas i den allena saliggörande kyrkan . 318

Fram, fram, kristmän, korsmän!

Till det heliga landet! 327
Sankt Erik konung 328
Birger jarls korståg 334

Sid.

Folkungasagan.

Birger jarl 339
Brödrastrid 343
Magnus Ladulås 346
Riddarliv 354
Torgils Knutsson och striden mellan Magnus' söner 364
Magnus Erikssons lyckliga tid 370
Magnus Erikssons olycksöden 374

Sierskan från Norden.

Den heliga Birgitta 387
I Vadstena kloster 407
Klosterläsning 416

Då rovfåglarna slogo sig ned på bergens toppar.

Albrekt av Mecklenburg 423

Tider av endräkt och söndring i Norden.

Margareta och Erik av Pommern 431
Erik av Pommern vansköter Sverige 436
Engelbrekt och dalkarlarne 439
Karl Knutssons skiftesrika saga 450

Inom stadsmurar.

I småstäder och storstaden 463
I borgarens verkstad och på gillestugan . 476
Stadgar for murarnes skrå från år 1487 485
Ur stadgarna for Sankt Eriks-gillet vid Uppsala . . 489

De tre Sturarne.

Slaget på Brunkeberg 493
En lyckosam fredens tid 495
Ryska kriget vållar Sten Stures fall 501
Äntligen en konung i Sverige igen! 504
Svante Sture och Hemming Gadh 508
Kristian II 520
Sten Sture den yngre 525
Stockholms blodbad 535

Sid

Svenskt allmogeliv mot medeltidens slut.

Den svenska ungdomen 549
Det dagliga arbetet på åker och äng, i skog och mark 552
Årets lopp 576
Ur medeltida läke- och örtebocker . 591
Svenska folket i sina ordspråk 603
Medeltida folkvisor 604
Venetianare på besök i Östergötland för nära fem-
hundra år sedan 610

I höga Norden.

I »skridfinnarnes» land 615

9 781024 060751